LE CRIME DE COMBE JADOUILLE

*Brigitte Le Varlet est issue d'une vieille famille périgourdine,
dont une branche est établie depuis le XVIIᵉ siècle dans la région
de Sarlat. Elle a séjourné pendant sa jeunesse en Egypte et en
Angleterre. Fonctionnaire dans une organisation internationale,
elle a travaillé à New York puis à Paris et a voyagé dans de nombreux pays. Mais c'est dans sa région natale qu'elle a situé le
cadre de ses trois romans :* Fontbrune, Puynègre, *et* Le Crime de
Combe Jadouille.

Que cherche César Abadie, en ce début d'été 1986, lorsqu'il
revient dans la demeure familiale, repliée sur les débris d'un
passé luxueux, au fond des bois du Périgord ? A La Faujardie,
qu'il a fuie dix ans plus tôt, au sortir de l'adolescence, le temps
est suspendu depuis un demi-siècle. Son frère Paul, qui cultive
la propriété, Finou, la vieille cuisinière et René, l'ouvrier agricole, ne lui demanderont rien, mais l'encercleront de leur
vigilance impitoyable. Ni l'apparente richesse de César, ni
l'inquiétante désinvolture de ses amis n'intimideront ce monde
paysan, ligué contre les intrus. Marie, que César a aimée autrefois, parviendra-t-elle à l'aider ? Ou, ayant tenté sans succès
d'échapper à la protection étouffante du clan, est-elle aussi,
désormais, tenue à l'écart ? Autour de la grande maison aux prises avec l'exclu et avec les étrangers, l'affrontement ira jusqu'au
crime. De loin, le bourg de Reyssac observe en silence. Les affaires de famille ne regardent personne.
Les deux premiers romans de Brigitte Le Varlet, *Fontbrune* et
Puynègre, qui avaient également pour cadre le Périgord, terre
natale de l'auteur, ont connu un immense succès. *Le Crime de
Combe Jadouille* renoue avec le grand roman de mœurs et
l'énigme policière où les personnages aux caractères fortement
trempés procèdent d'une France profonde, secrète et archaïque.
Ce livre est aussi un puissant document littéraire sur ce monde
éternel de la campagne et de la nature que Brigitte Le Varlet tra-
duit avec une authenticité singulière.

Paru dans Le Livre de Poche :

FONTBRUNE
PUYNÈGRE

BRIGITTE LE VARLET

Le Crime
de Combe Jadouille

ROMAN

ALBIN MICHEL

PREMIÈRE PARTIE

APRÈS une glorieuse fin d'été, qui s'était prolongée jusqu'à la mi-octobre, l'automne s'installa dans les derniers jours du mois. Il se mit à venter et brouillasser. Une nuit, la pluie tomba dru. Au matin, elle se réduisit à une bruine insistante, mais reprit de plus belle après le déjeuner, assortie de rafales aigres, qui plaquaient dans les chemins et sur les toits les feuilles en folie. Les flaques se transformèrent en mares, les ornières en fondrières. Le pays se terra, prédisant deux semaines de mauvais temps après lesquelles viendrait l'hiver.

Dans l'après-midi, sous un ciel qui rasait les toits, la commune de Reyssac enterra le dernier de ses anciens combattants, qui venait de mourir à quatre-vingt-dix ans, après avoir résisté à l'épreuve des tranchées en 1914, aux hasards du maquis en 1944 et à l'alcool depuis le berceau.

L'église ne pouvait contenir toute l'assistance. Derrière la famille du défunt et les deux ou trois notables présents, les femmes avaient pris place à droite, selon la coutume, puis avaient débordé sur la gauche, occupé enfin avec la foule des derniers arrivants le moindre espace libre jusqu'aux chaises et aux prie-Dieu bancals remisés le long d'un mur. Le seau, la serpillière et le balai oubliés le matin par la

7

voisine qui avait fait le ménage, furent bousculés, puis culbutés, avant d'être relégués dans le confessionnal, avec les bocaux vides qui servaient de vases d'appoint. Les parapluies dégoulinants s'empilaient dans la cuve des fonts baptismaux. Dans un coin, l'échelle utilisée lors de récents travaux oscillait sous la poussée.

Un groupe indistinct se pressait sur les marches, entre les battants ouverts de la porte, à demi protégé par l'avancée du porche. La plupart des hommes attendaient dehors, entassement de dos abrités sous les vastes parapluies ronds et noirs. La tête enfoncée dans les épaules, ils se balançaient par instants d'un pied sur l'autre sans impatience, en paysans habitués aux intempéries.

L'eau dévalait à travers le bourg, s'engouffrait dans la ruelle qui contournait l'église et menait, en contrebas, aux anciennes maisons qui s'y appuyaient. Un retardataire arriva en courant, tête nue, en veston, pataugeant dans les flaques. Reconnaissant le conseiller général, on s'écarta pour lui faire place sur les marches. Il serra quelques mains, expliqua à voix basse qu'il venait d'un banquet offert par le club du troisième âge et n'avait pas trouvé le temps, depuis le matin, de repasser chez lui prendre un imperméable. Un moment plus tard, son voisin lui parla à l'oreille, en lançant un clin d'œil en direction de la croix érigée devant l'église.

— Il y en a, de bonnes bouteilles de blanc enterrées là-dessous! On les y a mises quand on a planté l'arbre de la liberté, en 1830. J'étais gamin quand on l'a abattu, en 1938, et qu'on l'a remplacé par cette croix, mais le curé n'a jamais voulu qu'on creuse pour les récupérer.

— T'en fais pas, chuchota un autre, en se retournant à demi, elles ont pas été perdues pour tout le monde!

8

Et il lança un imperceptible coup de menton en direction du cercueil. Son œil pétilla, sans pourtant que les traits de son visage manifestent une gaieté déplacée.

Au café-tabac-épicerie-dépôt de pain, Germaine, la patronne, servait sans discontinuer. Son mari, le gros Marcel, une Gitane de papier maïs éteinte collée au coin de la lèvre, se déplaçait lourdement dans ses pantoufles, d'un bout à l'autre du comptoir, un chiffon à la main, essuyant, vidant les cendriers et déplaçant les ronds en carton placés sous les verres de bière, son souffle au cœur lui interdisant tout effort.

Les hommes qui avaient trouvé refuge au café, après s'être ébroués, avaient commencé à lamper leurs consommations. L'un d'entre eux glissa quelques mots à Germaine, au passage. Elle ne répondit pas, repartit, les verres tanguant sur le plateau humide, posa le tout sur le comptoir et se dirigea vers le fond de la salle.

– Ça y est, elle va mettre la télé! s'exclama un jeune.

Un homme plus âgé haussa les épaules : cette génération ne savait ni se taire ni attendre. Comme si tous avaient guetté les gestes de la patronne, les têtes se tournèrent dans sa direction. Elle appuya sur le bouton du poste de télévision.

Le son jaillit avant que n'apparaisse l'image. « L'équipe de France a d'abord usé son adversaire. Voilà maintenant les Français sept à zéro, après vingt-cinq minutes de jeu. Les conditions météo sont détestables, la pelouse détrempée, le terrain glissant, une vraie patinoire... » Sur le récepteur poussif, apparut l'image en noir et blanc. Des silhouettes gris clair et gris foncé émergèrent, maculées de boue. « A combien ils en sont? » demanda-t-on de l'extérieur. Le score fut répété. « Ils ont le même temps qu'ici, on dirait », fit-on remarquer. « En plus froid, oui! » Le journaliste commentait : « Encore une chandelle... » « Avec un terrain pareil, qu'est-ce qu'ils peuvent faire d'autre? » entendit-on quelque part dans la salle.

Dehors, derrière la fenêtre aux vitres ruisselantes, des têtes se pressaient, tentant d'apercevoir la surface lumineuse de l'écran, secoué de remous, balafré de pluie.

Au moment où un carré de supporters s'acharnait dans les tribunes à scander « Alleeez leees Bleeeus! », Germaine passa devant la télévision et, d'un geste sec, baissa le son jusqu'à le rendre inaudible au-delà des premières tables. Par égard pour le défunt et pour l'office qui se célébrait de l'autre côté de la rue, on garda le silence.

Dès lors, ceux qui étaient placés trop loin revinrent à leurs conversations, surveillant l'appareil du coin de l'œil, se taisant quand s'annonçait une phase du jeu plus animée. « Dis donc, ça a chauffé le regroupement, ils se sont pas fait de cadeaux! » « Quatorze à zéro pour l'équipe de France, à la fin de cette première mi-temps », répéta le journaliste. « Faudra voir à Toulouse contre les Blacks, là ce sera du sérieux », dit une voix, et plusieurs approuvèrent.

Avec la deuxième mi-temps, reprirent les commentaires où s'égrenaient les noms des joueurs. « ... Renvoi aux vingt-deux mètres... Encore une mêlée... La pelouse est gorgée d'eau... le ballon glissant, difficile à contrôler... » Quand on se rapprocha, en silence, pour voir le buteur tenter de transformer un essai, le dernier couplet du cantique final monta distinctement de l'église. On fit taire celui qui signala « Eh, ça se termine, en face! » Après avoir apprécié la transformation réussie, hoché la tête avec satisfaction, on laissa le journaliste poursuivre, en guettant la sortie de l'enterrement. « Six points de plus dans l'escarcelle française... vingt à trois... » On happa un ultime épisode de ce match trop terne, devant un adversaire dépassé : « Grand coup de pied de soixante mètres... superbe touche... », avant que Germaine n'arrête la télévision. Le temps d'un dernier chuchotement : « Le petit jeune, il a été bien! D'où il est déjà? Béziers? »

Dans l'église, on perçut un long silence, suivi d'un piétinement. Les occupants des marches s'écartèrent, ouvrirent leurs parapluies en quittant l'abri précaire du porche. L'assistance se regroupa sur la place. Le corbillard se mit en route, suivi du porte-drapeau, un vieil homme, qui ajusta son béret, redressa le harnais sur ses épaules, évalua la largeur de l'inondation au milieu de la rue et, voyant qu'il ne pourrait la franchir d'une enjambée ou la contourner, s'y engagea bravement. Le cortège, curé en tête, s'ébranla sous la houle des parapluies, rejoint par les hommes au fur et à mesure qu'il descendait la rue.

Une auto parut sur la route, en haut du bourg, s'arrêta comme si elle hésitait à descendre à la rencontre de la foule qui, débouchant de la place, se dirigeait vers le cimetière, entre les rangées de voitures garées sur les bas-côtés et en bordure des terres.

Le conducteur resta sur la départementale, avant de prendre la première route goudronnée qui se présenta, sur sa gauche. L'herbe poussait au milieu, ayant depuis longtemps percé le macadam. Il cahota dans les nids-de-poule, sans trouver de dégagement lui permettant de faire demi-tour, continua vers une maison qu'il apercevait un peu plus haut, ralentit, s'arrêta à l'orée du bois, devant un hangar de fortune.

Un chien à moitié aveugle, vigilant, mais rendu craintif par son infirmité, se dressa et aboya sur le seuil, où un vieil homme taillait des piquets de vigne : René Fouilletourte n'avait pas besoin de lever la tête, aux grondements de l'animal et à l'hésitation du conducteur dans le virage et dans la côte, il avait reconnu un étranger.

Il fit taire son chien, qui continua de manifester sa méfiance par un grognement enroué. Un homme jeune se pencha vers la portière droite, ouvrit le haut de la vitre.

– ... sieur! mâchonna-t-il, d'une voix engluée par un chewing-gum. Vous connaissez la maison de M. César Abadie?

– Oui, je connais.

– C'est où?

– Il vous fallait prendre l'autre chemin, avant d'arriver au bourg.

L'inconnu se pencha, maussade :

– On peut tourner dans votre cour, là-bas?

– Sans doute.

– Et vous savez s'il est chez lui?

– Qui ça?

– César, c'est de lui que je vous parle!

– Ah! non, il n'y est pas.

L'homme redémarra brusquement, ses roues patinèrent sur le bord du chemin. Pour regagner quelque prestige, il prit plaisir à forcer son moteur. Il manœuvra, revint à la hauteur de Fouilletourte, s'arrêta de nouveau, ouvrit sa portière. Le chien émit une sorte de toux asthmatique en guise d'aboiement. René le retint par son collier.

– Il n'est pas là, vous dites? Vous avez une idée de l'endroit où je pourrais le trouver?

René pointa son couteau vers le bourg où piétinaient les derniers rangs du cortège, dont l'avant-garde avait disparu derrière le talus où s'enfonçait le chemin.

– En bas.

– Au cimetière?

– Exactement.

– Y a du monde à cet enterrement! C'est quelqu'un de connu qui est mort ou une personnalité de chez vous?

– Oh! un ivrogne qui avait la vie plus dure que les autres.

Après un silence, il ajouta :

– Ça fait le troisième enterrement depuis l'été.

Le visiteur hocha la tête d'un air entendu et demanda :

– Et vous, vous n'y êtes pas?

– Lui et moi, on était brouillés.

– On se raccommode avant de mourir!

– Et vous, si vous vous tuez en voiture tout à l'heure, vous êtes raccommodé avec tout le monde?

– Vous êtes un drôle de pépé! Enfin, puisque César n'est pas là, je vais me dégourdir les jambes une minute.

– Comme vous voudrez.

Le jeune homme descendit, courut se mettre à l'abri de la pluie, à côté de Fouilletourte. De là, il contempla avec agacement sa carrosserie où avait giclé la boue, secoua le bas de son pantalon, étira sa petite taille pour paraître à l'aise, claquant des mâchoires sur son chewing-gum.

– Je suis un ami de César, déclara-t-il.

– Ah!

Piqué du peu d'intérêt et de considération manifesté par René, il étendit le bras, dégagea son poignet.

– Tenez, cette montre, c'est lui qui me l'a donnée.

– Ça se peut, si elle ne lui faisait plus besoin.

Renonçant à l'impressionner, le garçon s'agita, fit quelques pas.

– Vous savez quand il reviendra?

13

Ramené en avant, le béret de Fouilletourte lui tombait à la racine du nez, laissant filtrer la ligne mince du regard, dégageant à l'arrière une houppe de cheveux gris.

– Ah! ça... Avec lui, sait-on jamais! En tout cas, ça devrait lui prendre un bon moment.

– Bon, je n'ai pas de temps à perdre. Je repasserai un de ces jours. Si vous le voyez, dites-lui que Jacky est revenu à Toulouse et le cherchait.

Le vent fit pénétrer une rafale de pluie sous le hangar. Le jeune homme évalua l'épaisseur du sous-bois, où l'eau cascadait, renonça à s'éloigner, fit quelques pas en grelottant le long du mur, revint bientôt, finissant de se reboutonner, contemplant ses chaussures, qui s'étaient enfoncées jusqu'à l'empeigne dans le sol spongieux. Sur le point de s'en aller, il jeta un coup d'œil à l'intérieur du hangar. Dans l'obscurité, on distinguait un lit de camp sur lequel était jetée une couverture kaki, un frigidaire à la peinture écaillée, un buffet dont un pied manquant était remplacé par une cale de bois.

– Vous êtes tranquille, ici. On ne voit votre baraque qu'en arrivant dessus. Seulement, ça ne doit pas être gai, l'hiver!

– Pourquoi ça devrait être gai?

Le jeune ironisa.

– Pourtant, vous avez le confort. C'est un téléphone, ça?

– Oui.

Il rit franchement.

– Vous n'allez pas me dire qu'il marche?

– Et pourquoi il marcherait pas? Il y a les poteaux, la ligne, tout ce qu'il faut.

– Sans blague?

– Essayez, vous verrez bien.

Fouilletourte avait l'œil morne sous son béret et retenait son chien, furieux que l'étranger s'avance dans le hangar. Intrigué, le jeune homme observa, trébucha sur un vieux pneu dissimulé dans les copeaux, se retourna brusquement pour voir si le vieux riait, le prendre en flagrant délit de gasconnade. Pas un sourire, pas un air de malice ne détendaient ses traits. Le visiteur souleva le récepteur d'un geste vif. La partie supérieure de l'appareil lui resta dans la main. Le fond du téléphone, vidé de son mécanisme, servait de boîte à clous. Alors seulement, René Fouilletourte éclata d'un rire sec, qui découvrit ses rares dents, noires et gâtées, et jeta des saccades dans ses épaules.

— On est un sacré farceur, hein, pépé? lança le jeune homme, se forçant à rire lui aussi, pour ne pas avoir l'air de s'être laissé prendre. Allons, je m'en vais. Au revoir!

— Au revoir, monsieur.

La voiture descendit le chemin en première. René l'entendit accélérer brutalement dès qu'elle eut rejoint la route. Il tapota le dos de son chien.

— On n'en donnerait pas cher de ce jeunot, hein, ma Follette? Ces gens-là, on ne sait pas d'où ça vient, de Paris ou de n'importe où, ni ce que ça fait à traîner par ici. Dès que ça sort de ses bars et de ses *joukebocs*, ça sait pas se conduire. Et si, moi, j'allais pisser devant chez lui, qu'est-ce qu'il dirait?

Une pensée l'égaya :

— Il ne le connaît pas trop le César, pour le chercher comme ça. Gamin, il était allé à la pêche un après-midi et il est revenu trois jours après. A quinze ans, il est parti en vacances pour deux semaines chez son oncle, et il est revenu trois mois plus tard. Après la mort de son père, il m'a dit qu'il allait chercher du travail à Paris, et on ne l'a pas revu pendant dix ans. Cette fois, ça m'étonnerait que le Bon Dieu le fasse sortir de sa tombe pour rencontrer ce Jacky. Enfin, il m'a pas demandé ce que César faisait au cimetière, s'il était dessus ou dessous, j'avais pas à lui dire que le premier enterrement de la saison, c'était le sien.

*

Quelques mois plus tôt, dans les derniers jours de juin, Séraphine Delteil tricotait, assise sous le tilleul, dans la cour du château de La Faujardie. On l'appelait la Finou et seuls les gens âgés, ses contemporains, connaissaient par son vrai nom cette ancienne cuisinière de la famille Abadie.

Autour d'elle, l'épaisseur des branchages créait un large cercle de pénombre, alors que, à neuf heures passées, le reste de la cour demeurait éclairé par la lumière fauve d'une belle soirée. A ses pieds était ouvert un journal de modes vieux de plusieurs saisons, où elle ne regardait pas le modèle qu'elle était censée reproduire. Comptant les mailles, tirant sur la laine de sa pelote, retournant son ouvrage au bout de chaque rangée, elle poursuivait sa besogne, sans hésiter ni ralentir.

Près d'elle, un gamin de huit à neuf ans, un livre ouvert devant lui sur la table de jardin, son cartable appuyé contre sa chaise, se récitait à mi-voix la leçon qu'il finissait d'apprendre.

— Tu n'as pas bientôt fini, mon Bibi? demanda la vieille femme.

— Si, ça y est, répondit le petit.

— C'était quoi?

— Un conte d'Alphonse Daudet. On devait le lire, mais je le sais par cœur maintenant.

— Bon, approuva Finou, pour qui il n'y avait pas d'autre manière d'apprendre. Tu as tout compris?

— Oui.

Il y eut un silence, pendant qu'il rangeait ses affaires.

– Les autres, ils trouvent drôle que je sache tout par cœur.

– S'ils sont tellement malins, ils n'ont qu'à avoir des dix-neuf et des vingt toute l'année, comme toi. Et puis, tu n'as pas à t'occuper de ce que les gens racontent.

– Même l'instituteur dit que ça ne se fait plus de tout savoir comme ça.

– C'est ce qu'il raconte pour faire plaisir aux parents. Il peut pas leur dire que leurs gamins sont des paresseux ou des imbéciles. Tiens, mon biquet, va donc me chercher mon centimètre, j'ai dû le laisser dans l'office.

– Après, j'irai arroser tes fleurs.

– Vas-y doucement, il faut faire durer l'eau de la citerne. Si cette sécheresse continue, avec ces trois misérables gouttes d'eau qui sont tombées depuis les inondations d'avril, la commune ne tardera pas à nous rationner.

– On dit que le monsieur de Paris, qui a acheté la maison à la sortie du bourg, fait arroser sa pelouse trois fois par semaine par la vieille Alberte, avec l'eau du robinet!

– A Paris, ils ne savent pas qu'une pelouse ça peut pas se manger.

Comme le petit s'éloignait, elle cria :

– Ne remplis pas les arrosoirs, ils sont trop lourds pour toi!

– A mon âge, tu portais bien des seaux d'eau!

– Fais ce qu'on te dit.

Le ciel s'obscurcissait lentement, quand il revint s'asseoir près de la vieille femme.

– Tu n'as pas encore fermé les poules, fit-il remarquer.

– J'irai quand tu monteras te coucher.

*

Vus côte à côte, la grand-mère et le petit-fils ressemblaient au grand et au petit modèle de ces poupées russes qui s'emboîtent les unes dans les autres. Ronds, courts sur pattes, les joues rouges, ils respiraient le même sérieux.

L'oisiveté, aux yeux de Finou, était le mal absolu et la lecture un luxe auquel elle ne pouvait s'empêcher de soustraire le petit. Dès qu'elle le voyait prendre un livre autre que ses livres de classe, elle suggérait : « Si tu t'ennuies, va donc faire un tour en vélo, mon Bibi. » D'instinct, elle trouvait aussitôt un but utile à sa promenade : « Descends chez Germaine, tu me rapporteras un pain de trois livres. » Pour éviter qu'il ne traîne en route, elle concluait : « Quand tu reviendras, on étendra la lessive. »

Elle ne l'enfermait ni ne le tyrannisait. Simplement, toutes les fréquentations lui paraissaient mauvaises. A notre époque, les gosses sont tous mal élevés, avait décrété Finou. Ils iraient regarder partout et raconter ce qu'ils auraient vu et entendu à La Faujardie. « C'est vrai, mémé », admettait Daniel en soupirant, fronçant son nez trop court pour faire remonter ses lunettes qui glissaient. « Ils disent n'importe quoi. »

Alors que la mode avait pénétré jusque dans la salle de classe de Reyssac et que, selon les années, les enfants changeaient de chaussettes, de cartables ou de crayons feutre, il portait bravement ce que lui taillait et lui tricotait la Finou et utilisait les fournitures scolaires les moins chères. Les vêtements que sa mère lui apportaient de Bordeaux, où elle travaillait, jugés trop élégants, étaient surveillés de près par la vieille femme et quand il les portait, il devait les enlever dès son retour à la maison.

18

Le gamin n'était pas stoïque dans sa résistance au mouvement du siècle. Il tirait un prestige non négligeable du fait qu'il habitait ce palais de la Belle au Bois dormant, replié sur lui-même, dans les décombres de sa prospérité passée, et où l'on chuchotait que dormaient des splendeurs oubliées.

Un vent doux traversait la cour, encadrée de la maison et des communs, limitée au sud par une balustrade basse. Le crépuscule dissimulait le délabrement de la grande bâtisse. Pourtant, il avait belle allure ce corps de logis du XVIIIe siècle, entre ses deux pavillons en avancée, avec ses dix fenêtres de façade orientées au midi. Mais le crépi tombait par plaques, il manquait des lattes aux persiennes, leur peinture s'écaillait. Au premier étage, entre les battants d'une fenêtre, flottait un rideau à l'aspect fantomatique. On devinait des enfilades de pièces désertes, d'où s'exhalait le souffle humide des demeures à l'abandon. Seules étaient grandes ouvertes les deux pièces habitées du rez-de-chaussée, la cuisine, et l'office qui lui était contigu.

Paul Abadie, le maître de maison, s'y cantonnait lui aussi, ayant depuis longtemps renoncé à prendre ses repas seul dans la salle à manger ou à se retirer dans le salon.

Au hasard d'une porte entrebâillée ou d'une fenêtre aux volets mal tirés, les gens du pays ou les rares visiteurs apercevaient la dorure d'une console, l'éclat d'un miroir, les pans sculptés d'une armoire, la luxuriance d'une tapisserie, avant qu'une main autoritaire ne referme le battant coupable ou qu'une voix ferme ne donne congé à l'indiscret.

Le facteur lui-même, s'il apportait un paquet ou une lettre recommandée, les déposait sur la table de l'entrée qui précédait la cuisine, et y faisait signer son registre.

Au milieu de la balustrade, face à la maison, un

portail donnait accès, en contrebas, à ce qui avait été un jardin à l'italienne, s'étageant en terrasses jusqu'en bas du coteau. Il en restait l'allée centrale bordée d'ifs, au bout de laquelle deux nymphes se penchaient sur des vasques de pierre, au bord d'un escalier menant au niveau inférieur.

Autour, le jardin était livré à lui-même. Deux ou trois fois par an, la débroussailleuse écartait les ronces, les rejets, les lianes les plus tenaces, mais le reste de la végétation avait pris des proportions que leur ordonnateur n'avait pas prévues. Les buis, les arbustes au nom savant qui, autrefois, ménageaient des coins d'ombre et de fraîcheur abrités des regards, formaient, depuis qu'ils n'étaient plus taillés, une masse touffue envahie de chèvrefeuille, au milieu de laquelle des espaces d'herbes folles servaient de repaire aux taupes, aux merles, aux couleuvres et aux blaireaux.

Au-delà, partout, l'épaisseur des bois, domaine familier que l'on fréquentait en toute saison, alors que l'on ne se hasardait que rarement dans le jardin. Le soir, plus que dans la journée, le moindre souffle paraissait venir de ses profondeurs obscures, charriant l'odeur entêtante du chèvrefeuille et le chant grave des vieux arbres, qui avaient conservé leur noblesse et balançaient leurs frondaisons sur cette jungle bruissante et odorante.

René Fouilletourte, officiellement ouvrier agricole, en réalité homme à tout faire depuis quarante ans qu'il travaillait à La Faujardie, ne s'avançait que rarement dans la maison, lorsqu'il avait des travaux à y effectuer. En dehors de ces occasions, il avait été convoqué une fois par M. Abadie père dans son bureau et il était monté saluer le corps de Mme Abadie le jour de son décès.

Finou et René avaient la même noire vision de l'humanité en général et des habitants de Reyssac en particulier. Ils estimaient qu'à l'exception d'une ou deux familles, la bassesse, l'envie, la bêtise atteignaient chez eux des proportions inconnues ailleurs. Les autorités du département et du canton jugeaient, quant à elles, que la commune ne différait guère de ses voisines.

La nuit tombant tout à fait, Finou rangea son ouvrage, alla enfermer ses volailles. Une chauve-souris sortit de l'écurie et commença sa ronde dans la cour. Le martèlement d'un moteur diesel se fit entendre. Un vieux break 504 de couleur blanche cahota dans l'herbe inégale de la cour, s'immobilisa devant la cuisine. Un homme d'une quarantaine d'années en sortit, grand et voûté, le front dégarni, une épaisse moustache gauloise d'un blond roux lui tombant bas de chaque côté du menton. Laissant tourner le moteur, il ouvrit l'arrière de la voiture, empoigna à deux mains une bouteille de butane, qu'il porta dans la cuisine. Puis, il revint garer la voiture dans l'écurie et s'asseoir près de la vieille femme et de l'enfant. La démarche lourde, il semblait embarrassé par sa haute taille.

— Alors, monsieur Paul, vous avez trouvé Germaine? demanda Finou.

— Elle était encore dans son jardin, mais Marcel était là.

Finou haussa les épaules.

— Celui-là... Il a pris la peine d'écrire votre nom à la craie sur la bouteille vide et il est allé se coucher, fatigué de sa journée!

— Même pas. Il m'a donné la clef de la cave et le morceau de craie et je me suis servi. Il dit que, le soir, il y voit mal.

— Il a raconté à René qu'il avait reçu dans l'œil une poussière cosmique. Ça ne lui suffit pas d'être en invalidité à cent pour cent, il s'invente encore des maladies! Je ne comprends pas que la Germaine lui laisse raconter ces bêtises!

Elle avait tourné sa chaise vers l'ouest. Sous le portail, les balafres jaunes et ocre du soleil couchant apparaissaient à travers les arbres. Deux chauves-souris décrivaient maintenant de grands arcs de cercle à hauteur des toits. Du bourg, au-delà de l'avenue, leur parvenait le bruit d'un tracteur.

Soudain, un chien hirsute, d'un marron sale taché de blanc, jaillit de dessous la table de fer, où il était resté couché sans bouger depuis le début de la soirée et se mit à aboyer.

— Reste tranquille, Zaza! dit la Finou.

Comme l'animal continuait, elle gronda :

— Fais taire ta chienne, Daniel! Elle a dû sentir une bête qui passait dans le jardin.

Paul se redressa sans rien dire.

— Il y a une voiture qui monte, annonça le gamin.

— Je n'entends rien, dit la vieille femme.

— Ce n'est pas une auto de par ici, précisa Paul.

Le nez d'une longue voiture basse apparut sous le portail, s'arrêta. Un homme en descendit, aussitôt harcelé par le chien.

— Daniel, rappelle Zaza! commanda la vieille femme.

Le gamin courut après l'animal, qui tournait furieusement autour du visiteur. Celui-ci s'approcha. De près, il apparut désinvolte et bronzé, les cheveux ras, vêtu de blue-jeans, une paire de lunettes de soleil accrochée par une branche à la poche de sa chemise. Après avoir regardé curieusement l'enfant, il se tint devant Finou, ignorant l'homme.

— Eh bien, Séraphine, tu ne me dis pas bonsoir?

— Jésus! fit doucement la vieille.

Dans le visage hâlé, elle avait reconnu les yeux à peine bleus à force d'être pâles.

– Tu ne m'embrasses pas?

D'un geste machinal, elle s'exécuta.

– Paul, tu fais semblant de ne pas me reconnaître? ironisa le nouveau venu.

L'homme à la moustache tombante se leva pesamment, tendit la main, que l'autre serra. Des deux côtés, le geste était dénué de chaleur.

– Et le petit, qui est-ce?

– Daniel, le fils de Marie.

Elle se tourna vers l'enfant.

– Dis bonjour à M. César.

L'enfant se laissa embrasser.

– Où est Marie?

– Elle travaille à Bordeaux.

Seuls César et Finou parlaient. Paul et Daniel observaient en silence.

– Il y a quelque chose à manger? Je n'ai ni déjeuné ni dîné.

Finou enroula son tricot dans un vieux linge.

– Je vais te faire une omelette, un quartier d'oie et une salade.

– Mets-y double ration, je ne suis pas seul.

Comme on ne lui posait pas de questions, il précisa :

– Une amie est avec moi.

Il regagna la voiture, en fit descendre une superbe fille blonde, plus grande que lui, qui mesurait pourtant près d'un mètre quatre-vingts. Sous le tilleul, personne n'avait bougé. Il la présenta d'un geste :

– Elle s'appelle Jane.

Seul Paul comprit le nom, prononcé à l'anglaise.

– Jeanne, si vous préférez, reprit César.

– Madame ou mademoiselle? demanda Finou, pour qui l'essentiel n'était pas la prononciation d'un prénom.

– Mademoiselle, si tu y tiens. De nos jours, on oublie ces distinctions.

– Bonjour, mademoiselle, dit Finou, sans se laisser impressionner.

On échangea des salutations polies, auxquelles elle répondit par un laconique « Bonjour » et on se dirigea vers la cuisine. Ignorant le silence dont on les entourait, César parlait en anglais à la jeune femme.

La nuit était claire et ne parvenait pas à dissimuler l'état des bâtiments.

– Dis donc, Paul, tout est de plus en plus délabré ici! s'exclama-t-il avec ironie.

Paul se tut.

– Vous n'êtes pas non plus devenus bavards! Bon, je vais faire le tour de la maison, pour me dégourdir les jambes, pendant que Finou prépare le dîner.

On le laissa s'éloigner avec la jeune femme, pendant que Finou sortait les œufs, la salade et le confit. Paul et Daniel s'assirent à la table de cuisine, le chien à leurs pieds.

– Daniel, si M. César te demande ton âge, tu diras que tu as eu neuf ans le 28 mai, pas le 28 janvier. Tu te souviendras? Je t'expliquerai plus tard.

– Oui, s'écria le gamin, tout joyeux, c'est le jour où j'ai pêché ma grosse carpe, avec tonton René, l'année dernière!

Paul appouva de la tête.

– Le 28 mai, tu as raison, Finou.

– Et s'il me demande autre chose?

L'excitation faisait reluire le visage du gamin et embuait ses lunettes. De la souillarde où elle s'affairait, la vieille femme répondit :

– Il ne te demandera rien d'autre pour l'instant. S'il te parle, ne lui raconte rien sur ta maman ou sur nous, ni sur la maison.

Elle alluma le gaz. Bientôt, les œufs grésillèrent dans une poêle, les morceaux d'oie dans une autre. Le chien se dressa en aboyant quand César entra, suivi de l'étrangère. Comme l'enfant le retenait, César le calma, lui grattant la tête et répétant : « Doucement, la belle, doucement. » Puis, il jeta sur la pièce un regard circulaire.

— Décidément, rien n'a changé depuis dix ans, ni la toile cirée, ni les crottes de mouches sur l'abat-jour, ni les marques des casseroles contre le mur... ni la télévision! poursuivit-il, en passant la tête dans la pièce voisine. Vous l'avez installée dans l'office?

— C'est plus commode. Et fiche la paix à ton frère, s'il te plaît! lui enjoignit sèchement Finou.

Il remarqua la bouteille de vin rouge ordinaire posée au milieu de la table.

— Tu n'as rien de mieux, Paul?

— Pour tous les jours, ça suffit.

— Aujourd'hui, on fête mon retour. Il reste quelque chose à la cave?

— Personne ne t'empêche d'aller voir.

César décrocha une clef parmi celles suspendues à une rangée de clous, prit la lampe électrique posée à côté, sur une tablette, et sortit. Il revint, époussetant une bouteille dont l'étiquette était en partie rongée par l'humidité.

— Voilà encore un bordeaux qui date du temps de papa. Ça me paraît sacrément meilleur que votre gros rouge.

Il offrit à boire à la ronde. Seule la jeune femme accepta. En dînant, il parla de tout et de rien, de la route refaite à neuf entre Périgueux et Le Bugue, du restaurant ouvert un peu avant Reyssac, d'une maison, en haut du bourg, dont la barrière blanche trahissait un propriétaire hollandais. De part et d'autre de la table, on lui répondait par monosyllabes. En vingt minutes, il avait achevé les plats. Sa compagne avait peu mangé et refusé de toucher au confit. En revanche, elle avait largement contribué à vider la bouteille.

– Il y a un bout de fromage quelque part?

Finou sortit du cantal et observa en silence César qui dévorait.

– Décidément, le pain n'est bon qu'ici, dit-il en reprenant une des grosses tranches coupées par Finou.

Puis il ajouta :

– Tu peux nous faire du café?

– A cette heure-ci? Ça va t'empêcher de dormir.

– De toute façon, je ne dors pas.

Quand elle eut débarrassé et posé la cafetière sur la table, la vieille femme fit signe au gamin :

– Daniel, dis bonsoir, il est temps de te coucher.

Et s'adressant à César :

– En montant avec le petit, je ferai les lits. Je te mets dans ton ancienne chambre?

– Non, je m'installerai dans la chambre des parents.

– Le plafond s'écaille et les peintures sont toutes boursouflées. Avec ces fenêtres au nord et à l'ouest, on ne peut pas empêcher l'humidité d'entrer depuis qu'elle n'est plus habitée.

– Aucune importance. Je veux un bon lit et une salle de bain, pas mon vieux lit défoncé et mon lavabo fendu.

– Et la demoiselle, où je la mets?

– Ne t'en occupe pas.

– C'est bon, grogna Finou.

Elle ouvrit la porte de l'escalier de service, suivie de Daniel, Zaza sur les talons.

– Le chien dort là-haut? s'étonna César.

– Non, dans la grange. Il reste avec le petit jusqu'à l'heure où Finou monte se coucher, répondit Paul.

– Ça me fait plaisir de voir que tu peux encore prononcer deux phrases d'affilée, dit César, faussement aimable.

Paul ne releva pas.

On entendit la vieille femme souffler au premier étage, avant de poursuivre jusqu'au second, où l'enfant et le chien l'avaient précédée. Au bout d'un moment, elle redescendit sur le palier, fit grincer la porte d'une armoire à linge, puis s'éloigna dans le couloir vers l'ancienne chambre de M. et Mme Abadie.

— Allons dehors, il fait doux, dit César d'un ton conciliant, en s'adressant à son frère.

Il ajouta quelques mots en anglais à l'intention de la jeune femme, qui répondit brièvement, avant de les suivre. Dans la cour, il ébaucha quelques pas, s'étira longuement, en expliquant :

— J'ai douze cents kilomètres dans les reins.

La tête en arrière, il parut observer les premières étoiles avant de demander à Paul :

— Il y a longtemps que Marie travaille à Bordeaux ?

— Quelques années.

— Elle est mariée ?

— Non.

— Quel âge a Daniel ?

— Il a eu neuf ans au début de l'été.

César se tut quelques instants et reprit.

— Qui est son père ?

— Un homme que Marie n'a plus revu.

A nouveau, César laissa s'écouler un moment :

— Tu en es sûr ?

— Pose-lui la question toi-même.

Paul ne sortait pas de son indifférence.

— Quand vient-elle ?

— Chaque fin de semaine, en principe.

— J'attendrai samedi pour la voir.

— Elle ne sera pas là, elle va à un mariage près de Bordeaux.

— Et pour le quatorze juillet ?

— Elle n'a rien dit.

Paul ramassa une capsule de bière, qui traînait dans l'herbe. César ramena sur ses épaules le chandail qui en avait glissé.

– Ça te dérange que je sois revenu?

– Fais ce que tu veux. Je ne me mêle pas de tes affaires, ne te mêle pas des miennes.

– Marie fait partie de tes affaires?

– Pas plus que des tiennes. Et ce n'est pas le moment d'en parler.

– A cause de Jane? Elle comprend mal le français. En plus, ça ne la regarde pas.

César traversa la cour, se tint sur les marches qui menaient au jardin. Il prit la fille par le bras, gentil tout à coup, lui parlant un français qu'elle ne semblait pas comprendre :

– Jane, toi qui es romanesque et insensible à la fois, tu devrais aimer ce jardin. Je suis sûr que tu as déjà envie d'y prendre des poses!

Elle sourit à peine quand il répéta la phrase en anglais. La nuit était gonflée de soupirs et de l'odeur de miel exhalée par les fleurs et les arbres échauffés au long de la journée, l'air vibrait du cri aigre des cigales et des grenouilles. Un faible bruissement montait du jardin clos sur ses massifs échevelés et ses nymphes muettes, dominés par la présence hautaine des grands arbres. César entraîna la jeune femme dans le jardin. Paul s'assit sous le tilleul.

Quand Finou le rejoignit, ils n'eurent pas besoin de se parler pour comprendre qu'ils étaient tous deux absorbés par la même question : « Pourquoi revient-il? »

Comme César et Jane se rapprochaient, la vieille femme rompit le silence.

– J'ai ouvert la porte du vestibule, pour que tu puisses monter vos bagages. En haut, j'ai seulement passé un coup de balai et fait les toiles d'araignées. Le chauffe-eau est branché mais vous n'aurez de l'eau chaude que demain matin. S'il vous en faut ce soir, vous pouvez la prendre à la cuisine ou vous laver dans la salle d'eau que ton frère a fait installer derrière l'office.

– Oui, merci, je prendrai une douche.

– Je vais me coucher, dit Paul. Bonsoir.

– Moi aussi, j'y vais, enchaîna Finou. César, tu n'oublieras pas d'éteindre la lumière et de fermer à clef le vestibule. Et ne réveille pas ton frère en montant. Demain, il a une grosse journée avec les foins à terminer.

– René est toujours là?

– Oui.

Du bas de l'escalier de service, la vieille femme appela la chienne, qui dégringola bruyamment les marches. Elle l'enferma dans la grange et rentra. Les ferrures des volets et la porte-fenêtre de la cuisine claquèrent, le rez-de-chaussée sombra dans l'obscurité. Au premier étage, au-dessus de la salle à manger, filtrait de la lumière.

– Tiens, Paul s'est installé dans la chambre de grand-mère, songea César.

Et il s'étala dans l'herbe, la tête renversée vers la Voie lactée, étonné de se retrouver à côté de cette fille qui lui plaisait à peine, dans cette maison qu'il haïssait, au sein de cette vie familiale qu'il avait fuie dix ans plus tôt.

*

Le lendemain, à six heures et demie, Finou se leva la première, comme chaque matin, fit le café, en but un bol, avant d'aller soigner ses lapins et ses volailles. Quand elle revint, Paul était attablé, le café fumant devant lui. Plongeant son couteau dans un pot de grillons, il en étalait sur son pain une couche épaisse.

Depuis la mort de son père, onze ans plus tôt, il avait perdu l'habitude de vivre en châtelain. Lent, maladroit, taciturne, ayant interrompu ses études avant d'arriver au bachot, sans goût particulier pour l'agriculture, il y était venu par nécessité, quand le dernier métayer était parti, et faute d'avoir trouvé un autre gagne-pain. Finou estimait qu'il n'était pas fait pour ce métier, ni pour aucun autre d'ailleurs. Mais il était resté sur la terre que sa famille possédait depuis neuf générations et cela méritait respect.

A son allure, on prenait Paul pour un paysan. Seuls sa voix, les formules de politesse qu'il utilisait et certains gestes acquis autrefois lui étaient restés et trahissaient une bonne éducation.

Ombrageux, conscient de ce qui lui était dû, malgré sa maladresse et ses goûts frustes, il avait commencé, après la mort de ses parents, à prendre ses repas dans la salle à manger et à se retirer ensuite au salon. Mais il ne lisait pas, ne fréquentait personne. Très vite, il s'ennuya, vint regarder la télévision dans l'office et, l'hiver venu, décida qu'il ne valait pas la peine de chauffer deux grandes pièces où il se tenait à peine. Alors, il émigra tout à fait vers l'est de la maison, avec Finou et Daniel.

Plusieurs fois, la vieille femme l'avait encouragé à voir un de ses cousins, agriculteur comme lui, près de Bergerac. « Il est maire de sa commune, il s'est fait installer un système d'irrigation, il gagne des concours avec ses poneys d'élevage, pourquoi veux-tu que j'aille me faire mépriser par ce type-là ? » avait répliqué Paul.

Finou le vouvoyait et l'appelait « monsieur Paul », lui qui était né pendant la guerre, quand les traditions demeuraient vivaces. Elle tutoyait César, de douze ans plus jeune, qu'elle avait élevé en même temps que sa propre fille, Marie, née quelques mois plus tard.

Georges Abadie, le père, avait mené joyeuse vie entre Paris et le Périgord, et mangé les biens qui lui venaient du côté maternel, sauf La Faujardie, à laquelle il tenait, mais qui avait été préservée de justesse. Puis il était venu à bout de la fortune de sa femme, qu'il avait eu la chance d'épouser dans l'immédiat avant-guerre, à l'époque où ç'aurait été une insulte d'imposer à son gendre un contrat autre que celui de la communauté de biens.

Ruiné, il avait vécu, retiré à La Faujardie, aussi élégant et affable que du temps de sa richesse et ne s'était pas inquiété de laisser la propriété en piteux état.

Il avait négligé sa femme, ne l'emmenant pas à Paris, sous prétexte qu'elle était de santé fragile. Elle s'était résignée et n'avait plus quitté sa chambre et son petit salon du rez-de-chaussée, relisant des romans jaunis qu'elle exigeait émouvants mais non vulgaires. Etait vulgaire, à ses yeux, tout ce qui touchait de trop près à la réalité.

Ni elle ni son mari n'avaient eu d'affinités avec Paul. Ils lui préféraient César, qui leur fit vite comprendre qu'il n'avait pas l'intention de mener à leurs côtés une vie médiocre au fond d'une campagne de Dordogne. Très jeune, il sut se rendre odieux à tous et, à partir de l'âge de douze ans, accidenta successivement sa bicyclette, une moto empruntée, le tracteur de la métairie, la voiture paternelle.

Ses fugues d'adolescent causèrent de noires inquiétudes à ses proches, par crainte des dégâts qu'il pourrait causer plus que de ceux qu'il subirait. Car ils s'étaient aperçus très tôt que, contrairement à la logique et à la morale, il sortait sans grand dommage des engins qu'il avait jetés contre un arbre, renversés dans un fossé ou réduits à l'état d'épaves.

A dix-neuf ans, il avait raté son bachot, décrété qu'il ne se représenterait pas, été dispensé de service militaire à la suite d'un accident de moto qui lui avait valu une mauvaise fracture de la jambe. Il avait alors traîné plusieurs mois sans rien faire à La Faujardie. Au début de l'hiver, son père était mort. Les premiers partages réglés, il avait disparu, emportant l'argent liquide dont il pouvait disposer. On ne l'avait plus revu depuis.

Un peu pour conjurer le sort, un peu par mépris pour les discussions stériles, Paul et Finou n'avaient jamais évoqué le retour de César, qu'ils craignaient également. Aujourd'hui, accoudés face à face, de part et d'autre de la cafetière, il leur fallait admettre que ce jour redouté était arrivé.

– Qu'est-ce que tu en penses, Finou? demanda Paul, sans avoir à préciser de quoi il s'agissait.

– Hier, il ne m'a rien dit. Il faut voir.

– Il prétend être en vacances.

– Ce sont des bêtises. Il n'est pas revenu pour le plaisir!

– S'il compte exiger sa part de la propriété, nous le saurons bientôt. Pourtant, il n'a pas l'air à court d'argent. Sa voiture vaut cher.

Trop paysan pour afficher sa curiosité, Paul ne s'en était pas approché, mais il lui avait été facile de reconnaître le profil d'une marque et d'un modèle de luxe.

– Tsss..., siffla Finou avec mépris, argent vite gagné, argent vite perdu. Chez lui, les apparences ne veulent rien dire.

– En tout cas, on ne vendra pas. Il ferait mieux de le comprendre tout de suite.

Paul n'avait pas un sou à verser à son frère, si celui-ci voulait toucher le reste de l'héritage paternel et il avait décidé depuis longtemps qu'il ne vendrait rien des cent vingt hectares de la propriété, même pas un des quatre-vingts hectares de bois qui ne rapportaient rien, dépouillés depuis longtemps des quelques beaux arbres qu'ils avaient contenus.

La terre ne se vend pas. Elle ne s'achète pas non plus. Pour les plus méprisables, elle se vole, à coups de cadastre falsifié ou de bornes déplacées. Pour les autres, elle se mérite. Si on n'a pas pu l'obtenir par héritage ou su la conquérir par mariage, il faut avoir veillé sur elle avec une convoitise de tous les instants, à chaque heure du jour et de la nuit, l'été et l'hiver, sous le soleil et sous la lune. Pendant des années, une vie entière, des générations parfois, on la côtoie, on jure, chasse, transpire à sa lisière, humant son haleine, caressant de regards furtifs ses vallonnements, ses ombres, car il ne convient pas de montrer qu'on lorgne un bien qui ne vous appartient pas. L'honnêteté n'est pas un jeu, mais le souci de ne pas éveiller de rivalité.

Les habitants des résidences secondaires se croient propriétaires quand on leur a cédé deux ou trois hectares de rocher ou de taillis orientés au nord, exposés au gel. Mais seuls les enfants du pays, riches ou ayant farouchement épargné, de droite ou de gauche, ennemis ou complices, se retrouvent devant le notaire quand il s'agit de choses sérieuses. L'acte signé, il serait naïf de croire que la parcelle nouvellement acquise se montrera prospère. Qu'importe! Le jour où vous vous tenez sur cette terre enfin épousée, enfin possédée, elle vous offre ce bonheur sans prix de se soumettre au vu de tous à vos labours, de s'offrir à vos semences, à vos engrais. Parfaite enfin sera votre jouissance, si vous l'avez gagnée, à force de ruse, de patience, et de surenchère, sur le voisin qui espérait en secret l'acquérir avant vous.

A quoi bon dire cela, que chacun savait?

– Il faut attendre sans rien demander à votre frère, dit Finou. S'il sent que vous le surveillez, il est capable de tout pour vous embêter.

– Crois-tu qu'il cherchera à faire parler Daniel?

– Le petit se méfie, il n'en tirera rien. Et puis, si c'était un gosse tout mignon et gentillet, il s'y intéresserait peut-être, mais un gros gamin qui me ressemble, il ne s'en occupera pas.

La camionnette jaune du facteur s'arrêta devant la porte. Jovial, il salua, posa sur la table de l'entrée le journal et quelques publicités. La vieille femme n'aurait jamais dépensé en une fois le prix d'un abonnement. Elle faisait partie de ces habitués à qui, en plus de menus services rendus, le facteur distribuait le journal, dont il emportait une pile chaque matin, en partant du chef-lieu de canton.

– Vous avez mon charbon? demanda-t-elle.

– Voilà, madame Finou!

Elle prit la boîte noire aux lettres dorées, d'allure vieillotte, alla chercher son porte-monnaie dans l'office et compta méticuleusement les dix-huit francs quarante indiqués sur l'étiquette. En ce qui concernait sa santé, le fonctionnement de ses intestins était son seul sujet de préoccupation, pilules de charbon et huile de paraffine, les uniques dépenses médicales qu'elle se permettait.

– Alors, madame Finou, lança le facteur en riant, vous avez appris à conduire et passé votre permis en cachette pour vous acheter cette jolie voiture!

– Té, grommela la vieille femme, j'aimerais mieux qu'elle soit au diable. C'est une vraie voiture de gangster!

– Mais non, ça fait grand chic! Allez, au revoir messieurs dames!

Finou jeta un coup d'œil au réveil, qui était arrêté.

– Avec toute cette agitation, hier soir, j'ai oublié de le remonter. Quelle heure avez-vous, monsieur Paul?

– Huit heures trente-cinq.

– Mon Dieu! Le petit n'est pas encore levé.

Elle ouvrit la porte et l'appela d'une voix qui résonna dans l'étroite cage d'escalier

– J'arrive! cria-t-il en retour.

Elle remonta le réveil. Cinq minutes plus tard, habillé à la va-vite, le gamin dévalait en trombe les marches raides, embrassait Paul et sa grand-mère, se jetait sur le bol de café et sur la tartine de beurre qu'elle lui avait préparés.

– Doucement! tu vas t'étrangler! gronda la vieille femme.

Il reposa la tartine dont il avait mordu deux bouchées.

– Je ne me suis pas lavé hier soir!

– Voilà ce que c'est que de se coucher tard! Ce soir, tu feras ta toilette à fond et tu te coucheras à dix heures pile, tu m'entends! Pour aujourd'hui, tu n'as qu'à te débarbouiller et te laver les dents, ça suffira.

Le café et la tartine avalés, il alla dans la salle d'eau, on entendit un mince filet d'eau couler dans le lavabo. Il ressortit, plus rouge que d'habitude, les lunettes de travers, les cheveux humides.

– Viens, Daniel! Tu as une mèche en l'air. Et remets tes lunettes droites!

Le gamin tâtonna ses cheveux dans la direction indiquée par sa grand-mère, redressa ses lunettes, qui penchèrent de l'autre côté.

– Ça va, maintenant?

– Pas trop. Arrive ici, que je t'arrange!

Elle rectifia le mouvement des cheveux et des lunettes. Les cheveux de Daniel étaient son grand souci. Il les aurait voulus blonds et bouclés alors que, ternes et raides, ils se montraient rebelles à toute action civilisatrice. Chaque matin, à grand renfort d'eau, il tentait de leur imprimer un mouvement d'ondulation. A l'instant où il arrivait à l'école, il ne restait plus trace de ses efforts et ses cheveux se dressaient à nouveau, hirsutes. Il aurait eu grand succès chez les punks, mais personne à Reyssac ou à La Faujardie ne s'en était avisé.

Il enfila son cartable, d'une secousse le hissa sur son dos, cria un « au revoir », courut vers l'écurie d'où il ressortit à vélo, filant vers l'avenue.

– Neuf heures moins cinq, il sera juste à temps, commenta Finou.

A peine était-il parti qu'une vieille 2 CV traversa la cour en hoquetant et vint se garer devant l'écurie. René Fouilletourte en sortait. Il n'avait pas de montre, mais était un homme exact.

Veuf depuis longtemps, il avait continué à loger chez lui, à dix minutes à pied de La Faujardie, en prenant par les bois. Le matin, autour de sept heures et demie, il allait à la métairie soigner les bêtes – le cochon, les six vaches et leurs veaux –, puis revenait dans la cuisine prendre son casse-croûte. Soit Paul était déjà parti, soit ils convenaient ensemble des travaux de la journée, ou les confirmaient. Le soir, René partait après le souper, emportant dans une thermos le café qu'il buvait au réveil.

L'ancienne métairie n'était séparée de La Faujardie que par le poulailler et le potager, les étables et le hangar étant adossés à l'écurie.

Au moment de son mariage, Mme Abadie, qui n'avait pas l'habitude de la campagne, s'était scandalisée de voir la vie des champs mêlée à ce qu'elle aurait voulu être une vie de château, les charrettes de paille traversant la cour, les bouses de vache parsemant « la pelouse », les ornières de tracteur creusant l'avenue. Elle avait obtenu de son mari que les métayers empruntent le chemin qui, par-derrière, donnait directement accès à la route, sans se soucier que ce fût au beau milieu d'un tournant. Depuis, les portails de la cour s'étaient trouvés trop étroits pour permettre le passage des engins agricoles, et l'on n'avait d'autre choix que de contourner la maison. Simplement, Paul et René rejoignaient l'avenue plus bas, pour déboucher à un endroit dégagé de la route.

René entra, posa le litre de lait qu'il rapportait de l'étable, salua, s'attabla. Quand il eut fini de manger, il essuya son couteau sur son pain, le plia, le rangea dans sa poche. Paul et lui se levèrent, sans avoir échangé plus de quatre phrases, ayant convenu la veille de finir les foins ce jour-là. La météo annonçait du beau temps, mais on ne savait jamais ce que le ciel réservait.

C'est alors que, sur une impulsion venue des lointains, au premier étage, la tuyauterie vibra et qu'un bruit d'écoulement d'eau traversa la maison.

— Ils sont déjà levés, remarqua Finou sombrement.

René perçut le bruit insolite, aussi étonnant que la présence dehors d'une voiture inconnue, mais il ne se serait rien permis de demander en présence de Paul. Celui-ci expliqua :

— Tu vois, on a de la visite.

— Té...

— César est revenu.

— Té !

René n'attendait rien de bon des humains ni du hasard. Sa première exclamation trahissait un étonnement prudent, la seconde, prononcée plus bas, la réflexion.

— On ne sait pas combien de temps il va rester, dit Finou.

— Une fois qu'il aura montré son automobile à droite et à gauche, il va s'ennuyer, commenta René.

— A moins qu'il n'ait une bonne raison de rester, ajouta Paul.

– On lui a dit que Daniel avait eu ses neuf ans le 28 mai, ajouta Finou.

René se gratta les cheveux à travers son béret et le renfonça en tirant sur le pli qui s'avançait sur son front, formant visière.

– Marie sera d'accord?

– Ça lui permettra de voir venir, dit Paul, d'autant plus qu'elle ne vient pas cette semaine et que César parle de s'absenter jusqu'au quatorze juillet. D'ici là, on devrait savoir ce qu'il a en tête.

– Par-dessus le marché, il est venu avec une fille! ragea Finou.

– Il n'a pas changé, quoi, conclut René.

Les deux hommes sortirent. De la cuisine redevenue silencieuse, on entendit des portes s'ouvrir et se fermer, en haut, puis au rez-de-chaussée. Un pas traversa la salle à manger. La dernière porte grinça, résista, avant de céder sous une poussée. En voyant entrer César, Zaza quitta en aboyant le morceau de tapis où elle somnolait dans l'office. Il lui tapota l'échine et la tête, et s'avança dans la cuisine, lavé et rasé de frais, vêtu d'une chemise de couleur paille et d'un jean propre, un chandail noué autour des épaules. En embrassant Finou, il souriait, mais ses yeux trop clairs demeuraient froids.

Apercevant René, qui fouillait sous le siège de sa voiture, à la recherche de quelque chose, il s'approcha.

– Alors, René, toujours jeune et beau? Et fin danseur?

Fouilletourte se redressa avec une lenteur infinie, tourna la tête, souleva son béret d'un doigt, serra la main qu'on lui tendait.

– Té, vous voilà, monsieur César!

– Alors, qu'est-ce que tu racontes?

– Rien. Ici, vous savez, ça ne change pas beaucoup.

– Tu as une voiture neuve, à ce que je vois!

Le vieil homme observa la voiture, dont la tôle était percée par la rouille en plusieurs endroits, le pare-chocs avant retenu par un fil de fer, le battant de la fenêtre, à gauche, maintenu ouvert par le rétroviseur extérieur. La housse qui recouvrait le siège du conducteur, déchirée et recousue à grands points, dégorgeait sa mousse de nylon, à travers laquelle se montrait l'armature métallique. Un coussin, placé sous l'autre siège, défoncé, empêchait le passager de cogner le sol, dont le tapis de caoutchouc fendu était parsemé de terre et de paille. Une couverture jetée à l'arrière empêchait de voir l'état du reste de la voiture.

– Elle a toujours bien marché, répondit René, imperméable à l'ironie de César. Quand on est satisfait, pourquoi changer?

– Tu m'as réveillé, ce matin, en arrivant!

– Voilà ce que c'est que d'avoir voulu t'installer dans la chambre au-dessus de l'avenue, intervint Finou, qui revenait de la cave avec une bassine de légumes.

– Je ne me plains pas, je ferai la sieste, voilà tout!

– Alors, comme ca, ils ne vous ont pas gardé, là où vous étiez? fit René, placide, en balançant le tournevis qu'il était venu chercher.

César éclata de rire.

– J'ai réussi à filer sans encombre. L'important, c'est de ne pas se faire prendre! Toi aussi, tu es un gros malin. Je parie que tu roules toujours sans permis?

– Bah, je vous ai raconté ça, quand vous étiez gamin, pour vous amuser. De toute façon, vous et moi, c'est pas pareil. Je suis un honnête homme et vous avez toujours été de la graine de bandit. Bon, il faut que j'y aille. Je vous dis au revoir ou je vous reverrai?

– On se reverra. Je vais aller et venir par ici pendant un certain temps. Dis donc, tu n'as même pas de ceintures sur ta 2 CV!

– J'ai un certificat médical que je peux pas en mettre.

– Ne file pas si vite! Tu es bien pressé! Dis-moi, j'ai oublié de demander à Paul si vous aviez besoin de la grotte pour votre matériel ou autre chose?

– Il faut voir avec votre frère, ça ne me regarde pas.

– Bougre d'âne! Tu sais bien si elle est occupée ou pas?

– Tout est occupé, vous le savez bien. Il faut que j'y aille. On finit les foins au Mas. Avec ce beau temps, y a à peine de rosée, ça doit déjà être sec.

César s'esclaffa :

– Tout vieillit, tout se déglingue, mais ici on entasse sans rien jeter!

Un tracteur se mit en marche à la métairie.

– Allez, à plus tard, monsieur César, dit René en s'éloignant.

César rentra dans la cuisine.

– C'est ici qu'on prend le petit déjeuner?

– Je te servirai où tu voudras!

– Ça va, je reste ici.

Elle avait coupé des tranches de pain, sorti le beurre et la confiture.

– Tu veux ton café noir ou au lait?

– Noir.

Pendant qu'elle versait le café, il sortit de sa poche un paquet de cigarettes, en tapota le fond, prit une cigarette avec ses lèvres. Il l'alluma, aspira profondément et rejeta la fumée par les narines, un long moment après. Ayant beurré une tartine, il y ajouta de la confiture, goûta.

— Le pain est fameux, mais tu mets beaucoup de sucre dans tes confitures et tu les cuis longtemps. Ça les rend trop épaisses.

— Tu peux en acheter au supermarché.

— Parle-moi du pays. Quoi de neuf?

— Rien.

— Allons donc! Il n'y a plus de bagarres ou de combines pour les élections, dans les équipes de chasse, au club de football?

— Comme d'habitude. Ça ne vaut pas la peine d'en parler.

— Et ici? Toi et René, vous ne changez pas. Paul non plus, il ne lui manque que d'être alcoolique pour avoir tout de l'idiot du village.

La voix de Finou se durcit :

— Je t'interdis de critiquer ton frère!

César poursuivit sans s'émouvoir :

— Il n'est toujours pas marié? Pas de femme dans l'air? Il y a pourtant des filles dans le coin.

— Celles qui seraient assez bien pour lui veulent épouser des médecins, des notaires, des percepteurs, pas un agriculteur, avec qui elles n'auraient jamais de liberté, jamais de vacances.

— Il n'a même pas une petite quelque part, une veuve, est-ce que je sais, moi! Un cul, ça se trouve!

— Pour toi, tout est bon. Pas pour lui.

— Dis plutôt qu'aucune n'a voulu de lui. Et Marie?

— Quoi, Marie? s'exclama Finou, sur la défensive.

César s'amusa de l'émoi de la vieille femme.

— Mais non, voyons, je ne lui souhaite pas d'épouser Paul! Je te demande simplement comment elle va.

— Elle travaille chez un assureur, répondit Finou, en reprenant l'épluchage de ses carottes.

– Et vous voulez me faire croire que, juste après mon départ, elle s'est fait faire un enfant par n'importe qui, pour se retrouver seule aussitôt? Ce sont des histoires de l'ancien temps, ça!

– C'est pourtant ce qui est arrivé.

– Tu crois que je vais l'avaler? Méfie-toi, je n'aurai pas de mal à savoir la vérité!

Sincère, brusquement, il ajouta :

– Il ne faut pas qu'elle se sacrifie pour toi, pour ce gosse! Elle est trop belle pour gâcher sa vie!

– A Bordeaux, elle fait ce qu'elle veut, dit sèchement Finou. Et ne t'inquiète pas, bien qu'elle soit petite et maigrichonne on dirait qu'elle plaît toujours aux hommes.

Debout, César tournait le sucre dans son café sans répondre. Finou attrapa le journal qui contenait les épluchures, on versa le contenu dans le seau réservé à ses bêtes, plia le papier souillé de terre et le mit de côté, avec le petit bois qui, l'automne venu, servirait à allumer la cuisinière.

Vers dix heures, la robinetterie s'ébranla de nouveau d'un bout à l'autre de la maison, cognant à travers les murs et les planchers. Finou guetta le bruit de l'eau, qui coula interminablement. César, assis sur la marche de la cuisine, où le soleil commençait à taper, ouvrit le *Sud-Ouest*, puis l'emporta dans la cour.

C'est seulement une heure plus tard que les portes battirent au premier étage, puis au rez-de-chaussée et qu'un pas hésitant s'approcha. La fille blonde, le visage bouffi de sommeil, une serviette-éponge nouée en turban autour de la tête, parut. Finou regarda avec mépris le grand tee-shirt qui ne lui arrivait pas aux genoux et les sandales qu'elle portait, composées d'une semelle retenue par deux lacets de cuir entrecroisés. Elle tenait sous le bras une pile de revues et une petite trousse de toilette d'où émergeait le manche d'une brosse à cheveux. Sur son épaule se balançait un sac de toile informe.

– Bonjour, dit-elle.

– Bonjour, mademoiselle, appuya Finou, pour signifier – en vain – à l'étrangère qu'il aurait convenu de dire « Bonjour, madame ».

La jeune femme haussa les sourcils d'un air interrogateur, chercha à former une phrase, y renonça, se borna à demander :

– César?

– Il était dans la cour tout à l'heure.

– Han... han..., acquiesça la demoiselle, exprimant d'un bruit de gorge qu'elle avait compris.

« Ce doit être sa manière de dire merci », pensa Finou aigrement, pendant que l'étrangère, sur le seuil, cherchait César des yeux.

Elle rentra et, avec la même mimique interrogative, en un français hésitant, expliqua, pointant le doigt vers l'extérieur :

– César... ne pas... n'est pas...

Finou baissa le gaz sous la soupe qui bouillait, s'avança, regarda. De loin, on apercevait le journal mal replié, posé sur une chaise, mais pas trace de César.

– Il ne doit pas être loin. Il va revenir. Vous voulez du café?

– Euh... vous... euh... Thé?

– Il n'y en a plus, depuis la mort de Monsieur.

La jeune femme attendit et, voyant qu'aucune boîte de thé ne paraissait, hocha la tête en signe d'assentiment.

– Bien... Café.

Elle désigna la corbeille de pain. Finou la posa abruptement devant elle, sortit le beurre et la confiture.

– Han... han..., approuva de nouveau la jeune

personne, qui désigna la casserole de lait refroidis-
sant sur le coin de la table.

Finou écarta la peau qui s'était déjà formée, versa
deux louches de lait dans un pot qu'elle planta
devant Jane. Puis, elle l'observa qui engloutissait son
pain épaissement tartiné, à l'heure où les gens normaux se préparaient à déjeuner.

Dès qu'elle eut fini, Jane remercia, sortit, ses
affaires coincées en désordre sous son bras, et fit
signe qu'elle allait s'asseoir au soleil près du tilleul.
Bientôt, elle revint les mains vides. A ses gesticulations, Finou devina qu'elle demandait une chaise
longue mais prétendit ne pas comprendre. La jeune
femme s'obstina et, sans ciller sous le regard sévère,
réitéra ses explications muettes.

— Toi, ma fille, tu n'es pas gênée et tu as la peau
dure, dit Finou sans se donner la peine de baisser la
voix.

Elle se résigna à aller chercher dans l'écurie un des
transatlantiques inutilisés depuis des années. Jane,
qui l'avait suivie, indiqua qu'elle en voulait deux et
aida à les sortir. Finou les essuya avec le chiffon
qu'elle avait apporté. Mais la jeune femme exprima
elle voulait les laver et, les empoignant l'un après
l'autre, les approcha de la grillade placée sous la
gouttière de l'écurie et remplie parcimonieusement,
en ce début d'été trop sec, avec de l'eau pompée à la
citerne.

Finou apporta un seau et une éponge et resta
plantée, méfiante, surveillant l'opération. La jeune
femme commença à déverser l'eau en haut du siège,
inondant le bois et la toile.

— C'est qu'elle va nous vider la grillade! s'écria
Finou, alarmée.

Renonçant aux politesses, elle s'interposa, remplit
un seau d'eau, signifia du geste à l'étrangère qu'elle
devrait s'en contenter. Stupéfaite, celle-ci obtempéra

sans comprendre, et veilla à ne pas renverser d'eau inutilement en reprenant son nettoyage.

Toutes deux remarquèrent en même temps que la voiture n'était plus là. « Ces moteurs qu'on n'entend pas, ce n'est pas une fameuse invention », songea Finou.

A midi et demie, César n'était pas revenu. Quand Paul et René eurent fini, l'un après l'autre, de se savonner longuement les mains et les poignets au-dessus de l'évier, on se mit à table. La demoiselle signala qu'elle restait au soleil. Daniel déjeunait à la cantine de l'école.

Après l'échange habituel de commentaires sur les activités du matin, Fouilletourte annonça à Paul :

— M. César vous demandera si vous avez besoin de la grotte.

Paul resta penché sur sa soupe, où le bouillon finissait d'imbiber les morceaux de pain.

— Nous y voilà! dit-il enfin.

Après avoir avalé quelques cuillerées, il exprima la conclusion qui était dans leur esprit à tous trois :

— Il s'installe.

Sans Zaza, qui se précipita dans la cour en aboyant, ils n'auraient pas entendu revenir la voiture. César tarda à paraître, s'arrêtant sans doute au passage pour parler avec Jane. Dans la cuisine, pas un mot ne fut prononcé pendant ces quelques minutes. Des propos anodins furent à nouveau échangés quand le pas de César s'approcha. En entrant, il regarda son frère avec étonnement :

— Tu déjeunes aussi dans la cuisine?

— Tu veux que je mette ton couvert dans la salle à manger? proposa Finou, pour rompre un silence embarrassant.

— Non, je reste avec vous. Je ne prendrai pas grand-chose, je n'ai pas faim à cette heure-ci.

Il jeta un coup d'œil à la bouteille de vin ordinaire

et se tut. Comme la vieille femme sortait une assiette creuse, il l'arrêta :

– Pas de soupe pour moi, merci. La salade et le fromage me suffiront. Ces vacances me font grossir!

Finou lui trouvait le corps sec et le ventre plat mais au lieu de le faire remarquer, elle poursuivit :

– Je n'ai pas pu faire la chambre ce matin. La demoiselle est descendue à onze heures, quand je préparais le déjeuner.

– Ça ne fait rien. Tu y passeras un coup cet après-midi, si tu as le temps.

Il ignora l'air de réprobation de Finou.

– Je suis allé me promener. On construit une maison du côté de La Durantie?

– Je n'ai rien demandé et on ne m'a rien dit, répondit Paul.

– C'est un Parisien qui a acheté l'année dernière, expliqua Finou. Comme c'était abandonné depuis trente ans, il a tout démoli en ne gardant que les pierres.

– C'est pour lui amener l'électricité qu'on plante un poteau?

– Il semblerait, admit Paul.

– Mais cette pointe de pré est à nous!

– Oui, ils se sont trompés d'un mètre à peu près.

– Tu ne dis rien?

– Non.

– Rien pour l'instant, ou rien du tout?

– Rien pour l'instant.

César eut son premier vrai sourire depuis qu'il était arrivé, un sourire de jouissance secrète, qui fendit ses yeux en une ligne étroite :

– Tu attends qu'ils aient fini! Et après?

– On verra.

– Laissez-moi régler ça! Tu peux me faire confiance, je saurai faire cracher l'EDF!

– Nous n'en sommes pas là.

– Tu as raison. Puisqu'on les tient, inutile de se bousculer. Combien tu peux en tirer?

– Ça se discutera le moment venu.

Pour la première fois aussi depuis son arrivée, César regarda son frère avec sympathie, sans lui en vouloir de taire le chiffre qu'il avait certainement en tête.

Le repas fini, la vieille femme servit le café dans les verres. Seul César demanda une tasse.

– J'ai quelque chose à te demander, dit-il alors à Paul.

Celui-ci fit cliqueter sa cuillère au bord de son verre, sans lui donner de signe d'encouragement.

– J'avais pensé garer ma voiture dans la grotte. J'ai vu que tu y gardais un vieux semoir. Tu pourrais l'enlever?

– On peut toujours, dit Paul lourdement.

– Comme il ne reste pas beaucoup de bon vin, j'aurais aussi voulu en commander et l'enfermer au fond de la grotte. La grille a l'air de bien fermer, il suffirait de graisser les gonds et de changer le cadenas, si tu n'y vois pas d'inconvénient.

– Si ça peut te faire plaisir..., dit Paul de mauvaise grâce.

– Alors, c'est entendu. Je m'en occupe. Tu comprends, que la température soit égale dans la grotte, tout au long de l'année, c'est normal, mais il est rare d'en trouver une aussi saine, sans aucune infiltration.

– Tu veux faire du commerce de vins? demanda Finou.

– Non, mais si je reste quelque temps et que je fais des allées et venues entre Bordeaux et ici, autant en profiter pour reconstituer un début de cave.

Paul et Finou enregistrèrent sans commenter. René faisait un somme dans l'office, installé dans son fauteuil de châtaignier garni d'un coussin, le chien à ses pieds. Paul se tourna vers le buffet, puis vers Finou, qui faisait la vaisselle :

– Le journal n'est pas là?

– Il est resté dehors, je vais le chercher, offrit César.

Pendant que son frère parcourait le *Sud-Ouest*, il repartit s'allonger au grand soleil de midi, à côté de Jane, qui avait tiré les deux chaises longues hors du cercle d'ombre du tilleul. Elle avait relevé son tee-shirt sur sa peau bronzée de blonde sportive, enlevé ses sandales et, jambes repliées, les talons posés sur le rebord du siège trop court pour elle, paraissait dormir. César se contenta d'ouvrir sa chemise.

Une demi-heure plus tard, Paul et René sortirent.

– Vous n'avez pas fini au Mas? leur cria César de loin.

– Non, et on doit encore botteler à la Croix d'Allou, répondit Paul, sans se donner la peine de hausser la voix.

– Approche, je voudrais te dire un mot! reprit César.

Paul le regarda sans bouger.

Un moment plus tôt, l'étrangère avait cherché à tâtons, sous son siège, une grosse pomme verte et luisante, dans laquelle elle avait planté ses larges dents blanches. Elle en avait arraché un énorme morceau, qui s'était détaché avec un craquement. Les joues distendues, avec la lenteur d'une meule bourrée dont le mécanisme a du mal à se mettre en route, elle avait entrepris de broyer la pomme. Pendant qu'elle moulinait avec application, le jus débordait de sa bouche trop pleine. Avant d'avoir achevé sa bouchée, elle mordit à nouveau, et l'on vit

48

luire, derrière la façade immaculée de ses dents, la surface argentée des plombages qui garnissaient le fond de sa mâchoire. Déjà, elle était parvenue au trognon.

César sembla se divertir de la froideur avec laquelle son frère, de loin, observait la scène. Inconsciente de l'effet qu'elle produisait, la jeune femme inspecta le cœur de la pomme, en arracha les dernières miettes de chair, cracha un pépin, retroussa les lèvres, pêchant du bout de l'ongle une parcelle de fruit égarée entre deux dents, avant de s'affaisser sur son siège, satisfaite de ce déjeuner.

– Il faut que j'y aille. Qu'est-ce que tu veux? demanda Paul.

Comprenant qu'il ne s'avancerait pas, César se leva et vint vers lui.

– Tu portes le vieux chapeau de paille de papa!

– C'est tout ce que tu avais à me dire?

– Ne t'énerve pas. Alors, tu enlèveras le semoir?

– Pas tout de suite, figure-toi!

– Ce soir, ça suffira.

– En ce moment, on travaille jusqu'à la nuit.

– Enfin, dès que tu pourras.

– C'est ça, dès que je pourrai, répondit Paul en s'éloignant.

Quelques minutes après, on entendit le tracteur passer derrière la maison, puis descendre l'avenue.

Dans la cuisine, Finou réfléchissait. L'après-midi, elle s'asseyait sous le tilleul et lisait le journal avant de se mettre à son tricot, à de la couture ou du raccommodage, en écoutant Radio Périgord. La présence de l'étrangère la gênait, mais si elle devait rester aussi longtemps que César – jusqu'au quatorze juillet, avait-il dit, plus longtemps peut-être? –, la vie de la maison ne pouvait s'interrompre pour lui laisser le champ libre.

Coiffant son chapeau de paille, dont le fond percé

laissait agréablement passer l'air, Finou s'avança vers son fauteuil de châtaignier, portant le coussin qu'elle y ajoutait, la radio, son tricot et le journal laissé ouvert par Paul aux pages régionales, seules lues de tous.

César et l'étrangère avaient orienté leurs sièges de telle manière qu'ils lui tournaient le dos. Pourtant, elle vit la jeune femme extraire de sa trousse en plastique une autre plus petite, d'où elle tira plusieurs flaçons et instruments qu'elle étala sur ses genoux. Puis elle entreprit de se faire les ongles, curant, limant, repoussant les peaux et, doigts repliés, contemplant son œuvre. Pour Finou, pareil étalage confinait à l'obscénité. Mme Abadie, à qui personne ne pouvait en remontrer pour les bonnes manières, n'aurait jamais arrangé ses cheveux ou touché à ses ongles en public. Ce qui était du domaine de la toilette ne devait pas franchir les portes de la chambre ou de la salle de bain.

« On a de drôles d'habitudes, chez ces gens-là, enrageait Finou à part elle. Chez nous, il n'y a que les bêtes pour s'épouiller en public! »

Plus surprenant, Finou, qui s'était préparée à être le témoin de familiarités déplacées entre César et Jane, ne percevait entre eux aucun signe d'affection et cette froideur la choqua plus que ne l'aurait fait un excès de tendresse.

Quand la jeune femme eut achevé son exercice et vérifié que son vernis était sec, elle posa une question à César qui, à son tour, s'adressa à Finou.

– Jane demande si elle peut téléphoner.

– C'est à toi de lui donner la permission, si ça te convient.

Sans discuter, il montra à la fille la porte de la maison et dut lui expliquer qu'elle trouverait l'appareil au fond du vestibule. Dès qu'elle se fut éloignée, il se souleva à demi, sortit une liasse de billets de cinq cents francs de sa poche revolver, en prit six, qu'il déposa sur la table, près de la radio.

– Prends ça comme avance sur ce que nous te coûterons, dit-il.

Elle garda les yeux fixés sur son tricot.

– Vois ça avec M. Paul. Je ne veux pas savoir quels sont vos arrangements.

– Ne me raconte pas qu'il tient les cordons de la bourse. Est-ce qu'il te paye, seulement?

– La différence entre toi et lui, c'est qu'il ne doit rien à personne.

César rit.

– Tu es bien renseignée sur mon compte!

Il posa sa tasse à café vide sur les billets, pour les empêcher de s'envoler.

Par la porte du vestibule restée ouverte, leur parvint le déclic annonçant qu'on décrochait le téléphone. César n'y prêta pas attention. Il avait traîné sa chaise longue dans l'ombre, à côté de Finou. Etendu au ras de l'herbe, dans le siège fixé au dernier cran, il contemplait la maison. Sa chemise, qu'il avait retirée, pendait à un des montants du dossier. Finou remarqua qu'il était plus musclé qu'à vingt ans. Le ventre paraissait plus dur sous la ceinture débouclée et le haut du jean rabattu. Son impatience se trahissait encore par des gestes brefs et un regard constamment aux aguets, mais il avait pour l'essentiel appris à maîtriser sa nervosité ou du moins à la dissimuler. Ses lunettes de soleil remontées dans les cheveux, il paraissait somnoler.

– Tu vois, Finou, dit-il soudain, tant que j'ai habité ici, j'ai détesté cette maison et, depuis, je n'ai jamais pu vivre dans un appartement. J'y manque d'air, d'espace. Voilà dix ans que je vis portes et fenêtres ouvertes. Tant pis, si ça m'oblige à me payer un gardien. Gamin, j'étais fasciné par les villes, aujourd'hui je ne peux pas y vivre plus de quelques jours. J'y passe comme dans un supermarché, je rafle ce que je peux, je claque mon fric et je file.

Il avait soliloqué, mi-bouffon, mi-sérieux. Finou avait lâché le journal et tricotait sans lui répondre.

– Pourtant, dès que je reviens ici, j'ai envie de me sauver. Il n'y a que les bois pour me plaire dans votre bled. Jane, qui ne connaît que les villes et les banlieues, prétend que ce silence l'empêche de dormir.

– On verra ce qu'elle dit un soir d'orage, commenta la vieille femme sans s'émouvoir.

Vingt minutes au moins s'étaient écoulées quand résonna le déclic du téléphone qu'on raccrochait. La jeune femme reparut. César regarda sa montre, se tourna vers Finou.

– Je vais à Bordeaux. Tu as besoin de quelque chose?

– A Bordeaux? Non, merci.

Besoin ou pas, elle n'aurait rien demandé. On ne décidait pas tout à trac, en pleine journée et en pleine chaleur, sans compter le prix de l'essence, de faire des courses à cent quarante kilomètres de chez soi.

Il parla à Jane, qui s'était approchée, lui proposant sans doute de l'emmener, car elle remit ses sandales, réunit en un fouillis son sac de toile, ses revues froissées et la serviette-éponge qui avait enveloppé ses cheveux mouillés.

Un instant, Finou avait craint que César ne parte à la recherche de Marie. Paul ou René auraient pu lui dire par inadvertance où elle travaillait. Mais puisque la demoiselle l'accompagnait, c'est qu'il n'y pensait pas.

– J'en profiterai pour faire le ménage à fond là-haut, dit la vieille femme.

– Tu as le temps, je ne reviendrai pas avant deux ou trois jours.

Bientôt, traversant la cour écrasée de soleil, César et Jane s'en allèrent, chacun balançant un petit sac sur son épaule. Dès que la voiture se fut éloignée, Finou ramassa les billets et les mit dans la poche de sa blouse.

Quand Daniel rentra de l'école, il goûta dans la cuisine, fraîche derrière ses volets fermés.

– Apporte-moi l'escabeau, mon biquet, lui demanda sa grand-mère, quand il eut fini.

– Où je le mets?

– Près du téléphone.

Elle suivit le gamin, grimpa sur la plus haute marche de l'escabeau et, à bout de bras, atteignit les deux plombs qui raccordaient l'appareil au réseau. Elle les enleva, les glissa dans un tiroir.

– Voilà une bonne chose de faite! dit-elle, essoufflée, en reprenant pied sur le dallage du vestibule.

– Et si maman veut nous appeler? demanda le petit, anxieux, fronçant le nez à plusieurs reprises, pour remonter ses lunettes.

– Je vais lui écrire ce soir pour lui expliquer et lui dire d'appeler chez Germaine si elle a quelque chose à nous dire. Tout à l'heure, la demoiselle a téléphoné je ne sais où et elle a parlé pendant une éternité. Les voilà à Bordeaux, maintenant, mais dès qu'ils reviendront, elle recommencera. En plus, elle avait laissé la lumière allumée dans la salle de bain!

A sept heures, Finou dîna avec l'enfant, puis elle alla soigner ses bêtes. Paul et René rentrèrent à neuf heures et demie. Ils avaient été retardés, la barre de coupe de la faucheuse s'étant cassée.

– Où est le César, avec sa *couva gril*? demanda René.

– Sa quoi?

– La demoiselle, avec ses airs de *couva gril*.

– De cover-girl? suggéra Paul.

– C'est pas une cover-girl, protesta Finou, c'est

53

une mal dégrossie. Elle a des ongles épais et recourbés, jaunis comme de la corne de chèvre, et de grosses jointures à croire qu'elle a fait la lessive toute sa vie.

— N'empêche qu'elle a des airs de *couva gril*, s'obstina René.

— Vieil hypocrite! Tu ne perds pas une miette de ce qu'elle montre! lança la vieille femme. Si tu crois que tu peux plaire avec ce pantalon déchiré! Tu vas te décider à me le donner un jour, que je te le raccommode?

— Y tient encore, je te dis!

— On voit ta vieille peau et ton vieux caleçon! C'est joli!

— Tant qu'on me voit pas le ouistiti, ça peut aller, dit René, évaluant paisiblement l'étendue de la déchirure.

Quand il fut parti et Daniel monté se coucher, Paul demanda à Finou :

— Qu'est-ce que César est allé faire à Bordeaux?

— Rien, peut-être. Vous le connaissez : il ne tient pas en place.

— Il pourrait chercher à revoir ses anciens copains... préparer un mauvais coup...

— Ne vous inquiétez pas, je le surveille!

De dix-sept à dix-neuf ans, phénomène extraordinaire, César était resté en pension dans le même collège, à Bordeaux, sans se faire mettre à la porte. C'est ainsi qu'il avait gardé dans cette ville des amis, dont un ou deux s'étaient déjà à l'époque illustrés par des exploits douteux. Paul craignait pour la réputation de sa famille, Finou, en plus de cette inquiétude, en nourrissait une autre. Si César se savait le père de Daniel, s'il lui prenait la fantaisie de le reconnaître, ne songerait-il pas, maintenant qu'il était riche, à l'envoyer dans un collège élégant, à des kilomètres, près de Paris même? Lui arracher son petit-fils serait plus qu'elle n'en pourrait supporter. Cela elle ne voulait le dire à personne.

Sous son raccommodage, au fond de la soupière en étain posée sur la table de l'office, elle prit les six billets de cinq cents francs que César lui avait laissés et, les étalant devant Paul, lui expliqua d'où ils venaient.

— Mets-les de côté et n'y touche pas, ordonna-t-il.

— C'est bien ce que je pensais, approuva la vieille, en les remettant dans la soupière. Je les rangerai demain.

Paul monta se coucher, soucieux. Connaissant son aversion pour tout changement et toute nouveauté, Finou avait déjà décidé de lui taire ce qu'elle pourrait des agissements de César et de Jane.

*

César dormait par brèves périodes entrecoupées d'insomnies. Le matin même, bien que fatigué par sa longue course en voiture, il s'était réveillé à l'aube. Se levant, il était descendu par l'escalier principal. Paul n'avait pu l'entendre. Sa chambre était à l'autre extrémité du couloir et il avait un sommeil de plomb.

Tournant la clef profonde comme la main, César défit une des barres de fer qui maintenaient la porte d'entrée, l'ouvrit et se retrouva dans la cour. Le jour se levait à peine, une brume légère flottait sur le jardin et, au-delà, sur les bois. Il huma l'air frais et, sans s'attarder, vif et silencieux dans ses chaussures de tennis, contourna la maison.

Là, au nord, à vingt mètres de distance, elle était enserrée par une muraille de rocher, qui se dressait au niveau des toits et projetait son ombre sur toute la face arrière. Plus haut, en retrait, s'élevaient les pans de murs du château de Baye, construit au Moyen Age, démoli pendant les guerres de Religion. Les restes du donjon, livrés aux corbeaux et aux oiseaux de nuit, les derniers entassements de moellons, résistaient aux années, bien que les habitants de La Faujardie y aient puisé les pierres avec lesquelles ils avaient fait construire leur demeure, peu avant la Révolution. C'est ainsi que le village s'étageant sur la pente, autour du château fort, s'était réduit lui aussi, au fil des ans, à des murets et à des éboulis.

Sur ce champ de ruines éventrées, s'accrochaient des arbres, jeunes chênes tordus, petits charmes, noisetiers, prenant racine dans la moindre anfractuosité. Mme Abadie avait fait abattre ceux qui, trop proches, menaçaient la maison. Un peu de clarté en était résultée, mais elle n'en avait pas moins détesté la vue du rocher et des ruines. Dans les dernières années de sa vie, elle avait obtenu qu'on laisse fermés les volets de ce côté. On s'était plié à ce caprice, car ces fenêtres ne donnaient au premier et au second étage que sur les couloirs desservant les chambres et on avait toujours aéré les pièces en les ouvrant sur la cour, au sud. M. Abadie, qui vivait alors retiré dans son bureau, ne s'en souciait pas. Cette habitude, comme d'autres, s'était conservée.

César se tint longuement sur le seuil de la grotte naturelle qui ouvrait dans le rocher, sous les fenêtres de la chambre de ses parents, qu'il s'était appropriée la veille.

C'était l'heure où Finou se réveillait et se rendait aux toilettes. Par une vieille superstition, elle se méfiait du château, dont les vestiges enserraient la maison de si près, faisant craindre des chutes de pierres ou d'arbres, ou l'irruption d'un malfaiteur.

A travers les fentes du volet des W.-C., elle aperçut César, planté à l'entrée de la grotte, jugea aussitôt qu'il ne se promenait pas au hasard, mais inspectait les lieux. Elle eut un serrement de cœur, craignant qu'il ne soit déjà allé à la métairie pour évaluer les bâtiments, le matériel et les bêtes. Un doute lui vint, quand elle le vit examiner la grotte, qui ne contenait aucun objet de valeur.

Il évalua la distance qui la séparait de l'autre extrémité de la maison, close sur elle-même autour de la cuisine, dont la fenêtre, haut placée, ouvrant presque dans le talus qui prolongeait le rocher à cet endroit, n'était plus utilisée.

Le vieux semoir était installé de biais dans la grotte. Autour, l'espace était occupé par le bric-à-brac que César y avait toujours connu, matériel de rebut pour l'essentiel : roues de charrettes, sulfateuse, montants d'un échafaudage, lessiveuse, bidets en porcelaine, brouette, sacs de chaux, et la tonne dans laquelle on faisait venir l'eau potable jusqu'en 1964, date où l'eau courante avait été installée dans la commune.

Au fond, la voûte de la grotte s'abaissait et ses profondeurs se perdaient dans l'obscurité, sauf pour une excavation naturelle, au sol plat et sablonneux, aux parois arrondies, réduit commode que l'on avait clos d'une grille. César secoua de la main l'unique battant, pour en éprouver la solidité. Il vérifia les gonds, la serrure, la chaîne qui la retenait, au bout de laquelle pendait, ouvert, le cadenas. Le tout était solide, bien qu'inutilisé depuis longtemps.

Puis, il s'assura du bout du pied que le sol était sec. Se haussant, il atteignit le plafond grossièrement équarri et gratta en divers endroits. Remarquant dans le rocher une fente dont il n'avait pas le souvenir, il y passa le doigt, à la recherche d'humidité, posa la paume à plat sur les parois de pierre, observa sa main en la retirant, frotta la couche de poussière et de poudre de pierre qui y était restée attachée. Il fit de même dans l'enclos délimité par la grille.

Apparemment satisfait, il ressortit. Entre le rocher et le talus se devinaient, mises à nu depuis longtemps par des éboulements de terrain, béantes, enfoncées dans le sol, l'ouverture des caves de l'ancien village et l'amorce du souterrain qui, aujourd'hui obstrué en plusieurs endroits, menait autrefois du château dans la campagne.

César descendit la pente raide, pavée de terre ocre et de plaques d'herbe clairsemée, s'enfonça dans la gueule éventrée d'un soupirail démuni de ses barreaux et disparut. Il ressortit bientôt, se mit à grimper, agile et précis, s'accrochant aux arbustes, aux aspérités du rocher et, prenant pied sur la plate-forme, en haut du rocher, s'éloigna.

Immobile, Finou avait suivi chacun de ses gestes, attendant qu'il réapparaisse. Elle dut étouffer le réflexe qu'elle avait du temps où, enfant, il entraînait Marie à sa suite et où elle leur criait, furieuse et angoissée, de redescendre immédiatement.

A quoi bon inquiéter Paul en lui racontant ce qu'elle avait vu, alors que rien de concret n'en ressortait? Absent toute la journée comme il l'était, il n'avait pas les moyens de parer au danger, si danger il y avait. Elle préférait, d'ailleurs, que cette tâche lui revienne et conserver ainsi toute liberté de manœuvre.

*

Ainsi qu'il l'avait annoncé, César revint deux jours plus tard, suivi de Jane aussi peu causante qu'à son arrivée. En fait, il la réduisait au silence par la manière abrupte dont il accueillait chacune de ses initiatives, même celle d'ouvrir la bouche.

– Tu es là, toi? demanda-t-il à Daniel.

– L'école est finie, je suis en vacances.

César n'avait guère vu le petit mais il avait deviné quels soucis lui causaient ses cheveux raides.

– Viens avec moi au Bugue tout à l'heure, lui proposa-t-il. Je t'emmènerai chez le coiffeur, si tu veux.

Gravement, le gamin refusa :

– Non, merci, monsieur. J'ai mal au cœur en voiture.

Si Finou l'avait entendu, son cœur se serait gonflé de tendresse et de fierté devant ce petit-fils qui avait appris d'elle à ne pas se laisser éblouir. César ne s'avoua pas vaincu.

– Beaucoup de garçons de ton âge seraient contents de se promener dans une belle voiture!

– Oui, monsieur, reconnut Daniel, sérieux derrière ses lunettes.

– Appelle-moi César! A notre époque, on ne fait plus tant de cérémonies.

Le petit se tut.

– Alors?

Daniel devint cramoisi, hésita, sentit qu'il fallait répondre, bafouilla :

– Oui, monsieur César.

– Tu as une tête de pioche, hein, comme ta grand-mère? s'écria César, qui ne paraissait pas vexé et secoua affectueusement le gamin par les épaules.

Sentant qu'il lui devait une explication, Daniel se lança :

– Je n'ai pas besoin d'aller chez le coiffeur, mémé nous coupe les cheveux à M. Paul et à moi. Tonton René va chez son copain, le coiffeur des Eyzies, qui ne prend pas cher, et qui a de tout petits ciseaux pour lui couper les poils dans le nez et les oreilles. Mémé ne fait pas ça.

César éclata de rire sans insister.

Le lendemain, un camion de livraison apporta les

caisses de vin qu'il avait commandées. Il les fit décharger dans la grotte, les enferma derrière la grille, fixée par un cadenas neuf dont il n'indiqua à personne la combinaison.

– Qu'est-ce que tu as préparé pour le déjeuner? demanda-t-il à Finou.

– Un lapin farci.

– Attends de voir ce que je vais vous servir avec. Tu m'en diras des nouvelles.

– Si tu penses à tes bouteilles, c'est du gaspillage de sortir ça en semaine.

– Je veux y goûter tout de suite. Mais je réserverai le meilleur pour une autre occasion, quand Marie sera là.

A son ordinaire, Jane refusa de se mettre à table pour le déjeuner.

Quand le couvercle fut enlevé, une exquise odeur flotta au-dessus de la cocotte.

– Qu'est-ce que tu y as mis? demanda César, cherchant à retrouver dans sa mémoire les ingrédients qui composaient le fumet oublié.

– Je l'ai fait comme d'habitude.

– Avec de la graisse d'oie, des petits lardons, du vin blanc et ton farci, le meilleur du département! Tu ajoutes aussi un jus de tomate, une demi-heure avant de servir, n'est-ce pas?

– Evidemment.

– Maintenant, essaye ce vin, là-dessus!

Il prit une bouteille qu'il avait ouverte et goûtée. Finou se fit servir modérément, elle accepta qu'un fond de verre soit versé à Daniel. Paul et René laissèrent remplir leur verre sans commentaires. Tous commencèrent à manger et à boire en silence.

– Eh bien? s'exclama César. On dit quelque chose, quand on déguste un bon vin!

René hocha la tête :

– J'ai pas dit que c'était pas bon.

– Et toi, Paul?

– Il est bien mais, par cette chaleur, quand on doit retourner au travail ensuite, je préfère boire de l'eau.

– Finou, toi qui t'y connais, tu vas les laisser faire les difficiles?

– Ne t'énerve pas. On te dit que ton vin est bon, qu'est-ce que tu veux de plus?

– « Bon »? Personne ne l'a dit! Je vous arrache à peine deux mots que vous laissez tomber du bout des lèvres!

– Sans doute que vous ne buviez pas de vin dans vos espèces de pays où vous étiez en voyage, alors vous en avez perdu l'habitude, tenta d'expliquer René.

– Toi aussi, tu joues les blasés? Tu veux me faire croire que dans votre vie de pouillerie vous buvez souvent autre chose que la pisse de rat que vous m'avez servie à mon arrivée?

Paul s'interrompit, empoigna sa serviette d'une main, prêt à se lever, la bouche serrée sous sa moustache tombante.

– Tais-toi, César! coupa Finou. Tu es parti d'ici, tu n'as plus rien à dire.

Le visage de César se fit de bois, ses yeux clairs se durcirent. Il égrena en miettes le pain qui reposait près de son assiette. Puis il se leva et leur lança en sortant :

– Bande de cro-magnons! Vous croupirez toujours dans votre misère et vous ne méritez pas mieux!

Personne ne releva. Perdre son sang-froid est mauvais signe dans les rivalités familiales, où il faut une longue et dure résistance pour acculer l'adversaire et l'amener à s'enferrer sans en avoir l'air.

Au moment où elle desservait, Finou remarqua :

– René, tu finiras par me le donner, ce pantalon, que je le recouse?

Il soupira.

– Tu as raison, pauvre femme! Je te l'apporterai bien un jour, va!

Quand les hommes furent partis et qu'elle s'installa sous le tilleul, avec son tricot et sa radio, elle appela César, qui paressait au soleil, près de Jane.

– Tu nous enlèveras ce que tu as fait ranger derrière ton vin, dans la grotte.

Clignant des yeux, il sourit lentement, tourna la tête vers elle.

– De quoi parles-tu?

– Ne fais pas l'imbécile, tu me comprends.

– Bravo! Tu n'as pas perdu de temps pour vérifier!

– N'essaie pas de me faire croire que les grandes caisses, au fond, c'est du vin. A deux, vous peiniez comme des bœufs pour les porter.

César ne semblait pas contrarié. Au contraire, il paraissait s'amuser beaucoup. Il se pencha vers la vieille femme et lui glissa, sur le ton de la confidence :

– Ce sont des magnums...

La plaisanterie la laissa de glace.

– Plus vite tu nous débarrasseras de ce chargement-là, mieux ça vaudra, pour toi comme pour nous!

– Ah! Finou, soupira-t-il, avec un associé comme toi, j'aurais fait fortune.

– Si toi ou moi on avait dû faire fortune, ça serait déjà arrivé.

– Je ne me suis pas mal débrouillé.

– Ta voiture, tes gros billets, c'est du vent! Ça partira comme c'est venu. En attendant, sors ces caisses d'ici et qu'on n'en parle plus!

César rit, détendu.

– Rassure-toi, elles sont pour un de mes amis, qui viendra les chercher bientôt. Et je te donne ma parole qu'elles ne contiennent rien de dangereux.

– Y a pas que les explosifs pour risquer de vous sauter au nez.

Il embrassa Finou, qui se laissa faire sans joie, abaissa les lunettes de soleil sur ses yeux, tira Jane de sa torpeur, lui parlant en anglais, n'obtint en retour qu'un de ses éternels « han... han... ».

*

En attendant on ne savait quoi, César allait et venait sans autre but, apparemment, que de rouler pour rouler.

Une phrase prononcée, l'emballage d'un achat permettaient de deviner qu'il était passé non seulement dans le voisinage, au Bugue, à Rossignac, à Sarlat, à Bergerac ou à Périgueux, mais qu'il avait poussé jusqu'à Brive, Cahors, Toulouse ou Bordeaux.

Quand il était absent deux ou trois jours d'affilée, il lui arrivait de téléphoner, sans dire d'où, demandant si quelqu'un l'avait appelé. A chaque retour, à peine sorti de sa voiture, où des journaux mal repliés voisinaient à l'arrière avec une ou deux cartouches de cigarettes, il posait cette seule question. Paul détestait le téléphone. Il revenait donc à Finou de répondre. Invariablement elle disait à César que personne ne l'avait demandé.

Il s'allongeait alors au soleil, comme épuisé, et restait tranquille un moment. A peine reposé, il recommençait à tourner en rond.

Nerveux, il faisait voltiger à coups de pied les cailloux qui bordaient la maison, au lieu du gravier bien entretenu d'autrefois, tapotait le baromètre du vestibule chaque fois qu'il passait devant, secouait les vestes et les chapeaux de son père, encore accrochés au portemanteau voisin, pestait chaque fois qu'un loquet, un bras de fauteuil, un morceau de marqueterie lui restait dans la main, clamant : « Bon sang! vous pourriez au moins faire réparer les choses avant que tout ne soit pourri! Et René, qu'est-ce qu'il fiche de ses journées? » Plus que tout, la vieille femme s'exaspérait de l'entendre faire craquer ses jointures.

Le front bas, Paul subissait la présence de son frère et s'en remettait à Finou pour limiter les dégâts.

Après sa première absence, César avait remis les plombs du téléphone en déclarant :

– Jane est prévenue qu'elle ne doit plus l'utiliser.

Par contre, il s'était irrité en constatant que Finou avait arrêté le chauffe-eau.

– On n'allait pas laisser chauffer cent cinquante litres pour rien! s'était-elle exclamée. Déjà que ça coûte assez cher, rien que pour vous deux!

– Jane veut prendre un bain.

– Elle en a pris un au début de la semaine.

– Il lui en faut un tous les matins. Maman faisait la même chose, non?

– Ta mère était une dame. Celle-ci n'a qu'à prendre des douches, surtout en période de sécheresse! Si elle voulait vivre dans le luxe, il fallait l'emmener à l'hôtel!

– Ça suffit! Laisse le chauffe-eau branché. Je paierai la facture d'électricité.

– Elle arrivera dans deux ou trois mois! Et où j'irai te chercher à ce moment-là?

– Ne t'en fais pas, je serai peut-être encore là. Sinon, je te laisserai de l'argent.

Ainsi il envisageait de rester plusieurs mois! Elle en eut froid au cœur, se sentit obligée d'en parler à

Paul, dont le visage se ferma et les épaules se voûtèrent au-dessus du journal.

– On ne peut rien faire pour l'instant. C'est à toi de ne pas le lâcher! recommanda-t-il à la vieille femme.

Dehors, il fallait bien le laisser aller à son gré. Mais dès qu'il s'aventurait dans les pièces inoccupées de la maison ou dans le grenier, Finou tendait l'oreille, suivait ses pas, cherchant à deviner ce qu'il pourrait dénicher pour le vendre. Un mardi où elle l'avait trouvé d'humeur fureteuse, elle avait renoncé à aller au marché du Bugue, y envoyant René à sa place. Avant de se rendre à la messe avec Daniel, un dimanche, elle s'assura que Paul ne sortirait pas et garderait l'œil sur son frère.

La jeune étrangère accompagnait César dans ses déplacements, mais il ne l'en traitait pas mieux. Elle passait le reste du temps étendue au soleil, occupée à se faire les ongles des mains ou des pieds ou à lire des revues et des livres de poche qu'elle tordait et cornait sans pitié.

Un week-end déjà, Marie était venue, alors que César et la jeune femme se trouvaient absents. A l'approche du quatorze juillet il resta à La Faujardie.

*

Le quatorze juillet tombait un lundi. Le vendredi précédent, César demanda à Finou :

– Marie vient en voiture?

– Non, en train.

– Quand ça? Je peux aller la chercher.

– C'est déjà arrangé. Elle arrive par le même train que le dernier fils Thibaut, qui fait son service militaire à Bordeaux. Le Clovis Thibaut va les chercher le vendredi soir et M. Paul les reconduit à la gare le dimanche.

Peu avant dix heures, une voiture monta l'avenue. Au ronflement du moteur dans le tournant, à la rapidité avec laquelle elle apparut, à l'aisance que mit le conducteur à franchir le portail, on reconnaissait que le fils était au volant, la conduite du père étant autrement mesurée. La voiture s'arrêta devant la porte de la cuisine. L'heure n'étant pas aux visites, on se salua par les vitres baissées, Marie descendit, le père et le fils repartirent aussitôt.

César était resté auprès de Jane, dans une des chaises longues. Il regarda la silhouette menue qui se tenait sur le seuil de la cuisine et lui tournait le dos. Pourtant, il savait qu'au passage de la voiture près du tilleul, Marie l'avait reconnu avant même que les deux hommes le saluent. Il se leva, intima à Jane de ne pas le suivre, ordre inutile car elle ne s'intéressait pas plus à la vie de la maison ce jour-là que les autres jours.

Il traversa la cour, resta un instant dans l'entrée, près du sac de voyage posé par terre.

Marie avaient déjà embrassé chacun et grattait le dos de la chienne. Apercevant César, elle alla au-devant de lui et l'embrassa avec une certaine retenue, mais sans embarras. Nul n'aurait pu deviner qu'ils ne s'étaient pas vus depuis dix ans.

— Tu as faim? demanda Finou à sa fille.

— Non, je m'étais fait un sandwich pour le train.

— Tu prendras bien de la soupe?

— Si tu veux.

— Mémé a fait une crème à la vanille! s'écria Daniel.

— Ah! oui, j'en prendrai.

Elle parlait d'une voix basse, bougeait peu, rêveuse ou absente. Troublée peut-être, espéra César, qui resta debout contre le buffet pour mieux la voir.

Assise en face de lui, elle ne faisait rien pour attirer son regard ou pour y échapper. La lumière de l'ampoule électrique tombait crûment sur la table et sur les visages qui l'entouraient.

Marie avait gardé son allure de fillette, une ossature si frêle qu'on se demandait comment elle avait pu naître d'une telle mère et donner naissance à un tel fils, tous deux si rudement charpentés. Ses yeux sombres étaient sans maquillage, sans apprêt ses cheveux noirs et lisses, retenus par deux barrettes. Sa maladresse et son humeur farouche d'adolescente avaient fait place à une réserve si profonde qu'elle semblait la protéger d'une barrière infranchissable.

– Mémé a dit qu'on boirait dimanche la bouteille de mousseux que j'ai gagnée au tir, avec tonton René, à la fête de Marsay! annonça le gamin, triomphant.

– Oui, c'est une belle bouteille, approuva Finou.

– Bravo, mon chéri, je suis bien contente, dit Marie.

Posant sa joue sur la tête du petit, elle fourragea dans ses cheveux, puis l'embrassa. Fier et ému, il en oublia de remettre ses cheveux en ordre.

César remarqua qu'on ne lui avait rien dit de cette bouteille, alors que la fête de Marsay avait eu lieu le dimanche précédent. D'ailleurs c'est Marie qui l'intéressait, pas Daniel. Elle paraissait contente, mais distraite. Il se plut à imaginer qu'elle n'était pas heureuse, qu'aucun homme n'avait su le remplacer. Il se le disait sans vanité, avec une sorte de malaise, remué malgré lui de la sentir si lointaine.

En même temps qu'il la regardait, il ne perdait pas son frère de vue. Paul avait pris une douche avant le dîner, au lieu d'attendre le lendemain matin, ce qui avait fait naître un soupçon dans l'esprit de César : cherchait-il à plaire à Marie? Pourtant ainsi récuré, on n'en remarquait que mieux sa peau devenue rugueuse, crevassée par endroits, ses ongles fendus dont l'un était écrasé et noirci.

Au bout de quelques minutes, César s'estima fixé. Paul avait sommeil. Enfoncé sur sa chaise, les épaules en avant, ses longues moustaches tristes lui mangeant le bas du visage, il ignorait Marie. Décidément, il n'y avait rien entre ces deux-là. Son frère avait pu – avait dû – éprouver de l'attirance pour elle. Mais, à sa manière, il gardait ses distances avec les anciens domestiques de sa famille. Vivre familièrement à leurs côtés lui convenait. De là à épouser Marie, il y avait un fossé qu'il ne franchirait pas, estimait César.

Alors, que voulait Finou? Misait-elle sur la lassitude, le passage des années, la pesanteur de l'habitude, en espérant que Paul adopterait Daniel, afin que La Faujardie ne change pas entièrement de mains? Cela lui ressemblait et lui permettrait d'écarter de ses calculs Marie et lui-même, jugés peu fiables.

Pour l'instant, la vieille femme servait à dîner à sa fille.

– Tu iras au méchoui? lui demanda-t-elle.

– Je verrai. Tu as payé pour moi?

– J'ai attendu, je savais pas ce que tu voulais faire.

– Quel méchoui? demanda César.

– Celui du football, consentit à préciser Finou.

– Ah! plaisanta César, l'Association sportive reyssacoise? C'est eux qui distribuent ces belles casquettes vertes et blanches, que porte Daniel et que j'ai vues traîner dans la voiture de René?

– C'est ça, dit Finou.

– Tu y vas, Paul? questionna César.

– Non.

Ne retenant plus ses bâillements, il dit bonsoir et monta se coucher. Presque aussitôt, Marie et Daniel suivirent, pendant que la vieille femme finissait de ranger.

– Elle n'a pas changé, dit César dès que les autres furent sortis.

– Qu'est-ce que tu croyais? Qu'elle se *blondirait* et qu'elle se serait couverte de maquillage?

– Elle est restée différente des autres femmes.

– Tu ferais mieux de t'occuper de la demoiselle que tu traînes derrière toi et de laisser Marie tranquille.

– Tu ne me fais jamais confiance. Pourtant, tu vois que j'ai mieux réussi dans la vie que si j'étais resté ici.

– J'appelle pas ça la réussite.

Il rit doucement.

– Toi et moi, nous nous comprenons, ma Finou.

Elle passait l'éponge sur la toile cirée.

– A quoi ça sert de se comprendre, quand on n'a rien à se dire?

*

Jusqu'à l'âge où ils avaient quitté l'école communale de Reyssac, César et Marie avaient été élevés ensemble.

Enfant, chacun faisait preuve d'indépendance. César n'avait pas sollicité la soumission de la petite fille, sachant qu'il ne l'obtiendrait pas. A force de harcèlement, il était parvenu à la maintenir en permanence sur le pied de guerre. Bien qu'elle se tînt constamment sur ses gardes avec lui, il la surprenait souvent par la cruauté de ses plaisanteries. Toutefois, il ne pouvait se vanter de provoquer à volonté ses larmes ou sa colère. Elle ne faisait pas front, comme sa mère, mais tournait les talons et partait sans répliquer, le privant de la bataille recherchée.

Quand il arrivait à César, par la suite, d'évoquer

Marie, il la voyait s'éloigner dans un chemin ou à travers prés, le bout de ses nattes retenu par des élastiques, la robe à fleurs qu'elle avait portée, rallongée, trois étés de suite, remontant derrière, tirée par la ceinture, et découvrant le creux des genoux, en haut des jambes graciles.

A partir de leur entrée en sixième, elle au Bugue, lui à Sarlat, ils ne s'étaient plus revus qu'à l'époque des vacances. Dès lors, César avait fréquenté une bonne partie des établissements secondaires de la Dordogne, où ses séjours n'avaient en général pas excédé la durée d'une année scolaire.

Peu avant leur bachot, alors qu'il avait dix-neuf ans et elle dix-huit, ils s'étaient retrouvés à La Faujardie pendant les vacances de Pâques. Le temps, très capricieux jusqu'à la fin du mois de mars, avait changé. Tout à coup, le soleil était apparu, le printemps s'était installé d'un coup, chauffant les jeunes écorces, pressant la sève dans les troncs et les branches, tirant brutalement du sol froid et humide les fleurs et les pousses, ahurissant les plates-bandes et, bientôt, faisant éclater les bourgeons, tapant dru sur la végétation hésitante, sur le vert cru et naïf des feuilles à peine nées, réveillant l'odeur âcre des sureaux, le cri du coucou et le remue-ménage des bestioles. Dans les bois cependant, il faisait encore frais.

Marie aimait se promener seule. Elle restait souvent assise près des ruines du château, dans cet amas de pierres et de végétation fréquenté par toutes sortes d'animaux – renards, écureuils ou papillons. Elle y avait même recueilli un jour une jeune chouette qu'elle avait apprivoisée et nourrie en lui attrapant des bestioles et des souris. L'oiseau s'était enfui en atteignant l'âge adulte.

A la fin des vacances de Pâques, Marie était allée dans les bois, du côté du lac – la mare, où autrefois on menait boire les bêtes de la métairie. On y trouvait de l'eau en toute saison, même en période de sécheresse et le gibier n'avait jamais cessé de fréquenter l'endroit, qui servait maintenant de bauge aux sangliers.

Il avait plu en abondance et la fange s'étendait largement aux abords du lac. Les grosses découpures crantées de semelles en caoutchouc étaient incrustées dans la boue à quelques mètres de là. Marie reconnut la marque des bottes de César. Les siennes, aux fines stries, ne laissaient qu'une trace légère.

Elle s'assit sur un tronc renversé où les promeneurs de La Faujardie faisaient souvent halte, du temps où M. et Mme Abadie recevaient encore.

Longtemps, elle resta dans l'ombre clairsemée des jeunes branches. Contre ses pieds, se découpait une des empreintes de César, plus nette que les autres. Elle se déplaça un peu, enserra la marque boueuse entre ses deux pieds puis, tranquillement, enleva ses bottes et ses chaussettes et joignit les pieds dans la trace laissée par César. Elle se rétracta au contact de l'eau froide, des débris de feuilles et de brindilles, puis se détendit, remua la terre sous ses orteils, ses talons. Alors, posant la tête sur ses genoux, elle resta repliée sur elle-même, immergée dans cette glaise où il avait marché.

Sentant une présence, elle releva la tête, ne s'étonna pas de voir, droit devant elle, l'empeigne ronde de grosses bottes vertes, dans lesquelles était rentré un pantalon de velours à côtes. César l'observait. Elle ne se troubla pas. L'heure était venue, sa décision était prise.

– Qu'est-ce que tu fais là? demanda-t-il.

– Je me promène.

– Pieds nus?

– Il fait beau, j'ai voulu sentir la terre.

En s'approchant, il vit les pieds menus emboîtés

71

dans l'empreinte de sa botte et comprit. En une enjambée, il fut tout près, au-dessus d'elle, fébrile, fouillant les yeux bruns qui ne flanchaient pas. A deux mains, il lui attrapa la tête et, la serrant contre son ventre, la frotta contre lui. Elle sentait les rainures du velours à côtes, le métal de la fermeture Eclair. Il ne la lâchait pas, se cabrait sous la caresse qu'il lui imposait et qu'elle ne refusait pas.

Comme elle tremblait, il s'écarta pour la regarder :

– Tu as froid?

– Non.

– Tu as peur de moi?

Elle ne s'effrayait pas des yeux de César, rétrécis, dont les pupilles bondissaient comme celles d'une bête aux aguets.

– Non, répondit-elle encore.

Il se détendit, sourit lentement :

– Alors, tu as faim.

Elle se tut. Il la secoua, sans brutalité, comme on rudoie un enfant qui a menti et dont on exige la vérité, quand il n'a plus le courage de se taire.

– Tu as faim de qui? de moi? de n'importe quel homme? Réponds!

Marie persistait dans son silence.

– Tu as déjà couché? demanda César, plus bas.

– Oui, fit-elle avec détermination.

Il hésitait à la croire, mais la sentait si offerte, la tentation était si forte, qu'elle balaya ses doutes.

Sortant de sa poche un mouchoir qu'il y avait oublié depuis longtemps, il le mouilla à l'un des endroits où l'eau du lac paraissait moins trouble et le tendit à Marie. Elle s'essuya les pieds, se rechaussa. Quand elle fut debout, il la souleva et l'embrassa. Il sentait les bois, les feuilles, la terre, sa salive était fluide comme une pluie d'été. Marie s'était laissé embrasser quelquefois, par curiosité, sans y prendre plaisir, mais aussitôt elle aima les baisers de César. Renversant la tête en arrière, elle lui offrit son cou qu'il mordit à l'entrée de la chemise ouverte.

– Viens! décida-t-il brusquement.

Il passa devant, avançant à grands pas dans l'étroit chemin. Il prit un raccourci et, sortant du bois en bordure des labours, se retourna puis, voyant qu'elle suivait, continua sans ralentir l'allure.

Au dos de la maison, ils entrèrent par la porte-fenêtre dont César conservait la clef, montèrent sans être vus jusqu'à sa chambre, au premier étage. Le désordre qui y régnait faisait oublier la sobriété monacale de l'ameublement, guère différent de celui des chambres de domestiques.

Les deux frères étaient censés faire leur lit et ranger leur chambre, Finou venant changer les draps, ramasser le linge sale qui traînait et faire le ménage tous les quinze jours. A peine était-elle passée qu'à nouveau les chambres ressemblaient à des tanières.

Le lit de César était ouvert. Des chaussettes mouillées, des chaussures et une raquette de tennis, un dictionnaire de botanique et sa veste de pyjama y traînaient. Le drap et les couvertures pendaient par terre.

– Tu es sûre que tu veux? demanda-t-il encore.

D'un hochement de tête, elle le confirma.

Il enleva ses vêtements, attendit qu'elle ait fini de se déshabiller. Quand il la prit contre lui, Marie fut à la fois submergée de crainte en sentant sa maigreur nerveuse, son impatience et éblouie par la finesse, la chaleur de sa peau.

César ignorait combien elle s'était longuement défendu de l'aimer. Il fut contrarié de la découvrir vierge et lui fit promettre qu'elle irait voir un médecin et prendrait la pilule. Il se montra fougueux mais avare de tendresse. Elle ne fut pas déçue, n'ayant pas attendu mieux.

Pendant les trois jours qui leur restaient jusqu'à la fin des vacances, ils se retrouvèrent plusieurs fois dans la chambre de César. Marie ignorait les faux-semblants, devinait à peine et n'osait encore ébaucher les gestes et le langage de l'amour. César avait été fier jusque-là des brèves liaisons qu'il avait eues avec deux femmes plus âgées que lui. La gravité de Marie l'embarrassa, tout comme sa douceur, plus maternelle qu'amoureuse. Il lui accorda des signes d'attachement comparables à ceux que l'on s'autorise envers une jeune sœur un peu pataude dont l'affection vous embarrasse.

Ils s'aimèrent de nouveau, en se revoyant à la Pentecôte. Marie déclara qu'elle avait vu un docteur et prenait la pilule.

Au début de l'été, elle réussit son bachot, César le rata. Peu après, survint l'accident de moto qui lui fractura la jambe, nécessita deux opérations et l'immobilisa plusieurs semaines à La Faujardie.

On ne s'étonna pas qu'il fasse appel à Marie pour lui rendre toute sorte de services. En fait, chacun, y compris Finou, jugea commode de la laisser supporter seule les caprices de César.

Par désœuvrement, pour exercer une ingéniosité perverse qui trouvait à s'employer pour la première fois, il voulut en faire son esclave. Emporté par la jouissance et la vanité, il crut y être parvenu quand peu à peu elle se plia à ses exigences amoureuses. Trop tard, il s'inquiéta, comprenant avec quelle sûreté d'instinct elle le devinait et devançait ses désirs. Enfin, il dut admettre qu'elle avait le pouvoir de susciter en lui des remous dont il perdait le contrôle.

Alors, sous le toit de la vieille maison déjà délabrée, se livra jusqu'à l'automne un âpre combat entre un César avide, affolé par la crainte d'être piégé, et Marie, entièrement vouée à cet amour qu'elle savait sans issue. Elle sut se taire et dissimuler aux yeux de tous. César refusa de comprendre quelle était la profondeur de la dévotion dont il était l'objet. Hanté depuis l'enfance par la volonté de quitter La Faujardie, il ne voulait s'y laisser attacher à aucun prix. Un orgueil de caste lui rappela opportunément que Marie était la fille de la cuisinière de ses parents.

L'automne venu, elle suivit des cours de secrétariat à Périgueux, d'où elle revenait tous les week-ends. Incapable de rompre cette liaison ou de subvenir à ses besoins, César demeura à La Faujardie et se contenta de faire plusieurs escapades, dès que sa jambe le lui permit.

A la fin de l'hiver, M. Abadie mourut subitement. Aucun écho ne filtra de la scène violente que Finou provoqua peu après, sommant César de quitter Marie. Il lui répondit cyniquement qu'on serait débarrassé de lui dès qu'il aurait touché l'argent de son père. L'argent liquide réparti entre son frère et lui, il s'empara de divers bibelots relégués au grenier, les vendit à Bordeaux et disparut au mois de mai, au moment où Marie découvrait qu'elle était enceinte.

En l'apprenant, Finou eut pour premier souci de protéger l'honneur de la famille Abadie et d'éloigner les soupçons qui pesèrent sur César, et même sur Paul, mettant la faute de sa fille sur le compte d'une rencontre avec un homme marié, ayant séjourné temporairement à Périgueux.

Reyssac se perdit en conjectures sur la paternité de l'enfant, sans parvenir à une certitude. Le respect qui entourait encore « le château », malgré l'évolution des mœurs, rendit les commentaires feutrés. Paul était si peu attentif aux commérages qu'aucun des bruits qui circulèrent ne lui parvint. Son attitude fut jugée digne, alors qu'elle reflétait ce fatalisme dont faisaient preuve les maîtres d'autrefois, à la campagne, devant les égarements de leurs domestiques.

Finou lui demanda l'autorisation de garder le bébé dès sa naissance, pendant que Marie chercherait à Bordeaux un emploi de secrétaire. En même temps, elle s'engagea à ne pas quitter La Faujardie et à ne rien modifier aux habitudes de la maison. Dès lors, comme elle l'avait prévu, il ne vit pas d'inconvénient à cette solution.

A peine Daniel était-il né que la vieille femme eut soin de ménager plus que jamais la susceptibilité de Paul, de solliciter ses instructions, de respecter ses volontés, c'est-à-dire les décisions qu'il était acculé à prendre après qu'elle eut travaillé des semaines, parfois des mois entiers, à lui faire reconnaître où était son intérêt.

L'enfant était l'objet de son amour absolu, elle veilla pourtant à le faire ostensiblement passer en second, pour ne pas attirer sur sa tête la jalousie ou le ressentiment de Paul. René, à qui Finou avait révélé la vérité, prétendit toujours l'ignorer. Ainsi, les habitants de La Faujardie vécurent plus encore à l'écart du bourg et la grande demeure finit de se replier sur elle-même.

Marie ne se plaignait pas d'avoir été abandonnée. Elle avait accepté ce risque, comme celui d'être enceinte. Elle partagea son existence entre le rêve et la réalité, sereine en apparence, amante enivrée de César en imagination. Pendant les années où il disparut, elle lui dispensa sans compter la poésie, la tendresse et la volupté dont elle était riche et qu'elle ne put ni ne sut partager avec les rares hommes de qui elle se laissa aimer. Un espoir lui resta, tenace : elle attendit une lettre de César. Soucieux de ne pas se livrer, il avait pour principe – elle le savait – de n'écrire à personne, même autrefois à ses parents. Rien ne vint, pas une ligne, pas un message, pas une carte postale.

De son côté, César, délibérément, se méprit sur le

sentiment qui l'avait lié à Marie. Il assimila son souvenir qui, à intervalles lointains, surgissait au cours de ses insomnies, aux cicatrices laissées par les ambitions déçues et les fringales non assouvies de sa jeunesse. Il constata que les femmes peu bavardes, au physique de garçonnet, aux hanches étroites, aux longs cheveux raides et noirs, l'attiraient et avaient, parfois, de manière fugitive, le pouvoir de le toucher. Il y vit une forme de nostalgie trop légère pour mériter d'être combattue.

Plus tard, il avait aimé une femme qui s'était jouée de lui. Il en avait gardé le souvenir d'une brûlure atroce et s'était juré de ne plus se soumettre à la loi d'aucune d'entre elles. Pour ne pas haïr sa propre faiblesse, il en conclut qu'il avait aimé comme on attrape, enfant, la rougeole ou la scarlatine.

Depuis lors, le jeu sous toutes ses formes – risque absurde couru sous le premier prétexte venu ou maniement des cartes face aux partenaires les plus dénués de scrupules – lui avait seul rendu cette sensation d'être jeté hors de soi-même, sans la dégradation d'avoir à subir le joug d'un autre être.

A toute question de Marie sur l'amour, César aurait répondu en riant qu'il avait oublié ce qu'était un rêve, n'ayant plus depuis longtemps que des cauchemars.

Jane lui avait convenu par sa passivité. On ne se sent pas d'obligations à l'égard de qui ne nous donne rien. Qu'il conduise à tombeau ouvert, se répande en grossièretés, ou disparaisse, la laissant attendre des heures dans la voiture ou dans un café, elle avait appris à s'abstenir de toute remarque.

En écrivant à Marie pour lui apprendre le retour de César, Finou avait mentionné la présence de l'étrangère et le silence gardé sur la véritable date de naissance de Daniel. Il serait temps de rétablir la vérité si, un jour, les choses tournaient bien mais bonne chrétienne, elle ne croyait pourtant pas aux miracles, même à ceux de l'Evangile.

Marie qui avait retenu les mots méprisants de sa mère à l'égard de Jane fut frappée en devinant la belle et longue silhouette qui lui était apparue dans la lumière des phares, le soir de son arrivée.

Le lendemain matin, quand elle se leva, Daniel était parti dans les terres avec les hommes qui moissonnaient l'orge. Finou servit sa fille, puis annonça qu'elle allait continuer le ménage.

— Je nettoie la salle à manger et le salon. César a invité du monde pour le dîner.

— Qui ça?

— Un monsieur pour qui il aurait acheté une partie de ce vin qu'il a enfermé dans la grotte.

— La demoiselle ne va pas t'aider à préparer ce qu'il faut?

— Qu'elle ne touche à rien, surtout! Quand on voit comment elle laisse la chambre! Heureusement, elle ne parle pas trop le français. Ça lui évite de dire des bêtises et de se mêler de ce qui ne la regarde pas. Mais pour le reste! L'eau et l'électricité, ça y va! Elle prend des bains et se lave les cheveux sans arrêt. Un jour, je l'ai prise à jeter du pain! Pour le téléphone, César lui a parlé : elle ne s'en sert plus. Je voulais bien laver le linge de César, mais pas le sien. Elle a compris et elle le donne je ne sais où. On n'allait pas laisser la machine tourner tous les jours!

— Elle doit s'ennuyer, dit simplement Marie.

— Tant mieux, elle s'en ira plus vite. Quand ils ne sont pas en promenade, elle fait que lire et boire. Elle tortille ses livres que c'est une honte, je sais même pas si elle regarde ce qu'il y a dedans. Il lui faut toujours un verre plein de glaçons et elle le jette s'il y tombe un moucheron ou un brin d'herbe. Le whisky, entre César et elle, ça descend, je te garantis! L'après-midi, quand ils sont là, ils vont souvent à la piscine des Eyzies. C'est à se demander si elle ne boirait pas cette eau-là, désinfectée comme elle est!

— S'ils restent encore longtemps, ça te coûtera cher, s'inquiéta Marie.

— Elle a rapporté des provisions plusieurs fois, mais des choses bizarres, qui ne peuvent servir que pour elle : du riz complet, des machins diététiques. Je lui ai mis ça à cuire en même temps que la soupe du chien. César m'a aussi donné trois cent mille francs, mais M. Paul n'a pas voulu que j'y touche.

— Ce serait pourtant normal de s'en servir.

Marie avait le sens de l'économie, tant il imprègne chacun à la campagne. Pourtant en son for intérieur, elle avait rêvé d'une vie partagée avec un homme riche – à qui elle s'interdisait de donner les traits de César –, qui voyagerait et vivrait sans compter, qui ne calculerait pas les distances parcourues et l'essence utilisée, n'étudierait pas chaque étiquette pour voir si un produit coûtait vingt centimes de moins ici qu'ailleurs, un homme qui poserait trois mille francs sur une table, sans se soucier de savoir à quoi ils serviraient.

Elle tourna le bol vide, penché entre ses doigts, examinant le sucre collé au fond et finit par poser la question qui lui tenait à cœur :

— Sais-tu combien de temps il va rester?

— Il n'a pas décidé encore. Il attend un coup de téléphone. En tout cas, il partira avant l'automne. Il n'est pas question qu'on allume le grand chauffage pour lui et il a dit à René qu'il ne supportait plus le froid.

— Il ne l'a jamais supporté, dit Marie doucement.

Ne voulant pas se laisser aller aux souvenirs devant sa mère, elle proposa :

— Tu veux que je t'aide à nettoyer?

— Laisse, repose-toi. Hier, j'ai frotté l'argenterie et

passé de l'encaustique. Il me reste à terminer la poussière et à faire briller les parquets.

– M. Paul dînera avec eux?

– Pourquoi il se dérangerait pour un bonhomme qu'il ne connaît pas et dont il n'a rien à faire? Au retour du travail, en semaine, se laver, se changer... c'est pas son humeur. Va t'asseoir dehors avant qu'il ne fasse trop chaud. Pour une fois, César est parti tôt avec la demoiselle et ils ne reviendront pas avant ce soir.

*

Ils arrivèrent à la fin de l'après-midi. Finou préparait le dîner, Marie mettait le couvert dans la salle à manger. César s'approcha et, par la fenêtre, lui dit :

– Viens, je vais te présenter à Jane.

Marie, impressionnée par l'élégance et la beauté de la jeune femme, ne trouva rien à lui dire. L'autre ne parut pas s'en soucier et César, gentil, le bras passé sur les épaules de Marie, ne la retint pas quand, embarrassée par le silence qui se prolongeait, elle murmura :

– Je vais terminer.

Alors seulement, en retraversant la cour, elle se sentit la tête aussi tournée que si elle avait absorbé un alcool violent. Pas un mot ne sortit de sa gorge pour répondre à César, quand il lui cria :

– Dis à ta mère de ne pas s'occuper des boissons! Je sortirai ce qu'il faut!

A sept heures, elle dîna avec sa mère et Daniel, que Paul et René avaient renvoyé car ils n'avaient pas fini de moissonner l'orge. Sous le tilleul, César attendait son invité en buvant avec Jane.

Vers huit heures, Zaza se précipita en aboyant à

l'approche d'une voiture inconnue. Des voix résonnèrent dans la cour, puis le tintement des verres.

— Pour une fois, la demoiselle semble dire plus de dix mots d'affilée, remarqua Finou.

— Ils doivent parler anglais, fit remarquer Marie.

— Tiens, j'ai sorti du coffre le service à découper mais je l'ai oublié sur le palier. Tu peux aller me le chercher? dit-elle à sa fille.

Avant de monter, elle alluma la télévision, pour distraire Daniel, à qui sa grand-mère avait enjoint de ne pas sortir en présence des étrangers. Sur l'écran du vieil appareil en noir et blanc parut un aimable jeune homme brun aux cheveux bouclés, qui commentait la mort d'un cambrioleur tué accidentellement par le bijoutier qu'il venait d'attaquer. Le jeune homme s'attarda sur la culpabilité du commerçant, réservant sa sympathie au cambrioleur. De la cuisine, la voix de Finou claqua :

— Arrête-moi ça tout de suite, ou change de chaîne! ordonna-t-elle au gamin. Tu sais ce que je t'ai dit : aux informations régionales, ils sont sérieux. Aux informations de Paris, ils rabâchent toujours leurs mêmes bêtises! Et si je te reprends à écouter ce petit-là, tu seras privé de télévision pendant une semaine!

— Attends! s'écria le gamin, il parle des récoltes!

En effet, le présentateur était passé à des informations sur la saison agricole, qui s'annonçait désastreuse dans le sud de la France, à cause de la sécheresse, en particulier pour les éleveurs et les producteurs de fraises et de maïs. Finou tendit l'oreille et évita d'entrechoquer la vaisselle, pendant qu'un autre journaliste interrogeait deux paysans du Lot. « Ces difficultés, toutefois, sont mineures, reprit la voix allègre du jeune homme bouclé, en comparaison de la sécheresse dramatique dont souffre l'Afrique depuis plusieurs années et à laquelle s'ajoute un nouveau fléau : les criquets. »

– Cette fois, ça suffit! Arrête-moi ça, Daniel! Les paysans français peuvent crever, il s'en fout, ce péteux avec ses frisettes! Il voudrait nous voir tous entassés dans ses cages à lapins!

Déjà Daniel était passé sur une autre chaîne, où débuta bientôt un film, qu'il fut seul à regarder attentivement. Sa mère le suivit d'un œil distrait, Finou prit son tricot, attendant que César lui demande de servir le dîner.

Pendant un intervalle de silence, la vieille femme devina plus qu'elle n'entendit que la voiture garée en haut de l'avenue se mettait en marche et manœuvrait.

Elle monta pesamment l'escalier de service, arriva dans les W.-C. tout essoufflée. Se haussant jusqu'à la fenêtre, elle vit à travers les interstices du volet clos une grosse voiture carrée, haute sur roues, reculer jusqu'à l'entrée de la grotte. Une sorte de colosse, qui dépassait César de la tête, ouvrit l'arrière. Les deux hommes y chargèrent quelques cartons de vin, puis les lourdes caisses dont l'aspect ne lui plaisait pas. Venant de la cour, la jeune étrangère les rejoignit.

– On ne m'ôtera pas de l'idée que César est revenu pour mener ses trafics ici, où il compte être bien tranquille, monologua Finou.

La voiture repartit se garer devant le portail. La vieille femme allait sortir des W.-C. quand elle se ravisa.

– Puisque je suis là, autant que j'en profite, ça m'économisera un voyage.

Elle s'exécuta et redescendit.

César lui avait demandé de préparer un seul plat chaud et de disposer le reste du repas, y compris les couverts et les assiettes de rechange, au bout de la table qui, avec ses rallonges, jamais enlevées depuis la mort de Mme Abadie, permettait d'asseoir douze personnes.

Vers neuf heures et demie, quand ils eurent fini le melon, puis le foie gras, César vint chercher le salmis de canetons en daube. Finou refusa de lui confier le plat trop chaud et l'apporta, enveloppé de deux torchons.

Quand elle entra, l'invité était debout, planté devant la tapisserie qui couvrait le mur situé en face des fenêtres. Il se retourna, revint vers la table, salua Finou très poliment et lui fit compliment de son foie gras. Il parlait français avec ce même accent qu'avait un ancien curé de Reyssac, venu du Nord. La vieille femme reconnut qu'il avait des manières agréables mais n'aima pas le regard connaisseur dont il embrassait la tapisserie, les meubles, les gravures, les faïences et le cartel de la salle à manger. En reprenant sa place, de la tête il effleura le lustre, tant il était grand.

Agé d'une cinquantaine d'années, il avait le teint rouge brique, les cheveux poivre et sel. Un matelas de crin grisonnant jaillissait de sa chemise ouverte. Son estomac et son ventre ne formaient qu'un bloc, artificiellement divisé par une ceinture qui devait faire un mètre cinquante, évalua Finou.

« Un vrai sac à bière, songea-t-elle. Il doit peser dans les cent vingt kilos. »

Elle n'avait rien contre les gros, mais celui-là était pour la Dordogne d'un modèle peu ordinaire. En outre, des deux bouteilles posées devant les convives, une était déjà vide. Sur la desserte, trois autres attendaient.

– Votre maison est très belle, madame, enchaîna le visiteur, sans permettre à Finou de se retirer.

– Ce n'est pas ma maison, monsieur.

– Ttttt... César m'a expliqué. Je sais que c'est aussi votre maison.

Elle lança un regard courroucé à César qui se hâta de la calmer :

– Rassure-toi, mon ami Vermeulen invente. Je ne lui ai rien dit. Mais c'est un fabulateur de talent!

Jane ayant fait signe qu'elle ne voulait pas de caneton, Finou passa le plat au gros homme. Il se servit et promena au-dessus de son assiette des narines expertes, flairant le parfum des cèpes et des lamelles de truffe.

Incrédule, il se tourna vers Jane :

– Vous n'en prenez vraiment pas?

Il haussa les épaules après avoir entendu la réponse qu'elle fit en anglais.

– Végétarienne! Et par-dessus le marché, écologiste et pacifiste, je parie! Cette génération ne sait pas vivre. On ne connaît rien à la vie tant qu'on n'a pas goûté au sang.

César se mit à rire :

– Vous voulez dire en sauce? Ou au bout d'un fusil ou d'un couteau?

– Tout cela ensemble, répondit le monsieur, adressant à Finou un clin d'œil de connivence, après avoir évalué le moelleux du canard.

Elle repartit dans la cuisine. Elle avait servi trop de repas de famille ou de chasse pour s'étonner du cynisme ou de la paillardise des hommes de la campagne, toutes classes sociales confondues.

– Comment est l'ami de César? demanda Marie.

– A voir, un hippopotame. A part ça, un vieux malin et même un drôle de citoyen, si tu veux mon avis. Je n'aime pas la manière dont il regarde ce qui se trouve dans la salle à manger.

Elle entendit le film se terminer à la télévision et dit à Marie :

– Il serait temps que le petit se couche.

De la pièce voisine, Daniel marchanda :

– Laisse-moi regarder les réclames !

– Bon, mais après, on éteint, dit Marie.

Paul et René rentrèrent alors qu'il venait de monter, accompagné de sa mère et de la fidèle Zaza. Finou servit aux deux hommes l'autre dîner, celui qu'elle avait préparé pour la famille. Paul avait vu au bord de l'évier les assiettes et les plats revenus de la salle à manger et pas encore lavés. Tout à coup, alors qu'il était attablé, il tapa du poing si fort qu'il culbuta son verre. Il le redressa, le planta violemment devant lui et grommela entre ses dents :

– On a assez de lui ici, sans qu'il nous amène ses amis et que tu perdes ton temps à faire la cuisine pour ces messieurs !

– Chut ! Laissez-le faire. Il se lassera le premier et s'en ira.

Finou tenta de faire parler René, pour détourner l'attention de Paul des bruits de voix qui parvenaient de la salle à manger. A son habitude, il répondit à peine, expédia son repas et rentra chez lui.

La vieille femme fut soulagée en entendant Marie redescendre. Devant elle comme devant Daniel, Paul se contenait. Le voyant enfoncé dans son assiette, le visage plus fermé encore qu'à l'ordinaire, elle renonça à le distraire de ses soucis.

Paul ne s'attarda pas. Il alla se coucher, en grognant un « Bonsoir, Finou », dont la hargne n'ébranla pas la vieille, tant elle savait qu'elle ne lui était pas destinée. Son « Bonsoir, Marie » fut relativement amène, mais son pas dans l'escalier pesa plus que de coutume.

*

Le lendemain matin, quand Finou descendit, une odeur étrange flottait jusque dans la cuisine. Elle s'avança dans l'office, dans le couloir, renifla, suivit l'odeur, ouvrit la porte de la salle à manger et se tint immobile sur le seuil de la pièce.

César avait oublié de fermer les volets. Rien n'avait été rangé dans le frigidaire. La vaisselle sale était empilée sur la desserte, des restes de nourriture desséchés étaient éparpillés dans les plats, collés au bord des assiettes. Les verres et les bouteilles vides exhalaient un relent aigre, auquel se mêlait celui, plus fade, du whisky. Les glaçons ayant fondu, leur eau était recouverte d'une pellicule blanchâtre, tant l'eau de Reyssac était calcaire.

Finou se pencha sur les cendriers, identifia l'odeur douceâtre dans celui resté à la place du visiteur. L'entassement de mégots ne lui apprit rien de plus, mais le sang lui monta à la tête.

– Pas possible! Ils fument de la drogue ici maintenant!

Traversant le vestibule en trombe, elle entra dans le salon, prête aux pires découvertes. Il était resté dans l'état où elle l'avait laissé la veille, volets ouverts également. On ne s'y était pas tenu. Elle ouvrit les tiroirs de la table de tric-trac, eut confirmation de ses soupçons. Les jeux de cartes avaient été déplacés et rangés dans un ordre différent. Ils avaient dû jouer une partie de la nuit et César, superstitieux, avait cherché le jeu anglais qu'il préférait.

Avec dégoût, elle repartit vers le capharnaüm qui régnait dans la salle à manger. Personne de la famille Abadie, si ce n'est César, n'aurait traîné ainsi à table après un repas avec des invités, donnant à La Faujardie des airs de café du Commerce. Elle ouvrit les fenêtres en grand et se mit en devoir de rétablir un peu l'ordre avant que Paul ne se lève.

Elle s'en voulait, ayant trop bien dormi, de n'avoir pas entendu partir la voiture du gros homme.

Paul manquait d'odorat et ne remarqua rien. Marie ne possédait pas ce genre de curiosité. D'ailleurs, entre-temps, l'odeur s'était presque dissipée. Par contre, avant de partir au Bugue, faire des courses avec sa mère, Daniel fit gigoter ses lunettes en fronçant le nez et déclara :

– Ça sent drôle!

– M. César a fait brûler une bougie contre la fumée, répondit Finou, couvrant d'un œil ému son biquet, si lourd en apparence, si perspicace en réalité.

Quand César arriva enfin pour prendre son petit déjeuner, Finou était occupée à faire de la confiture de groseilles. Il proposa d'un ton conciliant :

– Je t'aiderai à ranger. Nous nous sommes couchés tard et j'ai tout laissé en plan.

– C'est fait. Je ne voulais pas que ton frère voie ce chantier... et le reste!

Mal réveillé, César passa la main sur ses cheveux ras, sans chercher à comprendre à quoi la vieille femme faisait allusion, et reprit :

– Merci, tu es gentille. Le caneton était fameux.

– Quelle nourriture peut-on apprécier, quand on fume des cochonneries qui empestent?

– Ah! fit-il, saisissant enfin, tu as cru que nous avions fumé du haschisch? Ce sont seulement des cigarettes krétek, au clou de girofle, que fume Vermeulen. Il est hollandais et y a pris goût en Indonésie, où il a habité du temps où c'était une colonie hollandaise.

Il disait vrai, mais elle ne le crut pas.

– Tu ferais mieux de ne pas amener ce monsieur ici trop souvent!

– Pourquoi? Il n'y a pas tellement de distractions et il est de bonne compagnie.

– Non! Il est mal élevé! Ça ne se fait pas de tout

examiner dans une maison, comme si on était dans une vente aux enchères.

César bâilla :

— C'est un décorateur connu et un connaisseur en matière d'objets d'art. J'en ai profité pour lui demander son avis sur la valeur de différentes choses. Il serait preneur, si nous nous décidions un jour à céder des meubles ou des objets.

— Jusqu'ici, ton frère ne veut rien vendre, tu m'entends ?

Elle tremblait de l'entendre rétorquer : « Partageons, Paul et moi. Chacun sera libre ensuite de vendre ce qui lui revient. » Mais il repartit simplement :

— C'est ce que je lui ai dit.

Écartée dans l'immédiat, la menace n'en demeurait pas moins.

— Ça ne fait rien, reprit Finou, j'aimerais mieux ne plus revoir ici cette grosse voiture !

— C'est utile pour transporter des affaires encombrantes.

— Moins tu trimbaleras d'affaires en compagnie de ce bonhomme, mieux tu te porteras ! Quand on fait du commerce honnête, on n'a pas besoin de se cacher, comme vous le faites.

— Mon gros Vermeulen ne te plaît pas ? Pourtant, c'est un monsieur qui a du goût et des moyens.

— Il a probablement gagné son argent comme toi, d'une manière que vous ne tenez pas trop à expliquer !

— En ce moment, il aide à aménager le château de la Bassade, que vient d'acheter un Américain très riche, tout le monde pourra te le confirmer.

Il crut détendre Finou en plaisantant :

— Si Marie s'était montrée au lieu de se cacher, elle lui aurait sûrement plu. Et il représenterait un beau parti !

Au regard glacial que lui jeta la vieille femme, César comprit qu'il était allé trop loin et consentit à donner sur son ami des explications qu'il jugeait apaisantes :

– Les grandes caisses qui t'inquiétaient étaient remplies de carreaux de faïence ancienne, qui viennent du Portugal et serviront à décorer une des cheminées du château. Elles se trouvaient à Bordeaux, je lui ai proposé de les faire livrer en même temps que mon vin, voilà tout !

Une fois encore, il disait vrai, et Finou ne le crut pas.

Se faisant charmeur, César tenta de venir à bout de son hostilité :

– En plus, il n'a pas tari d'éloges sur ta cuisine !

– Qu'est-ce qu'un Américain connaît à la cuisine !

– Il est hollandais !

– Pour la nourriture, c'est les plus pires ! Ils ne dépensent rien, ne prennent que du café au lait et des tartines ou des sandwiches. Les jours de fête, ils partagent une boîte de pâté à sept ou huit. C'est pas étonnant qu'ils s'empiffrent chez les autres ! Tu sais ce qu'on dit d'eux par ici : « Non seulement ils apportent leurs pommes de terre, mais ils remportent les épluchures. » Quand on n'a pas les moyens, on voyage pas !

– Ce n'est pas le cas de Vermeulen, je t'assure. C'est un vrai gourmet, qui ne regarde pas à la dépense quand il s'agit de bons vins et de bons restaurants.

– Tu t'es toujours laissé épater par les gens qui jettent l'argent par les fenêtres !

Voyant que Finou ne désarmait pas, César renonça à louvoyer.

– Ecoute, s'il revient, je ne te demande pas de lui faire des sourires, mais d'être à peu près aimable. De vieux amis me l'ont présenté le mois dernier et je me suis rendu compte qu'il pourrait m'être utile dans une négociation, dont j'attends le résultat mais qui traîne en longueur. Voilà la raison pour laquelle je suis coincé ici, et ça ne m'amuse pas plus que toi. Si tu préfères me voir ailleurs, tu as intérêt à faire bonne mine à Vermeulen et à ne pas compliquer mes rapports avec lui. C'est clair?

– Le plus clair dans ton affaire, c'est que les gendarmes finiront par s'en mêler.

– Tu comptes les appeler?

– Non, mais je ne veux pas de scandale ici! Si vous devez vous entre-tuer, allez faire ça ailleurs!

César se renversa sur le dossier de la chaise en riant :

– Tu es bien pessimiste! Ou alors, ça t'arrangerait que j'aille en prison une dizaine d'années?

– A notre époque, ils vous font sortir au bout de quelques années, même quand vous avez massacré père et mère. Tu reviendras et rien ne serait réglé.

– En somme, tu préfères que je reste en liberté, où j'ai plus de chances de me faire descendre?

– Arrête de te balancer, tu fais craquer les pieds de la chaise!

Pendant que Finou tournait dans la bassine de cuivre la confiture, épaisse bouillie violacée, à l'écume rosâtre, qui sur le point de bouillir commençait à se boursoufler, César, une main arrondie en arc de cercle sur la toile cirée, guettait une mouche. Une première fois il crut la saisir et la manqua. Elle revint sur la tache de lait qui l'avait attirée. César demeura longuement immobile puis, d'une détente l'attrapa, l'écrasa, souleva le couvercle du seau qui contenait les épluchures et l'y jeta :

– Voilà pour tes canards! ironisa-t-il. Tu vois que je ne laisse rien perdre!

– Tu ferais mieux d'avoir un vrai travail.

Il se tut un moment, avant de reprendre :

— Au fond, de quoi vivez-vous? Les récoltes que j'ai vues ne valent pas grand-chose : du blé, de l'orge clairsemés. Ça donne quoi? Trente-cinq quintaux à l'hectare? Dans le Nord, ils en sont à quatre-vingts ou cent. Et le maïs? Dans les belles pièces, il est esquinté par les sangliers, ailleurs, il a cinquante centimètres.

— Tout est en retard cette année, avec le printemps pourri que nous avons eu, lança Finou, coupante. Après, on a eu des inondations en avril et rien depuis, comment veux-tu que ça pousse?

— On irrigue partout, sauf ici!

— Où tu trouveras l'eau, toi qui est si malin? Au bord d'une rivière ou d'un ruisseau, sur des plaines, ça va encore. Pour nous, tu iras la chercher dans le rocher, et tu la feras grimper sur ces penchants où j'ai toujours peur que le tracteur se retourne sur ton frère ou sur René? Avant, on avait l'argent du lait, qui tombait régulièrement chaque mois. Maintenant, comme René va avoir ses soixante-cinq ans et toucher sa retraite, ton frère a demandé la prime et s'est mis à faire de la viande. Pour l'instant, c'est les Italiens qui achètent les veaux. Et demain, si ça change, de quoi on vivra? C'est le dernier de leurs soucis, à ces messieurs de Paris. Ils voudraient que les paysans aillent s'entasser dans leurs saletés de banlieues, à s'inscrire au chômage et à faire des *oldupes,* au lieu de travailler dur pour tenir le coup!

— Et les autres, comment ils s'en tirent?

— Ils font des fraises, mais cette année, avec leur *Chernoville,* les Allemands n'en ont pas voulu. Il s'en est perdu et il a fallu baisser les prix. Et puis, on économise sur tout. Ton frère est peut-être le seul du pays à ne pas s'être endetté, parce qu'il a gardé son vieux matériel, sans se soucier de faire le vaniteux et d'acheter un tracteur plus beau que celui du voisin. Heureusement qu'il y a les pensions des vieux, sans ça les familles ne s'en sortiraient pas. Moi, j'ai eu la chance que mon Lucien se tue dans un accident du travail et me fasse toucher une pension. Grâce à Marie, il y a aussi cette boutique qui me commande des layettes.

— En somme, la maison ne pourrait pas tourner, sans ce que tu gagnes?

— Chacun y met sa part, c'est normal.

— Je parie que Paul ne te verse pas de salaire et qu'il ne verse pas lourd à René?

— Nos comptes avec ton frère ne te regardent pas et je ne veux pas entendre un mot contre lui! Il est l'aîné, il est resté ici et il a travaillé, en préservant le bien de la famille. Tu lui dois le respect. Quand on s'en va pour éviter les responsabilités sans se soucier de ce qu'on laisse derrière soi, on vaut moins qu'un mort. Mets-toi ça dans la tête! Quand on revient, on n'a que le droit de se taire et de travailler, pareil qu'un étranger!

— Je suis encore chez moi dans cette maison!

— Tu peux rester, on ne te volera pas ta part. Mais quand on n'a pas contribué à la richesse de la famille, on n'a pas la parole.

— Dès que j'aurai réglé l'affaire dont je te parlais, je m'en irai et vous ne me reverrez pas de longtemps, j'espère. Je ne supporte plus de vivre en France. Tu es contente?

— Avec la vie que tu mènes, sais-tu seulement si tu pourras faire ce que tu as décidé?

— Tais-toi! dit César brutalement. Ne joue pas les oiseaux de mauvais augure!

D'une brusque détente, il se leva. Puis il s'étira, enroula les manches de sa chemise sur ses avant-bras, découvrant à son poignet une grosse montre au cadran compliqué. Revenant vers Finou, qui baissait le gaz sous la bassine de confitures pour la laisser bouillir doucement :

— J'ai autre chose à te dire.

Après un silence, il ajouta :

— Marie est assez grande pour savoir ce qu'elle veut. Ne te mêle pas de ses décisions.

— Si tu crois que quelqu'un peut la régenter! dit Finou d'un ton âpre, montrant assez combien sa fille lui échappait.

Il mit ses lunettes de soleil, prit le journal, lisant les titres, s'attardant à peine sur un ou deux articles.

Marie, revenant du Bugue avec la 504, s'arrêta devant lui.

— Laisse, je descendrai les paniers, dit César.

Pourtant, il resta assis au milieu de la marche. Pour entrer, embarrassée par la tourte de pain qu'elle tenait et un grand carton de lessive, elle dut le frôler, s'appuyer contre son épaule. Alors seulement, il leva la tête.

— Bonjour, Marie.

— Bonjour, dit-elle de sa voix basse.

— Tu ne m'embrasses pas?

— Si.

Il écarta une mèche de cheveux noirs pour lui dégager le visage où le sang afflua, l'embrassa sur les deux joues. Quand Daniel arriva, portant un sac en plastique et un journal de bandes dessinées, César étendit la jambe, l'empêchant de passer.

— Et toi, tu ne m'embrasses pas?

— Si. Bonjour, monsieur, dit le gamin, en embrassant bruyamment César.

— Je croyais que tu avais mal au cœur en voiture?

— Seulement dans les grosses voitures qui vont vite. Avec maman ou tonton René, ou M. Paul, on roule doucement et j'ouvre la vitre.

– Tu es déjà monté dans une grosse voiture?

– Une fois, quand je me suis coupé la main et que je suis allé en taxi avec mémé à l'hôpital de Périgueux. C'était une Mercedes. Pour ma coupure, j'ai encore la marque!

Il montra une ligne blanche à la base de son pouce. César le laissa entrer. Il se précipita vers sa grand-mère, ouvrit le paquet qu'il balançait au bout de son bras levé, déplia un tee-shirt outrageusement bariolé.

– C'est maman qui me l'a acheté! cria-t-il fièrement.

– Garde-le, dit Finou en le regardant à peine, tu en as déjà un qui est presque neuf.

– Maman a dit que je pourrai le mettre pour le feu d'artifice!

– Alors, fais ce que te dit ta mère.

*

Le lendemain, César descendit la tête lourde. Après une nuit d'insomnie, il détestait se rendormir, le jour levé, comme il venait de le faire. Trouvant Marie seule dans la cuisine, il demanda où était Finou.

– A la messe, avec Daniel.

– C'est vrai, nous sommes dimanche.

Il s'assit, machinalement se laissa servir, avant de repousser le pain que Marie venait de couper.

– Merci, je n'ai pas faim.

Elle se lava les mains, dégagea l'autre bout de la table, y posa la planche et le rouleau à pâtisserie, un moule à tarte, une terrine, sortit la farine, le sel, le bol plein de la peau recueillie chaque matin par Finou sur le lait qui avait bouilli.

Attendant que son café refroidisse, César se surprit à fixer les mains de Marie, qui agissait avec autant de calme que si elle avait été seule. Versant la farine dans le récipient, elle y creusa un puits, ajouta progressivement la peau de lait, remua avec une spatule en bois, surveillant la consistance que prenait le mélange, encore informe et grumeleux, ramena la farine des bords vers le centre et, d'un mouvement lent et régulier, y incorpora la peau de lait.

Enfin, elle se passa de la farine sur les mains et entreprit de pétrir la pâte.

César détaillait le visage que dégageaient les cheveux, retenus en arrière par deux barrettes. Il l'avait souvent plaisantée sur son nez, étroit à la racine, mince d'arête, aux narines ouvertes et sensibles de pouliche. « En route pour Poitiers, quelques Arabes ont dû s'arrêter du côté de Reyssac! » lui disait-il autrefois, en riant.

Il buvait lentement son café, engourdi par cette présence féminine et silencieuse. Marie se consacrait à sa tâche avec gravité. Par moments, elle croisait les doigts, frottant ses mains l'une contre l'autre pour en détacher la pâte, puis elle recommençait à pétrir, éprouvant à intervalles la résistance et l'élasticité de la boule en y enfonçant la base du poignet. Puis elle ajoutait un nuage de farine et, s'appuyant des deux mains au fond de la terrine, déformait et reformait la boule de pâte.

Sans bruit, attentif à se faire oublier, César se resservit de café.

Elle lui avait demandé d'allumer le four, désignant le bouton du gaz qu'il fallait tourner. Il avait obéi, passant et repassant derrière elle sans la toucher.

Enfin satisfaite, elle se mit à étaler la pâte. Quand sa minceur lui convint, elle l'ajusta dans le moule et, de la paume appuyée sur le bord cranté, coupa les morceaux qui débordaient, les réunit en un petit tas qu'elle mit de côté. Elle piqua de coups de fourchette la pâte étalée, la mit au four, se redressa.

Tapi devant son café, sournois comme un vieux braconnier au bord d'un terrier, César, cet amateur de tabac, d'alcool, ce renifleur de gibier, veillait à ne pas lever le regard pour ne pas inquiéter Marie. Il se grisait de la simple odeur de lait et de crème qui montait de ses mains, tandis qu'elle étirait les derniers lambeaux de pâte à la dimension de deux petits moules qu'elle avait sortis du buffet.

Elle laissa de côté les fraises qu'elle ajouterait au dernier moment, se contenta de couper en deux celles qu'elle jugeait trop grosses.

Dans quelques instants, elle aurait terminé. Déjà, elle grattait du revers d'un couteau la planche et le rouleau à pâtisserie, les frottait du torchon avec lequel elle s'était essuyé les mains. Dans le dos de César, elle se pencha pour les ranger en bas du buffet. Il la surprit en faisant basculer sa chaise, renversa la tête en arrière pour mieux la voir au-dessus de lui, écartant ses mains saupoudrées d'un reste de farine.

– Fais attention, tu vas tomber! dit-elle.

Pour l'effrayer, il continua à se pencher, puis se laissa aller contre elle. Comme il l'avait prévu, elle saisit le dossier de la chaise pour faire cesser ce jeu d'enfant. Il attrapa au vol les mains rétives, les noua autour de son cou, lui emprisonna les coudes, l'attira plus près. Tout d'abord, il la retint malgré elle puis, sentant qu'elle ne voulait pas se mettre en colère pour ne pas accorder trop d'importance à son geste, il cessa d'user de la force, doucement la courba vers lui, enfonça sa tête dans le buste mince, de la joue flatta un des petits seins, posa un baiser léger à la saignée du bras découvert.

– Tu sens bon! dit César, humant la peau nue.

– Arrête de me tripoter, César! protesta la voix basse en trébuchant un peu.

– Je ne te tripote pas, je te caresse.

– Je ne veux pas.

– Quelqu'un a le monopole?

– Je ne veux pas, c'est tout.

– Ne t'inquiète pas, je vais te lâcher. Laisse-moi seulement te tenir une minute.

Il prit une voix rassurante.

– J'ai mal dormi, regarde comme j'ai la nuque raide.

Il guida les doigts légers de Marie :

– Là!

– Laisse, j'ai encore de la farine sur les mains!

– Ça ne fait rien. Sois gentille, masse-moi un peu, ça me fera du bien.

– Remets d'abord la chaise sur ses pieds.

Il retomba d'aplomb, sentit les mains sages se poser sur son cou, frotter.

– Plus fort! dit-il, pressant les doigts de Marie dans le sillon durci de sa nuque, jusqu'à la naissance des épaules.

Elle obéit, frotta plus hardiment. Il ne pouvait en demander plus pour l'instant, elle prendrait peur. Il retint un faible râle de plaisir qu'elle sentit pourtant lui courir à fleur de peau.

– Marie, ma douce! murmura-t-il.

C'était fini, elle s'enfuyait, le rudoyant gentiment :

– Voilà, ça suffit!

Elle regarda le réveil.

– Il ne faudra pas que j'oublie de retirer la tarte.

Comme les voix de Finou et de Daniel se faisaient entendre dans la cour, César demanda, faussement distrait :

– Tu vas à leur méchoui, ce soir?

– Oui.

– Avec Daniel?

– Non. Il veut toujours voir le feu d'artifice du Bugue. M. Paul les emmène, maman et lui.

– Arrête de dire « M. Paul »! C'était bon à l'époque de ta mère. A ton âge, c'est ridicule!

Elle lui lança un regard aigu :

– Si je faisais autrement, ça te choquerait encore plus!

*

Pas une commune, en Dordogne, qui n'ait sa fête, sa foire, à la belle saison. Les associations, quant à elles, se partageaient l'été l'organisation des bals et méchouis, l'hiver les soirées de loto, des concours de belote. Reyssac faisait exception. Autrefois, la fête communale avait lieu à la Saint-Martin, patron de la paroisse, le onze novembre. Puis ce jour fut consacré à la célébration de l'Armistice. La foire aux bestiaux qui se tenait à cette date fut supprimée. Enfin, l'époque, trop tardive, ne permettait pas la tenue d'activités en plein air.

Depuis quinze ans, le conseil municipal se disputait à propos de la construction d'une salle de spectacle ou de réunion – baptisée dans le jargon administratif, « salle polyvalente » – assez vaste pour contenir l'ensemble de ses administrés. Les clivages politiques et les rivalités familiales s'en mêlant, on n'était pas parvenu à se mettre d'accord sur l'emplacement et l'achat d'un terrain.

Par contre, le méchoui de l'Association sportive reyssacoise – le club de football – connaissait un succès grandissant d'année en année. Le conseil municipal, dépité de se voir réduit à l'inaction, choisit de jouer les mécènes et attribua une somme de mille francs aux organisateurs du méchoui.

Le trésorier du foot – comme on l'appelait, quand, des hauteurs du langage officiel, on redescendait dans le quotidien – dut se faire opérer du genou à la fin du mois de juin. Il fallut le remplacer. Le conseil municipal, que certains accusaient déjà de dilapider les deniers publics, estima habile de proposer qu'un de ses membres remplisse pour l'occasion le rôle de trésorier.

Absent le soir des délibérations, le gros Marcel fut proposé pour ce poste. Adjoint au maire, renommé pour sa pondération, il n'aurait pas contrarié une mouche, ce qui est une manière aussi louable que d'autres d'obtenir le suffrage de ses concitoyens. Son peu de vaillance à l'ouvrage ne fut pas considéré comme un obstacle insurmontable.

On pensa venir à bout de ses réticences en lui promettant un cahier d'écolier où il noterait dépenses et recettes, et une boîte en fer-blanc qui tiendrait lieu de caisse. Après tout, il savait compter puisque, au café, c'était lui qui encaissait.

Il demanda à réfléchir, mais il lui fallut bien finir par en référer à Germaine qui le reçut vertement :

– Qu'est-ce que tu as répondu?

– Que j'avais pas le temps, tiens! Je peux pas tout faire, les clients du café, l'épicerie, le méchoui, et quoi encore!

– Alors, tu as refusé?

– Ben, oui, c'est tout comme...

– Et demain, ils vont te relancer?

Il s'en défendit mollement. Enfin, acculé par Germaine à une honteuse confession, il admit que ses protestations avaient été mises sur le compte de la modestie et que l'on considérait son acceptation comme acquise. La discussion qui suivit fut orageuse et c'est épuisé que Marcel monta se coucher, après avoir reconnu que tout s'arrangerait si Germaine tenait elle-même les comptes à sa place. Les invectives de sa femme se perdirent dans les bruits de la vaisselle qu'elle achevait de ranger et l'affaire parut au gros homme si heureusement conclue qu'il s'endormit sur-le-champ.

C'était bien ainsi que, dans sa sagesse, le conseil municipal avait prévu les choses.

*

A huit heures, le dimanche soir, quand Marie arriva dans la cour de l'école où se tenait la fête, les voitures étaient déjà garées de chaque côté de la route, sur deux cents mètres, empiétant sur les prés fauchés.

Elle fit le tour de ses connaissances, c'est-à-dire des habitants de Reyssac. Des jeunes des communes voisines, Saint-Florent et Marsay, faisant partie de l'équipe de football, allaient et venaient comme chez eux, alors que les quelques membres de leurs familles présents, conscients de ne pas être sur leur territoire, restaient sur la réserve.

Les enfants couraient partout. Au-dessus de la fosse, creusée dans un pré voisin et où finissaient de rôtir trois moutons, les responsables ruisselaient. Leurs femmes, chargées du reste du repas, s'affairaient, Germaine récupérait les dernières cotisations. La majorité des hommes piétinaient devant le bar tenu par l'instituteur aidé de nombreux volontaires, et installé sous le hangar d'où il avait, pour l'occasion, sorti sa voiture.

Marie s'installa près de la famille Thibaut, à qui Finou accordait son estime – fait exceptionnel. En effet, sobres, travailleurs, catholiques pratiquants, votant bien, ils réunissaient les qualités qu'elle prisait par-dessus tout.

Un étranger, aussi fin observateur qu'il fût, aurait été bien en peine, en se basant sur les comportements et les conversations, de deviner à quels clans politiques appartenaient les uns et les autres. Si les

100

protecteurs étaient différents, les services demandés et rendus, à droite comme à gauche, étaient les mêmes, et en général on avait à cœur, dans chaque famille, de maintenir les choix faits par les générations précédentes. C'était cela aussi, l'héritage.

Par contre, chaque communauté était convaincue de sa singularité et, sans pouvoir l'expliquer, ses citoyens reconnaissaient gravement que dans les bourgs voisins, et plus encore dans les autres cantons, « la mentalité était différente ». Cinq ou huit kilomètres de distance faisaient des Saint-Julien et des Marsay, comme on disait, des êtres dont il convenait de se méfier.

Venue en nombre, la famille Thibaut occupait, en trois générations et deux branches cousines, la moitié d'une des tables formées de planches posées sur des tréteaux. L'ambiance était joyeuse, le vin largement versé, alors que les femmes commençaient à circuler avec la soupe, les unes tenant les grandes marmites à deux mains, les autres servant.

Au printemps, Louis Thibaut avait accompagné ses deux fils au Salon de l'Agriculture et juré que, de sa vie, il ne remettrait les pieds à Paris. Une partie de la tablée prétendit n'avoir jamais entendu le récit de cette expédition et on se ligua pour le lui faire répéter. L'énumération de ses malheurs et de ses surprises provoquait des rafales de rire, les questions et les quolibets pleuvaient. Malin, il joua les naïfs pour garder la vedette.

— Le soir, en arrivant, vers six heures, on pose nos affaires à l'hôtel et on cherche un restaurant près de la gare.

— Vous n'aviez qu'à aller au buffet !

— Je mange pas chez les chemins de fer, c'est fait pour les touristes. J'aime qu'on me prépare mon fricot sous mes yeux, là où je peux sentir si on me sert du frais ou du pas frais. Je veux pas de ces cuisines où on peut pas mettre le nez. On n'avait rien mangé depuis onze heures, le matin, ça faisait faim. Alors, on tourne, on regarde. Pas un restaurant ouvert. Paraît qu'ils servent pas avant sept heures et demie et il était pas sept heures. Vous savez où on a dû manger?

— Chez les crouilles! s'exclama un facétieux.

— Ah! non. Je veux pas les voir ici, c'est pas pour leur courir après à Paris!

— Alors?

— Chez des Chinois! Ils dînaient en famille, bien tranquilles, quand ils nous ont vus à la porte. Eh bien! mon vieux, ils nous ont ouvert et ils nous ont servis presto.

— De quoi tu te plains! On dit qu'ils cuisinent mieux que les Français!

— C'est peut-être bon pour eux, qui aiment bouffer du pâté de fourmis ou des nageoires de requins, comme ils disent. Mais c'est plus de mon âge, ces plaisanteries.

Il leva le bras pour prêter serment si s'élevait la moindre contestation :

— Je vous le dis, ça vit en France, et ça ne connaît ni les pommes de terre, ni le pain, ni le fromage! Heureux encore, y avait du vin.

— Vous avez mangé la nappe?

— Non, on a pris une espèce de bœuf en sauce qu'on a vu dans leur assiette.

— Ça devait être du rat en sauce!

— Non, le rat c'est filandreux, mais plus fin.

— Comment tu le sais? C'est la Jeanne qui t'en sert?

— Mon pauvre gars, va! A ton âge, on sait rien, on n'a rien vu.

— Où tu as mangé du rat, tonton? s'exclama un gamin, très intéressé.

— Quand j'étais prisonnier en Allemagne, y avait

des Russes qui en mangeaient. J'ai goûté pour voir.

Personne n'était en mesure de dire s'il inventait ou non.

– Pourquoi t'as pas mangé du riz? Ça cale!

– On mange pas ce machin-là, nous. Ni Claude ni le Serge ils en ont voulu.

Les deux fils approuvèrent de la tête. Louis poursuivit :

– Et puis, ils te servent que des petits bouts, des déchets, quoi, pas un vrai morceau où tu peux mettre la dent. Non, c'est pas des endroits pour les gens normaux. A part ça, ils sont bien polis. A Paris, je dirais même qu'y a qu'eux pour être polis. Les jeunes, c'est une honte! Les gars sont pas coiffés, pas rasés! Moi, la Jeanne me laisserait pas sortir comme ça, même pour aller sur mon tracteur!

– Tu te plains toujours! Et les magasins, ils sont pas beaux?

– C'est bon pour les bonnes femmes!

– Et les bagnoles? Tu les as pas regardées non plus?

– Si j'ai pas de quoi les acheter, ça m'intéresse pas. Les bagnoles des autres, j'en ai rien à foutre.

– T'es un vrai attardé, quoi! C'est pas la peine de sortir de ton coin, puisque tu critiques tout!

– J'aime bien aller où les gens sont normaux. A Paris, ils sont tous grossiers comme des cochons et, sur le tas, y a une bonne moitié de bourricots, nègres et compagnie. Moi, ça me fait honte une ville où y a plus de Français et où on se tient si mal!

Là-dessus régnait l'unanimité. Personne ne voulait habiter Paris. Les jeunes qui, au début de leur carrière, devaient y passer quelques années, n'avaient de cesse qu'ils aient obtenu un transfert dans leur province natale. Ceux qui faisaient leur service militaire redescendaient au pays à chaque permission, quitte à passer deux nuits dans le train pour rester deux jours chez eux. Les adultes consacraient à des célébrations locales ou à des rencontres de famille les rares jours de vacances qu'ils s'octroyaient. A cause des bêtes, ils ne pouvaient pas s'absenter plus. Une partie des gens présents étaient fonctionnaires, artisans, employés de petites industries locales. En réalité, ils étaient cela et paysans en plus, consacrant à leurs terres toute la liberté dont ils disposaient.

Les blagues continuaient à pleuvoir sur la tête de Louis Thibaut. On lui demanda s'il était allé voir les filles. Il haussa les épaules.

— Dis la vérité! T'as eu peur d'attraper le sida!

— Attraper quoi?

— Leur maladie, qu'ils parlent à la télé!

— T'es au courant de rien! Les gars en meurent, là-bas, en Amérique!

— Je m'en fous, moi, de leur maladie, tant que mes vaches peuvent pas l'attraper! Et puis, c'est comme la vérole, hein! Ça tombe sur ceux qui l'ont cherché. Pourquoi on les plaindrait?

Sur les onze heures, le repas tira à sa fin. Dans la salle de classe, débarrassée de ses meubles, le préposé à la sono, forestier de son état, veillait sur le matériel perfectionné qu'il avait monté lui-même avec une habileté de dentellière et qu'il prêtait chaque année pour le méchoui. Il mit un premier disque, dont les accords stridents tuèrent les autres bruits.

Le cantonnier, qui jouait de l'accordéon, restait placidement à table, sachant qu'on lui demanderait ses airs de bal à papa quand la première agitation serait passée.

Marie était allée s'asseoir auprès de deux jeunes femmes, ses amies au temps de l'école communale.

— Tiens, voilà le César avec sa *couva-gril*! fit remarquer l'une d'elles, savourant le terme que des blagueurs avaient dû surprendre dans la bouche de René.

Marie se retourna et, dans la cour largement éclairée, le vit échanger des bonsoirs et des plaisanteries de côté et d'autre. Il était suivi de Jane dont pas un muscle du visage ne se détendit en un sourire. On les dirigea bruyamment vers Germaine qui, magnanime, leur permit d'entrer sans payer, étant donné l'heure tardive.

Jane s'avança vers la salle d'école, observa la scène, puis se mit à danser, seule.

– Qu'est-ce qu'elle tient, la *couva-gril*! lança un homme à l'œil exercé.

– Oh! s'étonna un autre, choqué à la pensée qu'une invitée de la famille Abadie puisse être un objet de scandale.

– Pas besoin de regarder de près. Elle est raide soûle.

Une bonne âme s'empressa de répéter le propos à Marie, qui ne répondit pas. En rentrant de la piscine avec Jane, en fin d'après-midi, César avait sorti une bouteille de whisky, servant largement la jeune femme, buvant peu lui-même, sous prétexte que son mal de tête ne l'avait pas quitté de la journée.

Il vint vers Marie et ses deux amies, resta un moment avec elles. Puis il s'approcha du bar, se mit à bavarder avec les hommes. Les mains dans les poches, la veste jetée sur les épaules, il se contenta de lancer un coup d'œil en direction de Jane, sans manifester autrement l'intention de la surveiller ou de la rejoindre. Les garçons ne se fièrent pas à ce détachement. Tous évitèrent de danser avec l'étrangère, qui s'en irrita et dont les manières devinrent provocantes.

Quand elle se mit à invectiver les hommes – en anglais, heureusement –, César se décida à intervenir, la prit par le bras, lui dit quelques mots à voix basse.

Elle grommela, parut sur le point de se révolter et de lancer une bordée d'injures, mais, prudence ou lassitude, se laissa emmener. Elle trébucha, perdit une de ses chaussures, qu'il ramassa et qu'elle remit, à cloche-pied, s'accrochant à lui. Personne ne sembla rien remarquer.

Ils sortirent. Alors, Jane secoua brusquement son bras et releva sa manche, pour montrer à César la marque laissée par ses doigts trop serrés. Il ne regarda même pas.

Marie vit démarrer la belle voiture noire. Un garçon écrasa le mégot de sa cigarette dans les cailloux de la cour et dit, flegmatique : « Il fait mieux de se l'emmener, sa putain, elle aurait fini par nous faire des histoires. »

On vint bruyamment interrompre le bavardage des trois amies, les entraînant dans la salle. Dès qu'elle se mit à danser, Marie fut toute gaieté. Elle ne vit pas revenir César, le remarqua seulement quand elle se trouva épaule contre épaule avec lui. Il lui adressa un clin d'œil amical, elle sourit. Quand la musique se tut, elle se dirigea vers la sortie. Il faisait trop chaud dans la pièce, elle voulait respirer. Dehors, elle s'assit sur le mur bas qui séparait la cour du potager de l'instituteur.

Une voix annonça au micro : « Et maintenant, voici une demi-heure de bal à papa avec Jo! » Un rythme allègre se fit entendre à l'accordéon. César sortit de la salle, chercha Marie des yeux. Dès qu'il se fut habitué à l'obscurité, il s'avança, demanda « Tu viens? » en la prenant par la main, sans attendre sa réponse. Il poussa la cohue des spectateurs pour rentrer dans la salle, l'enlaça.

« Ce n'est qu'un paso-doble », se dit Marie pour se calmer. On évoluait joyeusement d'un bout à l'autre de la salle. Les enfants s'y étaient mis, cela tenait du patronage, César la faisait virevolter à bout de bras. Elle restait sur la réserve pourtant.

– Et la demoiselle? demanda-t-elle.

– Je l'ai ramenée à La Faujardie. Ne t'inquiète pas. Quand elle boit trop, elle dort et ronfle comme un cocher, rien ne la réveille.

Alors que Marie ne s'y attendait pas, il la ramena contre lui, la maintint étroitement, d'une main plaquée dans le dos, comme les habitués des bals populaires d'autrefois, habiles à garder les apparences, tout en tenant leur cavalière d'une main de fer.

Il dansait bien. Marie, en aveugle, suivait ses mouvements. Les yeux clairs balayèrent son visage. Il n'eut pas besoin de voir la bouche entrouverte chercher sa respiration. Marie en avait assez dit en s'efforçant de contrôler son raidissement, émue de reconnaître que le corps sec d'adolescent qu'elle avait connu s'était durement musclé, avait gagné une vigilance, une âpreté nouvelles et ne déchiffrait que trop bien ses réactions.

Il lui sembla que montait de sa robe ouverte une bouffée de chaleur moite, qui finissait de la trahir. Elle se souvint avec effroi de cette phrase que M. Abadie avait adressée un jour, devant elle, à un César de dix-sept ans : « Je préférais le temps où les désodorisants n'existaient pas. A sentir une femme, on savait si elle voulait ou pas. »

César relâcha son étreinte, se remit au diapason de l'atmosphère bon enfant. La musique s'interrompit.

– Je sors un peu, on étouffe, dit Marie.

De la tête et d'un petit claquement de langue, César fit signe que non. Il lui passa les bras par-dessus les épaules, attendant que la musique reprenne. Jo but quelques gorgées du verre de vin qu'on lui apporta, avant de commencer un tango. A regret, les gamins laissèrent la place à leurs parents et grands-parents. Des rires et des sifflets se firent entendre du côté des plus jeunes, avec si peu de conviction que les aînés ne prirent même pas la peine de les remettre à leur place.

César s'amusa à prendre la pose, cambré, levant haut la main de Marie. Après un nombre suffisant d'évolutions destinées à amuser la galerie, il prétendit se lasser, la conduisit à l'écart de la foule, au fond de la salle et, la collant contre lui, dansa calmement. Elle avait la bouche à hauteur de son cou et il la tenait si étroitement qu'elle ne pouvait regarder nulle part ailleurs.

– Arrête, César, on va nous regarder!

Prétendant n'avoir pas entendu, il pencha la tête vers la bouche de Marie :

– Qu'est-ce que tu dis?

Elle fit un misérable effort pour s'écarter :

– Arrête, voyons! reprit-elle d'une petite voix étranglée.

– Ne t'en fais pas, ma douce, personne ne s'occupe de nous.

D'un geste apaisant, gentil plus que séducteur, il appuya sa joue sur le haut de la tête brune. La pression de son bras en travers du dos de Marie ne s'était pas relâchée, de la main il lui enserrait la nuque et il maintenait ses jambes dans les siennes.

« Il n'est pas possible que ce morceau dure aussi longtemps! » songea-t-elle. Jo devait broder ou en rajouter. César sentait le corps de Marie affolé comme celui d'un garenne cerné par les chiens. Elle trébucha, se retint à lui, finit par céder et se laisser guider, sans chercher à se dégager.

A peine la dernière note se fut-elle prolongée dans un trémolo de tout l'instrument, qu'elle dit :

– J'ai soif, je vais boire.

César s'attarda, blaguant avec deux petites vieilles qui avaient dansé ensemble avec entrain. Au robinet de la cour, Marie but dans ses mains, se passa de l'eau sur le visage. Il était une heure du matin. Depuis longtemps, on avait emmené les enfants. A leur tour, bon nombre d'adultes s'en allaient. Elle en profita, fit quelques adieux, prit sa veste de toile, ramassa le sac en plastique où elle avait réuni après le dîner les couverts qu'elle avait apportés comme tous les convives, et les os que Daniel lui avait demandés pour son chien. On suffoquait dans cette salle, malgré la porte et les fenêtres grandes ouvertes. Remonter à pied lui ferait du bien.

Elle passa par la route, car elle n'aimait pas suivre les chemins en pleine nuit. Une voiture arriva à sa hauteur, des voisins proposèrent de la reconduire. Elle remercia et répondit qu'elle préférait marcher pour prendre un peu l'air. Elle resta sur le bas-côté, pour laisser une seconde voiture la dépasser. Celle-ci s'arrêta également, on ouvrit la portière avant, de son côté. C'était César :

– Monte, je te ramène.

– Je préfère rentrer à pied.

– Tu veux que tout le monde nous croie fâchés et s'amuse à en chercher la raison ?

Elle monta. En haut du bourg, ils croisèrent une voiture, qui roulait lentement, vitres baissées, radio poussée trop fort. Elle s'arrêta, comme si ses occupants se concertaient. César les suivit des yeux dans son rétroviseur, les vit descendre vers l'école, se mit à siffloter.

– Tu les connais ? demanda Marie.

– Pas la peine. Trois jeunes types de la région parisienne qui vont traîner dans un bal de campagne entre une et deux heures du matin, ce n'est pas pour faire de la dentelle.

– Si tu redescends pour prévenir les hommes, en bas, ils éviteront peut-être la bagarre ?

César eut un drôle de sourire en biais :

– Ceux-là sont venus pour voir de près des petits gars mangeurs de confits et de châtaignes. Laissons-les en avoir pour leur argent.

Il dépassa l'avenue qui montait à La Faujardie.

– Où vas-tu? demanda Marie.

– Au Bugue, acheter des cigarettes.

– A cette heure-ci?

– Il n'est pas tard. Il y a un bal après le feu d'artifice et tout le monde doit être dehors, à boire et à danser.

– Tu aurais mieux fait d'y aller sans moi, j'ai sommeil.

– Nous serons rentrés dans vingt minutes.

En quittant la départementale, il accéléra, ouvrit plus grand la vitre de son côté. Il avait lancé sa veste à l'arrière, Marie serrait la sienne sur ses épaules.

– Tu n'as pas froid? demanda-t-il.

– Non, ça va.

L'air chuintait doucement autour d'eux et contre les flancs de la longue voiture, dont tout trahissait le prix. Marie s'efforça de ne pas s'enfoncer dans le siège trop vaste pour elle et de ne pas céder à l'engourdissement où la plongeait ce luxe, l'odeur discrète du cuir, l'éclat sourd du bois poli, l'onctuosité avec laquelle la moindre pression de César sur le volant était obéie, le ronronnement à peine plus soutenu du moteur quand il accélérait. Elle évaluait mal à quelle vitesse ils roulaient, tant ils glissaient avec une aisance feutrée, au ras de la route, le long du paysage familier de bois et de prés, de maisons isolées, auquel elle se sentait soudain étrangère. Quand ils avalèrent, plus qu'ils ne dépassèrent, deux voitures marchant à une allure normale, Marie, qui était dénuée de vanité, pressenti pour la première fois quelle fascination la richesse pouvait exercer sur ceux qui en étaient exclus et par quelle alchimie perverse un simple mortel pouvait, grâce à la vitesse, se croire transformé en demi-dieu.

Au Bugue, César se gara près de la place de la mairie, où l'on dansait, se dirigea vers le grand hôtel, encore largement éclairé. Il tint parole, n'insista pas pour faire descendre Marie qui l'attendit dans la voiture. Il revint en moins d'une minute, lança deux paquets de cigarettes dans la boîte à gants et reprit la direction de Reyssac.

La route était plus encombrée qu'à l'aller. A un endroit où les tournants se succédaient, César dut suivre une voiture assez lente. Il garda la main sur le changement de vitesse, entre son siège et celui de Marie. Elle regardait obstinément par la vitre, mais sentait la présence de cette main si proche.

Elle n'eut pas le temps de prévoir son geste quand, lâchant le levier de vitesse, il étendit le bras vers elle et, écartant la veste, lui prit le ventre dans sa main ouverte :

– Comment as-tu fait pour loger un enfant dans ce petit ventre-là? demanda-t-il gentiment.

– Ça ne veut rien dire. Josette, qui est deux fois large comme moi, a dû avoir les siens par césarienne.

Elle saisit le poignet de César, sans réussir à le déloger. La main descendit entre ses cuisses.

– Ecoute, laisse-moi! implora-t-elle de sa douce voix rauque, si près de s'affoler.

– Tu n'aimes pas que je te touche?

– La demoiselle anglaise ne te suffit pas?

– Elle n'est pas anglaise et elle ne m'intéresse pas.

– Ça ne fait rien. Tu es avec elle, tu dois t'en occuper.

Devant l'insistance de Marie, ou peut-être parce que la route redevenue droite lui permettait de doubler, il retira sa main. Elle défroissa sa robe et se

111

rencogna près de la portière. La voiture, cet univers qui se révèle la nuit sans échappatoire pour le passager, close sur la griserie ou la menace, lui paraissait ce soir plus inquiétante que la route déserte.

En arrivant à La Faujardie, il s'engagea dans l'étroit espace qui séparait le rocher de la maison, ne ralentit qu'à l'instant d'aborder la dénivellation du sol, devant la grotte. Marie s'appuya au tableau de bord craignant qu'il ne freine trop tard. César aimait autant conduire la nuit que se garer au centimètre près.

Elle ouvrit la portière, sortit sans l'attendre :

– Bonsoir! dit-elle hâtivement. Je passe par-devant, maman a laissé la cuisine ouverte pour moi.

– Viens par ici, c'est plus court et j'ai la clef, dit César amical.

Les volets de la porte-fenêtre n'étaient que poussés. Ils entrèrent dans le vestibule. Par une habitude d'enfance ni l'un ni l'autre n'alluma, tant ils s'étaient accoutumés autrefois, par jeu, à circuler à travers la maison dans le noir. Marie partait déjà vers la cuisine, quand il lui tendit sa veste et les paquets de cigarettes.

– Tu peux me tenir ça pendant que je ferme?

C'était dit avec tant de naturel, qu'elle ne voulut pas jouer les effarouchées et s'enfuir.

Le dernier tour de clef donné, il reprit ses affaires, pour aussitôt les envoyer au jugé sur un fauteuil proche et, sans laisser à Marie le temps d'esquisser un mouvement de retrait, la prit dans ses bras. Il lui releva la tête, lui tira les cheveux en arrière, pour dégager son visage, se mit à l'embrasser.

Il ne retrouva rien dans ses souvenirs qui ressemblât à cette bouche si chaude, si douce. Elle avait renoncé à se dérober, mais elle tremblait. Il se maîtrisa, l'écarta :

– N'aie pas peur de moi, mon petit écureuil! murmura-t-il.

Devant ce visage noyé d'ombre et de désir, il eut un vertige d'adolescent. Ecartant les lèvres entrouvertes, il glissa entre les dents de Marie son doigt replié. Elle le mordit, avec une plainte de gorge qui l'appelait. Il se remit à l'embrasser et elle s'accrocha à lui, répondant à ses baisers. Il se laissa submerger par cette sensualité calme et profonde, avec autant d'avidité que s'il n'avait pas possédé de femme depuis six mois.

Elle s'était défendue bravement depuis le matin et enfin elle se livrait. Il remonta sous la robe, la caressa. Quand elle voulut aller fermer la cuisine, il l'accompagna, la retenant contre sa hanche. En traversant la salle à manger, toujours dans le noir, il la reprit dans ses bras et l'embrassa. Ouverte jusqu'à la gorge, elle fondait dans sa bouche. Il la haussa contre lui, pour mieux la sentir, la fit lentement redescendre le long de son ventre durci. Quand elle gémit, noua les jambes autour des siennes, il faillit hurler d'ivresse. Elle balbutia :

– César, je ne voulais pas!

– Je sais, ma douce. Moi non plus!

Ils montèrent. Comme il tournait à gauche, dans le couloir, en direction de la chambre de ses parents, Marie s'arrêta net :

– Où vas-tu?

– Dans mon ancienne chambre.

Les deux pièces étaient voisines.

– Elle est toute sale et le lit n'est pas fait!

Il lui ébouriffa les cheveux, se moquant d'elle et de la gravité avec laquelle elle traitait les affaires domestiques. Une semaine plus tôt, il avait demandé à Finou de préparer son ancienne chambre, expliquant : « J'y installerai Jane, si elle continue à m'embêter! » La vieille femme, revêche, l'avait cru de mauvaise grâce.

Il aida Marie à enlever le peu de vêtements qu'elle portait, se déshabilla. Ce n'était plus une adolescente farouche et un peu maigre qui l'attendait, mais une femme tendre et brûlante qui cédait, lèvres entrouvertes sur un doux grondement de gorge, se haussant vers lui, genoux levés, livrant passage à ses caresses, inondant sa main. Il la fit attendre. Elle se retint de mendier, enfin murmura qu'elle le voulait. « Pas tout de suite! » dit-il, pour qu'elle répète et, à voix basse, supplie. Alors, la tenant aux hanches, d'une poussée, il s'enfonça.

Et elle le suivit dans les espaces sidéraux.

*

Plus tard, il ramena le traversin en boule sous leurs têtes et demanda tout à trac :

– Qui est le père de Daniel?

– Un homme que j'ai rencontré après ton départ. Il n'était pas de la région.

– Nous reparlerons de ce mensonge-là. Tu te rends compte qu'il est facile de vérifier une date de naissance?

– Fais-le si tu veux.

– En supposant que ce type existe, tu l'as aimé?

– Non, il est parti au bout de deux mois et je n'ai rien fait pour le retenir.

– Et en ce moment, tu as quelqu'un?

– Ça ne te regarde pas.

– Je n'ai pas besoin de réponse. Si tu as quelqu'un, tu n'en es pas amoureuse, c'est tout ce que je voulais savoir.

Il se dégagea, étendit le bras à tâtons, en bas du lit, chercha sa veste, la retourna pour y trouver son briquet et ses cigarettes. Il en alluma une, approcha

114

du bord de la table de nuit un cendrier, sans s'étonner de le trouver à la même place que dix ans plus tôt, et aspira profondément la fumée. Il replaça la tête de Marie sur son épaule.

– Quand prends-tu tes vacances?

– Au mois d'août.

– Ici?

– Oui.

Ils parlaient bas. Des brins de plume s'échappaient de la toile à matelas usée qui recouvrait le traversin. César souffla un de ces duvets, qui tomba dans les cheveux de Marie.

– Heureusement que tu as gardé tes cheveux raides! Quand tu étais gamine, j'étais furieux que ta mère te fasse des nattes!

– Et à quinze ans, le jour où je suis revenue avec des cheveux courts et bouclés, pendant des semaines tu as fait comme si je n'existais pas.

– Evidemment, tu te donnais des allures de bonniche, alors que tu as un air de princesse des Mille et Une Nuits. Ce n'est pas pour rien qu'à deux pas d'ici des maisons s'appellent La Turquerie ou Les Sarrazinies.

Il l'embrassa légèrement, lui parla à l'oreille.

– Et qui a appris à ma princesse à si bien faire l'amour?

– Ne te moque pas de moi.

– Je suis sérieux. Qui?

– Alors, c'est toi, ce soir.

Il ne voulut pas paraître ému, s'esclaffa :

– Et combien d'autres?

– Très peu.

Il insista :

– Combien?

– On peut les compter sur les doigts d'une main.

Elle regarda la grosse montre, au poignet de César :

– Dis, tu ne me laisseras pas dormir trop tard? Il faudra que je rentre dans ma chambre et toi dans la tienne.

– Moi, pourquoi?

– A cause de ton amie.

Marie surveilla l'aiguille de sa montre qu'il avança, pour fixer l'heure de leur réveil, tenant le bras à hauteur de ses yeux.

– Sept heures, c'est bien, dit-elle. Maman sera descendue et Daniel ne sera pas réveillé.

Alors seulement, lui tapotant le bout du nez, faussement badin, il répondit à la dernière remarque de Marie.

– Jane n'a pas à savoir où je vais ni ce que je fais. Elle a les apparences d'une femme, mais c'est un requin femelle, à la mâchoire garnie de dents blanches par-devant, armée de grosses tenailles au fond. Matin et soir, et après chaque repas, elle les aiguise et les passe au désinfectant, pour qu'elles ne rouillent pas. En réalité, elle n'aime que l'argent, mais elle a compris que pour l'obtenir il fallait faire semblant d'aimer la chair fraîche, la chair d'homme. Pour appâter ses victimes, elle a appris deux ou trois tours. C'est comme cela que je me suis laissé avoir et que j'ai commencé à lui servir de bifteck et de portefeuille. Rien d'autre ne l'intéresse.

– Tu es méchant avec elle, c'est pour cela qu'elle ne te rend pas heureux. Pourtant, elle est belle!

– Non, ma moricaude, c'est toi qui es belle! Jane est incapable de me faire tourner en rond toute une journée, suant de désir, comme tu l'as fait, au point que j'ai failli ce matin te culbuter dans ta pâte à tarte et ce soir derrière la haie de l'école. Le reste, c'est du vent!

– Tu l'as fait boire exprès, n'est-ce pas?

Sans répondre, il embrassa Marie. Sa bouche avait l'odeur sucrée et le goût râpeux du tabac.

Pour la première fois depuis son retour à La Faujardie, il dormit d'une traite jusqu'au matin.

*

Pendant ce temps, les trois inconnus que César et Marie avaient croisés en voiture étaient apparus dans la cour de l'école. Comme ils s'avancèrent sans rien demander, on ne leur prêta, en apparence, aucune attention. Pourtant, aussitôt les esprits furent en éveil et les organisateurs du méchoui se rapprochèrent, pour prévenir tout risque d'altercation.

Un des joueurs de football, dit Pilou, avait bu plus que sa part. Son frère et son cousin le surveillaient car autant il restait bon vivant tant qu'on ne le contrariait pas, autant, bâti comme un taureau, soûl et furieux, il devenait difficile à contenir.

Il se tenait au bar et s'enflamma en voyant arriver les étrangers.

– Qui c'est, ces gars-là? demanda-t-il au gros Marcel, qui se trouvait là.

– Je les connais pas. Ils sont pas d'ici.

– C'est ton boulot de savoir qui vient au méchoui! On est pas sur la place publique! Et t'es dans les organisateurs, oui ou merde?

Un gamin se précipita, essoufflé et fier de renseigner les adultes :

– C'est des 95. Ils sont garés devant la grange d'Albert, sous le noyer!

Pilou fouilla laborieusement dans sa poche de pantalon et glissa les clefs de sa voiture à un de ses copains, lui aussi passablement éméché, en soufflant à mi-voix :

– Je suis dans le renfoncement du café!

L'autre n'avait pas besoin d'explications pour comprendre qu'il fallait bloquer la voiture des nouveaux venus avec celle de Pilou.

Cet échange avait échappé à Marcel, mais en voyant l'autre partir, les clefs à la main, il devina ce qui se tramait et tenta de parlementer :

– Vous allez pas bloquer la route, ça va faire un cirque!

– Les routes, c'est pas ce qui manque dans le coin. Les gens d'ici ont pas besoin de pancarte pour sortir du bourg. Ça apprendra aux autres à être polis quand ils sont pas chez eux.

– T'énerve pas, Pilou, ces gars-là t'ont rien fait.

– Pas encore, mais ça va venir!

– Pour l'instant, ils restent bien tranquilles.

– Tranquilles? Tu te fous de moi? T'as vu le petit sournois, qui baisse le nez sur ses chaussures, et celui du milieu qui regarde droit devant lui, d'un air fier, et l'autre qu'est pas rasé? Quand on arrive dans un bal à des heures pareilles, sans amener des filles, sans dire d'où on est et ce qu'on veut, c'est bon signe? Je te dis, moi, que c'est des petits merdeux et qu'ils feraient mieux de filer avant que je m'occupe d'eux.

– Ça doit être des vacanciers.

– Hein? C'est du HLM, de la banlieue, du minable! Ça salue personne, ça sait pas se tenir! Ils ont rien à foutre ici. S'ils approchent, je leur pète la gueule!

Pilou devenait véhément. Les visiteurs l'avaient remarqué mais ne semblaient pas conscients d'être la cible de ses grognements. Se tenant à l'entrée de la salle, ils regardaient danser. Frénétique, Pilou hurla :

– Même les Saint-Julien et les Marsay, qui ne sont pas éduqués, savent se tenir, quand ils sont pas chez eux. Tu les as vus, pendant le dîner? Ils restaient entre eux, au bout de la table, sans se faire remarquer. Oui, beugla-t-il, sans se faire remarquer!

Pierrot, le président du club de football, principal

organisateur du méchoui, sentant monter l'orage, arriva et s'employa à calmer Pilou qui s'échauffa plus encore :

– T'es pas foutu de faire ton boulot! Fallait demander qui c'était avant de les laisser entrer!

– Regarde, Claude y est! T'en fais pas, on va s'assurer qu'ils mettront pas le bordel, sinon on les vide.

Il désignait son second, qui parlait à celui des inconnus qui paraissait le plus âgé. Pour détourner l'attention de Pilou, il lui demanda en même temps qu'à son cousin :

– Vous pouvez pas aider Marcel à mettre en place une autre barrique? Celle-là est presque finie.

Pilou se leva lourdement du banc où il s'était laissé tomber et accompagna son cousin vers l'appentis où se trouvait la réserve de vin. Le gros Marcel les suivit plus rapidement que sa corpulence ne l'aurait laissé imaginer.

Pierrot rejoignit Claude, que l'inconnu ne pouvait se permettre de traiter de haut, étant donné sa largeur d'épaules. Il ajouta de fermes recommandations à celles de son adjoint. Le garçon acquiesça du bout des lèvres, alla parlementer quelques instants avec ses copains.

Puis, désinvoltes, montrant qu'ils tenaient pour négligeables les avertissements qu'ils venaient de recevoir, les trois jeunes se mirent à danser. Autour d'eux, on s'écarta légèrement. L'assistance les regardait, mi-amusée, mi-embarrassée par leur intrusion. Imaginant le public admiratif ou intimidé, les trois garçons rivalisèrent de contorsions.

Précédés de Marcel qui dégageait la voie, Pilou et son cousin rapportaient la barrique, le premier ne cessant de grommeler :

– Ces gars-là me dégoûtent. C'est blanc comme des vers, ça se paie des vacances sans avoir jamais

travaillé, sans savoir rien foutre de ses dix doigts.
Est-ce qu'on va en vacances, nous?

Son cousin ne se départissant pas de sa placidité, il
se tourna vers Marcel :

– Tu trouves ça normal, toi, de sauter comme ça?
Regarde-les de près, c'est nerveux, mais ça a pas de
muscles! Et ça peut pas rester en place, quand ça te
parle!

Certaines filles riaient. La sœur de Pilou se trouva
en face de l'un des garçons et ne se détourna pas. Se
croyant encouragé, il accentua ses acrobaties. Les
porteurs de barrique passèrent à ce moment devant
les fenêtres de la salle de classe. Pilou lâcha son
fardeau, se rua, attrapa le garçon par le col de son
blouson. Il écumait.

– On demande la permission avant de danser avec
une fille! hurla-t-il.

Son cousin se précipita, tentant de le retenir.
Alors, il devint fou.

– Ça y est, c'est parti! soupira le gros Marcel en
s'épongeant.

– T'en mêle pas! lui cria Germaine, qui avait
depuis longtemps mis la caisse en sécurité et ne tenait
pas à ce que son mari aille se colleter avec la veste
qu'il portait pour la première fois.

Rugissant, Pilou s'était dégagé, avait soulevé de
terre le garçon, l'avait projeté en direction de la
porte, où il s'écrasa sur le montant. Titubant, il se
releva, essuya son front sanguinolent. Un de ses
copains, sentant la partie inégale, s'élança pour le
retenir. L'autre, irascible, se planta devant Pilou et
lui décocha un coup de poing.

Les organisateurs s'étaient précipités, mais rien ne
pouvait calmer Pilou. Il cognait aveuglément. Du
bar, de la salle, surgirent les plus échauffés parmi les
membres et les supporters du club de football, à qui
les motifs du différend importaient peu. Ensemble,

ils entreprirent de pilonner les deux étrangers encore debout. La mêlée fut générale. Les responsables, que la soudaineté de la bagarre avait surpris, se ressaisirent rapidement, reçurent le soutien des hommes restés plus sobres, Reyssac, Saint-Julien et Marsay confondus. Quatre d'entre eux durent s'accrocher à Pilou avant de parvenir à l'immobiliser. Ses alliés se calmèrent alors momentanément et on réussit, sinon à les neutraliser, du moins à les écarter.

Pierrot cria aux trois étrangers de le suivre. Aidé de l'instituteur et de quelques volontaires, il fit passer par le potager les garçons morts de peur, qui ne savaient pas expliquer où était garée leur voiture. Heureusement, le gros Marcel avait rattrapé le cortège et sut l'indiquer à leur place. Il fallut les guider et les soutenir. Le souffle court, peinant à travers prés, puis en franchissant le talus qui menait à la route, Marcel, toujours à la traîne, gémissait, sans se soucier de savoir s'il était entendu :

– Bon sang, les gars, vous êtes pas raisonnables. Vous pourriez voir à pas insulter les gens chez eux. Vous vous amenez, vous dites bonjour à personne, on sait pas d'où vous sortez, ce que vous voulez et en plus vous regardez les filles sans vous informer.

La voiture de Pilou bloquait celle immatriculée en 95. Heureusement, devant, une vieille Peugeot n'était pas fermée. En hâte, on la déplaça. Alors, seulement on eut le temps de voir dans quel état étaient les jeunes. L'un, sonné, dodelinait de la tête, le second avait la figure en sang, le troisième paraissait en meilleur état.

Leurs sauveteurs se consultèrent rapidement :

– Ça ira, le mien a reçu un bon coup sur la tête, mais il a rien de cassé.

– Bon. L'autre, il pisse le sang, mais c'est rien de grave, il s'est juste ouvert la pommette.

– Et toi, dit Pierrot au troisième, tu peux reprendre tes esprits? T'es capable de conduire? T'as les clefs?

Sans un mot, le garçon acquiesça, sortit les clefs de sa poche.

— Alors, un peu de courage, les gars! leur dit Pierrot. Faut vous secouer et partir vite fait!

— Vaut mieux mettre derrière le jojo qui saigne et celui qui tient pas sur ses pattes, suggéra Marcel.

Déjà il avait ramassé des journaux qui traînaient dans le coffre de la voiture déplacée, les avait étalés sur le siège, avant que n'y soient hissés les deux types.

A ce moment, deux hommes débouchèrent en trombe de la cour de l'école. D'une voix rendue rauque par l'alcool et la perspective de l'hallali, ils ameutèrent les derniers combattants :

— Ils sont encore là, les fumiers! Ils nous attendent!

Le plus valide des étrangers eut un haut-le-corps, fit un bond de bête terrifiée et s'enfuit sur la route. Triomphants, ses poursuivants s'élancèrent à ses trousses, certains coupant à travers champs, les plus enragés traversant le cimetière, bousculant les pots de fleurs artificielles, enjambant les tombes, se hissant sur une chapelle funéraire pour escalader le mur et devancer le garçon sur la route. Les chances de retraite étaient minces pour quelqu'un qui était cerné de toutes parts et ne connaissait pas le pays.

— Cette fois, il va se faire massacrer, souffla le gros Marcel.

— J'y vais, dit Pierrot en se mettant au volant de la voiture des jeunes, où la clef était déjà en place.

Les deux passagers restèrent affalés à l'arrière. Il démarra en trombe, on lui fit place au milieu de la route en le reconnaissant. En arrivant à la hauteur du fuyard, il ouvrit la portière. Le garçon, hagard, se croyant perdu, se jeta dans le fossé. Pierrot lui cria de monter. Quand il se fut affalé contre la portière, Pierrot expliqua laconiquement :

— Je te lâche à trois kilomètres d'ici, sur la route de Périgueux. Après vous vous débrouillez.

— Ça va, merci, bredouilla le jeune.

Il eut encore un sursaut de peur en voyant qu'une voiture les suivait.

— C'est pour me ramener, dit brièvement Pierrot, qui avait reconnu l'instituteur au volant.

Il conduisait vite.

— Quels cons vous faites, vous, alors! lâcha-t-il avec mépris, en s'arrêtant avant le croisement attendu.

Quand les deux hommes arrivèrent à l'école, pour calmer les esprits, Jo avait repris son accordéon et on était revenu au bal à papa. Marcel était au centre d'un petit groupe, qui commentait la bagarre. Le gamin, qui, au début, avait averti Pilou de l'arrivée des étrangers, lança, excité :

— Qu'est-ce qu'il a pris, celui qui avait du sang plein la gueule!

— Tais-toi, le drôle! Tu n'as rien vu, c'est pas à toi de parler.

— Celui qui était un peu dans les vapes, on a dû lui bousiller quelques côtes, il avait du mal à respirer, suggéra quelqu'un.

— On n'en meurt pas, commenta un autre avec philosophie. Faut s'attendre à un peu de dégâts quand on va là où on n'a rien à faire et qu'on sait pas se conduire.

Pilou était assis dans la cour, entre son frère et son cousin.

— Faut que je me passe de la flotte sur la figure, dit-il d'une voix pâteuse.

— Bouge pas, on va te chercher de l'eau, dit le frère.

Les deux hommes remplirent un seau et le lui

apportèrent. Il y plongea plusieurs fois la tête, soufflant, crachant. Puis il se redressa, aspira une énorme goulée d'air, dilatant la poitrine, écartant les bras.

– Ça va mieux, déclara-t-il.

Il entra dans la salle où résonnait une valse, s'avança vers Germaine que ses estafilades, son œil poché, ses cheveux hirsutes et ruisselants, sa chemise en piteux état n'intimidèrent pas. L'enlevant de sa poigne d'ours, lui laissant à peine toucher terre par instants, avec un imperturbable sérieux, il fit et refit avec elle à grands pas le tour de la salle.

Elle avait vu que Marcel s'était sorti sans dommages de l'équipée et s'amusait à nouveau de bon cœur. Soudain, passant près de son mari, au hasard des évolutions de Pilou, elle sursauta :

– Marcel, t'as vu ta manche?

Il l'inspecta :

– Merde alors! En plus, les salauds ont pissé le sang sur ma veste neuve!

Au robinet de la cour, il frotta longuement sa manche souillée, revint dans la salle, claironnant une plaisanterie destinée à remettre de l'entrain. Mais le bruit, les rires et la musique couvrirent sa voix.

– Tiens, voilà les gendarmes, dit une voix.

– Ils passent ou on les a appelés? se demanda-t-on.

On les accueillit en toute bonne conscience. Les organisateurs allèrent au-devant d'eux, on se serra cordialement la main, on s'expliqua. Pierrot reconnut qu'il avait failli se laisser déborder mais que le pire avait été évité. Un tiers compléta : on s'était seulement frotté le museau avec trois étrangers insolents qu'il avait fallu chasser du bal, car ils importunaient les filles.

Les gendarmes, connaissant leur monde, firent la part des choses, s'assurèrent que les esprits étaient apaisés. Après être restés un moment, avoir accepté une boisson gazeuse – service oblige –, ils reprirent leur tournée.

*

Cette veille du quatorze juillet, fait unique dans l'année, La Faujardie s'était trouvée abandonnée de tous ses habitants à la fois.

Peu avant dix heures, alors que César et Jane dînaient dehors, que Marie se trouvait au méchoui, Paul, Finou et Daniel se mirent en route pour Le Bugue, où l'habitude voulait qu'on emmène l'enfant voir le feu d'artifice.

René Fouilletourte, qu'aucun spectacle n'intéressait, avait travaillé dans son jardin jusqu'à la tombée de la nuit puis, assis devant sa porte, prenait le frais avant de se coucher.

En bas, passa un véhicule massif et haut sur roues, semblable à celui de Vermeulen. Persuadé qu'il s'agissait du Hollandais, mais ne pouvant voir de chez lui s'il montait à La Faujardie, René attendit et, ne voyant rien revenir, mû par le flair plus que par un raisonnement, décida d'aller jeter un coup d'œil autour de la maison.

Il expliqua à sa chienne qu'il ne tarderait pas, prit son fusil et suivit son chemin habituel, à travers bois, à la cime du coteau.

De loin, il entendit Zaza aboyer, se démener et gémir au bout de sa longue chaîne qui ne lui permettait de parcourir que la moitié de la cour, jusqu'à l'entrée du vestibule.

Devant le portail, était arrêtée la grosse voiture, lumières éteintes. René en fit le tour sans rien remarquer. Pas trace de Vermeulen. Après tout, un homme a le droit de rendre visite à un ami et, ne le trouvant pas, de faire un bout de promenade en l'attendant. Sans hâter le pas, le fusil sur le bras, René traversa la cour, caressa la chienne, lui dispensa des mots apaisants, sans parvenir à la faire taire. Elle continua à tourner en rond en grognant.

Fouilletourte vérifia qu'on n'avait pas touché aux volets du rez-de-chaussée, leva le nez vers les étages sans rien remarquer. Il se planta au milieu de l'écurie et tendit l'oreille. Aucun bruit suspect ne lui parvint non plus de ce côté-là.

Il jugea inutile d'explorer le fouillis ténébreux du jardin, où cigales et grenouilles faisaient entendre à l'unisson leur scie aigrelette. Poussant jusqu'à la métairie, il inspecta en vain les bâtiments, s'attarda dans le hangar, son instinct de paysan le poussant à redouter que par malveillance quelqu'un ne mette le feu au foin nouvellement rentré.

Au dos de la maison, il secoua les persiennes une à une. Celles de la porte-fenêtre n'étaient que poussées, attendant le retour de César, mais on n'avait pas touché à la porte.

René s'avança à petits pas jusqu'au seuil de la grotte, écouta une fois de plus. La partie centrale, où César garait sa voiture, était spacieuse mais peu profonde. Elle s'enfonçait dans l'obscurité pour très vite buter sur un pan de rocher compact, que rien n'avait jamais entamé.

La grille, derrière laquelle se profilaient les cartons de vin, était close. Quand il s'approcha pour s'en assurer, elle s'entrouvrit sous sa main. La tige du cadenas tourna sur elle-même, la chaîne, qu'il retenait, glissa. Tout avait été trop habilement agencé pour qu'il s'agisse d'une négligence de César. Fouilletourte rétablit les choses dans l'ordre où il les avait trouvées.

Cette cavité naturelle du rocher semblait s'achever en appendice où sol et voûte se rejoignaient dans le noir complet. En fait, au-delà d'un boyau où l'on devait se glisser, courbé en deux, la faille s'élargissait, formait un couloir encore très resserré du bas mais dégagé vers le haut. Il menait à une grotte plus profondément enfoncée dans le sol et, au-delà, se divisait en deux branches, si difficiles d'accès que chaque génération avait successivement renoncé à en découvrir les mystères.

René n'avait pas l'intention d'explorer l'endroit ni les caves et le souterrain voisins, où il était capable de descendre avec une agilité qu'on ne lui aurait pas soupçonnée. A quoi bon user son temps et son énergie, risquer dans l'obscurité une jambe cassée? Si quelqu'un se trouvait là-dedans, il finirait bien par en sortir.

Il s'assit en retrait, du côté de la cuisine, au pied du talus, le fusil en travers des genoux et se prépara à attendre. Il tomba dans une de ces somnolences d'homme habitué à vivre dans la nature qui se réveille au moindre signe suspect. Des lointains, lui parvint le bruit du train de onze heures. « Le vent vient toujours de l'est, pensa-t-il, la pluie n'est pas pour demain! »

Sa tête resta longtemps appuyée dans ses mains. Il la releva en entendant cogner à quelque distance, dans le souterrain, comme si quelqu'un sondait les murs. Un piétinement se rapprocha, suivi de la lueur d'une torche électrique et des ahanements d'un homme qui remontait la pente avec difficulté. René ne bougeait pas. Une lourde silhouette grimpa. Vermeulen se redressa, secoua ses vêtements, et sans voir Fouilletourte, tassé sur lui-même, immobile comme une pierre, par cette nuit sans lune, lui tourna le dos, repartit vers la grotte où il pénétra.

Quand il perçut le cliquetis de la chaîne et du cadenas, René s'approcha à son tour. Constatant que le Hollandais était absorbé et avait du mal à refermer, malgré la lampe accrochée à un des montants de la grille, il fit quelques pas de plus, se posta à l'entrée de la grotte, comme s'il arrivait tout juste de l'avenue. Vermeulen se retourna.

– Vous avez perdu quelque chose? demanda René.

Avant de le reconnaître, le Hollandais enregistra la présence du fusil, sans donner signe d'émotion.

– M. Abadie devait m'apporter de ce vin dont il m'a déjà vendu deux cartons et il a dû oublier. Je ne pensais pas que tout le monde serait sorti et j'allais me servir.

– Au lieu de prendre le vin qui est là, devant vous, on dirait que vous vous êtes donné bien du mal en allant voir s'il en gardait d'autre un peu plus loin.

Vermeulen regarda ses vêtements et ses chaussures, où la lampe révélait des plaques de terre.

– Par curiosité, j'ai regardé les caves. Dans la plus grande, au bout, l'appareillage des voûtes est très beau. Elle devait faire partie d'un important bâtiment dépendant du château, la maison de l'intendant ou quelque chose d'équivalent.

« Té! songea René, le Flahut se met à parler rudement bien le français, presque sans accent. »

– Vous vous y connaissez? demanda-t-il simplement.

– En voyageant, j'ai visité pas mal de constructions religieuses et militaires de cette époque. J'aime comparer.

– Vous devez être un spécialiste, pour examiner les murs de si près...

Vermeulen comprit qu'il était observé depuis un moment, mais s'en tint à son air de bonhomie.

– J'ai fini par m'y connaître un peu.

– Chercher du vin, c'est une chose, faire de l'exploration, c'est différent, fit observer René, surtout qu'il n'est pas facile de descendre là-dedans quand on n'est plus un gamin.

128

Le ton était celui de la constatation et ne semblait dissimuler aucune hostilité.

– Cette gymnastique-là est moins fatigante que d'autres! s'esclaffa le Hollandais avec un gros rire.

René ne se laissa pas divertir par la plaisanterie.

– On dirait que les grottes aussi vous intéressent, poursuivit-il sur le ton de la conversation.

– Pourquoi? demanda Vermeulen, comprenant qu'il faudrait jouer plus serré qu'il ne l'avait prévu.

La lampe, fixée en haut de la grille, tombait droit sur lui.

– Ça, sur votre manche, c'est de l'argile rouge, fit René. Vous l'avez attrapée dans la pente qui mène vers les caves. Là, dans votre dos et sur vos épaules, c'est du calcaire, qui vient de là-bas.

Il désignait le fond de la grotte, derrière le vin.

– Les aventuriers prennent l'habitude de tout observer, dit Vermeulen lourdement. Cette grotte me paraissait curieuse, je l'ai regardée.

– Parce que vous êtes aussi un aventurier?

– En quelque sorte. J'ai exercé plus d'activités que je n'ai de diplômes.

– Et vous avez réussi à vous faufiler dans ce petit bout de couloir large comme un goulot de bouteille?

– Il n'est pas aussi étroit qu'il en a l'air.

– Avec votre lampe, vous avez dû voir les dessins de bisons.

– Vraiment? dit Vermeulen, intrigué.

– C'est un ami de M. Abadie qui les a peints, pour s'amuser à faire marcher quelqu'un qui s'en croyait, alors qu'il était un ignorant. Ça amusait beaucoup ces messieurs de faire marcher les gens qui prenaient des airs importants.

Vermeulen aurait pu se sentir démasqué, accuser le coup. Pachyderme au cuir épais, il fit semblant de ne pas comprendre. Puisqu'il ne l'avait pas fait taire tout de suite, songeait René, c'est qu'on s'acheminait vers une explication. Il fallait donc maintenir la conversation et le pousser peu à peu dans ses retranchements, sans forcer.

– Vous connaissiez la combinaison du cadenas? demanda René, indiquant qu'il voulait refermer la grille.

– Non. Il était mal fermé, je l'ai ouvert en le secouant.

René fit semblant de le croire. Alors, Vermeulen jugea le moment venu d'essayer une autre carte.

– M. Abadie et moi avons des affaires à stocker, disons... du matériel. En découvrant les caves et le fond de la grotte, je me suis dit qu'il y serait plus en sécurité qu'ailleurs.

– Vous ne croyez pas que M. César est mieux placé que vous pour savoir où il veut, chez lui, ranger du matériel?

Bienveillant, Vermeulen expliqua :

– Deux avis valent mieux qu'un. Et puis, c'est une grosse affaire que César – il ne disait plus « M. Abadie » – et moi sommes en train de traiter. Il ne veut pas vous en parler, parce qu'il pense que vous avez trop de travail pour nous aider. Mais vous pourriez nous rendre service, et ce serait dans votre intérêt.

René tira sur son béret, ajusta son fusil au creux de son coude, en pensant : « Nous y voilà! Le Flahut commence à se déculotter! »

– Oh! moi, je suis un paysan, pas un commerçant, répondit-il prudemment. Je peux vous servir à rien.

– Si! Quand nous aurons trouvé le meilleur endroit pour garder ce matériel, vous auriez un œil dessus, lorsque César et moi devrons nous absenter.

– M. César saura bien m'en parler, si ça lui convient.

– Il craint de vous causer des difficultés, des

soucis. Enfin, réfléchissez. Je ne lui dirai pas que nous en avons parlé, tant que vous n'êtes pas décidé. Mais n'oubliez pas, il y a toujours quelque chose à gagner quand on aide son prochain.

– A ce que disent les curés, ce sera dans l'autre monde.

Vermeulen rit, crut deviner que René ne rejetait pas ses propositions, précisa :

– Vous pourriez même y gagner gros.

– Vous avez rien qui puisse me servir.

– L'argent est toujours utile.

– A mon âge, vous savez... Je suis brouillé avec ma famille. Pour qui je ferais des frais?

– Réfléchissez, nous en reparlerons, dit le Hollandais, jovial, estimant qu'il était temps de mettre un terme à cette première approche, d'autant qu'elle était improvisée. Venez, j'ai à boire dans ma voiture, prenons un verre à notre future collaboration!

– Collaboration... c'est vite dit! Et puis à cette heure, j'ai pas soif.

– Tant pis! Si vous voyez César avant moi, dites-lui que je voudrais encore lui acheter du vin. Pour le reste – il eut un clin d'œil appuyé – rien jusqu'à nouvel ordre. Dès que vous m'aurez donné votre accord, nous arrangerons tout avec lui en deux minutes!

Il était onze heures et demie. René resta devant le portail, pendant que le Hollandais montait dans sa voiture, manœuvrait et descendait l'avenue dans l'obscurité, n'allumant ses phares que lorsqu'il déboucha sur la route.

René se sentait aussi éveillé qu'autrefois, en ses nuits de braconnage, sauf que le gibier de ce soir l'amusait moins que certains lièvres dont il gardait le souvenir.

En rentrant chez lui il poursuivit sa méditation solitaire.

« D'après ce qu'il a dit à la Finou, César veut se servir du Flahut pour arranger une belle affaire. Il a sans doute quelque chose à vendre qui vaut cher et ne tient pas trop de place. Il l'a caché ici, Finou en est sûre. Heureusement que M. Paul n'est pas au courant et que le Vermeulen ne sait pas où se trouve la marchandise. C'est ce qu'il appelle leur matériel, si je comprends bien. Enfin, je vois mal le César dans le commerce. Le gros me paraît plus malin que lui dans ce genre de trafic. Il savait sûrement que le feu d'artifice commençait à dix heures et demie et comptait avoir deux bonnes heures pour mener sa petite enquête. »

Vermeulen, agacé tout d'abord par la présence de René, avait estimé ensuite que cette rencontre pourrait lui être favorable. Le vieux parlerait à César, celui-ci, dans l'état de nervosité où il se trouvait, provoquerait une explication. Vermeulen prétendrait jouer cartes sur table, se présenterait en sauveur, proposerait de régler au mieux la négociation que César n'avait pas les moyens de mener. En somme, il était content que René se soit trouvé là inopinément.

*

Finou laissa passer le quatorze juillet, Marie repartir pour Bordeaux.

Le lendemain, alors que César prenait son petit déjeuner, elle revint de soigner ses bêtes, enleva ses sabots sur le paillasson de l'entrée, remit ses chaussons, posa le seau vide de ses épluchures et, au bout d'un moment, dit d'un ton neutre :

– René a quelque chose à te raconter. Il est en train de me réparer le grillage du poulailler, je vais l'appeler.

Fouilletourte gratta longuement ses souliers

dehors et les essuya encore avant de pénétrer dans la cuisine. En serrant la main de César, il souleva son béret, puis l'arrima de nouveau sur sa tête.

Avec un luxe de détails, des lenteurs et des circonlocutions, il fit le récit de la visite nocturne de Vermeulen. César l'écouta sans l'interrompre, ses yeux pâles furetant, guettant sur le visage de René une expression que ses paroles n'auraient pas traduite.

– J'y suis été voir hier matin, quand tout le monde dormait encore, conclut le vieil homme. Le monsieur n'a rien déplacé, ni à la métairie ni dans la grotte. D'ailleurs, il s'est vanté en voulant me faire croire qu'il avait pu aller au fond. Il a dû voir que ça continuait après l'étranglement, c'est tout.

Il remua les pieds, fixa le carrelage et ajouta :

– Si c'était moi, je lui donnerais l'occasion d'y retourner et je m'amuserais à le coincer là-dedans, pour lui faire une bonne peur.

César sourit à l'idée, mais apparemment il avait autre chose en tête.

– Qui est au courant de cette promenade de Vermeulen? demanda-t-il.

– Juste nous trois ici, dit Finou. Votre frère serait capable de lui tirer un coup de fusil dessus s'il savait ça. Mais René et moi, on saura surveiller ce gros-là chaque fois qu'il vient, je vous assure!

Elle finit de remplir de linge la machine à laver, fixa le tuyau d'écoulement dans l'évier, mit en marche. Le vrombissement et les vibrations de la vieille machine emplirent la pièce.

– Tu as autre chose à demander à René? demanda-t-elle. Sinon, il faut qu'il retourne à son travail.

– Pour l'instant, il m'en a dit assez.

César se leva, serra la main de Fouilletourte.

– Merci René, tu as agi exactement comme il le fallait.

– Bon, eh bien, je vais terminer mon grillage, dit le vieux, en dévissant et revissant une fois de plus son béret sur sa tête.

Quand il fut sorti, César s'adressa à la vieille femme :

– Finou, je vais encore être obligé de m'en aller quelque temps. Il se peut que Vermeulen cherche à me suivre ou qu'il reste à tourner dans les parages en vous surveillant à son tour. Il vaut mieux que je te parle, pour que tu saches à quoi t'attendre de sa part.

– J'aurais préféré que tu n'aies rien à me dire. Enfin, viens dans l'office. J'ai du repassage à faire, nous ne serons pas dérangés.

Pendant qu'elle préparait la pile de linge sec, César monta dans sa chambre, en redescendit avec une enveloppe brune. Dans le bruit de fond du vieux fer, qui fumait et chuintait comme une locomotive à vapeur, il expliqua :

– Vermeulen cherche à savoir où je garde des tableaux rares, anciens, valant très cher, qui m'ont été confiés. Un vieux collectionneur hollandais serait acheteur, mais c'est un lunatique, presque un fou, qui vit enfermé avec sa collection. Je perdrais patience, si je devais discuter moi-même avec un bonhomme pareil. Vermeulen lui a déjà vendu un tableau il y a plusieurs années et entre compatriotes il est plus facile de s'entendre. S'il se contentait de négocier, il pourrait gagner une bonne somme, mais il est gourmand et voilà que maintenant il voudrait partager le bénéfice avec moi, à égalité, ou même traiter sans moi. Pour cela, il faudrait qu'il sache où se trouvent les tableaux, disons, qu'il mette la main dessus sans que je m'en aperçoive. Je m'en doutais, mais ce qui s'est passé l'autre soir en est la preuve. Je voudrais seulement que tu regardes les photos de ces tableaux, pour les reconnaître, s'il m'arrivait quelque chose... un accident.

– Attends! Ça ne me plaisait déjà pas beaucoup d'écouter ton histoire... Je te connais, je savais que tu me la raconterais à ta manière, en oubliant de m'en dire la moitié. Maintenant, tu voudrais que je m'en mêle! Ces tableaux, vous les avez peut-être bien volés dans un château de par ici!

– Je te jure que non!

– En tout cas, pour du commerce, ça me paraît pas clair.

– C'est normal, fit César, apaisant. Quand de grosses sommes d'argent sont en jeu, il faut être discret.

– Dans ce cas, j'en sais déjà trop. Et si les gendarmes sont au courant de votre trafic et qu'ils viennent m'interroger, qu'est-ce que je dirai?

– Je t'assure que ni les gendarmes ni la police n'ont rien à voir là-dedans.

– Pour l'instant..., ronchonna la vieille femme, en aplatissant le col usé d'une chemise de Paul.

– Je voudrais que tu jettes un coup d'œil aux photos, après je ne te demanderai plus rien.

– Passe-moi mes lunettes!

Et comme il cherchait sur la table, sans les trouver, elle s'énerva :

– Elles n'ont jamais changé de place! Là, dans la soupière en étain, avec mon raccommodage!

César souleva le couvercle de la soupière, lui tendit un étui en carton bouilli. Elle mit ses lunettes, daigna enfin regarder le petit tas de photos en couleurs que César avait sorties de l'enveloppe.

– Allons-y et ne me raconte pas en détail ce que ça représente. Je n'y connais rien et je n'ai pas que ça à faire!

Il commenta brièvement les photos une à une :

– Voilà un petit Rembrandt.

Finou se pencha sur le vieil homme barbu, attablé devant de grands livres, au fond d'une pièce obscure, près d'un escalier.

– Avec cette fenêtre tout enfoncée et ce marron partout, on n'y voit rien. C'est pas très décoratif.

– Pourtant, cette lumière est célèbre et le tableau vaut une fortune.

– Si tu veux mon avis, ça n'égaye pas une maison. Continue!

– Une scène de cabaret d'un petit maître hollandais. Tu devrais trouver cela amusant.

La vieille femme observa longuement :

– Le bonhomme, dans le coin, on dirait qu'il pisse?

– En effet, confirma César. D'ailleurs, ce tableau ne faisait pas partie de ceux qu'on devait me remettre. Il s'y est trouvé par erreur.

– On ne se trompe pas quand on prétend traiter des affaires importantes. Je vois bien que tu t'es encore associé à des gens pas sérieux. Continue, va!

– Frans Hals. Une servante d'auberge.

Finou prit la photo des mains de César et la regarda minutieusement.

– Cette peinture-là, je la mettrais bien dans ma chambre, si personne n'en veut. La fille n'est pas soignée, mais elle a un air joyeux. Tu ne trouves pas qu'elle ressemble à la fille Delpech, qui habitait en haut du bourg?

– Je ne me souviens pas d'elle. Voilà une nature morte flamande.

– Ah! c'est bien aussi.

Finou scruta la photo, détaillant les mets disposés sur la table.

– Cette montre, avec sa petite clef qui pend, qu'est-ce qu'elle fait au bord du plat d'huîtres?

– Quelle montre?

– Ici! pointa Finou.

– Tiens, je ne l'avais pas remarquée. Elle doit symboliser le temps qui passe.

– Un artiste peut bien avoir des fantaisies et c'est un joli dîner qu'il a représenté, ce monsieur.

– Dürer. Portrait d'un inconnu.

Finou se pencha avec considération sur le visage sévère, surmonté d'un grand chapeau de velours.

– De tous ceux que tu m'as montrés, c'est le seul qui ait l'air de savoir travailler et s'occuper de ses sous.

– Fragonard. Jeune fille sur une balançoire.

– Ah! Elle est plus mignonne et plus propre que la grosse fille de tout à l'heure.

César réunit les photos dans ses mains, les égalisa comme un jeu de cartes. Finou rangea ses lunettes et reprit son fer, qui crachouilla un jet de vapeur.

– C'est grand comme quoi, ces tableaux?

– On a roulé les toiles, ça ne prend pas beaucoup de place. Les cadres sont à part. Maintenant, il faut aussi que tu saches où je les garde.

– Ne me prends pas pour une imbécile! Je ne savais pas ce que tu cachais, mais je n'ai pas eu besoin de mes lunettes pour savoir où ça se trouvait.

César la regardait, sceptique.

– De la fenêtre des W.-C., on voit l'entrée de la grotte. Et dans la grotte, il n'y a pas dix endroits où on peut garder quelque chose au sec et en sécurité.

– Tu n'as pas eu la tentation de regarder de plus près?

– A quoi ça m'aurait servi? J'ai pas l'intention d'entrer dans vos micmacs. Dans des histoires comme ça, on en sait toujours trop.

– Ecoute, quand Vermeulen reviendra, dites que je suis parti en emportant mes affaires et que vous ne savez pas si je reviendrai. Ça devrait suffire à l'éloigner un moment. Au cas où il m'arriverait quelque chose de sérieux, que j'y reste, par exemple, dès que tu l'apprendras, va dans le cabinet de toilette de mon ancienne chambre et prends ce que tu trouveras dans le placard, sous la fenêtre. Tu partageras en deux parts égales, une pour Marie et toi, une pour Paul. Tu n'oublieras pas?

Finou le regarda froidement :

— Je suis obligée d'avoir de la tête, moi, c'est pas comme toi!

Puis elle ajouta :

— Tu emmènes la demoiselle?

— Non, je veux partir avant qu'elle se réveille. Je vais te laisser de l'argent pour elle. Qu'elle prenne un billet d'avion pour Londres et me dise où je pourrai la joindre. Sinon...

— Sinon?

— Qu'elle aille au diable!

— Et si elle fouille dans ta chambre?

— Pris dans la boiserie comme il est, le placard est introuvable pour quelqu'un qui n'a pas l'habitude des vieilles maisons.

L'humeur de Jane était détestable depuis que César s'était transporté avec ses affaires dans son ancienne chambre, le matin du quatorze juillet. Finou attendait une vive réaction de la jeune femme quand elle se verrait si cavalièrement délaissée.

Vingt minutes plus tard, César reparut dans la cuisine, son sac de voyage à l'épaule. Il posa une liasse de billets devant Finou, en fit deux tas, un pour qu'elle en dispose selon les besoins de la maison, l'autre destiné à Jane. Il l'embrassa et, sans chercher à revoir les autres habitants de La Faujardie, balançant par une branche ses lunettes de soleil, s'en alla.

*

En arrivant dans la salle de bain, vers onze heures, Jane découvrit que les affaires de toilette de César avaient disparu et qu'aucun de ses vêtements ne traînait. Quand elle descendit pour prendre son petit déjeuner, elle s'en inquiéta auprès de Finou avec des mots bousculés et des gesticulations qui ne lui étaient pas habituelles.

La vieille femme se contenta de répéter l'explication sommaire dictée par César. Pour la première fois, elle vit changer le visage de la jeune femme, où monta une lueur dure. L'argent qu'il lui avait laissé fut rageusement empoché sans paraître la calmer. Elle se fit redire qu'il était parti et ne prévoyait pas de revenir, tenta d'arracher des explications à Finou, en trébuchant sur son mauvais français, insista, convaincue que le franc-parler de la vieille femme reprendrait le dessus et qu'elle lui lancerait enfin à la figure une vérité qu'elle ne comprendrait peut-être pas entièrement, mais qui vaudrait mieux que ce silence.

Finou ne parut même pas s'apercevoir que Jane était furieuse. Lassée, la jeune femme alla s'asseoir sous le tilleul, seul endroit de la propriété où elle se sentait tolérée. Elle feuilleta distraitement un énorme livre de poche aux pages gondolées, ignorant Zaza qui avait choisi de somnoler à cet endroit, où soufflait une légère bise.

Elle ne bougea plus de la journée.

Vers six heures et demie, comme Finou donnait à manger à ses bêtes, elle entendit la voiture de Vermeulen monter l'avenue. Elle ne se dérangea pas. Il l'attendrait, s'il avait quelque chose à lui demander.

De la cour, lui parvinrent les voix de Jane et du Hollandais, la première criarde, plus sonore d'être renvoyée par les murs de la cour, la seconde prêchant en sourdine, sans parvenir toutefois à apaiser la jeune femme. Alors, Vermeulen perdit patience et les choses se gâtèrent. Il martelait ses mots, grondait comme un bouledogue.

« Voilà une belle scène de ménage », songea Finou.

L'une exhalait sa fureur d'une voix stridente, l'autre ne se retenait plus de beugler. Se voyant seuls, ignorant que dans ce pays les voix portent de manière imprévisible pour un étranger et que tout s'entend d'un coteau à l'autre, ils se lancèrent dans un festival d'insultes et d'amers reproches. Finou reconnut la fille du peuple qu'elle avait discernée dès le premier jour sous l'accoutrement à la mode et en eut meilleure opinion que de la *couva gril*. Au moins, débarrassée de son vernis, elle avait l'air de savoir ce qu'elle voulait.

La crainte du retour de Paul dut les forcer à s'interrompre. Des silences s'intercalèrent entre les reparties. Enfin, la grosse voiture du Hollandais s'éloigna.

En revenant dans la cour, Finou trouva l'étrangère installée dans sa chaise longue. Le visage bouffi, marbré de rouge, elle croquait une de ses éternelles pommes vertes, en gigantesques bouchées qui lui déformaient le visage et dont elle venait à bout dans un ébranlement de mâchoires digne d'une machine à concasser le grain. Après avoir jeté au loin le trognon, elle corna son livre à la page où elle s'était interrompue, sortit un chewing-gum des profondeurs de son sac de toile, s'employa à en extraire la saveur en moulinant furieusement et en le faisant claquer contre ses dents.

Presque en même temps, Paul entra dans la cour au volant du break et Daniel revint de la métairie avec René.

– On a entendu crier la demoiselle, fit remarquer le gamin.

– Elle n'est pas contente que M. César soit parti. Mais elle n'a que ce qu'elle mérite. Elle n'était même pas gentille avec lui.

– Pourtant, il l'emmenait tout le temps à la piscine et au restaurant! s'exclama le petit, outré qu'une femme puisse se montrer ingrate en étant si bien traitée. Qu'est-ce qu'elle va faire maintenant?

– Je ne sais pas. Lave-toi les mains, mon biquet, on va dîner.

Il se dressa sur la pointe des pieds pour atteindre le robinet d'eau froide de l'évier et mit plus de soin encore à ne pas laisser tomber le savon de Marseille, trop gros pour ses mains. René attendait qu'il ait fini.

Paul entra à son tour, se lava les mains par-dessus la tête du petit. Peu attaché à observer les physionomies, il avait seulement constaté que l'étrangère était encore là.

– Il s'est passé quelque chose? demanda-t-il à Finou. J'ai croisé le Hollandais en bas de l'avenue et il m'a à peine salué.

– Ils ont eu une scène, lui et elle.

Comme le dîner s'achevait, la jeune femme rentra, expliqua sommairement qu'elle partirait le lendemain matin à huit heures. Vermeulen viendrait la chercher. Puis elle lança à la ronde un bonsoir très sombre.

Seule avec Paul, deux heures plus tard, Finou se décida à en dire plus long.

– Si vous voulez mon avis, il n'y a qu'en famille ou entre mari et femme qu'on s'engueule comme ces deux-là tout à l'heure. A les entendre, croyez-moi, on comprend qu'ils se connaissent depuis longtemps et de près! M. César n'avait pas l'air de le savoir. Peut-être même que le gros avait chargé la demoiselle de le surveiller.

– L'essentiel est que nous soyons débarrassés d'elle et de ce Vermeulen, se borna-t-il à répondre.

Finou doutait que tout soit résolu si facilement, mis se garda de le dire. De toute façon, il était temps que la fille s'en aille. Paul, et même René, qui faisaient semblant de ne pas la regarder, ne manquaient rien de ce qu'elle montrait, en ne portant pas de soutien-gorge et à peine de culotte, sous des vêtements lâches ou transparents.

– M. César a encore laissé trois cent mille francs, dit Finou. Qu'est-ce que j'en fais?

– Tu me les donneras demain. C'est à peu près ce que je dois à Besse pour les réparations qu'il nous a faites sur le tracteur depuis le printemps.

– C'est le dernier jour aussi pour payer la Mutualité agricole pour René. J'ai fait les papiers tout à l'heure. Si vous étiez d'accord, on pourrait prendre l'argent que M. César avait laissé la première fois. J'aurais gardé le reste pour régler la prochaine facture d'électricité, qui fera plus gros que d'habitude.

Paul repoussa avec mauvaise humeur une chaise qui se trouvait sur son chemin. On avait beau déclarer le minimum d'heures de travail acceptable pour René, ces sacrées cotisations vous tombaient toujours dessus au moment où on avait d'autres frais.

– Alors, qu'est-ce que je fais? demanda Finou, comme il se préparait à monter se coucher.

– Fais ce que tu veux, comme d'habitude, ronchonna Paul.

*

Le lendemain, à peine la voiture de Vermeulen eut-elle emmené Jane, que Finou s'empressa d'éteindre le chauffe-eau de la salle de bain, au premier étage, la lumière qui une fois de plus était restée allumée au-dessus du lavabo, et de faire le ménage comme si un cholérique avait séjourné là-haut.

La Faujardie retomba dans sa routine. Il était temps que le calme revienne. La moisson allait commencer et on ne pouvait en cette saison de plein travail nourrir une agitation domestique permanente.

César téléphonait tous les deux ou trois jours, se contentant d'indiquer qu'il se trouvait dans une cabine. Finou répondait invariablement qu'elle n'avait reçu aucune communication pour lui, sauf une fois, où un certain Bob l'avait demandé, pour rien d'urgent avait-il précisé.

Finou ne voulut pas lui raconter en détail la scène qui avait opposé les deux étrangers, mais il accueillit son bref compte rendu par un silence tellement long qu'elle crut la ligne coupée.

— Tu m'as entendue? reprit Finou.

— Oui, merci. Et quand il est venu chercher Jane, tu n'as rien remarqué de spécial?

— Non. Ils avaient l'air grognon tous les deux. Mais il était tôt le matin et c'est l'heure où ils doivent préférer dormir.

— S'ils reviennent ensemble ou séparément, tu leur dis seulement que je suis parti, sans les faire asseoir, sans leur offrir à boire, tu entends?

— Ça va, ne t'en fais pas.

— Merci encore. Bonsoir, ma Finou.

Elle aurait préféré l'entendre rager au bout du fil, plutôt que de deviner cette lassitude.

DEUXIÈME PARTIE

DEPUIS des semaines, César s'épuisait à attendre. Bête à l'attache, il sentait rôder l'inconnu, devenait irritable, se défiait de tout dans ce monde provincial, où il s'était promis de ne plus retomber et venait de se laisser piéger, par accident plus que par appât du gain.

Deux ans plus tôt, après des séjours au Sri Lanka, en Birmanie et aux Philippines, brusquement interrompus pour incompatibilité entre sa morale et les lois du pays, il s'était replié à Bangkok, appelé par un ami momentanément contraint de s'éclipser de la région, qui lui avait confié son trafic de jade et de pierres précieuses, auquel César avait ajouté, à titre personnel, l'exportation d'objets d'art. Là, il était tombé sur un ancien camarade, Robert, devenu Bob, avec lequel il avait commis quelques frasques, du temps de ses études, à Bordeaux.

Bob raconta à César comment, après son départ, à la fin des années soixante-dix, il avait acheté et convoyé de vieilles voitures qu'il revendait en Afrique noire. Puis, il était passé à d'autres commerces, qu'il ne prit pas la peine de définir. Maintenant, il paraissait mener la vie à grandes guides, voyageait régulièrement de France aux Etats-Unis et semblait fort satisfait des bénéfices qu'il tirait d'une agence immobilière récemment achetée à Miami.

Il se livrait également depuis quelques années à ce qu'il appelait le courtage en œuvres d'art. Il y était venu par hasard, expliqua-t-il, en aidant les religieuses du couvent où avait été élevée sa mère, en Charente, à vendre deux tableaux très sales retrouvés dans un placard de la chapelle. Il avait habilement manœuvré : les toiles, nettoyées, restaurées, attribuées à un bon peintre français du XVIIe siècle, s'étaient fort bien vendues à un collectionneur américain. Bob avait alors pris des contacts dans ce milieu, mis la main sur d'autres œuvres oubliées au fond de châteaux et d'églises du Sud-Ouest. Ses activités dans ce domaine, dont il parlait avec légèreté, semblaient fructueuses. Plusieurs personnes opéraient maintenant pour lui – il se contenta de sourire quand César traduisit : « des rabatteurs » –, et on ne lui demandait plus dans quelles circonstances pittoresques il avait « découvert » les toiles et objets d'art religieux qui étaient devenus sa spécialité.

César le félicita de sa prospérité et se plaignit en riant des tracasseries et des exigences des douaniers et des intermédiaires avec lesquels il traitait. Vite lassé, impulsif, ayant traîné ses guêtres dans bien des pays sans faire fortune, il ne cacha pas qu'il traversait, selon les périodes, des hauts et des bas.

– J'ai entendu parler de toi par un type de la KLM, dit Bob. Seulement, comme tu te fais appeler Michel, je ne pouvais pas faire le lien avec mon vieux copain César. Mais, dis-moi, ça m'étonne que tu restes cantonné dans de petites affaires, un peu en amateur. Il y a mieux à faire ici.

– Je ne veux pas toucher à la drogue et y laisser ma peau ou, au mieux, comme étranger, passer le reste de ma vie dans une prison de ce pays.

– J'ai différentes choses en route et d'autres en vue. Si un jour ça t'intéresse de travailler avec moi, fais-le savoir en me laissant un message à Bordeaux, chez ma mère, à la même adresse qu'autrefois. Tu as gardé ton air de fils de bonne famille, tu connais bien l'anglais, tu as l'habitude de voyager, nous pourrions peut-être nous entendre. Dînons ensemble demain, nous en reparlerons!

– Pour le moment, je n'ai pas envie de rentrer en France.

– Il ne s'agirait pas uniquement de travailler en France.

– Tu te lances sur beaucoup de terrains différents. Ça doit faire lourd pour un seul homme?

– Bricoler ne m'amuse plus. Je suis devenu un businessman.

– Et ici, qu'est-ce que tu fais?

– J'ai des gens à rencontrer. Alors, on se retrouve ici, demain, vers huit heures? Je loge dans l'hôtel.

– Entendu.

Puis, pour ne pas être en reste ou se faire plaindre par cet ami très à l'aise dans son rôle de brasseur d'affaires, César avait blagué :

– Puisque tu opères dans les milieux de l'art, tu as dû entendre parler du vieux Maerten, un collectionneur d'origine française vivant aux Pays-Bas? Enfin, s'il est toujours vivant.

– Qu'est-ce que tu sais sur lui? demanda Bob, attentif, pour ne pas avouer que le nom ne lui disait rien.

– Mon père m'en a parlé une seule fois et m'a raconté une curieuse histoire à son sujet.

M. Abadie l'avait rencontré avant la guerre, mais ce n'était pas le genre d'homme qu'il aurait accepté de fréquenter. Maerten s'appelait alors simplement Martin. Né au début du siècle, de père inconnu, élevé par sa mère, il était devenu à quinze ans

employé dans une quincaillerie. Vers les années
trente, il possédait déjà plusieurs usines. Riche, mais
sans éducation et sans culture, il désespérait de
s'introduire dans la haute société qui le fascinait. En
Europe, l'argent ne suffisait pas pour vous ouvrir
toutes les portes. Au début de la dernière guerre, il
était parti aux Etats-Unis, y avait bâti un important
groupe de produits pharmaceutiques, avait obtenu la
nationalité américaine dans les années cinquante,
repris le nom de Maerten, qui était en fait celui de sa
mère, d'origine hollandaise. Entre-temps, il avait
compris que pour être admis parmi les grands de ce
monde il lui fallait se hisser au niveau des véritables
connaisseurs dans un domaine qui mérite le respect,
comme celui de l'art. Célibataire, il avait consacré sa
fortune à se constituer une collection. Il s'était fait
rouler au début, avait acheté mieux ensuite, lu,
voyagé, s'était spécialisé dans le XVIᵉ et le XVIIᵉ siècle
français, alors négligés, y avait ajouté bientôt les
peintres flamands et hollandais de la même époque.

Voici quelques années, âgé, infirme à la suite d'un
accident d'avion, misanthrope, il s'était installé aux
Pays-Bas, avec sa collection, enfermé dans un
domaine qu'il avait acheté aux environs d'Amsterdam et, de là, avait continué à gérer son empire.

— Or, la collection de Maerten possède une particularité ignorée de tous aujourd'hui, connue autrefois de mon père et de deux de ses proches amis,
morts eux aussi, qui ont tu cette histoire faute de
preuves et parce qu'ils n'étaient pas hommes à se
lancer dans une chasse au trésor. Les premières
grandes œuvres qui sont entrées dans sa collection...
il les a volées.

— C'est intéressant, dit doucement Bob. Continue.

— Un des plus anciens amis de mon père s'appelait

André Steiner. Juif et amateur éclairé en matière d'art, il avait hérité de son propre père une collection limitée, mais composée d'œuvres de premier plan. Le fils, lui, s'était spécialisé dans les impressionnistes. Au début de la guerre, il était passé dans notre propriété de Dordogne.

« Après avoir trouvé près de Sarlat un refuge qu'il croyait sûr et où il comptait installer sa famille et l'ensemble de ses toiles jusqu'à la fin des hostilités, André Steiner était remonté à Paris pour préparer le départ des siens. C'est alors que tous avaient été arrêtés et déportés. Ils n'en revinrent pas. Ce que Steiner possédait de précieux avait été emporté par les Allemands, disait-on, et avait disparu dans la tourmente de la fin de la guerre.

« Mais le jour où il m'a parlé de Maerten, mon père m'a dit : " C'est lui qui a emporté une partie des toiles appartenant à André Steiner. Je sais de manière sûre, de quelqu'un qui a disparu depuis et ne peut plus témoigner, qu'il a pénétré chez André deux heures avant les Allemands et a transporté avec son chauffeur plusieurs grands paquets qu'ils ont chargés dans sa voiture. Ces œuvres sont connues, répertoriées, invendables. Mais il a pu les enfermer dans une pièce de sa maison, où personne de l'extérieur n'est admis. "

Bob compléta de lui-même :

– En somme, si ces toiles disparaissaient, il n'oserait pas porter plainte et paierait pour les récupérer sans bruit.

– Ce serait même, au fond, assez moral, conclut César.

Après un moment de réflexion, Bob décréta :

– Si tu n'y vois pas d'inconvénient, je vais me renseigner sur ce Maerten. Au cas où on pourrait entreprendre quelque chose, je t'avertirais.

César ne demanda pas quel genre de chose,

comme il n'avait pas demandé quel genre d'affaires Bob comptait mener en Asie. Celui-ci poursuivait :

— Ton nom ne sera pas prononcé, tu ne seras mêlé à rien, si tu le souhaites. Naturellement, tu auras ta part. Dix pour cent, ça te conviendrait?

— Je n'ai aucune idée de ce que ça représente, tant que tu n'as pas... fait un inventaire et choisi ce qui t'intéresse.

— Je t'en reparlerai quand j'aurai tiré ça au clair, d'accord? proposa Bob.

— D'accord! avait répondu César, qui ne prêtait qu'une importance limitée aux propos tenus au bar d'un grand hôtel pour touristes, autour de trois heures du matin.

Voilà comment dix-huit mois plus tard, Bob avait fait parvenir à César un message laconique, le prévenant qu'il tenait à sa disposition une avance sur la somme promise, qu'Air France à Bangkok lui remettrait un billet d'avion aller et retour pour Paris et donnant un numéro de téléphone où le joindre.

César ne bougea pas. Il n'avait pas de quoi téléphoner et ne voulait venir en France que l'affaire réglée, pour toucher la totalité du montant qui lui reviendrait.

Un second message lui parvint, annonçant d'autres possibilités de collaboration. César était dans une mauvaise passe, risquait la prison pour une affaire où les douanes se montraient de mauvaise volonté. L'occasion de se renflouer lui parut séduisante. En partant pour la France, début juin, il ne comptait pas y séjourner plus d'un mois et n'envisageait même pas de se rendre à La Faujardie.

*

A Paris, Bob accueillit César à l'aéroport, le déclara son invité, le logea dans un hôtel voisin des

Champs-Elysées, l'emmena dîner le soir même dans un de ces restaurants dont l'image de luxe avait hanté leur jeunesse avide et où on le traitait avec les égards dus à un habitué. Charmant, ne donnant aucun signe d'inquiétude, Bob annonça que tout s'était déroulé pour le mieux. Six toiles étaient en sa possession, un Rembrandt, un Frans Hals, un Dürer, un Fragonard, une scène de cabaret de Brouwer et une nature morte de Snyders. Comme prévu, les journaux n'en avaient pas parlé, Maerten n'avait pas porté plainte et se taisait. C'est lui seul que Bob comptait approcher, le moment venu. Il n'y avait rien à attendre de l'assurance. Les compagnies refusaient de payer les rançons demandées après des « enlèvements » de ce genre. En outre, les tableaux étaient assurés pour un montant bien inférieur à leur valeur réelle, Maerten ayant argué de leur origine incertaine ou de leur attribution hâtive.

Maintenant, il était de bonne guerre de laisser passer un certain temps sans se manifester, pour user les nerfs de l'adversaire, expliqua Bob. « Combien de temps ? » demanda César. « Plusieurs semaines, sûrement, plusieurs mois, peut-être », avait répondu Bob, en faisant savamment flamber le bout de son cigare.

— Tu veux des francs français ou des dollars ? proposa-t-il à César, pour couper court à toute question.

— Moitié, moitié, répondit celui-ci, qui ne s'était pas posé la question. Tu me donnes combien ?

— Aujourd'hui, disons, cinquante mille. Tu m'en redemanderas, quand tu seras à court. Je te les remettrai tout à l'heure, dans la voiture.

César était soucieux. Tout cela annonçait une attente plus longue que prévu et des ressources incertaines.

— Je n'aime pas l'idée de traîner en France, où je

n'ai plus de base, plus de domicile et pas envie de m'installer.

Bob entreprit de l'égayer :

– Tu peux utiliser mon appartement de Bordeaux. Je n'y vais pas plus d'un ou deux jours par mois, pour voir ma mère et ma sœur. A Paris, je te laisse un studio dans le quinzième dont je n'ai pas besoin en ce moment. Tu peux prendre ma Jaguar. Je garde la Ferrari et, surtout, je me suis mis à la moto.

César l'écouta d'une oreille distraite détailler les performances de sa grosse cylindrée.

– En échange, j'ai quelque chose à te demander, dit Bob, onctueux comme un confiseur, en tournant dans ses doigts un vieil armagnac.

César, qui n'avait plus l'habitude du luxe feutré de la vieille Europe, se sentait emprunté.

– Jusqu'ici, je m'étais occupé d'œuvres d'art de valeur inégale, aux styles assez disparates, du bon et du moyen, selon ce qu'on trouvait. Les toiles du vieux Maerten, ça a une autre classe. Je n'aime pas beaucoup les laisser en ville, à la merci d'une indiscrétion. Si on pouvait les mettre en sûreté dans un coin de ton château, en Dordogne, je serais plus tranquille. Elles sont petites, sauf la nature morte, et ne t'encombreraient pas.

César était perplexe. Cela ressemblait de moins en moins à ce qu'il avait imaginé.

– Je n'ai pas donné signe de vie chez moi depuis dix ans. Mon frère est-il marié? Qui habite La Faujardie? Si j'y retourne, est-ce que je serai libre de mes mouvements? Ce n'est pas sûr.

– Eh bien, fais un saut là-bas, tâte le terrain. Nous en reparlerons ensuite.

– Laisse-moi le temps de profiter de Paris. C'est OK, si j'y vais la semaine prochaine?

– OK, avait répondu Bob, très détendu. Nous descendrons ensemble jusqu'à Bordeaux et j'en profiterai pour te montrer les tableaux. C'est là que je les garde pour l'instant.

Dans les jours qui suivirent, Bob invita César et le fit inviter sans cesse, partout paya pour lui. César se rua sur les plaisirs que lui offrait ce milieu, où l'on voyageait, roulait vite, comptait large et dépensait gros, se soûla d'alcool et de filles, avec l'avidité d'un naufragé qui retrouve la terre ferme. Il remarqua pourtant que son ami, qui le savait joueur, évitait de l'emmener aux courses ou de le faire participer aux parties de poker auxquelles il avait fait allusion lors de leur rencontre à Bangkok. Il commença à ressentir vivement l'état de dépendance dans lequel Bob semblait le maintenir à dessein.

Le jour où Bob, dans l'appartement de sa mère, sortit les tableaux d'un débarras, César ne put cacher sa déception, les trouvant bien petits. « Les cadres sont aussi grands que les toiles », fut sa première réflexion. Bob en conclut qu'il ne connaissait ni le marché ni les prix et se félicita d'être toujours resté dans le vague en parlant chiffres.

Le soir, dans une boîte des environs, César rencontra Jane qui se laissa draguer. Elle partait le lendemain pour l'Espagne. Il proposa de l'y conduire, voyant là une occasion d'échapper à la tutelle de Bob. Celui-ci ne parut pas contrarié, offrit sa voiture, des adresses sur la Costa del Sol.

– Il suffira que tu passes chez toi en revenant, dans une dizaine de jours, suggéra-t-il, conciliant.

César se sentit dans la peau d'un adolescent à qui l'on accorde, avant la rentrée scolaire, de l'argent de poche et une brève escapade loin de la famille. Exprès, pendant ce séjour en Espagne, il dépensa sans compter, en vêtements pour Jane et pour lui, en hôtels et en restaurants. A Marbella, il fit la connaissance d'un certain Jacky, originaire de Toulouse, qui l'amusa pendant deux jours par son bagout, puis dont il se débarrassa en lui prêtant mille francs. Il s'abstint de jouer pour ne pas être obligé, s'il perdait, d'emprunter à Bob et de se retrouver entièrement entre ses mains.

Sur le chemin du retour, à la fin du mois de juin, sans demander son avis à Jane, sans lui dire où il la menait, il prit la route de Périgueux.

Si rien n'avait changé à La Faujardie, il savait où il cacherait les tableaux. Déjà, pour ne pas se sentir rivé à la vieille maison, il songeait à instituer Finou gardienne du butin sans qu'il soit nécessaire de lui apprendre en quoi il consistait. Quant à lui, il reviendrait de loin en loin y jeter un coup d'œil.

Le choc fut plus grand qu'il ne le prévoyait quand il découvrit que le temps était suspendu au-dessus de La Faujardie. Il n'eut qu'une hâte : repartir au plus vite, et faillit annoncer à Bob que les conditions dans lesquelles vivait son frère et l'état de la maison ne faisaient plus de la propriété un abri sûr.

A la réflexion, il songea qu'à Reyssac, il serait hors de portée de Bob, qui ne s'y risquerait pas. Puis, il voulut revoir Marie. Si on lui avait annoncé qu'elle était mariée et mère de famille, il l'aurait évitée. Cet enfant qu'elle avait eu d'un inconnu, sa vie de célibataire l'intriguaient.

En attendant le long week-end du quatorze juillet, où elle viendrait pour trois jours, César regagna Bordeaux. Il avait dépensé tout ce que Bob lui avait remis en argent français et écorné sa réserve de dollars qu'il voulait maintenant préserver. Il lui faudrait donc prétendre ne plus rien avoir et réclamer une nouvelle avance. Décidément, il ne supporterait pas longtemps de se sentir à l'attache. Il se prépara à exiger que lui soit versée à une date fixe – et pas plus tard qu'à la fin de l'été – la somme qui lui revenait. Alors seulement il pourrait casser la corde qui le retenait à son ancien camarade et reprendre sa liberté.

Dès que Bob pénétra dans son appartement, il aperçut Jane, allongée sur le canapé avec un magazine, et fit remarquer à César avec désinvolture :

– Tu ne comptes pas te débarrasser de cette fille?

– Comment crois-tu que je trouverai à la remplacer, si je dois rester dans mon trou du Périgord, à surveiller la friture?

– J'ai horreur des femmes qui s'incrustent, quand on ne sait pas d'où elles sortent ni ce qu'elles valent. Enfin, pour une fois... Mais jamais un mot devant elle, n'est-ce pas – même si tu imagines qu'elle ne comprend pas?

– Tu me prends pour un nourrisson?

– C'est par les femmes qu'on tombe et il me semble que celle-là serait contente de nous coincer, l'un ou l'autre.

– Je ne lui ferai pas ce plaisir.

Ils déposèrent Jane devant un cinéma, avec ordre de ne sortir de la salle que lorsqu'on viendrait la chercher, et discutèrent dans un café voisin. Bob connaissait La Faujardie, comprit aussitôt les explications de César sur le lieu choisi, posa quelques questions rapides et précises, se montra satisfait des réponses, considéra la question comme réglée. Puis, il poussa devant César une enveloppe contenant une liasse de billets.

– Note cela dans nos comptes, dit César. Je n'ai pas l'intention de vivre à tes crochets.

– Si tu préfères travailler en attendant que notre affaire soit réglée, tu sais que j'ai toujours besoin de gens pour faire des aller et retour à Amsterdam, à Miami ou ailleurs.

César refusa, cassant.

— Non, merci, je ne suis pas un garçon de courses.

Mais il se contint, ne voulant pas d'un affrontement avec Bob.

— As-tu au moins approché Maerten?

— Excuse-moi de ne pas te répondre. J'ai ma méthode dans ce genre de négociation et je ne fais confiance qu'à moi-même. Tu seras payé, je te le garantis.

— Oui, mais quand et combien?

— Je ne peux pas le préciser encore.

— Donne-moi une date approximative et un ordre de grandeur.

— Il est trop tôt pour le dire. Autour de deux cent mille, plus si nous avons de la chance.

— Et la date?

— La date! Comment veux-tu que je sache? On ne traite pas avec un financier de renommée internationale comme avec un type qui vend des mouchoirs dans un parapluie!

— En somme, tu n'es pas sûr de réussir?

— Si, je réussirai, dit Bob, l'air mauvais.

— Ecoute, je voudrais que pour moi tout soit réglé d'ici la fin août, début septembre au plus tard, et que tu reprennes les tableaux, si l'affaire court toujours.

— Entendu, conclut Bob avec impatience.

Ils échangèrent à peine quelques mots en allant chez sa mère, pour procéder au transfert des tableaux dans le coffre de la voiture.

— Maintenant, il ne s'agit pas de traîner. Tu me poses dans le centre et tu mets le cap droit sur la Dordogne! annonça Bob.

Agacé de se voir dicter ses moindres mouvements, César démarra sans ménagement. Dix minutes plus tard, Bob lui signala l'endroit où il voulait être déposé.

158

César s'arrêta cent mètres avant, en double file, laissant tourner le moteur :

– Va d'abord me sortir Jane du cinéma!

– C'était pourtant l'occasion de se débarrasser d'elle, observa Bob, avec légèreté.

À la caissière et à l'ouvreuse, alarmées de le voir s'avancer à grands pas, sans billet, il lança qu'il entrait et sortait, revint avec Jane. En claquant la portière sur elle, il salua César d'un signe de la main et d'un clin d'œil rigolard lui fit remarquer la mine renfrognée de Jane, peu habituée sans doute à être traitée ainsi.

En passant, Bob avait demandé à César s'il pourrait lui confier deux caisses contenant des carreaux de faïence portugais du XVIIe siècle, destinés à un Hollandais, dont il avait fait la connaissance peu de temps auparavant. L'homme décorait des villas, des châteaux et des appartements achetés en Europe par de riches Américains et serait susceptible d'offrir des débouchés intéressants à son commerce d'œuvres d'art. Cette première transaction était une manière de tester sa crédibilité. Il fut convenu que les caisses destinées à Vermeulen seraient envoyées à La Faujardie en même temps que les vins commandés par César.

Les tableaux mis en sécurité, commencèrent les vagabondages, au cours desquels il emmenait Jane comme, dans un climat pluvieux, on garde son imperméable dans sa voiture.

Le quatorze juillet Marie était arrivée. À la fin du week-end, elle était repartie. Ces trois jours avaient suffi pour que César ne supporte plus Jane, qu'il la plante là et reprenne son errance. Mais la France était une boîte à chaussures, dont on cognait tout de suite les extrémités et il se dégageait de ces campagnes soigneusement cultivées, de ces petites villes bien entretenues, une atmosphère de domestication qui lui semblait irrespirable.

Il achetait les journaux, parcourait les pages de faits divers, résigné d'avance à y trouver le nom de Bob mêlé à une sale histoire ou le récit du vol de la collection Maerten. Mais Bob était habile à marcher sur la corde raide et le vieux se taisait, résigné peut-être à la perte de ses toiles. A cet âge, on est prêt à tout subir, ayant la mort pour seule obsession.

César bridait son exaspération, sachant que la date des vacances de Marie approchait.

*

Peu après six heures du soir, le trente et un juillet, en bavardant avec une camarade de travail, devant son bureau, Marie remarqua une voiture semblable à celle de César, garée devant un café proche. Les deux jeunes femmes se séparèrent. Quand elle parvint à hauteur de la voiture, Marie s'interdit d'abaisser les yeux à l'intérieur ou de lire la plaque d'immatriculation.

Comme elle longeait la terrasse du café, une main saisit la sienne au passage. Elle sursauta, d'autant plus qu'elle n'était pas d'humeur à se laisser aborder. César, qui l'avait arrêtée, l'observait par-dessus ses lunettes de soleil, abaissées d'un doigt sur le nez pour la circonstance, remises en place aussitôt. Il se leva, l'embrassa, écarta une chaise pour lui permettre de s'asseoir.

– Tu es là par hasard? demanda-t-elle.

– Depuis quand pose-t-on des questions aux grandes personnes? dit-il d'un ton badin, en lui caressant la joue.

Gentil, il condescendit à expliquer :

– J'avais des amis à voir.

160

Visiblement, il était content de son effet de surprise, de la présence de Marie à ses côtés, peut-être
des affaires qu'il avait traitées.

— J'ai envie d'aller au bord de la mer, reprit-il. Tu
viens avec moi?

— Quand?

— Tout de suite.

— Mon bureau ne ferme que demain soir.

— Tu téléphoneras pour dire que tu es malade.

— Non, j'ai du travail à terminer.

— Alors, tu me laisses partir sans toi?

— Il faut bien.

Le garçon attendait, en faisant pivoter son plateau
vide.

— Qu'est-ce que tu prends?

— Un Perrier.

— Et pour moi, un autre scotch, compléta César.

Le garçon répéta la commande en chantonnant et,
ayant entendu le refus de Marie, échangea avec
César une de ces mimiques complices de mâles qui
savent s'accommoder des caprices des femmes. Avec
des grâces de toréador, il évita une jeunesse qui se
levait brusquement devant lui et repartit avec agilité
entre les tables encombrées.

— Alors, tu ne veux pas venir? insista César,
goguenard. Tu espères le jour de ta retraite recevoir
la médaille des vieux travailleurs, en remerciement de
ta conscience professionnelle?

— Ça m'est égal que tu te moques de moi, je ne
peux pas venir, dit Marie, butée.

Décidément de bonne humeur, il plaisanta :

— Donne ta démission! Je te promets de te trouver
un autre boulot!

— Avec tes amis? Merci bien!

Il se renversa contre le dossier de sa chaise et
rit :

— Tu ressembles à ta mère!

161

– Va au bord de la mer avec la demoiselle anglaise!

– Je te rappelle qu'elle n'est pas anglaise.

Il lui gratta le dessous du menton :

– Ça te travaille quand même un peu, hein, ma douce, que je sois venu avec cette fille? Ne t'en fais pas, elle est partie et je ne la ferai pas revenir.

Marie ne voulut pas poursuivre sur ce terrain et revint à l'offre de César :

– D'ailleurs au mois d'août, sur les plages, ça va être une cohue épouvantable.

– C'est mon affaire. Tu viens, oui ou non?

Elle hésita, secoua la tête.

– Ce soir, je ne peux pas.

Les lunettes de soleil reprirent leur gymnastique, dégageant ses yeux clairs, qui se fixèrent sur Marie, inquisiteurs :

– Tu as rendez-vous avec quelqu'un?

Elle ne répondait pas. Il la dévisageait.

– Eh bien?

On avait apporté leurs boissons. Elle tourna entre ses doigts son verre embué, mordilla sa rondelle de citron.

– Non, finit-elle par dire.

César, qui s'était avancé, retomba contre le dossier de sa chaise et remonta ses lunettes de soleil.

– Méfie-toi, si tu vois quelqu'un ce soir, je le saurai.

Marie ne parut pas impressionnée, elle but son Perrier à petites gorgées. César la surveillait, tout en bavardant. Enfin, il renversa la tête en arrière, but les dernières gouttes de son whisky, en suçant les glaçons, qu'il laissa retomber avec un cliquetis au fond du verre. Il ramassa ses cigarettes et son briquet, agita un billet entre ses doigts en direction du garçon. Celui-ci encaissa, renouvela le petit sourire entendu. « Peut-être se connaissent-ils », pensa Marie. César avait pris le parti d'être joyeux.

– Il faut que j'y aille! dit-il en se levant. Je vais te déposer.

– Tu es gentil. J'ai une course à faire près d'ici et c'est plus simple d'y aller à pied.

– Tu es bien pressée de te débarrasser de moi!

– Je pensais que tu voulais te mettre en route tout de suite?

– Tu pensais... Toi aussi, tu aimes comprendre et organiser, hein, ma douce? Pas d'imprévu, pas de dérapage?

Ils se tenaient debout devant sa voiture.

– Tu ne me dis pas au revoir? demanda-t-il.

– Si.

Elle leva la tête pour l'embrasser. Il lui prit les cheveux au-dessus de la nuque, la força à un vrai baiser. Elle voulut l'écourter.

– Pas dans la rue, César!

– Tu préfères monter dans ma voiture?

– Non, je dois rentrer.

– Mauvaise tête!

Il glissa la main dans le chemisier ouvert, qui blousait largement, pinça un des petits seins que le soutien-gorge léger ne protégeait guère, réussit à la scandaliser, puis, affectueux, la retint quand, dans un geste de recul, elle faillit heurter un passant.

Comme elle s'éloignait presque en courant, il monta dans sa voiture et partit sans se retourner. Mais il la suivit des yeux dans le rétroviseur.

*

Le lendemain à la même heure, César, garé sur un passage clouté, attendait Marie à la sortie de son bureau. Dès qu'elle parut, il mit le moteur en marche, ouvrit la portière, lui fit signe, brusquant les adieux qu'elle échangeait avec les gens de son bureau. Elle monta, glissa au fond du siège, surprise à nouveau de le trouver si vaste, si enveloppant.

– Tu es resté? demanda-t-elle, méfiante.

– J'ai été retardé. Cette fois, je pars vraiment. Si tu viens, il faut te décider tout de suite.

– Laisse-moi au moins passer à la maison prendre quelques affaires et téléphoner à La Faujardie. On m'attendait demain. Qu'est-ce que je leur dis?

– Que tu vas au bord de la mer quelques jours avec une fille de ton bureau. Celle avec qui tu parlais à l'instant, quel est son nom?

– Maryse.

– Ça suffit, tu n'as pas besoin d'en dire plus.

– Même pas où on va? Maman va s'inquiéter!

– Raconte n'importe quoi! Dis qu'on vous a prêté un appartement en Bretagne!

Il attendit debout dans le studio de Marie, pianotant avec impatience sur les vitres, faisant craquer ses jointures, refusant de voir les lieux, fumant une cigarette après l'autre. Il n'aimait ni les immeubles modernes, ni les quartiers périphériques. C'est seulement quand il eut refermé le coffre sur le sac de voyage de Marie et que leurs deux portières eurent claqué qu'il sourit et l'embrassa.

En contournant une partie de Bordeaux, il pesta contre les embouteillages du vendredi soir. A l'approche du pont d'Aquitaine la circulation se ralentit encore. Quand il finit par rejoindre l'autoroute en direction de Paris, il dut modérer son allure et s'exaspéra.

– J'avais oublié ce cirque de juillet-août!

Marie évita de répondre. Elle détestait l'autoroute, qui ne sert qu'à se déplacer le plus vite possible d'un point à un autre, César l'aimait désertée de ses occupants habituels, la nuit de préférence.

Dès que la voie fut dégagée, il s'installa sur la file

de gauche et, ignorant les limites de vitesse, doubla tout ce qui se présentait, s'acharnant si une voiture prétendait lui tenir tête. Marie se taisait.

Enfin il s'engagea sur une nationale puis sur une départementale qu'il semblait connaître.

Ils arrivèrent dans une ancienne demeure, située au milieu d'un parc et transformée en auberge. Elle ressemblait à une propriété de famille, plus qu'à un de ces châteaux-hôtels, dont sont friands les gros commerçants en retraite et les couples en rupture de bans. L'endroit était retiré, à distance du village. Le reflux de juillet l'avait évité, le flot des aoûtiens n'avait pas encore eu le temps de dévaler de la région parisienne.

César avait réservé une chambre. D'un coup d'œil circulaire, il jugea qu'elle lui convenait, avec son confort anglais fait de chintz, de sièges moelleux et de rideaux aux larges embrasses. Il inspecta la salle de bain, ne se déclara satisfait et ne laissa partir la femme de chambre, surprise, qu'après avoir vérifié le bon fonctionnement des robinets et de la chasse d'eau. A Marie, embarrassée, il expliqua :

– La France est le royaume du « tout pour la bouffe », du « pour la baise, on se débrouillera toujours » et des robinetteries qui agonisent. Moi, je ne supporte pas les glouglous de tuyauterie, dans un pays qui se dit civilisé.

Ils descendirent dans la salle à manger où, à neuf heures moins le quart, ils arrivèrent bons derniers.

– Si je comprends bien, nous avons une journée de sursis, remarqua César en dépliant sa serviette. Demain le pays sera aux mains des barbares.

– Toutes les plages seront envahies, si c'est ce que tu veux dire.

– En attendant, dînons! Je n'ai pas déjeuné, je crève de faim. Et toi?

– Je ne mange pas grand-chose le soir.

– Oublie-le! Je déteste dîner en face d'une femme qui chipote!

Il composa leurs deux menus avec le maître d'hôtel, interrogeant et conseillant Marie pour la forme, décidant à sa place, la poussant à essayer des plats qu'elle ignorait. Elle laissa les deux hommes discourir sur l'accompagnement de chaque plat, la provenance des mets, détails dont elle se moquait. Aux questions de César sur le vin qu'elle préférait, elle se contenta de répondre :

– Je bois très peu, tu sais.

– *Sine Cerere et Baccho friget Venus!*

– Comment?

– C'est un des rares vers latins que j'ai retenus. Il veut dire à peu près : « L'amour gèle, si on ne lui donne ni à boire ni à manger. »

L'air songeur, Marie suivait du doigt la dentelure qui formait le bord de son assiette. Elle avait voulu s'asseoir près d'une des baies donnant sur le jardin. Si le menu lui était indifférent elle aimait l'air doux qui montait de la terrasse toute proche. Un grand rideau de mousseline tiré sur le côté ondulait, se gonflait et, quand s'élevait un souffle d'air plus fort, était aspiré à l'extérieur. Il flottait, pâle dans la nuit tombante, serré en une masse douce et épaisse, et retombait dans un chuchotis contre l'épaule de Marie. Elle vit que César observait le mouvement du rideau.

– On peut leur demander de fermer la fenêtre, si ça t'énerve?

– Non, ça ne me gêne pas, dit-il brièvement.

Ils parlèrent peu en dînant, échangèrent des gestes tendres pour se rassurer et des bribes de conversation sans suite.

Marie poursuivait un rêve vague et ouaté. Elle qui, depuis son enfance, avait souhaité vivre autrement qu'à La Faujardie, n'avait jamais vraiment échappé à l'emprise de la vieille demeure.

A Bordeaux, elle vivait modestement et sortait peu. Elle avait plu à des hommes sensiblement plus âgés qu'elle, qui auraient eu les moyens de lui offrir un bien-être cossu. Ils ne l'avaient pas attirée et, sans hésiter, elle avait repoussé leurs avances.

S'il lui arrivait d'être invitée, c'était dans des restaurants de troisième ordre, des bistrots bruyants. Pour la première fois, elle dînait dans un endroit où les tables étaient suffisamment distantes les unes des autres, où l'on parlait à voix basse, où les serveurs ne couraient pas en criant. Et pourtant elle n'était pas gaie. Le César absent qui, en face d'elle, savourait un dîner de qualité, ne portait sur son visage aucune promesse de bonheur.

Lui, avait eu sincèrement envie de cet entracte, soif de goûter en paix le petit corps chaud et étroit de Marie qui lui apportait une sérénité inconnue. Il aimait que, sans poser de questions, par des raccourcis étrangers à toute logique, elle parvienne à comprendre des événements dont l'explication lui échappait et jusqu'à ces changements d'humeur soudains qu'il ne pouvait maîtriser. Elle avait cru vivre un voyage de noces en miniature, et voilà qu'elle servait à meubler sa solitude, à l'égal des cigarettes. Déjà, il s'irritait de ce rideau paisible qui, dehors, effleurait au passage les hautes fleurs mauves et poudreuses qui bordaient la terrasse. Il s'ennuyait dès qu'il n'était plus sur le qui-vive. Il aurait voulu qu'un danger surgisse des profondeurs du parc, lui fournissant une excuse pour s'élancer, disparaître. Papiers, argent, clefs de voiture étaient dans ses poches et lui suffisaient.

A une table voisine, une femme, son dessert achevé, se remit du rouge à lèvres, avec une grimace de poisson, la bouche béante autour de l'hameçon qu'il vient d'avaler.

César songea qu'il ne pourrait plus se faire aux Français, ces bureaucrates, ces trotte-menu. On ne pouvait s'étonner qu'un peuple de paysans précautionneux et durs au travail ait donné naissance à une masse de petits fonctionnaires, passionnés de loto et de tiercé. Pauvres naïfs, si glorieux d'avoir guillotiné un Bourbon, qui portent en bandoulière la version édulcorée de leur précieuse Révolution, sans reconnaître que depuis belle lurette des infirmiers nourrissent au goutte-à-goutte les dames liberté, égalité, fraternité, pour ne pas avoir à annoncer aux gazettes leur mort clinique.

« Le jour viendra, se dit César, où les évêques défileront en exigeant pour tout chrétien le droit au miracle. »

Il contemplait sans émotion cette France aux dents limées, aux chairs flasques, danseuse affaissée dans ses tulles jaunissants, clocharde qui, sur un quai de métro, méticuleuse et maniaque, compte ses richesses entassées dans des sacs en plastique. « Pauvre France, songea-t-il, où le peuple, docile aux médias, a appris à mieux s'accommoder de ses truands que de ses soldats perdus ou de ses mercenaires, rescapés d'antiques aventures où elle les avait jetés et dont elle refuse la mémoire. »

Pourtant César n'aurait pas pu vivre dans un pays trop jeune, en trop bonne santé, comme les Etats-Unis, le Canada ou l'Australie. Il aimait les lieux où le passé enveloppe les êtres de son parfum délétère et insuffle dans leur gorge les miasmes raffinés et putrides d'une splendeur en ruine, mûre pour la peste et la paralysie.

Il ne se sentait bien que dans les capitales ou les ports de ces vieux pays, ménageries sans barreaux, ouvrant à toutes les faunes le foisonnement de leurs nuits moites. Quant à ces territoires où des gros bourgs poussiéreux envahis de chèvres et de bicyclettes tiennent lieu de villes, il les avait rayés de sa mappemonde personnelle.

Emergeant de sa somnolence, il leva la tête vers Marie. Ils restaient les derniers dans la salle à manger. L'air avait fraîchi, le rideau en se repliant contre la boiserie faisait entrer dans la pièce un frisson nocturne. Quelques dîneurs se permettaient un ultime tour de promenade dans le parc. Le patron, courtois, montait la garde dans l'entrée, attendant leur bon vouloir pour fermer.

César avait commandé un second cognac. Il aimait la nuit, son humeur changeait quand elle était tombée, épaisse, et que les braves gens étaient couchés. Alors, il rangeait ses lunettes de soleil, devenait indulgent ou cruel, selon les circonstances, envisageait avec détachement sa mort et celle des autres.

Maintenant, il serait volontiers resté seul dans la pièce, avec ce rideau qui se mouvait, inlassable, devenu fraternel et complice, prêt à se plier à ses fantaisies, à faire surgir à son gré un bestiaire féroce ou enchanté, ou simplement un compagnon de jeu et de beuverie. Mais le patron et le dernier garçon resté dans la salle ne pensaient qu'à fermer boutique.

Il prit conscience de la fatigue de Marie qui attendait sans se plaindre, consentit à se lever, demanda qu'on lui monte dans sa chambre une bouteille du cognac qu'on venait de lui servir.

Marie se coucha. Il sortit le jeu de cartes dont il ne se séparait pas et passa une partie de la nuit à boire et à faire des réussites, qu'il gagnait et perdait alternativement. Il s'acharnait à recommencer, ne tirant aucun réconfort de l'équilibre qui se dégageait au fil des parties, gagnées et perdues avec une régularité exaspérante. Il voulait arracher une réponse au hasard, que se dessine enfin chance ou

malchance. Enigmatique, le destin refusa de se prononcer et, la rage au cœur, César finit par se coucher
et céder à un sommeil pesant.

*

Le matin, il n'eut pas le courage de s'éveiller,
quand il sentit que Marie se levait. Il aurait fallu être
gentil, ou pire, se prétendre amoureux, et il n'était
pas prêt à émerger du monde cotonneux où il gisait,
assommé de lassitude et de dégoût de lui-même. Il
l'entendit faire sa toilette, s'habiller, sortir. Elle allait
prendre son petit déjeuner en bas, songea-t-il. Et,
avec des précautions de convalescent, le dos raide, la
tête en béton, il s'étala en travers du lit.

Enfin, la nécessité le poussant vers la salle de bain,
il consentit à se réveiller. Regardant par la fenêtre
entrouverte, il vit Marie assise sur la terrasse, jupe
relevée, tee-shirt remonté sur l'estomac, pour prendre le soleil.

Il l'avait souvent raillée de porter des robes et des
jupes trop amples et trop longues et s'attendrissait de
lui retrouver ce goût des tissus abondants et légers,
dont le glissement permettait seulement de deviner le
corps. Il fallait attendre un coup de vent, un geste
impatient de sa part, pour que sa jupe s'enroule à
l'intérieur des genoux, se plaque sur les reins. Sûre
d'être protégée par l'abondance de l'étoffe, elle ne
prêtait pas attention à sa manière de se mouvoir.
Chez une autre, cette ingénuité aurait été mêlée de
rouerie, mais César l'en savait dépourvue.

Il commanda son petit déjeuner, prit sa douche, se
rasa, ayant conscience de fonctionner au ralenti.
Marie avait forcément entendu les portes s'ouvrir et
se fermer, le bruit de l'eau qui coulait, mais elle ne le
manifesta pas. Quand il se pencha de nouveau pour
l'observer, tournée vers le jardin, elle n'avait pas

changé de position. Il ne l'appela qu'après s'être senti revenu sur terre.

– Ça va, ma douce? dit-il, accoudé à l'appui de la fenêtre.

Elle leva la tête, cligna des yeux dans le soleil.

– Bonjour!

– On part?

– D'accord! Tu peux descendre mon sac?

Il le prit. Le sien ne contenait presque rien. La bouteille de cognac – ce qu'il en restait – y trouva facilement place. Quand ils eurent regagné la route, elle lui demanda où ils allaient.

– Je ne sais pas. On verra bien.

Cette fois, le flot de voitures venant de Paris se déversait sur tous les itinéraires.

– Les salauds! s'exaspéra César. Ils sont partis au milieu de la nuit!

Les caravanes passaient avec leur lot de familles qui n'avaient rien oublié dans leur domicile à roulettes, car il convenait de préparer les vacances aussi consciencieusement que l'on remplit sa grille de loto sportif.

Un passage à niveau fermé bloqua cet écoulement hétéroclite. La garde-barrière sortit pour vérifier avec satisfaction que son intervention se faisait sentir sur des milliers de pèlerins qui, autrement, seraient passés, insouciants, auprès de sa maisonnette en briques.

Fou d'impatience, César remonta la file, s'avança au point que son pare-chocs avant touchait presque la barrière métallique d'un ancien modèle. Ce manquement aux règles de bienséance fut diversement commenté par les quatre membres d'une famille qui était arrêtée à sa droite et avait eu, jusque-là, la satisfaction de se trouver au premier rang.

Un train de marchandises, d'intérêt purement local, parut dans un déferlement de fumée, qui intéressa vivement quelques galopins ignorants des beautés de la propulsion au charbon. La locomotive et ses trois wagons, dont les hautes parois dissimulaient la cargaison ou l'absence de cargaison, s'éloignèrent poussivement. La femme sortit, se mit à tourner la manivelle, la barrière remonta. A peine se fut-elle élevée à mi-course que César s'engagea sur la voie, se rabattit de façon peu orthodoxe pour laisser passer la file arrivant en face, et accéléra pour distancer le *vulgum pecus*. En se retournant, Marie vit que le train s'était arrêté un peu au-delà du passage à niveau et ne semblait pas pressé d'atteindre une destination quelconque.

Partout, ils retrouvaient les mêmes files débonnaires et César voyait rouge.

— Bon Dieu de bon Dieu! Ça leur prend vraiment chaque année comme un prurit, ce besoin d'aller jouer aux boules et boire l'apéro à cinq ou six cents kilomètres de chez eux?

— Chez nous, on ne se plaint pas des vacances. Elles amènent des touristes et font marcher le commerce, dit Marie tranquillement.

— Puisque c'est comme ça, je roulerai à travers prés, s'il le faut, mais je ne veux plus voir ces enfoirés!

Il tourna brusquement à droite, sur une petite route bordée de haies, mettant son clignotant au dernier moment. La voiture qui le suivait klaxonna d'abondance et lui adressa diverses gesticulations peu amènes.

A une heure et demie, ils arrivèrent sur une place de village, entourée d'une église, d'une boulangerie et d'un café-tabac. Personne n'était en vue. Seul un chien dormait dans l'ombre du monument aux morts. César écarta le rideau de perles qui donnait accès au café.

— On peut déjeuner? demanda-t-il au bonhomme

assis à une des tables de formica, occupé à lire les résultats sportifs du journal local.

Dans un coin, deux clients accoudés devant leur café relevèrent la tête.

– C'est qu'il est tard. Vous êtes combien?

– Deux.

– Bien, ça dépend de ma femme. Je vais lui demander.

Il disparut dans le couloir situé derrière le comptoir, revint.

– Ça ira, mais faudra prendre le menu du jour. C'est du lapin et, pour commencer, des crudités.

– D'accord.

– Où vous voulez vous mettre?

– Là, près de la porte.

Pendant que César allait chercher Marie, le patron donna une vague coup de chiffon à la table désignée et y installa deux couverts.

Le repas qu'on leur servit était sans finesse mais honnête, les carottes râpées, les tranches de saucisson, les morceaux de pain taillés épais.

– Vous n'avez pas de touristes par ici? demanda César.

– Pas trop. Plutôt des gens qui viennent dans leur famille. Moi, j'ai juste ma fille avec son mari et ses gosses qui vont arriver. Ils campent tous les ans dans le jardin.

Dans les intervalles où il ne s'occupait pas d'eux, la patron s'asseyait près des hommes qui avaient terminé leur café et auxquels il avait apporté un jeu de cartes. A leurs commentaires, on entendait qu'ils avaient commencé une belote.

Avant la fin du déjeuner, César sortit ses cigarettes. Marie, qui ne voulut ni dessert ni café, préféra aller se dégourdir les jambes. La patron lui expliqua qu'une jolie route allait vers un château, à trois kilomètres de là. Redevenu affectueux, César demanda si ça l'ennuyait de repartir un peu plus tard, quand les forcenés amateurs de vacances auraient dégagé les routes. Cela lui était égal.

Quand elle revint, César était attablé au fond du café, jouant à la belote avec le patron et les deux hommes.

— On part dans combien de temps? demanda-t-elle.

— Dans un petit moment, tu veux bien?

— Bon, je t'attends dehors, sous les marronniers.

Il reparut, tout guilleret, à six heures de l'après-midi, alors que la chaleur commençait à tomber, donna un petit baiser à Marie, lui tapota la joue, demandant si elle s'était ennuyée. Sur sa réponse négative, il reprit le volant en chantonnant.

— On m'a indiqué un hôtel installé dans un ancien relai de chasse, à vingt kilomètres d'ici. C'est à l'entrée d'une petite ville, en bordure de la forêt. Ils ont du monde pendant l'année — des représentants, des habitués — et à l'époque de la chasse mais en ce moment, ça devrait aller.

César se pencha sur elle, tendre, lui ébouriffa le haut de la tête.

— Ce n'est pas toujours amusant d'être avec moi, n'est-ce pas, ma douce? Tu ne m'en veux pas?

— Non, ça ne me dérange pas. Tu me fais penser à un type qui m'avait prise en auto-stop à la sortie de Périgueux, un jour où j'avais attrapé un train plus tôt que prévu. Il m'a même déposée à La Faujardie, mais il n'a rien dit pendant tout le trajet. C'était son droit.

— Ce ne sont pas les discours qui l'intéressaient! Il voulait savoir où tu habitais pour te relancer après!

— Mais non! Je ne l'ai pas revu!

— Alors, tu as eu de la veine, tu es tombée sur un brave con. Qu'est-ce que tu as fait cet après-midi?

Tu as parlé à quelqu'un ou tu es restée toute seule?

– Je suis allée jusqu'à ce château. Je ne m'ennuie pas quand je suis toute seule, il me vient des histoires qui défilent dans ma tête.

– Quel genre d'histoires?

– Ça dépend. Quelquefois, il m'en vient de bizarres et je les vois avec plus de force que si c'étaient des choses vraies.

César avait l'air de s'amuser.

– Et il t'arrive de me voir?

Elle hésita.

– Ça peut arriver.

Le voyant aux aguets, trop tard elle comprit son imprudence.

– Depuis que je suis revenu, tu m'as vu dans ta tête, oui ou non?

– Comme ça, en passant.

– J'ai le droit de savoir ce que je fabrique, quand je me promène dans ta tête, bon sang!

– Ce n'était pas très clair.

Les réticences de Marie décuplèrent l'intérêt de César.

– Vas-y, je t'écoute. Et n'essaye pas de m'avoir en inventant! Quand tu m'as vu, j'étais où?

– Dans les bois.

– Eh bien! tu n'as pas besoin de faire tant de manières pour dire ça! J'y faisais quoi, dans les bois?

Il flaira en elle un début d'affolement. Cela se corsait. Il aima le sentiment de l'avoir piégée.

– Laisse-moi, je n'ai pas envie d'en parler! se défendit-elle. Ce sont des bêtises!

Alors, il s'acharna :

– Réponds! Qu'est-ce que je faisais?

Elle se tut, frotta une tache imaginaire sur la poche de sa jupe.

– J'attends!

– Tu étais étendu, fit-elle, encore hésitante.

Il railla :

– Etendu comment? Tout seul?

– Oui, avec du sang dans les cheveux et là, derrière l'oreille.

Il accusa le coup, eut un petit sifflement :

– Tu n'as pas l'imagination gaie!

Bravache, il poursuivit :

– A ton avis, j'étais mort ou blessé?

– Mort.

Il hocha la tête et siffla de nouveau.

– Eh bien, si je m'attendais à ce que tu me déclares ça, paisiblement!

Puis, il se ragaillardit :

– En tout cas, une chose est sûre : je ne mourrai pas dans un accident de voiture! Foin des précautions!

Et il amorça de grands zigzags sur la route déserte, dut faire une embardée pour éviter un tracteur qui débouchait d'un chemin de terre, adressa une grimace d'excuse au conducteur :

– Désolé, pépé, je ne voulais pas te faire peur!

Il reprit son allure vive, mais normale.

– Dommage! Moi qui aime les bois, il va falloir que je m'en méfie!

– Peut-être que ça n'arrivera pas avant des années, suggéra Marie.

– Tu me scies, avec ta manière tranquille de dire des énormités. Gamine, tu étais un peu comme ça, mais maintenant tu dépasses les bornes!

– Excuse-moi, je ne voulais pas t'inquiéter.

Il négligea son observation.

– J'avais l'air jeune ou vieux, dans ta... vision?

Elle baissa la tête, comprenant qu'il ne la lâcherait pas.

– Jeune, dit-elle très bas.

Ils longeaient un pré.

176

– Les vaches n'en reviennent pas, et moi non plus! s'exclama César. Tu peux te vanter d'avoir réussi à m'épater. Si je comprends bien, je n'ai plus qu'à me préparer pour le grand saut?

– Je t'en prie, ne te fâche pas! Je ne voulais rien te dire, c'est toi qui as insisté! Et puis, ça peut être faux, ces histoires, comme du cinéma!

Il la harcelait, féroce :

– Alors, il est arrivé que ce soit vrai? que tes « visions » soient prémonitoires?

– Je ne sais pas... Peut-être... C'est arrivé pour de petites choses sans importance.

Avec une gaieté forcée, César bouffonna :

– Maintenant, profitons de mes derniers jours! A nous la bonne vie et à moi la belle fin!

Tassée dans son siège, Marie regardait ses mains. Ils étaient arrivés sans y faire attention à l'entrée de la petite ville. César vit trop tard la pancarte indiquant l'auberge, freina brusquement, se retourna, un bras étendu sur le dossier de Marie, fit une rapide marche arrière, s'irrita contre lui-même :

– C'est un comble, si je deviens distrait! Tu m'as foutu le trac, avec ton histoire!

L'endroit était envahi de fleurs et d'arbustes, une glycine recouvrait la façade.

– C'est joli! s'écria Marie.

– Ouais..., grinça César, sortant de la voiture et faisant tournoyer ses lunettes de soleil. C'est joli! Avec des centaines d'hectares de bois derrière! Si j'en réchappe, j'aurai de la chance! Enfin, je n'ai rien à dire, c'est moi qui ai choisi l'endroit.

– On peut aller ailleurs!

– Non, dit-il froidement, en s'avançant dans l'allée de gravier.

Il n'avait jamais cherché à dissimuler ses défauts, mais il n'aurait pour rien au monde révélé à quel point, avec les années, il était devenu superstitieux, tant il se sentait par là vulnérable.

A l'hôtel, des chambres étaient disponibles. Celle où ils s'installèrent donnait au dos de la maison sur le jardin et, au-delà, sur la forêt. La maison semblait vide. Les hôtes de passage s'arrêteraient plus tard, à l'heure du dîner.

— Allons nous promener! dit César, refusant d'obéir à sa peur.

Ils arrivèrent à une de ces larges allées taillées droit à travers les domaines forestiers, qui s'enfonçait entre les hautes futaies de chênes et de hêtres. Il bifurqua dans un étroit layon tracé par le gibier, puis s'en écarta. Ils marchèrent un certain temps. Marie s'inquiéta de savoir s'ils retrouveraient leur chemin. Il ne lui répondit pas.

Une biche et deux faons passèrent au loin. Marie poussa une exclamation, que César ignora. Elle n'osa rien ajouter. A un moment, il s'arrêta, renversa la tête en arrière, regarda les trouées de lumière qu'on découvrait entre le sommet des arbres.

— Tu vois, dit-il à Marie, dont il redécouvrait soudain la présence, je ne suis pas fait pour ces belles forêts bien entretenues. En Périgord non plus, je n'ai jamais pu me faire aux plantations de pins, raides et bien alignés. Les gros châtaigniers tordus, les taillis maigres, les chênes rabougris sont vivants, on les sent respirer, haleter comme une bête. Ici c'est trop beau, ça sent le propre!

Abrupt, il ajouta :

— C'est dans une forêt comme celle-ci que tu me fais mourir?

— Tais-toi, je t'en prie! Ce n'est pas ce que j'ai voulu dire! s'écria Marie.

— Rentrons! dit-il.

Il mit plus de temps qu'il ne pensait à s'orienter et

178

à retrouver son chemin. Elle le suivit sans mot dire.

A peine furent-ils rentrés à l'hôtel, la porte de la chambre se fut-elle refermée derrière eux, qu'il lança ses lunettes de soleil sur la tablette voisine du lit, attrapa Marie aux épaules.

— Le condamné a droit à une dernière cigarette et moi, avant le grand plouf! la bascule! j'ai bien le droit à une dernière bouffée de ma petite Marie!

Devant son ironie grinçante, elle eut un mouvement de retrait. Il lui lança :

— Tu ne veux pas?
— Si, mais attends...
— Moi, je n'ai plus le temps d'attendre!
— Je sais... Non, je veux dire...
— Ça te refroidit, l'idée de faire l'amour avec un futur cadavre?
— Non! Qu'est-ce que tu vas chercher!
— Mais tu y penses! Il y a des femmes que ça exciterait!
— Tu es horrible!

Du revers des doigts, il saisit à travers le tee-shirt la pointe dressée d'un de ses seins :

— Et ça, qu'est-ce que ça veut dire?
— Arrête!

Il avançait doucement, au fur et à mesure qu'elle reculait, à petits pas, les mains légèrement écartées du corps, comme pour se défendre contre lui ou se rattraper à un meuble si, dans sa retraite, elle rencontrait un obstacle.

— Dis-le, je te fais peur! insista César, jubilant de joie perverse, à la voir palpiter, les petits seins en arrêt, leurs pointes aiguës.

Peur ou désir, cela revenait au même, les deux lui convenaient.

— Oui, tu me fais peur! dit-elle d'une voix étranglée.

Quelque chose de fou traversa le visage de César. Il lui saisit le poignet si fortement qu'elle se méprit sur son intention, y vit une menace.

– Lâche-moi! cria-t-elle.

Elle le frappa sans le vouloir d'un revers saccadé de son bras qu'elle tentait de dégager. Les doigts de César se vissèrent autour du poignet. Il mugit :

– Qu'est-ce que ça veut dire? Pour qui me prends-tu? L'étrangleur du coin? Réponds!

– Je ne sais pas. Lâche-moi!

Il refusa de voir que, de terreur, elle était inaccessible à tout raisonnement, pencha la tête contre celle de Marie qui tentait de s'écarter et martela :

– Je te fais peur! Ne me dis plus jamais ça! Plus jamais, tu m'entends? Je ne te le pardonnerais pas!

Il la secouait :

– Tu as compris?

– Lâche-moi, tu me fais mal!

Marie était blanche, sa voix avait faibli. Il desserra un peu sa pression sur le poignet mince sans la laisser aller. Et brutalement, le vieux souffle fauve et primitif lui chauffa les reins : il eut envie d'elle. Oui, il la voulait tremblante, affolée. Sa chair paraissait plus douce ainsi, gonflée d'angoisse et de chagrin. Il fallait encore dissimuler, qu'elle souffre bien, qu'elle pleure. Sacrée petite paysanne à tête dure qui se défendait pied à pied, refusait de s'effondrer, de lui crier qu'il était odieux, qu'elle en avait assez de lui, qu'elle le détestait. « Ma douce, ma vaillante, songea-t-il, tenaillé de désir, je suis ignoble, je t'aime! » Mais il ne put résister à cette griserie de la terrifier, de faire durer ce frisson qui ébranlait Marie sans l'abattre. Mesquin, l'œil étroit, il lui cogna le front de son doigt replié :

– Qu'est-ce qui défile ici? Tu te dis : « Il est fou! Si je réponds, il s'énervera encore plus. Il vaut mieux que je le laisse se calmer et après, fini, je ne le verrai plus! » C'est ce que tu te racontes, je parie?

— Tu inventes des choses auxquelles je n'ai jamais pensé! Je vois bien que tu es énervé, fatigué, je te laisse tranquille, j'attends que ça aille mieux et tu me dis des horreurs!

— Je te connais! Paul, ta mère et toi, vous ne pensez qu'à vous débarrasser de moi! Seulement, vous ne voulez pas d'ennuis, vous attendez que j'en aie marre, que je file pour crever n'importe où sauf dans votre sacrée maison, pour que vous conserviez bonne conscience et bonne réputation. Avoue-le! Toi aussi, tu aimerais que je crève puisque tu finis par le rêver!

Voilà! Il avait gagné! Marie tremblait, de longs sanglots enracinés dans le plexus faisaient tressauter le ventre, lui montaient dans le corps. Pas de larmes encore, mais cela ne tarderait pas! Il fut surpris par la plainte rauque et douce qu'elle exhala, un cri de bête lasse de fuir. Il avança les mains, voulut la prendre contre lui, faire cesser ce jeu cruel. Quand elle se rejeta en arrière, il se détesta et suffoqua de tendresse et de honte.

— Marie, ma douce, au nom du ciel, n'aie pas peur de moi! Je ne voulais pas ça!

La voix déformée par sa respiration entrecoupée, elle cria :

— Va-t'en! Laisse-moi!

Aveuglée de désespoir, elle pleurait sans avoir la force de bouger. Il fit un pas, la prit entre ses bras. Elle se tenait, tête baissée, coudes serrés, raide, comme si ses petits os et ses muscles crispés suffisaient à la défendre. Il eut du mal à obtenir qu'elle relève la tête. Elle le regarda enfin, hagarde, absente. Alors, il se haït. Déchiré, il lui murmura des mots apaisants comme à un enfant :

– Marie, ma douce, mon amour, ma petite fille...

Il s'en voulait et, pourtant, il adorait sentir sous ses mains tout entier secoué de détresse le petit corps qu'il tenait légèrement pour éviter de l'affoler à nouveau. Il aurait gémi d'attendrissement, en effleurant ces rondeurs qu'elle croyait inexistantes, alors qu'elles étaient fermes et juvéniles, à la dimension d'une main d'homme. Il la souleva contre lui, comme il aimait le faire, lui embrassa la bouche tout doucement. Trop hébétée pour se dérober, elle se laissa faire.

– Pardonne-moi, mon bébé, dit-il dans l'oreille chaude, sous les cheveux écartés.

Elle ne disait rien et il en était torturé et soulevé de désir. Il sentait sous ses lèvres la sueur qui avait perlé à la racine des cheveux de Marie. Il la vit briller aussi entre ses seins, dans l'échancrure du tee-shirt.

– Tu es trempée, ma douce, dit-il, rejetant en arrière les cheveux noirs qui lui tombaient sur les mains.

A travers le tee-shirt, il posa un baiser léger sur chacun de ses seins. Un frisson d'inquiétude la parcourut à nouveau, s'apaisa, quand elle vit qu'il n'insistait pas.

– Tu veux vraiment que je m'en aille? Réponds-moi, ma douce, je t'en prie!

Il attendrait le temps qu'il faudrait, il ne voulait pas l'épouvanter à nouveau. Elle se mouchait, protégée derrière ses cheveux en désordre.

– Embrasse-moi, Marie, juste pour me pardonner!

Rien. Elle refusait de parler.

– Tu ne veux pas, ma biche? Pas du tout? Même un baiser gentil, tout doux? Comme ça, pas plus!

Il fut précautionneux et tendre comme il ne l'avait peut-être jamais été. Elle ne répondait pas mais elle ne l'avait pas repoussé. Il n'en pouvait plus, il avait envie d'elle, son ventre était pris de vertige. Il murmura :

– Je jure de ne plus te faire mal, mon bébé!

Mais il ne voulait pas être seul à aimer, il avait besoin qu'elle en ait envie, elle aussi. Il la regarda dans les yeux, la fouillant de son regard pâle, implorant :

– Ne reste pas comme cela, ma douce, on dirait que tu es évanouie!

Alors seulement, il perçut l'émoi qui la gagnait, en guetta le parcours le long de son corps. Elle le vit anxieux, penché sur elle et soupira :

– Je suis fatiguée!

Il la porta sur le lit, s'abattit sur elle, imposa silence un instant encore à la rumeur folle qui lui battait la tête et le ventre, balbutia :

– Pardonne-moi, ma douce, sinon je ne me pardonnerai pas!

En Marie, la crainte se desserra. Elle caressa légèrement les cheveux trop courts, attira César vers elle, pour seule réponse chercha sa bouche, répondit si profondément à ses baisers qu'il céda enfin à la pulsation aveugle et sourde dont il n'était plus le maître.

Enlevant d'un geste le tee-shirt et le soutien-gorge il se pencha sur son buste, fit naître en elle une plainte douce. Les mains de Marie voletèrent autour de la tête de César, s'y posèrent, le caressèrent d'un toucher si léger qu'il en eut le vertige. Tout bas, elle demanda : « L'autre aussi, un peu, s'il te plaît! » Elle gémit quand les dents de César, délicatement, se refermèrent sur son autre sein.

Quand il dégrafa la jupe, Marie d'elle-même la fit glisser avec le slip. Pendant qu'il se déshabillait, elle creusait le lit du lent mouvement circulaire d'un de ses talons, en ronronnant une plainte sourde. Quand il la rejoignit, elle l'attira pour qu'il la recouvre tout entière. Elle se reput de ce poids qui l'écrasait et il se gorgea de cet orgueil de mâle qui a su faire naître le désir dans un corps de femme et se grise de savoir qu'il la soûlera de plaisir.

Plein d'une joie féroce, il s'agenouilla, la saisit à pleins bras, l'éleva au-dessus de lui, non en offrande, mais en défi au dieu des forêts qui voulait sa mort, pour lui prouver qu'il était vivant et, dans sa rage de conjurer le sort, lui jeter à la face ce trop-plein de vie.

Quand il la reposa sur le lit, elle se haussa vers lui, les yeux clos, le visage défait, balbutiant qu'elle voulait le sentir, lui, maintenant, en elle tout au fond. Il la prit, chaude, étroite, mousseuse. Basculant la tête dans l'oreiller, lentement, comme en un rite, parfois se renversant plus encore avec une amorce de sanglot, elle retenait des gémissements, des paroles hachées, prière qu'elle lui adressait, incantation : « Je t'en prie, mon amour, continue, comme ça, encore un peu, c'est bon... c'est bon... » Les mots se dissolvaient en un grondement léger, suspendu, repris, avant de se fondre en un râle imperceptible.

Il dévorait du regard ce visage abandonné, où affleuraient la tension puis l'apaisement, où les lèvres entrouvertes sur une plainte découvraient la ligne claire des dents, ce visage par la grâce duquel il se sentait devenir puissant et généreux, dispensateur d'une joie absolue.

Trop de violence s'était accumulée en lui depuis des jours pour qu'il s'en tînt à la tendresse. Durement, il la reprenait, la malmenant sous la poussée de ses reins, de ses épaules. Elle lui enserrait les hanches de ses jambes, crispait dans son dos ses petites pattes aux ongles courts et, haut levée se mêlait à lui, s'accrochait à lui qui l'emportait.

Elle ne disait jamais « chéri » ou « mon chéri ».

Pourtant, mieux que toute autre, elle savait combler, apaiser, chérir le corps de César et son âme insatisfaite. Fallait-il que cette femme qui lui avait annoncé la mort, en même temps lui redonne vie? Sa douce, qui le désirait, aimait cette masse dure qui la saccageait, cet homme qui sentait si vite le bouc, sa douce, qui dérivait dans le bonheur, par lui, contre lui, qui lui chantait des mercis et, par instants, mordait sa main pour s'empêcher de crier, lui donnait une envie sauvage de vivre encore, et de sentir cela encore.

*

Le lendemain, quand ils quittèrent l'hôtel, le temps était couvert. Marie s'avisa que même en s'éloignant de Bordeaux, César n'avait pas consulté de carte routière. Une fois de plus, elle lui demanda :

– Où vas-tu?

– Tu veux vraiment le savoir? Depuis que nous sommes partis, je suis passé par les villes et les patelins dont le nom commençait par un M ou un C.

– Comme ton nom et le mien?

– Pourquoi pas?

– Il faudrait quand même qu'on aille au bord de la mer, pour que j'envoie une carte postale à Daniel.

– Ne t'en fais pas! On ira.

Pendant qu'ils roulaient, il lui demanda d'un ton léger :

– Comment était ce type sur qui tu t'es jetée, aussitôt après mon départ?

– Je ne me suis jetée sur personne, et je ne veux pas en parler.

– Tu l'as rencontré quand, exactement?

– En juin, je te l'ai dit.

– Et votre histoire à duré combien de temps?

– Jusqu'aux vacances, deux mois à peine.

– Il faut me raconter ça en détail. C'était un phénomène ce gars-là! Il t'aurait collé en juin ou juillet un enfant déjà à moitié fabriqué, puisque Daniel est né à terme, pas du tout prématuré, au mois de janvier suivant. Tu lui as demandé sa recette? Ou bien c'est toi qu'il faut féliciter?

Marie regardait devant elle et finit par demander :

– Qui t'a raconté ça?

– L'instituteur. Sa fille a le même âge que Daniel à huit jours près, tu devrais le savoir.

Marie fixait le paysage.

– Il ne te l'a pas dit par hasard. Tu t'es arrangé pour le faire parler.

– Ça n'a pas été difficile. Il a vendu la mèche malgré lui, ne pensant pas une seconde que vous m'aviez raconté des bobards sur l'âge du gosse. Qui a monté ce scénario? Ta mère?

Elle s'insurgea.

– Je t'interdis de critiquer ma mère!

– Je ne la critique pas. Je cherche seulement à comprendre où elle veut en venir.

– Comment aurait-elle pu machiner quelque chose, alors qu'on ne savait même pas si tu étais mort ou vivant et si on te reverrait! En plus de son travail, elle a élevé Daniel. Ça ne lui laissait pas le temps d'inventer des romans.

– Tu vois bien que je n'en fais pas un drame. J'essaie de savoir quel raisonnement elle a suivi. Si je reconnaissais Daniel, il hériterait de La Faujardie, au cas où Paul resterait célibataire et sans enfants. Cette perspective devrait plaire à ta mère? Seulement, elle doit craindre que je ne lui enlève son petit-fils, sa merveille. Elle se dit que toi, tu es imprévisible et moi, incontrôlable. Par conséquent, ce gosse est mieux dans ses mains que dans les nôtres. Tu peux la rassurer de ma part et lui dire que je suis de son avis. Qu'est-ce que tu en penses, toi?

— Il est mieux à La Faujardie, dit Marie d'une petite voix.

— Tu lui as dit quelque chose à propos de son père?

— Que je lui en parlerais quand il serait plus grand.

— Paul est au courant depuis le début, évidemment?

— Oui.

La voix de Marie était devenue minuscule :

— Qu'est-ce que tu vas faire?

— Pour le moment, je ne peux pas m'encombrer d'une famille. J'ai d'autres soucis.

Elle baissa la tête et contempla ses ongles courts, pour ne pas lui montrer qu'elle avait les larmes aux yeux. Il s'en aperçut, posa une main sur celles de Marie, l'y laissa un moment, conduisant de l'autre.

— Ne sois pas triste. Plus tard, peut-être, si j'ai une vie normale, plus tranquille...

— Oui, dit-elle, avec un tremblement de voix bravement déguisé en raclement de gorge.

— Il est intelligent, continua César. Je te laisserai de l'argent, pour qu'il fasse des études sérieuses. Je n'en serais pas aujourd'hui à traîner mes guêtres dans des affaires minables, si on m'avait fait travailler quand j'avais son âge.

Marie porta à ses lèvres la main de César, en embrassa la paume, y nicha sa joue. Il poursuivit la caresse, lui gratta affectueusement l'oreille, la nuque :

— Ne m'en veux pas, ma biche.

— Je ne t'en veux pas.

Ils arrivaient en haut d'une côte, derrière un camion chargé de gravier qui n'en pouvait plus d'essoufflement. César reprit sa main pour changer de vitesse, pesta contre le camion trop lent qui cahotait entre le bas-côté et le milieu de la route, la plaque d'immatriculation fixée de guingois, bringuebalant, le pot d'échappement crachant par intermittence des bouffées de fumée, et laissait tomber à chaque secousse un petit tas de gravier.

Ils arrivaient aux abords d'une agglomération. César franchit coup sur coup deux feux qui viraient au rouge. Ils se retrouvèrent sur une place.

Le matin, chaque bourg ou petite ville de France appartient au marché, au facteur, aux ménagères, aux livreurs, et par vagues, selon l'heure et la saison, aux écoliers. Avec ensemble, les uns et les autres prennent possession du terrain, parlent au milieu des rues, des carrefours, des passages cloutés, laissent piaffer les automobilistes. César s'amusa à slalomer entre les voitures et les camions garés en double file, les badauds, les femmes encombrées de cabas et de voitures d'enfants, les vieillards sourds, aveugles ou invalides, qui choisissent l'heure de bousculade pour acheter leur baguette et leur journal.

Ils roulaient maintenant au nord de la Loire. Le ciel demeurait bas. Dans l'après-midi, à l'approche de la côte, une pluie fine se mit à tomber, le vent se leva. Ils atteignirent une station qui, sans doute, avait du charme par beau temps mais, dans la grisaille, parut sinistre à Marie qui se recroquevilla dans sa tenue d'été. César parut s'orienter sans difficulté, s'arrêta devant un hôtel de belle apparence. Marie s'étonna qu'il y trouve aussitôt une chambre. Il plaisanta :

– Les Français sont fauchés! Ils font du camping ou vont chez la grand-mère. En plus, ils se terrent chez eux, terrifiés par la crise, le chômage, le terrorisme, les immigrés, les drogués, la radioactivité! Moi, qui suis dix fois plus menacé qu'eux, je me balade sans sécurité sociale, sans compte en banque et sans gilet pare-balles et au moins je profite de la vie!

– Tu es menacé?

Il haussa les épaules avec fatalisme :

– Evidemment. D'où crois-tu que je tire mon argent? Tu me vois exerçant un métier honnête?

Il ferma le coffre à clef après avoir pris leurs bagages :

– Allez, viens! Il me faut un bon hôtel, j'ai besoin de faire laver mon linge. Et si je ne dois pas vivre vieux, raison de plus pour vivre bien.

Ils s'installèrent. Marie grelottait, malgré un gilet de laine.

– Tu n'as rien de plus chaud à te mettre? demanda César.

– Je ne savais pas qu'il ferait aussi froid!

– Bon, il ne reste plus qu'à nous équiper!

Il l'entraîna dans la rue principale, où des familles arpentaient les trottoirs, à la queue leu leu, silhouettes incongrues en cirés et en sandales, braves gens qui ne pouvaient se résigner à ce qu'une journée d'août fût entièrement vouée à la pluie. Ils entraient dans les cafés, attendant la première éclaircie, en ressortaient pleins d'espoir, à la moindre lueur glissant entre les nuages. La pluie ne cessait pas pour autant.

César acheta pour Marie et pour lui cirés, bottes en caoutchouc, chaussettes, chandails. Puis il voulut aller sur la plage presque déserte.

Le vent leur rabattait dans la figure une pluie devenue crachin. Ils s'avancèrent jusqu'à la mer, suivirent le bord de l'eau, jusqu'à un endroit où les rochers fermaient la plage, remontèrent dans la forêt qui s'étendait tout autour.

– La seule chose que j'aime dans les pins, c'est leur odeur, dit César en humant le parfum sucré de la résine que faisait ressortir l'humidité.

Ils s'étaient éloignés de leur point de départ, avaient atteint un endroit où la forêt dominait la plage de plus haut. César, en s'avançant, aperçut en contrebas une crique où il voulut descendre. Il aida Marie à le suivre, empêtrée qu'elle était dans son accoutrement trop raide. Quand ils y furent parvenus, il s'assit au bord d'un rocher, l'attira entre ses jambes.

– Ça t'ennuie si on reste là, en regardant monter la marée?

– Non, mais il ne faudrait pas qu'elle nous bloque.

Il désigna, quelques mètres en avant, une ligne de varech, mêlé de débris divers :

– Tu vois bien que l'eau ne vient pas jusqu'ici!

Machinalement, elle remarqua l'empreinte des bottes de César dans le sable mouillé et songea à ce jour lointain où elle avait voulu se fondre en lui, au point de se déchausser pour marcher dans ses pas. Elle s'était complu si longtemps à dorloter ce secret quasi incestueux!

Ensuite, quelques hommes étaient passés dans sa vie. L'un y était resté plusieurs mois, un autre pendant trois ans. Ils l'avaient rendue heureuse en un sens, surtout au début, quand elle avait cru pouvoir les aimer. Très vite elle avait senti qu'ils n'étaient pas de taille à lutter contre le souvenir de César. Ils n'avaient pas compris qu'elle refuse de vivre avec eux ou, plus simplement, d'accepter des cadeaux autres qu'insignifiants. Jamais, elle n'avait voulu partir en week-end. Gentille, mais inébranlable, elle répétait qu'elle devait rentrer à Reyssac, pour voir son fils.

Marie n'aimait pas César avec passion mais avec une tendresse désespérée. Elle le jugeait aussi peu responsable qu'elle de la fatalité qui les unissait. Le premier il l'avait prise, ajoutant à la dépendance dans laquelle vivaient la mère et la fille à l'égard de la famille Abadie, le sceau d'une possession quasi seigneuriale. Les lois ancestrales étant là comme dans bien d'autres régions plus fortes que celles de la République, chacun avait dès lors estimé que Marie appartenait à César et aucun garçon n'aurait pris le risque de l'épouser. Seul un étranger lui aurait permis d'échapper à l'emprise de ce premier amour. En attendant cette issue improbable, Marie ne conservait sa dignité aux yeux du pays qu'en restant fidèle à César. Bravement, elle avait quitté la Dordogne : si dans le département elle était sortie avec d'autres hommes, elle aurait perdu droit à toute considération.

La plage était en pente douce, la mer, d'un gris sale. Chaque vague envoyait sa frange luisante s'étaler plus avant, recouvrir un pan de sable jusque-là épargné. Terne auparavant, il miroitait d'un éclat triste sous le ciel bas, quand l'eau se retirait, avant de se laisser absorber par sa lente avancée. La fascination monotone de ce bruit et de ce mouvement répétés, sous la pluie fine qui s'était mise à tomber, retint longtemps César immobile et silencieux.

L'après-midi tirait à sa fin, quand ils se levèrent pour s'en aller. La même foule qui, à leur arrivée, montait et descendait la rue principale, s'était mise à longer la digue, résignée, attendant l'ultime distraction que représentait le dîner, et peut-être une partie de cartes, puisqu'en vacances la plupart étaient privés de télévision.

César et Marie remontèrent dans leur chambre. Elle se coucha, pendant qu'il lisait un roman policier. Au milieu de la nuit, elle fut éveillée par César qui, enfin endormi, s'agitait, se retournait, marmonnant des paroles indistinctes, où perçaient de brefs éclats de voix. Elle le secoua, il sursauta en s'éveillant, se passa la main sur les yeux, mais resta immobile, par une vieille habitude de se maîtriser. Il regarda le cadran lumineux de sa montre.

– Trois heures, dit-il lourdement.

– Qu'est-ce que tu as? demanda Marie.

– Rien, répondit-il d'un ton las. Rien.

Il alluma la lampe de chevet, alla dans la salle de bain, but un verre d'eau, revint se coucher.

– C'était un cauchemar idiot. Ça m'arrive quelquefois.

Il soupira profondément, se recoucha et resta immobile, fumant dans le noir, en attendant que Marie se soit assoupie. Le petit jour lui apporta un bref répit, mais il fut réveillé par le même cauchemar sans que Marie s'en aperçoive cette fois. Il se leva. Debout à la fenêtre, clignant les yeux dans la fumée de sa cigarette, il regarda la tranche de lumière grise qui apparaissait entre les rideaux écartés, frissonna, éteignit sa cigarette sans l'achever. Lourd et froid comme un noyé, il revint s'abattre contre le dos de Marie, pelotonnée sur elle-même. Il se lova contre elle, coula ses jambes dans les siennes, avide de la sentir chaude et vivante.

– Ça va? demanda-t-elle vaguement, sans se retourner.

Sans attendre la réponse, elle se recroquevilla, se recouvrant tout entière, la tête glissée sous l'oreiller, remontant haut drap et couverture.

Dans le matin blême, César dériva vers ce qui lui restait d'avenir.

*

A sept heures, n'y tenant plus, il commanda le petit déjeuner, ouvrit les rideaux, inspecta le ciel, devina qu'un soleil timide guettait l'occasion de paraître derrière la bousculade des nuages, s'exclama :

192

– Il va faire beau! Allons nous baigner avant que n'arrive la nuée de sauterelles!

Marie aurait volontiers traîné au lit, mais se plia à la fantaisie de César, préférant le voir chasser de force les mauvais génies qui le tourmentaient, plutôt que de s'y abandonner.

Il voulut retourner dans la crique où ils s'étaient arrêtés la veille. A cette heure matinale elle était déserte comme le reste de la plage et un pâle soleil y affleurait tout juste. Evitant le sable encore mouillé, Marie s'allongea sur un rocher doux au toucher à force d'être poli.

La mer commençait à se retirer. César alla se baigner, s'éloignant moins qu'il ne l'aurait fait en temps ordinaire. Ces nuits de cauchemar lui coupaient bras et jambes, alors que les insomnies, auxquelles il était habitué, le dérangeaient à peine. Il resta longtemps dans l'eau et finit par retrouver le simple plaisir de la fatigue physique qui lui nettoya l'esprit.

Marie ouvrit un œil en l'entendant revenir.

– Ce n'était pas trop froid?

– Non, ça m'a fait du bien. Tu n'y vas pas?

– Quand il fera plus chaud.

– Ton rocher n'est pas trop dur?

Elle secoua la tête. Le soleil s'était un peu enhardi et se glissait dans ce coin abrité du vent. César étala une serviette sur le sable, s'étendit sur le ventre, la tête dans ses bras repliés. Des cris d'enfants se firent entendre à bonne distance.

– Bon sang, les voilà déjà! grogna-t-il.

– Ils sont loin, dit Marie.

Des voix furtives se rapprochèrent. Un couple pointa le nez et chuchota, désappointé de voir la place prise.

– L'endroit est connu à ce que je vois! ironisa

César. Dire que nous n'en profitons même pas, ma douce!

Quand il se fut séché, réchauffé, il se leva, s'ébroua, prêt à retourner dans l'eau, s'approcha de Marie :

— Tu viens?

— Tout à l'heure, dit-elle d'une voix traînante.

Elle avait enlevé le haut de son maillot. Sa poitrine, renflement à peine perceptible sur son buste mince, était plus pâle que le reste de sa peau mate, qui brunissait vite et ne perdait pas tout à fait son hâle d'un été à l'autre. Une ombre douce courait vers la dépression de son estomac, de son ventre.

— Tu devrais enlever aussi ta culotte, dit César.

Du doigt, elle fit signe que non. Elle n'était pas exposée au soleil avec cette application de femme qui se fait un devoir de bronzer uniformément en un temps record. Elle se prélassait, changeait de position, poussant de petits grognements de satisfaction. Voyant que César l'observait, elle lui dit :

— J'aurais aimé être un chat et vivre dans un cimetière, en dormant toute la journée, sur une tombe, au soleil, avec juste un brin d'air frais apporté par les arbres.

Une de ses jambes était légèrement repliée, ouverte au soleil, montrant des rondeurs d'éphèbe et un talon rose et lisse, sous une cheville étroite. Elle faisait jouer lentement ses orteils, la plante de son pied, en l'étirant, creusant et détendant sa cambrure, pour son bonheur à elle et non pour séduire César.

Il s'approcha, vaguement jaloux de ce plaisir qu'elle éprouvait sans le lui faire partager.

D'une voix plaintive, elle demanda :

— Ne reste pas dans le soleil, je t'en prie!

Il s'écarta d'un pas, son ombre se déplaça.

— Qu'est-ce que tu fais? Tu te procures des petites jouissances clandestines?

– Mais non! Je dors à moitié.

César s'empara du pied coupable, en massa le sillon central d'un pouce vigoureux. Marie tendit la jambe, poussa son pied dans la main de César, soupira :

– C'est bon!

– Enfin, madame daigne s'apercevoir de ma présence et apprécier la part que je prends à ses émois!

– C'était bon, dit Marie avec regret, comme il arrêtait de la caresser.

Alors, il l'attrapa sous les épaules et les genoux et la posa sur le sable, déclarant sans ambages :

– Allez, hop! la moricaude, à la casserole! Ça t'apprendra à me provoquer.

Marie essaya de se redresser, de défendre le bas de son maillot.

– Pas ici! Il y a des gens tout près! J'entends des voix!

– Faux! Il n'y a personne! décréta César, après avoir sommairement tourné la tête, prétendant écouter.

– Attends! Cet endroit est plein de gosses!

– Ils auraient bien de la chance d'en apprendre aussi long sans avoir à attendre l'âge des travaux pratiques.

Elle plaida, pensant l'attendrir. Un doigt dans l'élastique qui retenait le bas du maillot il plaisanta, s'offrit le luxe de lui laisser croire qu'il allait céder, pour faire durer le plaisir. Car elle tenait à le convaincre, s'était faite enjôleuse, avec des grâces puériles, pour détourner son attention. Il se laissait charmer par cette moue, ces tapotements de main gentils qu'on réserve à un animal familier, car elle tenait à lui montrer qu'elle était son amie, sa complice. Pas sur la plage, disait-elle, mais on peut rentrer, si tu veux, je n'ai qu'à enfiler ma robe par-dessus mon costume de bain, dis, tu m'écoutes? Oui, mais plus il l'écoutait, moins il changeait d'avis.

Elle crut l'avoir convaincu, voulut se relever. Jouant de l'effet de surprise, il fit glisser la culotte de rien du tout. Il s'en voulait de jouer ainsi avec elle mais, involontairement, elle s'y prêtait si bien, le récompensait si bien, vibrant avec candeur à chacune de ses ruses. Avec tous, il se sentait diminué : Paul, Finou, Bob, même René avec ses silences le jugeait, et Vermeulen avec son faux air bon enfant. Avec Marie, il était vivant et fort, vivant! ce miracle!

Au dos du bras musclé, velu, un rayon de soleil fit briller d'un bref éclat le verre de la montre de César. Sur le point de se rebeller, Marie vit l'intérieur du poignet, nu, vulnérable, contre le bracelet de métal qui l'encerclait. Elle comprit la peur de César, le goût du défi, la frénésie qui l'habitaient par moments. Elle attira vers elle cette peau tiède où courait le reflet des veines, plus impudique et émouvante d'être sans défense et y posa ses lèvres.

Il aurait voulu se soumettre, renoncer à faire l'amour sur cette plage mais en la contrant il éprouvait son pouvoir, ce pouvoir qui, partout, lui glissait des mains. Cette bataille contre l'abandon final, il lui fallait maintenant la livrer avec acharnement, à chaque heure, car il s'agissait de grignoter un peu de ce temps que le croqueur vorace, là-haut, avait décidé de lui mesurer si chichement.

Que lui restait-il pour se prouver qu'il était vivant? Un peu d'argent, sa voiture et Marie. Mais l'argent lui était concédé, la voiture prêtée et Marie ne serait jamais sa femme. Nomade n'appartenant à aucune tribu, emprunteur qui ne rembourserait pas, acrobate ivre, il n'avait même plus l'ambition de changer de vie, de repartir à zéro. Il calculait petitement de tenir le coup jusqu'au soir, puis jusqu'au lendemain, tel un homme qui approche de la retraite barre un par un les jours qui le séparent de la date fatale. A cette différence que lui ne connaissait pas la date de l'échéance.

Par ce baiser, qu'elle prolongea sur son poignet, Marie le désarma. Brusquement, il lâcha l'élastique du maillot et, pour qu'elle ne voie pas son visage altéré par cette reculade consentie, cette défaite s'ajoutant aux autres, il repartit se baigner.

Il fut si long à revenir qu'elle s'en inquiéta. Quand enfin il reparut, il observa Marie sans un mot tout en se frottant la tête avec une serviette. Elle crut qu'il lui en voulait de sa pruderie et demanda timidement :

– Pourquoi n'as-tu pas emmené ton amie Jane plutôt que moi? Belle et sportive comme elle est, tu aurais été fier de te montrer avec elle.

– Je l'ai emmenée en Espagne, au mois de juin, ça m'a suffi!

Elle se méprit sur le sens de cette exclamation :

– C'est vrai que les hommes doivent la regarder. Elle est très... je ne sais pas, très sexy... Tu étais jaloux?

Il haussa les épaules :

– Sexy! Laisse-moi rigoler! Racoleuse, oui, dès qu'elle croit un homme riche, mais rien d'autre!

– J'aurais cru..., dit Marie, sans se hasarder plus loin.

– Si tu veux savoir, au lit, elle doit se prendre pour un gardien de but, sans avoir jamais joué un match de football. Quand ça se passe à l'autre bout du terrain, elle s'embête. Quand ça arrive, elle fait semblant de se réveiller. Le moment venu, comme elle l'a vu faire à la télé, elle plonge – à côté, naturellement –, elle dégage et au revoir jusqu'à l'attaque suivante.

Cet aigre commentaire laissa Marie perplexe.

– Oui, mais moi, je nage mal...

Il balança devant son nez la serviette mouillée d'où tombait un peu de sable :

– Il y a d'autres choses que tu fais très bien, ma douce.

S'amusant à faire tourner la serviette comme un pendule entre les cuisses de Marie, il se moqua :

– Tu vois, quel fluide!

– Tu es idiot!

– Non, je suis ce qu'on appelle un amateur éclairé!

Il était près de dix heures, les gens s'installaient de plus en plus près de leur repaire. Elle s'en souciait peu, mais César qui, quinze ans plus tôt, avait trouvé cette plage trop paisible, la trouvait aujourd'hui surpeuplée, et avait hâte de fuir. Marie se trempa plus qu'elle ne se baigna, se plaignant que l'eau était froide. Ils rassemblèrent leurs affaires et partirent.

Au fur et à mesure qu'ils remontaient la digue, vers le centre de la plage, le flot des arrivants grossissait. Ce spectacle amusait Marie, exaspérait César. Pour y échapper, il annonça qu'il allait acheter les journaux et la rejoindrait à l'hôtel une demi-heure plus tard. Du pas rapide et silencieux de ses chaussures de tennis, il prit les devants, enfila une rue transversale et disparut.

Marie avançait à petits pas, humant l'air frais, qui atténuait la chaleur montante. Apercevant le chariot d'un marchand de glaces, elle eut envie d'en acheter une. Un jouvenceau boutonneux, appuyé à son parasol d'un air détaché, attendait les clients en conversant avec une donzelle de son âge, qui tenait d'une main un cône de glace d'un rose maladif, de l'autre un petit garçon de trois ou quatre ans, qui s'ennuyait ferme, en attendant l'issue de cet entretien galant.

– Qu'est-ce que vous avez comme parfums?

demanda Marie, en regardant les bacs pleins de blocs givrés aux couleurs ternes.

– Vanille, café, chocolat, pistache, fraise, praliné, débita le garçon.

Elle aurait voulu du citron, après avoir hésité, commanda une glace vanille et café. Pendant qu'on la servait, elle échangea des sourires avec le petit garçon, laissant les deux adolescents poursuivre leur conversation.

L'enfant avait trouvé un dérivatif à son ennui en faisant pipi, à moitié dans ses sandales, à moitié sur le trottoir. Il surveilla gravement la progression du mince ruisseau, lâcha la main de sa protectrice pour s'accroupir et en suivre le cheminement sous le chariot, et enfin sous les pieds du galant, qui poursuivait laborieusement son entreprise de séduction, sans s'apercevoir de rien.

La glace était aqueuse et insipide. Marie ne la termina pas, jeta le cône, au goût de carton plus que de biscuit.

Au premier bazar rencontré, elle acheta une carte postale, puis alla jusqu'à la poste pour l'expédier, dans l'espoir que, de là, elle parviendrait le lendemain à La Faujardie. C'est alors qu'à travers la double porte grande ouverte, elle reconnut à sa chemise polo noire et à son pull en cachemire noué sur les épaules, César, lui tournant le dos, dans une cabine téléphonique.

Elle fit un détour pour qu'il ne la rencontre pas en revenant à l'hôtel. Mais, arrivé avant elle, il l'attendait sur le trottoir, fumant, l'air taciturne.

– Qu'est-ce que tu fabriques? lui demanda-t-il avec impatience. Je suis là depuis une éternité!

Elle répondit sans s'émouvoir qu'elle avait cherché une boîte à lettres pour envoyer sa carte postale à Daniel.

Il avait déjà payé, mis les bagages dans la voiture,

ne lui demanda pas si elle voulait remonter dans leur chambre pour se recoiffer ou se changer. Il fulmina quand devant lui une femme freina à un feu orange et s'arrêta au lieu d'accélérer.

– Où va-t-on? demanda Marie une fois de plus.

– On rentre.

– A Bordeaux?

– Je te déposerai à La Faujardie.

– Mais j'ai raconté que j'allais au bord de la mer avec Maryse! Dépose-moi plutôt à la gare, je prendrai le train jusqu'à Périgueux.

– Ça suffit, ce cinéma! A ton âge, tu n'as pas besoin de raconter à ta mère où tu vas et avec qui!

Elle parut se ranger à son avis, mais reprit bientôt :

– Bon, je dirai que je t'ai rencontré à Bordeaux et que tu m'as ramenée.

César marmonna quelques appréciations peu flatteuses sur les bonnes femmes qui n'arrivaient pas à se décrocher de leur mère, fit ronfler le moteur inutilement en changeant de vitesse et ne desserra plus les dents.

Il ne fut pas question de déjeuner. Des gendarmes les arrêtèrent alors qu'ils roulaient à plus de cent quarante sur une nationale. Marie tremblait que César ne soit grossier. Celui des deux hommes qui s'adressa à lui ayant l'accent du Sud-Ouest, il fut aimable, souffla sans protester dans l'alcootest. Le résultat fut négatif – il n'avait bu que du café depuis le dîner de la veille –, il s'en sortit avec une contravention pour excès de vitesse.

Le temps changea, quand ils eurent traversé la Loire. Plus au sud, l'air se fit lourd, le ciel orageux.

César ne daigna faire mettre de l'essence qu'au moment où son réservoir était presque vide et il n'eut guère le choix de l'endroit où il s'arrêta. Dans un bar voisin, il avala distraitement une bière et un sandwich aux rillettes. Le décor avait sans doute prétendu être moderne dix ou quinze ans plus tôt. Il n'en restait que des néons sales et des tables recouvertes de formica vert pâle, écaillé aux angles, laissant apparaître le contreplaqué.

– Tu as peur des microbes? demanda-t-il, sans prendre le soin de baisser la voix, à Marie qui disait ne pas avoir faim et se contentait d'un quart d'eau minérale. Leurs rillettes sentent la vieille semelle, mais ce n'est pas plus dégueulasse que dans bien d'autres bistrots!

Le patron, qui s'affairait dans l'arrière-salle, fit semblant de ne pas entendre.

– J'aurais voulu aller aux toilettes, dit Marie, hésitante.

Le patron était revenu. Sachant qu'il avait écouté, César se tourna vers lui :

– Monsieur va t'indiquer où ça se trouve.

Le bonhomme accompagna du geste ses explications :

– Vous passez la porte vitrée, au fond de la salle, vous traversez la cour, c'est dans le couloir, à gauche, après les poubelles.

Dans une sorte de terrain vague, en partie goudronné, en partie livré au chiendent, qui ressemblait à l'antre d'un ferrailleur, une voiture désossée attendait un mécanicien ou un chaland. Marie se glissa le long des poubelles, vit une porte ouverte sur des W.-C. à la turque. Un crochet la fermait, une serviette pendait à un clou, incolore, non à force de lessives, mais faute d'avoir été lavée depuis des lustres. Un journal régional gisait à terre, en partie déchiré par des utilisateurs précédents, dont le passage avait laissé des traînées brunâtres sur la faïence blanche. Elle ressortit le plus rapidement possible et rejoignit César.

Ils reprirent la route. Le ciel se plombait au fur et à mesure qu'ils descendaient, la chaleur s'appesantissait. Ils roulaient vitres baissées. A Angoulême, de larges gouttes de pluie s'écrasèrent sur le pare-brise, deux ou trois éclairs luirent, sans que l'orage éclate.

Tout était immobile et coi, comme suspendu, dans les localités qu'ils traversaient. On devinait les gens attendant chez eux, à l'ombre de leurs volets tirés, et répétant : « Ah! la, la, qu'il fait mauvais! »

Quand ils passèrent à Brantôme, l'orage venait de s'éloigner, la route luisait, le goudron fumait. César n'y prêta qu'une attention distraite, Marie attendait avec appréhension le moment où le tonnerre éclaterait au-dessus de leurs têtes. Périgueux, Lesparat, Saint-Laurent-sur-Manoire, Niversac et son passage à niveau, Les Versannes, Ladouze furent avalés sans presque ralentir. Au tournant des quatre routes, César prit à gauche vers Reyssac. Les arbres se tordaient sous les rafales de vent. Il faisait aussi noir à six heures de l'après-midi en ce début d'août que par une soirée de novembre. Le tonnerre roulait au loin, s'arrêtait, reprenait. Marie, recroquevillée dans son siège, priait égoïstement pour que l'orage les épargne et éclate plus loin. Pourtant, on attendait la pluie depuis deux mois et il faudrait bien que cette chaleur malsaine finisse par tomber.

Comme dans toutes les régions de sécheresse, à Reyssac et dans les environs, chacun avait la hantise du feu et redoutait l'orage, avec ses risques de foudre et d'incendie. Pas une famille qui n'ait connu, dans sa parenté ou dans le voisinage, cette panique, où l'on parvenait à sauver le bétail, mais où bâtiments et récoltes se voyaient réduits en cendres.

Un grand souffle balayait les arbres de l'avenue

montant à La Faujardie, entremêlant leurs branches. Un silence complet régnait dans la cour, quand la voiture s'arrêta devant l'écurie. Non seulement les fenêtres, mais la plupart des volets étaient fermés. Seule brillait l'ampoule de la cuisine.

A ce moment, un grondement dévala des hauteurs de Saint-Julien, perdu à l'est derrière l'horizon bouché, s'engouffra dans la combe, parut s'apaiser en plongeant dans le verger, en contrebas, mais reprit, s'amplifia, s'acheva en un craquement assourdissant, accompagné d'éclairs qui donnèrent aux arbres du jardin, aux statues et aux buis échevelés des allures irréelles de décor de théâtre.

Finou parut sur le seuil de la cuisine. Alors que Marie l'embrassait, avant qu'elles aient eu le temps d'échanger deux mots, un déluge s'abattit sur Reyssac.

— Où est Daniel? cria Marie.

— A Rossignac, avec René qui est parti faire réparer sa voiture. Ne t'inquiète pas, si ça tonne là-bas aussi, ils se mettront à l'abri chez le garagiste ou au café.

— Et M. Paul?

— Il est monté au Mas. Il trouvera à se mettre à l'abri par là.

Le vent ronflait, la pluie lessivait les ardoises du toit. César arriva en courant, trempé d'avoir parcouru vingt mètres au galop, portant d'une main leurs sacs de voyage, tenant en vrac sous le bras leurs bottes et leurs cirés. Après les embrassades, Finou ne posa pas de questions. Marie en oublia de lui donner l'explication prévue sur sa soi-disant rencontre avec César, à Bordeaux.

La pluie tombait en paquets, rabattue par le vent contre les murs, les vitres, les volets. Du haut de l'écurie, se déversait un flot d'eau, qui bouillonnait dans la grillade où, autrefois, s'abreuvaient les chevaux. Le ciel en furie craquait de partout. La chienne, tremblante, était aplatie sur son morceau de tapis, dans l'office. Avec chaque éclair, des sursauts de lumière blafarde zébraient la cour où déjà s'abattaient de menues branches, des feuilles arrachées aux arbres. Le tilleul se convulsait.

– Tu veux que j'aille vérifier les bassines dans le couloir et au grenier? demanda Marie à sa mère.

– C'est fait. Il faudra racheter des serpillières pour les mettre contre les fenêtres, vers l'avenue. Ça cingle toujours de ce côté-là.

– J'ai vu, intervint César. Pas une fenêtre qui ferme correctement ou n'ait des carreaux fendus.

– L'hiver et par mauvais temps, il suffit de fermer les volets, dit sèchement Finou.

– Encore heureux qu'ils ne tombent pas de leurs gonds ou ne perdent pas ce qui leur reste de lattes, dans l'état où ils sont, répliqua César du même ton.

Il s'empara d'un torchon propre, essuya l'eau qui lui dégoulinait dans le cou, s'exclama :

– On n'y voit rien. Allume donc au-dessus de l'évier, Finou!

– A quoi ça sert? L'électricité sautera de toute façon, dans trois minutes ou dans un quart d'heure.

Le téléphone cliqueta à plusieurs reprises, avant de se taire. Dans la rumeur qui grondait et encerclait la maison, Finou distingua un grand bruit sourd, différent du fracas environnant, et avertit :

– Un arbre est tombé du côté de l'avenue!

– Je vais voir, dit César.

– Attends que ça se calme! s'alarma Finou.

Il ignora son avertissement, enfila les bottes et le ciré qu'il avait laissés choir par terre, contre son sac.

— J'en profiterai pour ranger ma voiture, ajouta-t-il.

La sagesse élémentaire qui commande de s'écarter des arbres par temps d'orage lui importait peu. Il avait envie de se promener sous la pluie.

Des flaques d'eau s'élargissaient devant la cuisine, autour de la grillade qui débordait, noyaient ce qui avait été la pelouse et dont il ne restait que des plaques d'herbe pelée. César longea la maison, pataugea dans les inégalités du gravier, qui ne parvenait pas à absorber ces trombes d'eau.

Après avoir garé sa voiture dans la grotte, il jeta autour de lui un coup d'œil rapide et précis, vérifia la fermeture de la grille qui protégeait son vin, s'assura que les lieux avaient leur physionomie habituelle.

Il s'engagea dans l'avenue. Au-delà du premier coude qu'elle formait, elle était barrée dans toute sa largeur par la branche maîtresse du dernier charme épargné par la maladie qui avait dévasté les autres. Elle avait étêté un des sapins bleus aux longues branches traînantes, auxquels M. Abadie tenait tant autrefois. Ainsi dépouillés, les deux arbres faisaient triste figure. Il faudrait attendre le retour de Paul, pour dégager le passage avec un tracteur.

A cet endroit, se rejoignaient trois chemins : le raccourci qu'empruntait Finou pour aller au bourg, la chaussée empierrée qui menait aux ruines du château et le chemin vicinal qui le contournait, au pied des anciens remparts et n'était plus utilisé que par Paul et René, pour accéder à la métairie.

César voulut monter vers le vieux donjon qui, mutilé n'avait pas perdu sa dignité et retrouvait une splendeur baroque dans cet orage à sa mesure. La pluie dégringolait, ravinant la terre sous ses pieds, s'écoulant en un flot ocre mêlé de cailloux.

Sur l'éperon rocheux qui servait de base au château, il trouva plus petite que dans son souvenir la voûte de rocher dans laquelle étaient creusées à hauteur d'homme des niches, traces d'habitat plus ancien. De son vivant, M. Abadie y avait ramassé des silex taillés d'origine préhistorique, dont il se servait comme presse-papiers.

Il escalada les débris du mur d'enceinte, sauta par-dessus les éboulis, parvint au pied des murailles à l'abandon, dont les pans résistaient depuis des siècles, malgré le travail de sape des plantes et des arbustes qui forçaient leurs racines à travers les pierres, acharnés à se nourrir de chaque poignée de terre accumulée entre les moellons. L'eau l'aveuglait, pénétrait dans ses bottes. Il faillit tomber, se releva, les mains maculées de terre, après s'être raccroché à la première aspérité venue.

A moitié arrachés, les piquets et le fil de fer destinés à interdire l'accès du donjon demeuraient encore en place. Il franchit la brèche qu'ils ne défendaient plus, se retrouva entre les vieux murs, reconnut le coin de marche et la meurtrière, où Marie enfant installait sa dînette, en l'écoutant raconter sur les sires de Baye des histoires terrifiantes, en partie retenues par la tradition, en partie inventées. Les graffiti familiers n'avaient pas changé non plus. On y retrouvait le nom d'un certain Ricou, adversaire honni par César à l'école communale, nom que par vengeance il avait ensuite recouvert de deux tibias en croix et d'une tête de mort. Ricou était mort à dix-sept ans, dans un accident de voiture, à la sortie d'un bal.

César monta à mi-hauteur du donjon. Plus haut, l'escalier était suspendu dans le vide. De là, on embrassait sur des kilomètres, jusqu'aux Eyzies et à la vallée de la Vézèle, la coulée de terrain où serpentait la route de Périgueux à Sarlat. Dans ce paysage, les bois dominaient, troués de prés et de champs pentus, de maisons isolées.

Avant de redescendre, il pénétra sur une terrasse, qui avait peut-être prolongé la cour d'honneur, là où, mieux que partout ailleurs, on voyait les vestiges de la construction s'accrocher à l'extrême bord de l'à-pic. Il respira à pleins poumons cet air saturé de pluie, éprouva, comme chaque fois qu'il montait jusqu'au château, le regret brûlant de ne pas avoir vécu à cette époque où un homme avait le loisir de s'engager sous la bannière de tel ou tel prince et de risquer sa vie à son gré, sans être traité en réprouvé.

Comme il revenait sur ses pas, un arbuste accrocha le capuchon de son ciré. Il se retourna pour se dégager, fut aveuglé par une branche qui lui inonda le visage. L'eau ruissela dans son cou. Il se dégagea, remit son capuchon. Immobile, face à la pente, il lui sembla apercevoir en contrebas un objet métallique, dans la confusion du feuillage. L'éclat aperçu était net et luisant, il ne pouvait s'agir d'une boîte de conserve ou d'un bidon jeté là par hasard. Il s'abaissa derrière le pan de mur qu'il s'était préparé à escalader, abrité mais encore à la portée d'un bon tireur.

Prudemment, il se remit en route, rejoignit le chemin, veillant à rester sous le couvert des arbres. Parvenu au croisement, il tourna à droite, en direction de la métairie. La sécheresse avait tant durci le sol et figé les ornières creusées par les tracteurs que l'eau restait en surface. Imprégnée de la terre jaune qui tombait du talus en surplomb, elle ruisselait ou stagnait, selon les endroits.

César pénétra dans les bois, au-dessous du chemin, déclenchant par son passage de brèves cataractes. Regardant alternativement en haut et en bas le lieu où il se trouvait dix minutes plus tôt et celui où il se tenait maintenant, il tenta d'évaluer à quel endroit il avait cru apercevoir l'objet insolite. Après avoir tourné en rond un long moment, il allait renoncer, quand il buta sur la roue arrière d'une moto, dissimulée dans un taillis, près duquel il était passé plusieurs fois sans rien deviner.

Il s'arrêta, les sens en alerte, épiant les alentours, avant d'examiner la moto. Il s'agissait d'une petite cylindrée, assez robuste pour passer dans les chemins défoncés, assez légère pour être poussée sans trop de peine, là où le sol devenait impraticable. Il se pencha, sans la toucher, vit qu'elle était immatriculée en Dordogne. Ni boue ni feuilles n'étaient collées aux roues, signe qu'on l'avait cachée là avant l'orage.

César resta immobile pendant deux ou trois longues minutes, le corps et l'esprit en éveil. Plutôt que de s'engluer dans les pièges de l'inaction, il préférait cent fois affronter l'inconnu, ou même le danger. L'absurde prédiction de Marie lui revint en mémoire, sans le troubler. Quel lieu, quel moment seraient plus propices à un accident, vrai ou simulé? Le tonnerre grondait encore, la pluie tombait moins lourdement dans le sous-bois, mais y éveillait des échos imprévus, brouillait la vue, éteignait les odeurs, les écrasait au sol. Comment, dans ces conditions, entendrait-on approcher quelqu'un?

Paul se serait embusqué à proximité et aurait attendu de découvrir qui était le promeneur suspect. César détestait se sentir sans arme, les mains nues. En passant derrière la maison, il pouvait en quelques minutes décrocher un fusil dans le vestibule et revenir se poster au même endroit.

Il débola par le sentier qui aboutissait derrière la cuisine et, pris d'une inspiration soudaine, glissa dans l'entrée du souterrain. Un peu soûlé de vent et de pluie, il hésita à identifier la vague odeur qui parvint à ses narines, crut être influencé par des réminiscences. Il s'enfonça dans le couloir voûté. Plus il respirait, plus il doutait. La trace de ce parfum épicé était si ténue, son flottement si fugace qu'il ne savait plus si sa mémoire le lui restituait ou si vraiment il était répandu autour de lui. Enfin, il admit que l'odeur des cigarettes au clou de girofle que fumait Vermeulen était impossible à confondre avec tout autre. Après tout, le Hollandais était déjà venu rôder dans la grotte et dans les caves.

Une chose, pourtant, intriguait César : que Vermeulen, amateur de confort, soit venu en moto. Peut-être était-il accompagné de quelqu'un de plus jeune et de plus agile que lui. César s'amusa à la pensée du gros homme, revenant bredouille et trempé de son expédition, et contraint de repartir par le moyen de locomotion qui l'avait amené, au lieu de se réfugier au sec, dans sa grosse voiture.

Avant de prendre un fusil, César jugea qu'il serait sage d'interroger Finou, ou René s'il était de retour. Il s'arrêta dans la grotte, fit le tour de sa voiture, observa, renifla. Rien.

De loin en loin, des grondements se succédaient encore, mais le gros de l'orage était passé. Ne subsistait qu'une pluie fine.

La maison était plongée dans la pénombre, sur la table de la cuisine brûlait une seule bougie. En entrant, César reconnut avec plaisir une odeur de graisse d'oie, accrocha son ciré qui dégoutta sur le carrelage, enleva ses bottes, restant en chaussettes, s'étonna de ne pas avoir droit aux foudres de Finou pour l'imprudence de cette sortie en plein orage. Il distinguait sa silhouette devant la cuisinière à gaz, d'où montait le grésillement et l'arôme de la graisse d'oie.

La haute carcasse de Paul était voûtée au-dessus de l'évier, où il frottait avec une brosse en chiendent ses ongles ourlés de cambouis. Le silence pesant qui régnait étonna César.

C'est seulement en franchissant le seuil de la

cuisine qu'il aperçut la porte de communication ouverte sur l'office, où Vermeulen était installé devant un verre de whisky. Autant il s'était réjoui de l'imaginer pataugeant et déconfit, autant il s'exaspéra de le voir à l'abri, jovial et rubicond.

Les deux frères, qui ne s'étaient pas vus depuis trois semaines, échangèrent un hochement de tête et un bref bonjour. Déjà, Vermeulen s'était levé, offrait une main que César laissa tendue un moment avant de la serrer.

— Comment êtes-vous venu? demanda-t-il abruptement au Hollandais.

— Avec ma voiture. Simplement, j'ai dû la laisser avant le tournant, à cause de cette branche qui est tombée. Je me suis mis de côté pour ne pas gêner.

— Vous gênez de toute façon, répondit César froidement.

Vermeulen ne parut pas troublé par cet accueil.

— Monsieur a apporté ça, dit Finou, en désignant une bouteille d'eau-de-vie posée sur le buffet de l'office.

César n'indiqua même pas qu'il avait entendu.

— Qu'est-ce qui vous amène? demanda-t-il, ne prenant pas la peine de dissimuler le peu de considération qu'il avait pour son interlocuteur.

— J'ai à vous donner des nouvelles de notre ami Bob, dit le colosse d'un ton placide. Si vous le permettez, madame, monsieur — il se tourna successivement vers Finou et vers Paul —, j'inviterai César à dîner avec moi au restaurant.

— J'arrive de voyage et ne souhaite voir personne ce soir.

— Comme vous voudrez. En ce cas, il suffira de nous asseoir tranquillement pendant un quart d'heure. Ce que j'ai à vous dire ne prendra pas plus longtemps.

Le Hollandais avait pour seul but de le retenir

dans la maison, pendant que l'autre poursuivait ses recherches, estima César.

— César, vous devriez aller dans le salon, suggéra Finou. Je vais allumer les bougies.

— Pour un quart d'heure, la salle à manger suffira, dit César d'un ton rogue.

Le Hollandais ne parut pas se formaliser à la perspective d'être expédié comme un fournisseur.

César empoigna la bouteille de whisky presque vide et le bol de glaçons posés au milieu de la table, laissant Vermeulen libre de prendre son verre ou pas. Une banale envie de se sentir au ventre la chaleur de l'alcool, de s'asseoir en face de quelqu'un qui n'aurait pas l'œil réprobateur s'il se servait une trop large rasade, retint César de jeter dehors le gros homme. Qu'y avait-il de vrai dans sa prétention de lui donner des nouvelles de Bob?

Finou sortit d'une boîte en fer-blanc des biscuits qu'elle disposa sur une assiette de porcelaine. Elle prit la boîte d'allumettes sur le rebord de la cheminée et suivit les deux hommes dans la salle à manger. Ils s'assirent l'un en face de l'autre, les coudes plantés sur la table, comme un maquignon et son client. Grossièrement, César se servit à boire, avant de demander à Vermeulen :

— Vous en voulez un autre?

— Oui, merci dit celui-ci, toujours aussi peu troublé par l'impolitesse de son hôte.

Finou avait allumé les quatre bougies d'un flambeau d'argent, qu'elle posa devant eux. César resta un moment pensif, contemplant son whisky. En relevant les yeux, il aperçut l'assiette de biscuits et se sentit l'estomac creux.

— Je vais demander qu'on nous apporte un pâté, lança-t-il en se levant.

Sur la table de la cuisine étaient posés un reste de poulet froid et la soupière fumante, dans laquelle

Finou achevait de tailler du pain. Des haricots verts réchauffaient dans une poêle, avec la graisse d'oie.

A peine éclairé par l'unique bougie, Paul regardait le journal qu'il avait étalé au-dessus du couvert déjà mis.

— Ça sent bon! dit César.

— Veux-tu que je vous serve à dîner? demanda la vieille femme.

— Non. Garde-moi quelque chose au chaud. Vermeulen n'a rien à faire ici. Je vous rejoins dès que je l'ai mis à la porte. En attendant, tu veux bien nous servir un pâté? Je n'ai pas déjeuné.

Elle sortit pour aller à la cave. Pendant les minutes qui s'écoulèrent jusqu'à son retour, les deux frères n'échangèrent pas un mot. Quand elle revint, César demanda où était Marie.

— Elle arrive. Elle venait de se faire un shampooing et ne voulait pas se sécher devant le monsieur.

— Elle n'a pas à se gêner pour lui. Et Daniel?

— Il est rentré avec René à la fin de l'orage, pendant que tu te promenais. Ils sont redescendus chez Germaine qui les a invités à dîner et à faire une belote. Par ce temps-là, qu'est-ce qu'on peut faire d'autre?

Elle omit de préciser qu'elle avait vertement accueilli René quand il avait fini par rentrer de Rossignac avec l'enfant et qu'il avait fallu l'insistance de Marie pour que le petit soit autorisé à ressortir.

Quand il reparut dans la salle à manger, avec le pain et le pâté, César demanda au Hollandais :

— Vous avez déjeuné?

— Oui.

— Pas moi. Vous permettez?

Cavalièrement, César posa assiettes et couteaux sur la table, plus près de lui que de l'autre, et se servit. D'un geste négligent, il avança ensuite de quelques centimètres le pâté vers le Hollandais.

— Vous en voulez? C'est du canard.

— Pas tout de suite, merci.

— Bon. Inutile de tourner autour du pot. Vous me cherchiez, dites pourquoi.

— J'ai vu Bob avant-hier. Il a été obligé de partir aux Etats-Unis pour une dizaine de jours. Son agence immobilière à Miami lui cause quelques problèmes. C'est un gros morceau, trop gros pour lui peut-être...

— Et alors? fit César, parlant exprès la bouche pleine.

— Il m'avait parlé il y a un certain temps de tableaux qu'il envisageait de proposer à Maerten, le collectionneur hollandais, en sachant que j'avais déjà été en rapport d'affaires avec lui. Or, ce matin, Maerten m'a fait appeler car il s'intéresse à un tableau dont je lui ai parlé. Je prends l'avion demain soir pour Amsterdam où je ne resterai que vingt-quatre heures. L'occasion serait bonne pour tâter le terrain à propos des tableaux de Bob. Seulement, j'aurais besoin de photos avant de nouer un premier contact.

— Et alors? répéta César, en doublant l'épaisseur de pâté posé sur son morceau de pain.

— Lui absent, vous êtes le seul à qui je puisse m'adresser, puisqu'il vous a confié les tableaux. Décision sage, d'ailleurs : vous êtes à l'écart des circuits connus, cela vaut mieux qu'une chambre forte.

Aucun signe de tension n'était perceptible chez les deux hommes, comme s'ils abordaient un sujet d'intérêt mineur.

— Les tableaux, ce n'est pas mon rayon, répliqua César, et je ne me mêle jamais de questions auxquelles je ne comprends rien. Il y a suffisamment de connaisseurs en France et dans les pays voisins qui font joujou avec les antiquités et sont experts dans l'art de leur faire franchir les frontières. Bob est un professionnel, il ne ferait pas intervenir un amateur dans mon genre pour traiter d'affaires sérieuses.

— Bien entendu, il n'est pas question de vous entraîner dans cette négociation! Simplement, sans photos, je ne peux rien faire. Bob le regrettera peut-être. Tant pis!

Vermeulen ne semblait pas disposé à insister.

— Connaissez-vous bien Robert Boyer, dit Bob? demanda César.

Sur un ton de franchise qui le surprit, Vermeulen répondit.

— Pas vraiment, bien que je situe à peu près son caractère.

— Il dose exactement la part de vérité et d'affabulation dans ce qu'il raconte à chacun. Il embrouille et débrouille ces fils, avec une dextérité où lui seul se retrouve. Cela lui donne des repères pour juger les gens, éventuellement des ficelles pour les manipuler.

— En effet, cela lui ressemble, médita le Hollandais.

— Il se méfie des intermédiaires comme de la peste, n'a pas de lieutenant, ne croit pas aux bons Samaritains, ne fait jamais de confidences. D'où ma conclusion : il ne vous a parlé de rien. Vous travaillez pour je ne sais qui, ou pour votre propre compte. Vous croyez avoir trouvé une piste – comment, ça m'est égal –, et vous venez à la pêche aux renseignements. Je suis toujours à court d'argent donc, selon vous, ouvert à toutes propositions. J'aurais pu vous faire lanterner toute la soirée, en laissant entendre que j'en savais long et en cherchant à savoir combien vous payeriez une éventuelle collaboration, seulement, j'ai faim, je voudrais que vous vidiez les lieux et me laissiez dîner. C'est clair?

La lourde face de Vermeulen se plissa dans la fumée de sa cigarette, sans trahir d'émotion particulière.

– Nous travaillons dans le même domaine, il serait normal de nous rendre des services. En plus, il ne faudrait pas trop attendre pour négocier ces tableaux. Plus ces affaires traînent, moins elles ont de chances de se résoudre.

– Qu'est-ce que vous attendez pour téléphoner à Bob?

– Je n'ai pas réussi à l'avoir ce matin. J'essaierai tout à l'heure. Avec le décalage horaire, j'espère le trouver à son bureau. Sinon, ce sera à l'eau, mais vous avez raison, nous n'y pouvons rien.

César eut une moue indiquant qu'il appréciait l'importance de l'affaire mais qu'elle ne le concernait pas. Il finit tranquillement de mâcher, avala, commenta :

– Décidément, sur le foie gras, rien ne vaut le sauternes. Dommage qu'il n'y en ait pas au frais et que la cave n'en soit pas une. En cette saison, elle est à dix-huit degrés. Si vous permettez, je vais me chercher du rouge. Le whisky est un plaisir de barbare, il ne se mêle à aucune nourriture!

Il prit en bas de l'armoire une bouteille de bordeaux, l'ouvrit, goûta le vin en le roulant autour de sa langue.

– Fameux! énonça-t-il au bout d'un moment. Un rien plus frais, et ce serait la perfection.

Estimant Vermeulen mûr pour une conversation raisonnable, César s'adoucit, proposa :

– Je vous en offre?

– Merci, je reste au scotch.

Vermeulen buvotait distraitement son whisky, mordillant des morceaux de glaçons qui finissaient de fondre. La flamme des bougies oscillait à chaque geste de l'un ou de l'autre.

— Je comprends que Bob se méfie de tout le monde, dit le Hollandais d'un ton pensif. Il manipule des affaires de plus en plus lourdes.

Il étudia le fond de son verre, où finissait de barboter un débris de glaçon, avant de lâcher, comme en passant :

— A Miami, il prend de gros risques et ne s'est pas fait que des amis...

— Je ne vous croyais pas lié avec lui, fit remarquer César. Pourtant, vous avez l'air de le suivre de près?

— Oh! dans ce milieu, tout se sait.

— Quel milieu?

— Ceux qui vendent, achètent, négocient des objets d'art. Lui et moi y sommes venus de manière indirecte, cela nous rapproche. Je gérais la propriété d'une vieille Américaine très riche, sur la Côte d'Azur. Elle avait hérité des collections de son mari, qui était fou du XVIIIᵉ siècle. Grâce à elle, j'ai appris l'essentiel de ce que je sais aujourd'hui. Quand elle est morte, j'ai aidé une de ses amies, veuve également, à installer un château qu'elle avait acheté aux environs de Paris. C'est là que j'ai commencé à chiner, à ouvrir l'œil dans les ventes, chez les brocanteurs. Elle m'a recommandé à d'autres personnes. Je me suis baptisé décorateur, à l'occasion je joue également les courtiers en œuvres d'art. En réalité, je suis un touche-à-tout.

— Les femmes ont leur utilité, remarqua César, surtout au début d'une carrière. Et Jane, à quoi vous a-t-elle servi, en m'espionnant?

Vermeulen soupira lourdement et fit tressauter la flamme des bougies vers l'autre bord de la table.

— A rien, en effet. Je croyais qu'au moins elle

serait, disons, acceptée dans la maison. Je me suis trompé.

— Vous n'aviez pas compté sur Finou!

— En effet. Tout de suite, Jane s'est laissé désarçonner par votre vieille cuisinière.

— A ce jeu-là et à d'autres, pas brillante, la Jane! Vous la connaissez bien?

— Nous avons divorcé il y a trois ans mais en restant bons amis.

— Bravo! On travaille en famille, à l'économie!

— Vous êtes difficile. J'aurais cru qu'au moins elle vous plairait, c'est une fille superbe!

— Vous l'avez bien larguée, vous!

— J'y ai mis plus longtemps. Enfin, je n'avais pas prévu que vous seriez si méprisant avec elle. Pour les vacances, un type comme vous, qui ne se donne aucun mal avec les femmes, aurait dû être satisfait de se voir tomber dans le bec un si beau morceau.

— C'est de la viande passée à l'attendrisseur, pas mieux. Et puis, elle a voulu m'épater en buvant, alors qu'elle ne tient pas l'alcool, ce que je déteste autant chez un homme que chez une femme. Enfin madame croit s'être débarrassée de ses manières populo, elle prétend être traitée comme une princesse, qu'on lui ouvre les portes de la voiture, y compris sous une pluie diluvienne, qu'on l'emmène dans les meilleurs hôtels, les meilleurs restaurants, sans s'apercevoir qu'elle claironne en se mouchant ou lâche des éternuements à faire tomber les lustres. Quand elle a fait allusion aux cadeaux qu'elle avait reçus de généreux donateurs, je lui ai ri au nez. A l'occasion, je veux bien être galant et généreux, mais sur commande, très peu pour moi! Et au lieu d'être en représentation et de se taire, elle serait intervenue en tout, si je n'y avais mis le holà! Elle prétendait connaître à l'avance le programme de chaque journée, de chaque déplacement, obtenir l'explication d'un silence, d'un refus et j'en passe! Moi, quand une bonne femme me réclame l'égalité, je la laisse ramer et payer! Sinon, je veux la paix!

Vermeulen hocha la tête :

– Et encore, elle s'est améliorée depuis qu'elle vit en Europe. Quand je l'ai connue, il n'était pas question d'y toucher avant d'avoir obtenu le feu vert sur les cinquante points de sa check-list : hygiène, savoir-vivre, argent...

Ayant trouvé ce terrain d'entente, ils échangèrent avec bonhomie des commentaires sur le comportement de Jane, dans le langage cru et rigolard des hommes entre eux, quand ils parlent de femmes qui leur sont indifférentes. Ils n'y mettaient pas d'aigreur, éprouvant une certaine satisfaction à l'avoir humiliée, chacun à sa manière, César en la négligeant, le Hollandais en l'amenant à cette vénalité amoureuse, puisqu'elle avait accepté de séduire à sa demande pour n'en tirer que des vexations.

– La moto, c'est elle? demanda César, quand il estima l'autre suffisamment détendu.

Vermeulen eut un geste fataliste.

– Oui. Elle a cru pouvoir vous tenir et se venger en mettant la main sur ces sacrés tableaux, dont j'ai eu le tort de lui parler. Je n'aurais pas cru qu'elle refuserait de lâcher prise.

– Vous êtes fou de lui avoir raconté ça!

– Il a bien fallu trouver un moyen de l'appâter. Vous ne lui plaisiez pas spécialement.

– Charmant! dit César, vexé.

– Ne croyez pas que ça m'amuse. Moi aussi, je cherche à m'en dépêtrer!

– Bof! vous me l'avez collée dans les pattes, vous trouverez un autre à qui la refiler!

– C'est à voir..., supputa Vermeulen.

– Vous auriez au moins pu lui dire que des

tableaux ne se conserveraient pas dans l'atmosphère humide d'une grotte ou d'anciennes caves.

— Elle est fascinée par vos dédales souterrains et je suis convaincu moi-même que, si vous avez quelque chose à mettre à l'abri des indiscrets, c'est là que vous le cacherez et pas dans la maison où rien n'échappe à l'œil et à l'oreille de votre Finou.

— C'est pour cela que vous êtes allé y fouiner la veille du quatorze juillet?

— Bob m'en avait trop dit ou pas assez. Il comptait se servir de moi pour approcher Maerten, sans préciser de quels tableaux il s'agissait. J'ai regardé les lieux, reconnu qu'un étranger n'y trouverait rien et n'ai même pas essayé d'y retourner.

— Vous avez pourtant rôdé par là, tout à l'heure?

— Pour trouver cette idiote de Jane, mais j'ai renoncé.

— Mais vous semblez toujours vous intéresser à moi?

— Vous détenez la clef d'une affaire exceptionnelle, cela au moins je l'ai compris au peu que Bob m'a raconté. Comme vous, j'attends son coup de fil qui débloquerait les choses.

— Si je me montrais compréhensif, nous pourrions même nous passer tout à fait de Bob, n'est-ce pas?

— Nous n'en sommes pas là, dit Vermeulen, d'un ton bonhomme.

Derrière la lourde masse de son visage, César sentit une dureté inquiétante. Sans se démonter, l'autre ajouta avec rondeur :

— A propos, si votre famille souhaite vendre quelque chose, je suis preneur, à bon prix et en toute discrétion.

Pour ne pas montrer d'empressement devant la proposition de Vermeulen, César plaisanta :

— Vous regarderiez un ramassis de tableaux, en

majorité des orientalistes et des pompiers, collection-
nés par un oncle de ma mère, à la fin du XIXᵉ siècle?

– Certainement, sauf ceux des pompiers qui
seraient trop grands.

– Et une armoire entière de porcelaines, qui réunit
des vases dépareillés et des services incomplets?

– Oui.

Ragaillardi par cette bouffée d'oxygène, qui arrivait à point, César, persuadé qu'il pourrait utiliser le
Hollandais, sans devenir sa proie, se sentit enclin à
l'indulgence.

– Restez dîner avec moi, proposa-t-il. Je vais
demander qu'on nous prépare quelque chose, ce ne
sera pas long.

Serein, Vermeulen suivit du regard César qui
sortait. Son diagnostic se confirmait : ce jeune
homme avait besoin d'argent et le temps n'était pas
éloigné où il serait prêt à toutes les compromissions
pour en obtenir.

A la fin du dîner, qui s'était passé dans une
atmosphère de parfaite cordialité, César aperçut par
la fenêtre Marie qui rentrait avec Daniel.

– Café? demanda-t-il à Vermeulen.

A la cuisine, pendant que Finou réchauffait du
café, César interrogea le petit :

– Vous avez gagné?

– Oui, mais j'aime pas trop jouer avec eux. Germaine joue bien et Marcel joue mal. Elle lui crie
après, il s'énerve et il fait encore plus de bêtises.

– Je ne sais pas où tu as traîné toute la journée
avec le tonton René, lui dit sa grand-mère, mais tu
as de la poussière jusque dans les oreilles et les
cheveux. Demain matin, il s'agira de faire une
grande toilette. Je te surveillerai. En attendant, essuie
tes lunettes, mon Bibi, elles sont sales à faire peur!

Marie nettoya les lunettes du petit, en déclarant :

– Pour l'instant, il tombe de sommeil et moi aussi. Nous montons nous coucher.

Pendant qu'ils disaient bonsoir à la ronde, César glissa à Marie :

– Viens dans ma chambre, quand Daniel sera endormi. J'expédie le Vermeulen et je te rejoins!

Elle fit signe que non et, sous l'œil vigilant de Finou, il dut renoncer à argumenter. Paul paraissait lire de bout en bout les petites annonces de son journal.

– Tu veux acheter quelque chose? demanda César, n'escomptant pas de réponse.

Au moment où il quittait la pièce, la cafetière à la main, son frère finit par répondre :

– Une ensileuse à maïs.

En même temps, Finou lui rappela :

– Tu n'oublieras pas de fermer les volets de la salle à manger!

Le café terminé, César sortit un vieil armagnac et, remarquant la bouteille de whisky presque vide, commenta :

– Buvons le coup de l'étrier et levons la séance. Avec ça, j'ai de quoi tenir toute la nuit, mais avec un fond de whisky tiède, on ne peut pas compter sur vous, n'est-ce pas? Nous avons épuisé les glaçons, que notre Finou mesure toujours avec parcimonie, et le frigidaire ne marche plus, naturellement.

– Sans glaçons, on ne peut boire que ce qu'il y a de mieux. Je pourrais aller en chercher dans ma voiture, mais j'avais compris que vous ne vouliez pas prolonger la soirée.

– Apportez votre bouteille, nous verrons ensuite.

Pendant les quelques minutes que dura l'absence de Vermeulen, César recensa mentalement ce qu'il pourrait lui vendre, estima qu'il ne devrait avoir aucune peine à en tirer quelques dizaines de milliers de francs.

– Que diriez-vous d'un petit poker? proposa-t-il, quand le Hollandais revint.

– Je n'ai pas d'argent sur moi, répondit l'autre, circonspect.

– Moi non plus. Prenons des jetons, nous réglerons nos comptes à notre prochaine rencontre.

Ses paupières épaisses lui tombant sur les yeux, la tête enfoncée dans les épaules, Vermeulen ne tendait le cou, la donne achevée, que pour mieux voir les cartes retournées sur la table, aussi dénué d'expression qu'une tortue sous sa carapace. Ses grosses mains, économes de gestes, distribuaient, prenaient, rejetaient les cartes avec précision. Une force inquiétante se dégageait de cette masse repliée sur elle-même, aux extrémités curieusement charnues, comme ses pouces à la courbure exagérée, les lobes de ses oreilles, le nez qui semblait se prolonger et s'élargir au-delà du cartilage et jetait de l'ombre sur la lèvre inférieure, qui débordait largement et gardait son aspect goulu, quelle que soit l'humeur de l'homme.

Il fumait une de ses fines cigarettes au parfum ambré, dont l'arôme lui était nécessaire à une table de jeu. Son verre d'armagnac près de lui, César fumait aussi et jouait avec une concentration glacée, toute sa résistance nerveuse tendue vers un seul but : acculer le gros homme, lui mettre le pied sur la gorge, faire disparaître de son visage cet air faussement cordial. Vermeulen se trompait s'il le croyait incapable de tenir la distance. Le grenier de La Faujardie était vaste, regorgeait de choses oubliées. Vendre était facile et César, maintenant, était décidé à en finir avec cette vie de médiocrité, à risquer gros pour gagner gros. « Puisque tu es ligoté ici, mon Flahut, que tu veux à tout prix mettre la main sur ces tableaux, c'est moi qui te tiens et pas le contraire », se répétait César.

Il commença par gagner, follement laissa la griserie lui brûler les veines, en vint à perdre, à la vitesse vertigineuse que revêtent ces parties entre deux joueurs, tournant vite au massacre. Un sentiment d'exaltation enragée l'envahit, dû autant à la fatigue qu'à l'impulsion de mort qu'il ressentait à l'égard de ce rival, en qui il reconnaissait maintenant un adversaire irréconciliable.

La gorge sèche, tapissée de l'âcre et doux parfum de l'alcool et du tabac mêlés, refusant d'admettre qu'un vent de défaite soufflait sur sa tête, obsédé par la volonté de remonter la pente, César jouait dans un délire froid, attendant de chaque nouvelle donne qu'elle lui ramène la chance. Les doigts repliés sur les cartes qu'il venait de recevoir, il cherchait à leur insuffler cette magie qui restaure la confiance, les découvrait l'une après l'autre, d'un glissement du pouce et de l'index.

Les jetons de nacre luisaient sur la table, s'accumulaient devant le Hollandais. La cire s'amassait autour des bobèches et sur le pied du flambeau en stalactites boursouflées. Les bruits extérieurs s'étaient calmés, seuls les crapauds, inlassables, poursuivaient leurs coassements dans le jardin.

César, à travers sa fièvre, entendit sonner deux heures du matin à la montre de Vermeulen, limite qu'ils s'étaient fixée pour achever la partie. Il ne songea pas que lui étaient ainsi épargnées des pertes plus sévères et, contre toute raison, enragea, persuadé que cette règle empêchait le destin de se retourner en sa faveur.

Vermeulen acheva les comptes à haute voix, en donna le résultat, le nota dans son calepin. Sa lippe et ses bajoues, dans leur mouvement tombant, ne trahissaient ni satisfaction ni fatigue. César avait

perdu ce qu'il lui restait d'argent français et largement entamé son pécule de dollars.

– Retrouvons-nous demain, à la même heure,
proposa-t-il. Je vous réglerai et je prendrai ma
revanche.

– Vous vous souvenez que demain, je pars pour
Amsterdam. Cela devra attendre mon retour en
Dordogne, à la fin de la semaine.

– Jeudi?

– Disons plutôt vendredi. Je vous le confirmerai à
mon retour, si vous le voulez bien. Au cas où je
réussirais à joindre Bob, je vous le ferais savoir, de
toute façon.

Pourquoi joindre Bob? faillit demander César, la
tête vide, les muscles las, après ces heures où le jeu
l'avait tétanisé. Cette semaine lui serait rude. Chat
maigre et fiévreux, les yeux rétrécis par l'avidité, s'il
n'était pas encore affamé, cela ne saurait tarder,
songea Vermeulen.

Tout à ses combinaisons de gains futurs, César ne
pensa même pas à chercher une lampe électrique
pour éclairer Vermeulen jusqu'à sa voiture. Il
observa avec plaisir la démarche hésitante du gros
homme sur le sol inégal de la cour à peine éclairée
par des éclats de lune pâle glissant entre les nuages
qui se bousculaient. Il y vit un heureux présage.

– Si vous permettez, j'aimerais vérifier que Jane
est repartie sans encombre. Pouvez-vous me guider,
puisque vous avez vu où elle a laissé la moto?

César attendit que le Hollandais aille chercher
dans sa voiture une torche électrique. Puis il le
précéda, prenant plaisir à marcher vite et à descendre, en contrebas du chemin, à l'endroit le plus
abrupt. La pluie avait été trop brutale pour pénétrer
dans la terre ou sous les bois. Les feuillages qu'ils
écartaient se refermaient derrière eux, dans un frôle-
ment où crépitait la chute d'ultimes gouttes d'eau.

Les anciennes coques de châtaigniers, les couches de végétation morte des saisons précédentes étaient sèches sous leurs pas. César aimait ce silence, traversé par le furtif remue-ménage des bêtes à qui l'obscurité appartient, les grattements du blaireau, l'envol lourd d'une chouette.

Adroit, il avançait, son regard s'étant fait à la nuit. Sûr à nouveau de son adresse et de son flair, il s'irritait de s'être laissé battre par Vermeulen et sentait le besoin urgent, douloureux, de le faire perdre, de l'entraîner sur un terrain où, désemparé, il serait vaincu. Mais on ne joue pas aux cartes, la nuit, au milieu des bois, sauf chez les brigands, dans les opéras, et César ne s'avouait pas encore qu'il souhaitait voir l'autre physiquement anéanti autant que joueur écrasé.

Quand César lui fit découvrir la moto, qui n'avait pas changé de place, Vermeulen ne dissimula plus son inquiétude.

— Il faut la retrouver, dit-il, d'un ton qui écartait toute plaisanterie.

César, au contraire, savourait la perspective de voir les deux étrangers prisonniers de la vieille demeure et de ses sortilèges.

— Allons-y! déclara-t-il, en prenant le pas de charge, pour le plaisir d'entendre le gros homme s'essouffler et déraper avec ses semelles de cuir.

Ils arrivèrent à la grotte. César demanda, pointant au-delà du bric-à-brac qui entourait sa voiture :

— Vous voulez regarder aussi par là?

— On ne sait jamais, voyons partout, répondit Vermeulen.

César le laissa avancer seul au milieu des objets hétéroclites, remarqua son sursaut effaré quand il aperçut, dans un recoin, une forêt de corail blanc, dont les tentacules s'élevaient en désordre par-dessus l'enclos fait de quatre planches où elle était enfermée.

— Qu'est-ce que c'est? s'exclama le Hollandais.

— Les pommes de terre de l'année dernière qui ont germé, railla César. Finou les cuit pour le cochon.

— On dirait une chevelure de sorcière, dit Vermeulen, s'écartant sans regret de ce curieux buisson.

César l'attendait devant la grille, derrière laquelle reposait son vin. Elle n'était que poussée.

— C'est vous qui avez ouvert le cadenas? demanda-t-il.

— Non, ce doit être elle.

— Comment peut-elle en connaître la combinaison?

— Le jour où nous avons transporté les caisses d'azulejos, vous avez laissé la chaîne et le cadenas suspendus sans prendre soin de brouiller les chiffres, qui étaient alignés de manière visible. Elle a pu les voir comme moi.

Avec un grognement indistinct, César enregistra l'explication, puis, pour reprendre l'avantage, demanda cavalièrement :

— Etes-vous capable de me suivre?

— Ne vous inquiétez pas de ça, répliqua l'autre.

Courbés en deux, ils franchirent le boyau qui s'ouvrait derrière les cartons de vin, se redressèrent dans la galerie haute et étroite qui le prolongeait.

— N'allez pas si vite! Laissez-moi le temps de voir si elle a laissé des traces de son passage! s'exclama le Hollandais.

— Sur ce sol, vous ne verrez rien, dit froidement César, pendant que l'autre promenait le faisceau de sa lampe à leurs pieds, puis au-dessus de leurs têtes, dans les anfractuosités du rocher, dont certaines donnaient une illusion de profondeur.

Ils parvinrent au fond d'un dégagement, qui leur permit de se tenir côte à côte. A partir de là, le sol s'inclinait et menait à une salle assez vaste où ils descendirent. Deux galeries y prenaient naissance, l'une un peu surélevée, l'autre presque sous la voûte.

– Je vais regarder là-haut, dit Vermeulen.

– C'est bouché après quelques mètres et personne dans son bon sens n'irait se promener là!

– Le bon sens est ce qui manque le plus à Jane. Vous ne savez peut-être pas qu'elle a fait plusieurs séjours en maison de santé pour, disons, des troubles du caractère. Si elle croit avoir le moyen de se venger de vous en mettant la main sur ces tableaux, elle est capable de les chercher n'importe où.

Il se hissa sur la minuscule plate-forme qui donnait accès à une galerie très basse, où l'humidité avait commencé à former des stalactites. Des chauves-souris dérangées se mirent à voler autour d'eux. Tête rentrée dans les épaules, pour les éviter, genoux ployés sous le ventre, presque accroupi, torche levée, il tenta d'éclairer l'extrémité de la galerie, sans y parvenir. Appuyé sur ses mains, il s'avança jusqu'à distinguer clairement la paroi qui fermait le cul-de-sac.

À peine redescendu, il pénétra dans l'autre galerie, où la nature prodiguait boursouflures et excroissances calcaires. Au bout de vingt mètres, il aboutit à un effondrement, dont les traces étaient anciennes et qui bloquait le passage. Il inspecta la rocaille hostile, dont le froid et l'humidité lui glaçaient le cou et sortit à reculons.

– Il n'y a rien, admit le Hollandais, en faisant demi-tour derrière César.

– Félicitez-vous que ces parages ne soient pas dangereux. Ce serait autre chose si Jane était allée se promener vers le trou des sapinettes.

– Quel trou?

– Là-bas, au bord d'un pré. On peut y jeter un

veau mort ou un arbre entier, sans qu'ils reparaissent, là ou ailleurs. Le trou communique avec une rivière souterraine, dont personne n'a pu trouver le cours ou l'issue.

– J'espère qu'une pancarte signale le danger?

– Pourquoi? Les gens du pays connaissent l'endroit, les autres n'ont rien à y faire.

Quand ils se retrouvèrent à l'air libre, ils ne prirent pas le temps de goûter la douceur du vent et des ombres mouvantes. Déjà César dévalait les quelques marches menant aux caves.

Le fond en avait été bétonné depuis longtemps et l'espace resté ouvert fut rapidement parcouru.

De là, les deux hommes passèrent dans le souterrain. Au départ, la voûte était presque intacte et de belle apparence. Au fur et à mesure qu'on avançait, elle avait été renforcée à différentes époques, par des poutres et des travaux de maçonnerie. A un endroit, deux planches fixées en travers du chemin interdisaient le passage.

– Qu'est-ce qu'il y a, de l'autre côté? demanda Vermeulen.

– Vous n'y êtes pas allé voir, lors de votre petite excursion du quatorze juillet?

– Non, dit l'autre brièvement.

– Eh bien, cette zone est dangereuse, les murs sont en partie écroulés, vous le voyez d'ici, un rien peut ébranler la voûte. Le souterrain menait autrefois jusqu'au donjon, mais il est bouché depuis longtemps.

Les éboulis bloquaient la vue.

– Il faut que j'y aille, dit Vermeulen.

– Si ça vous amuse...

– Ça ne m'amuse pas, ça m'inquiète!

Pendant qu'il s'insinuait entre les deux bras des planches clouées en X, César s'étonna de distinguer un chaos de pierres et d'argile plus important que dans son souvenir. Il eut l'impression que, plus loin, sa lampe éclairait au pied de la muraille, un long morceau de bois qui ne s'y était jamais trouvé. Enfin, les étais qui, en juillet encore, maintenaient la voûte avaient disparu.

Intrigué, il suivit Vermeulen.

– Attention! s'exclama celui-ci, l'arrêtant d'un geste du bras.

Devant eux, par une étroite ouverture, haute de plusieurs mètres, leur parvenait une lueur, qui ne pouvait être que celle de la nuit.

– Regardez! avertit à nouveau le Hollandais, comme César avançait pour se mettre en dessous de cet entonnoir, qui devait être à peine visible en surface.

Il venait d'apercevoir le bout d'une botte en cuir, si couverte de terre et de gravats qu'on la distinguait à peine.

– La voilà! s'écria-t-il, se mettant à genoux.

Ils posèrent leurs lampes par terre, écartèrent en hâte le gros des matériaux qui s'étaient éboulés sur elle, découvrirent le visage, souillé mais intact. Elle gisait, les membres souples et chauds, apparemment sans fractures, mais inerte. Vermeulen lui parlait en anglais, disant qu'ils allaient la sortir de là, que tout irait bien. On entendit Jane soupirer, puis gémir faiblement.

– Il faudrait peut-être appeler un médecin? dit César.

– Attendez. Elle doit être en état de choc depuis trois ou quatre heures, mais elle est tombée sur un sol meuble et n'a reçu aucun bloc de pierre ou de rocher. Si la colonne vertébrale n'a rien, je préfère la transporter moi-même à l'hôpital de Périgueux.

Il continuait à lui parler doucement et paraissait l'examiner. César le laissa faire, pensant qu'il avait sans doute des notions de médecine, et avança de quelques pas, pour voir de plus près le morceau de bois clair qu'il avait aperçu. C'était une caisse oblongue, basse et étroite, qu'il reconnut à l'entaille qui marquait un de ses coins : il se trouvait devant la caisse du jeu de croquet. S'étonnant de ne pouvoir l'ouvrir – le couvercle en était cloué – il en souleva une extrémité. Rien ne remuait à l'intérieur et d'après son poids, elle était vide.

Retournant vers le Hollandais, il le questionna sur l'état de Jane. Elle avait légèrement remué et Vermeulen pensait qu'aucune lésion grave n'empêchait de la déplacer.

Tous deux la transportèrent jusqu'à la grosse voiture, l'allongèrent sur le siège arrière, enveloppée d'une couverture.

– Téléphonez-moi demain, demanda César, pour me dire comment elle va, et s'il y a des suites, une enquête...

– Non! Je prends tout sur moi. Personne n'a besoin de se mêler de cette affaire. Je la ferai transporter en Suisse dès que possible. Si je peux maintenir mon voyage, je vous appellerai à mon retour d'Amsterdam, sinon, avant.

– Vous reprendrez la moto une autre fois?

– Je l'avais oubliée. Pourriez-vous me l'amener?

Ils la chargèrent à l'arrière de la voiture, se séparèrent sur une brève poignée de main.

Le jour n'était plus loin de se lever, quand César se coucha. Dans le jeu, il avait oublié l'existence de Marie. Après cette équipée nocturne, il aurait voulu sentir près de lui son souffle léger et ce petit corps qui finissait toujours par s'éloigner du sien, pour s'étaler sur le ventre, bras et tête enfouis dans l'oreiller.

D'où lui venait ce caractère d'eau dormante, au fond de laquelle un enchevêtrement d'herbes chevelues ondoie, masquant épaves et secrets? L'aimait-elle encore? L'avait-elle seulement aimé un jour? Maintenant, il en doutait.

Désassortis, boiteusement liés l'un à l'autre, Vermeulen et Jane formaient un couple. Jamais ce ne serait le cas pour Marie et pour lui. Etre proches, sombrer parfois dans le même vertige ne suffisait pas. Etait-il satisfait d'avoir réussi à étouffer l'amour adolescent qu'elle lui avait porté et qu'il avait accueilli avec la gaucherie cruelle qu'il mettait, enfant, à la rabrouer?

Qu'avait-il fait de sa liberté ainsi préservée? Après bien des avanies et de rares succès, il se voyait rejeté par les siens, méprisé par Bob, traqué par Vermeulen.

La prédiction de Marie lui revint en tête. Il n'avait jamais manqué de courage physique et se promener dans les bois avec le gros homme ne lui avait pas fait peur. Mais cette nuit solitaire dans la chambre de sa jeunesse l'épouvantait.

Par la fenêtre ouverte entrait l'air froid du petit matin. Il se leva, se souvint qu'il avait oublié son sac de voyage en bas, sortit d'un tiroir de la commode une de ses vieilles vestes de pyjama, l'enfila. Elle était trop courte, et trop étroite. L'armoire à glace lui renvoya son image blême. Avec dix ans et dix kilos de plus qu'à l'époque de son bachot, il n'avait rien accompli.

Alors, il fustigea sa propre faiblesse. S'il craignait à la fois le passé et l'avenir, il ne lui restait qu'à s'enfermer comme un petit vieux! Il accusa cette chambre, témoin de ses années insatiables et désargentées. Il avait toujours détesté regarder en arrière.

Ne supportant plus d'être seul dans cette pièce, il enleva la veste de pyjama, enfila son jean et sa chemise, monta au deuxième étage, entra chez Marie, lui chuchota qu'il ne pouvait dormir sans elle.

Elle n'ouvrit pas les yeux, se poussa pour lui faire place, avant de renfoncer la tête dans son oreiller. Il emboîta étroitement son corps froid contre le corps chaud de Marie, décidé à la laisser se rendormir.

Son esprit ne pouvait se détacher de Vermeulen. Il ne faisait pas montre d'hostilité, mais sa froide vigilance pesait plus à César qu'une confrontation ouverte. Sûr de sa force, il donnait l'impression de rôder en attendant son heure. L'heure de quoi? De récupérer les tableaux? En ce cas, il aurait dû faire le siège de Bob, pour parvenir à un arrangement, au lieu de perdre son temps à La Faujardie. Ou bien les tableaux lui servaient-ils de prétexte pour rester dans les parages? Agissait-il pour le compte d'un autre, plus puissant, qui cherchait à atteindre César? Ce ne pouvait être Bob, incapable d'une machination au progrès aussi lent. Qui, alors? Il s'épuisait à chercher quelle vieille aventure malheureuse pouvait ainsi resurgir.

La tête rompue il renonça à trouver mais ne parvint pas à s'endormir. Alors, l'âcre désir lui vint de se perdre dans ce corps soulevé à ses côtés par une respiration régulière. Tout d'abord, il se retint de bouger, se dit que le jour naissant allait dissiper son angoisse et cette envie qu'il avait de Marie. Il ne put s'empêcher de la caresser, malgré lui enfonça la tête dans la mince épaule et gémit sourdement : « Je sais qu'il veut ma peau! » Elle se secoua, grogna doucement, en signe de protestation. Avant d'avoir conscience de ce qu'il faisait, il la retourna vers lui, se mit à l'embrasser. Il la savait lente à s'émouvoir, pourtant déjà il s'arrachait les poumons et l'échine à la posséder. Seul, il parcourut le chemin de la jouissance, seul, il en émergea, s'affala, épouvanté que ce plaisir, accepté mais non partagé, soit aussi fugitif.

Maternelle, Marie avait refermé les bras sur lui, murmurait des mots de réconfort, sans chercher à savoir ce qui le tourmentait : « Ne t'en fais pas, la nuit, tout paraît terrible et le matin ça va mieux. » Elle lui donna un petit baiser, au hasard, le berça, lui dit comme à un enfant : « Dors, maintenant », le laissa se blottir contre elle, chercha une position confortable, réclama un coin d'oreiller. Il se souleva, dégagea l'oreiller. Déjà, elle replongeait dans le sommeil.

Il ne douta plus que Marie avait fini de se détacher de lui. Cruelle à sa solitude fut cette évidence, amère à son orgueil la certitude qu'elle ne ressentait plus pour lui que tendresse ou pitié.

Deux portes plus loin, il entendit s'ouvrir la chambre de Finou, ses chaussons frotter lourdement le parquet du couloir, puis faire entendre leur bruit mou dans l'escalier de service, pendant qu'elle descendait aux toilettes du premier étage.

Elle, au moins, demeurait son alliée, face à l'étranger. Mais pas au-delà.

*

Marie dormait encore, quand César se leva. Il prit une douche et descendit déjeuner. Finou l'accueillit sans grâce :

— Tu aurais pu te raser.

— Mon sac était resté en bas, avec mes affaires de toilette.

— Evidemment, hier soir, tu as eu d'autres occupations...

César coupa court à ce début d'interrogation :

— L'électricité est revenue?

— Oui, ce matin à sept heures.

— Et le téléphone?

— Pas encore.

— Où est Paul?

– Il a profité de cette pluie pour mettre de l'engrais dans les prés.

– Il a dégagé l'avenue?

– C'est pas toi qui allais prendre le tracteur pour sortir cette grosse branche!

Une fois de plus, il ne releva pas.

– J'aurais besoin de parler à René. Il est à la métairie?

– Oui, il va revenir pour son casse-croûte.

Tournant le sucre dans son café, César demanda :

– Qu'est-ce que tu sais de ce qui est arrivé hier soir?

– La salle à manger empeste, avec les cigarettes du gros.

– C'est ça qui te dérange?

– Si ça ne faisait que me déranger, ce ne serait rien.

– Je t'écoute.

– Je n'ai pas à m'occuper de ce que tu fabriques avec ton Vermeulen, mais qu'il continue à tourner en rond par ici, c'est pas bon signe.

La porte sur la cour s'ouvrit. On entendit René enlever ses chaussures et les laisser sur la marche, avant d'entrer, en chaussons. Il esquissa le geste d'enlever son béret pour saluer César, lui serra la main, s'assit à sa place habituelle, devant le pot de grillons, le fromage et le pain préparés par Finou. Comme César s'y attendait, il ne dit pas bonjour à Finou, signe qu'ils s'étaient vus plus tôt. René se servit de café.

– Je ne savais pas que tu avais fait des aménagements dans le souterrain, dit César.

Prudemment, Fouilletourte attendit une explication. Comme elle ne venait pas, il hasarda une phrase qui n'engageait à rien :

– Vous y êtes allé voir?

– Oui, tu sais ce qui est arrivé?

– J'ai pas tous les jours l'occasion de m'y promener.

– Eh bien, au fond, après les deux planches mises en travers, tout s'est effondré.

– Té?

– Tu dois t'en douter, les étais ne sont pas partis tout seuls.

René hocha la tête avec circonspection, avant de se défendre :

– Je vous avais bien dit de faire attention en allant par là.

– Je ne t'accuse pas. Finou a dû te dire que Jane s'y trouvait quand ça s'est écroulé?

Fouilletourte écarta les mains en un geste de fatalité :

– Qu'est-ce qu'elle avait besoin de fouiller par là, aussi!

– Heureusement, Vermeulen s'est inquiété de son absence, sinon elle aurait pu y rester.

– Ah! ça..., admit René.

– Tu ne me demandes pas dans quel état on l'a retrouvée?

– Je pensais pas que ça vous souciait trop.

– Elle a subi un choc, mais en principe elle n'a rien de cassé. Pourtant, il y avait de quoi tuer quelqu'un! Ça t'a demandé un sacré travail.

– Oh!...

– Les pierres à desceller, le bas des murs à dégager, couper un petit arbre ou deux, juste au-dessus, histoire d'ébranler le sol? C'est Vermeulen que tu pensais attraper?

– C'est logique, vous croyez pas?

– Tu as de la veine que ça reste sans suite.

Pendant que Finou lavait le carrelage de l'office, les deux hommes mangèrent un moment en silence. Fouilletourte reprit :

– Attention, j'avais tout calculé pour pas causer d'ennuis à vous ou à M. Paul. Avec les pluies qu'on a eues au printemps, ça ne fera qu'un éboulement de plus. Personne ne s'en étonnera.

– Et à quoi servait la caisse du croquet?

– Il fallait bien leur faire croire qu'on cachait quelque chose par là, sinon ils auraient peut-être pas osé y aller. C'était pas si mal vu, puisque ça a marché, n'est-ce pas?

– Ça a marché...

– À moitié, seulement, c'est vrai. Celui qu'il aurait fallu avoir, c'est le gros.

César se leva :

– Ne touche à rien là-bas pour l'instant, ça peut encore dégringoler.

– Vous en faites pas. Je vais juste mettre un morceau de tôle sur le trou, là-haut, pour pas risquer d'accident.

Dans l'escalier, on entendait le pas de Marie et de Daniel.

– Si tu montes, cria Finou à César de la pièce voisine, commence par te raser!

Après avoir écouté pendant un moment le ronronnement de la conversation familiale dès que Marie et Daniel se furent joints à la table du petit déjeuner, César demanda à Finou :

– Est-ce que les malles-cabines de grand-père sont toujours au grenier? Il m'en faudrait une.

– On n'y a pas touché. Mais ne va pas les traîner dans tes pays de rien du tout, c'est de l'acajou, ça a de la valeur ces choses-là.

– Ne t'inquiète pas, c'est pour y ranger des affaires que je compte laisser ici.

– Faudrait d'abord avoir des affaires à soi..., philosopha la vieille femme.

Le grenier occupait le second étage, après les chambres de domestiques. Traversé de haut en bas par quatre larges pans de maçonnerie, qui regroupaient les conduits de cheminée, il offrait une vaste plaine centrale, qui correspondait au vestibule flanqué du salon et de la salle à manger. Il y régnait une chaleur lourde et poussiéreuse.

César ignora le coin où étaient entassés les bagages : malles de bois recouvert de bandes en peau de sanglier, malles d'osier, malles-cabines, riches valises de cuir que son père s'était fait faire dans les années trente, sacs de voyage rigides autour de la barre de métal qui les fermait, semblables aux mallettes de médecin d'autrefois. Des valises ordinaires étaient jetées sans ménagement, leur toile déchirée ou leurs poignées arrachées révélant leur médiocre qualité.

Plus loin, dans des buffets qui ne fermaient plus, s'empilaient vaisselle et verres dépareillés, des armoires entrebâillées abritaient des cartons trop épais où s'entassaient vêtements du début du siècle, broderies, dentelles, cachemires, tissus d'ameublement.

Partout, des sièges éventrés, avec un bras, un dossier ou un pied cassé ou branlant, d'anciennes chaises de salle à manger, des lustres ayant perdu une partie de leurs cristaux, des lampes à pétrole, des pendules, des cannes à pêche, des tables de nuit abritant encore leur pot de chambre, une chaise percée, des paniers où se mitaient des tentures de velours, des galons, des rideaux. Au hasard, sur chaque meuble, chaque étagère, des livres, en piles énormes et instables, des encriers, des bibelots, des ustensiles de cuivre ou d'étain, rendus anonymes par la crasse et la poussière qui les recouvraient. Des jouets d'enfants remplissaient une charrette à âne.

César alla droit dans la partie du grenier qui se trouvait au-dessus de la chambre de ses parents. Des bois de lit étaient rangés d'un côté, de l'autre des cadres. Il écarta les plus petits, situés vers l'extérieur, s'énerva de ne pas trouver ce qu'il cherchait, examina attentivement les lieux, comme si sa mémoire avait pu le tromper, recommença son inventaire, déplaçant chaque tableau, pour être sûr de ne rien négliger. Il se résigna alors à remuer les grands cadres, glaces démesurées, portraits de matrones en bonnet à coques, d'hommes en redingote, que son père avait fait décrocher, jugeant sinistre cette image d'un XIXe siècle embourgeoisé. Les énormes peintures religieuses, style Saint-Sulpice, ou d'allure champêtre ne manquaient pas non plus. Mais pas trace de la vingtaine de petits tableaux orientalistes de l'oncle Odilon de Sarnes.

Au passage, il jeta un coup d'œil à quelques cadres vides, dont certains très ornés, mis à l'écart des autres. Plus loin, il s'assura que personne n'avait touché aux porcelaines. Obnubilé par la disparition des tableaux qu'il cherchait, il s'engouffra dans la chambre voisine de celle de Marie, transformée en garde-meubles, y découvrit un fouillis dont il avait oublié l'existence. Il fut illuminé d'un éclair de joie, en tombant sur le coffre de sacristie et le tryptique flamands que sa mère avait fait enlever du salon, au moment de son mariage, les trouvant trop sévères.

Enfin, il avait mis la main sur quelque chose qui lui rapporterait gros! Vermeulen ne pourrait manquer de dénicher, parmi ses compatriotes, le connaisseur de qualité prêt à payer le juste prix pour pareil ensemble. Seulement pour en obtenir une évaluation il faudrait le faire monter un jour où la maison serait désertée de ses habitants. Pendant la messe du quinze août peut-être, se dit César. Et le vingt-cinq août, tout le monde allait en principe à la foire de la Saint-Louis, au Bugue. Ce jour-là, on devrait avoir le temps de déménager ce que Vermeulen aurait acheté.

Dans l'immédiat, il convenait de ne faire aucune allusion à l'ensemble flamand, pour ne pas mettre la puce à l'oreille de Finou. En s'emportant à propos des tableaux du vieil Odilon, César ne risquait rien. En plus, leur vente lui rapporterait un argent de poche dont il avait vraiment besoin.

Il descendit quatre à quatre, se planta devant la table de la cuisine, où Finou commençait à éplucher une montagne de haricots verts.

– Où sont les tableaux d'Odilon? cria-t-il.

– Fais attention avec tes chaussures sales? Tu vois bien que je viens de laver mon carrelage!

Il se déplaça vers un endroit où le sol était sec et répéta sa question.

– Les tableaux d'Odilon? dit Finou en écho. Lesquels?

– Les scènes et les portraits de Turquie, d'Egypte, d'Algérie, du Maroc. Tu t'en souviens, voyons!

– Ils sont dans le bureau, comme d'habitude.

– Je ne te parle pas des gravures et des dessins de chevaux arabes et de la chasse aux lions, qui sont dans le bureau, mais de cette collection qu'on a montée au grenier. L'oncle Odilon l'avait léguée à maman, qui n'a jamais voulu accrocher ces images de nègres, tu vois bien de quoi je parle!

– Ah! ceux-là..., dit Finou, comme si elle venait juste de comprendre.

– Alors, où sont-ils?

– Eh bien, au même endroit.

– Non! Il ne reste que d'énormes toiles, affreuses, invendables!

– Tu crois?

Finou jouait la perplexité.

– Je viens de les voir! cria César.

– Tu as bien regardé?

– Evidemment! Une vingtaine de tableaux, ça ne se pousse pas de côté par inadvertance.

– Alors, ils n'y seraient pas? demanda Finou à contrecœur.

– Rien! Il n'y a plus rien!

– Comment, plus rien? Tous les murs de la maison sont couverts de peintures, ça ne te suffit pas?

– Arrête de faire l'imbécile, Finou! Tu es encore en train de protéger Paul! Qu'est-ce qu'il en a fait?

La vieille femme le rappela à l'ordre :

– Sois poli, s'il te plaît! ordonna-t-elle.

– Réponds d'abord! Paul les a pris?

– Il est chez lui, il met les choses où il veut.

– Il les a vendus?

Finou haussa le ton, elle aussi :

– Ça te va bien de pousser des cris, alors que tu ne t'es pas soucié de nous et de la maison pendant dix ans! En plus, tout le monde, toi le premier, s'est toujours moqué de ces tableaux. Vous les trouviez ridicules, non?

– A l'époque, nous ne pouvions pas savoir qu'ils prendraient de la valeur!

– Ils valent quelque chose? Eh bien, ça t'apprendra à ne pas tant faire le malin sur ce que tu ne connais pas!

– Dis-le, à la fin : Paul les a vendus?

– L'argent ne vient pas du ciel, figure-toi! Il a fallu trouver dix millions pour refaire le toit par-derrière. Tu sais très bien que les feuilles y tombent, même depuis qu'on a coupé les arbres, en haut du rocher. Avec cette humidité qu'il y a au nord, en hiver, quand il gèle, les ardoises claquent. Ce n'est pas nouveau! Il faut refaire ce toit-là tous les quarante ans. Quoi d'étonnant si ton frère avait vendu des tableaux dont personne ne voulait depuis que je les connais! Encore heureux qu'il ait trouvé ce monsieur pour lui en donner autant!

– Quel monsieur? Un vague brocanteur des environs, qui lui en a offert des clopinettes?

César tournait autour de la cuisine, martelait du plat de la main la table et le buffet.

– Il les a vendus à un antiquaire de Paris, qui était en vacances chez des amis, dans un château du côté de Belvès, répliqua Finou.

– Pour combien?

– Je ne sais pas, mais ça a payé une partie de la réparation du toit.

– Ils en valaient trois fois, dix fois plus, peut-être! Il suffit que le bonhomme ait reconnu là-dedans un Delacroix! Paul s'est laissé embobiner!

– Ton frère connaissait les prix, il les avait regardés quelques jours avant, dans une revue, chez le dentiste.

– J'imagine la scène! Ce type lui a dit d'un air doucereux qu'il était prêt à acheter ce que Paul souhaiterait vendre et, bien entendu, paierait en liquide. Il a proposé d'expertiser tout le reste, je parie?

– M. Paul a refusé, dit Finou dignement.

– Mais le type a visité la maison de haut en bas?

– Non, il n'est même pas entré dans le salon. Je l'ai fait asseoir dans le vestibule et je ne l'ai pas quitté jusqu'à ce que ton frère arrive.

– Il a bien traversé le grenier pour voir les tableaux qu'il a achetés?

– On ne lui a pas laissé le temps de s'attarder, je t'assure.

– Ces gens-là n'ont pas besoin de s'attarder pour repérer ce qui les intéresse!

Finou était persuadée que César jouait la comédie en prétendant accorder de la valeur à la collection de M. de Sarnes et qu'il voulait seulement soutirer à son frère une partie de l'argent versé par l'antiquaire. M. et Mme Abadie, qui connaissaient la valeur de tout ce que contenait La Faujardie, n'avaient jamais attaché d'importance à ces tableaux, signe certain qu'ils ne valaient pas grand-chose.

Elle se réjouissait que, dans sa hâte, César n'ait

pas remarqué la disparition au grenier des huit grandes appliques en bronze doré, à quatre bras chacune. Redorées, elles orneraient un palais du Moyen-Orient, avait expliqué l'antiquaire. Pour l'instant, il s'agissait de détourner l'esprit de César de cette vente et d'éviter entre les deux frères une discussion qui risquait d'aboutir à la brûlante question du partage des biens de leur père.

— Pourquoi tu ne prends pas les grandes peintures, avec les apôtres, les troupeaux de vaches et cette Jeanne d'Arc, qui fait presque deux mètres de haut? Si ça revient à la mode dans quelques années, tu auras fait une bonne affaire.

— C'est aujourd'hui que j'ai besoin d'argent! Et personne à notre époque ne voudra plus de ces monstruosités chez soi!

— Ecoute-moi, au lieu de crier, dit Finou, apaisante.

Elle estimait le moment venu pour Paul de faire un geste vis-à-vis de son frère. Comme d'habitude, elle s'arrangerait pour le convaincre ensuite qu'il était l'auteur de cette initiative.

— On peut faire revenir cet antiquaire, j'ai gardé son nom et son adresse. Tu lui montrerais l'armoire où sont rangées les porcelaines. Ton père disait que ces choses-là plaisent toujours et se vendent bien, parce qu'elles sont faciles à caser dans les petits appartements d'aujourd'hui.

Le sourire qui détendit le visage de César la persuada d'avoir visé juste. En fait, il s'attendrissait, non de cette offre – en esprit, il s'était déjà approprié les porcelaines –, mais du flair infaillible de Finou. Pour parfaire son œuvre et finir de réconforter César, la vieille femme ajouta :

— Vois d'abord si tu regagnes à ton Hollandais un peu de ce qu'il t'a pris hier soir. A mon avis, tu devrais réfléchir un peu au lieu de te jeter, tête baissée, sur tes cartes. Tu l'as regardé, le Vermeulen? D'abord il n'aime pas la chaleur, il transpire à pleins baquets. Et puis, passé la cinquantaine, un gros homme se fatigue plus vite qu'un maigre. Il faut l'essouffler.

César s'esclaffa :

– Je ne peux pas faire souffler un sirocco pour l'anéantir!

– Il faut l'user.

– Apparemment, il dispose de beaucoup d'argent et ça donne de la résistance.

– Dans un coin perdu comme ici il ne suffit pas d'avoir de l'argent pour tenir le coup. Quand revient-il?

– Vendredi, en principe.

– Vous jouerez encore à vos saletés de cartes?

– Je ne vais pas rester sur une défaite!

– Bon, mais ne te mets pas dans la tête que tu vas le ruiner. Regagne ce que tu lui as laissé et, après cela, disparais. Il ne faudra plus que tu le voies. Je le recevrai à ta place, moi, s'il le faut. Pour vendredi invite-le à dîner, et je dirai à Marie d'aller mettre un cierge à saint Antoine. Je le paierai après, quand il aura bien fait son travail.

– Tu crois qu'il est compétent? Il sert à retrouver les objets perdus, non?

– Té, est-ce que tu n'as pas perdu de l'argent?

– Evidemment, dans ce sens-là...

– Il n'y a pas de sens qui tienne! Les saints sont là pour rendre service.

Elle observa les pieds de César.

– Laisse tes chaussures, que je les nettoie, les semelles sont toutes crottées.

Il les regarda distraitement.

– Ça ne me gêne pas.

– Moi si! Depuis ce matin, tu me salis tout mon carrelage!

En chaussettes, pendant qu'elle grattait la terre sur les talons de ses chaussures, il se balançait au bord de la marche qui menait à la cour.

— Finou, je t'adore, dit-il en se retournant vers elle avec un sourire.

— Petit, tu me disais ça quand tu avais besoin de moi, jamais autrement.

— Mais je ne le disais qu'à toi.

— Les mots, c'est pas grand-chose, dit la vieille femme, en choisissant un chiffon fait dans une ancienne ceinture de flanelle du grand-père Abadie. Quand j'aurai fini, tu monteras ton sac de voyage et tu iras te raser. Moi, je ne te servirai pas à déjeuner si tu viens à table avec cette tête.

*

César parut moins tendu pendant cette semaine, où il ne sortit guère. Tard le soir, il restait seul sous le tilleul baigné de lune et de fraîcheur. Il fumait en attendant l'heure où chacun serait endormi et où il pourrait rejoindre Marie. Avant de monter, Finou le regardait d'un œil noir, en l'avertissant :

— Fais attention à ta cigarette! Ne va pas nous mettre le feu!

— Ne t'en fais pas, répondait César.

Le vendredi matin, Vermeulen téléphona pour confirmer leur rencontre le soir.

— Comment va Jane? demanda César.

— Aussi bien que possible. Elle se repose dans une clinique en Suisse. Heureusement, elle n'a rien de cassé.

— Vous avez des nouvelles de Bob?

— Je vous raconterai ça.

La journée s'annonçait lourde et grise. Rapidement, la chaleur monta, s'étendit, plombée, stagnant à hauteur des arbres, aurait-on dit, sous un ciel bas.

Des bouffées de vent soufflèrent, sans dissiper les nuages ou la pesanteur de l'air.

Contrairement à la logique, Finou ouvrit en grand sur la cour les volets et les fenêtres de la salle à manger. Paul le remarqua et ne dit rien. Marie, le voyant, s'étonna d'autre chose : « Tu as lavé les carreaux de la salle à manger? – Oui, ce Vermeulen n'est pas grand-chose, mais il ne pourra pas aller dire que la maison est mal tenue. » C'est à Daniel que la vieille femme confia une jatte d'abricots mûrs, en lui demandant de les poser sur la table de la salle à manger.

– Ça va faire entrer les mouches, fit remarquer le gamin.

– Fais ce que je te dis, mon Bibi, je t'expliquerai plus tard.

En fin d'après-midi, elle enleva les fruits, referma les fenêtres, poussa les volets, emprisonnant la chaleur dans la pièce. Elle avait bien calculé : il y faisait chaud, mais pas étouffant. Des mouches, irritées par l'atmosphère orageuse, zigzaguaient, vrombissant quand elles se heurtaient aux vitres et repartaient, inlassables et obtuses.

Après l'appel de Vermeulen, César partit en voiture comme pour dissiper l'impatience qu'il avait contenue depuis plusieurs jours. Il revint vers sept heures. Vermeulen arriva peu après. Ils s'assirent dehors pour boire un whisky. Le temps était plus sombre, le vent plus tenace.

La nuit paraissait proche quand ils se mirent à table, alors qu'il n'était guère plus de huit heures. Finou avait prévu un repas périgourdin classique, où devaient se succéder tourin, hors-d'œuvre, cous d'oie farcis, sauté de veau aux cèpes, plus l'habituelle succession de salade, fromages et dessert. La surprise de César à l'énoncé de ce menu était si peu feinte que Vermeulen renonça à y voir une machination et se résigna à laisser se prolonger le dîner qu'il prévoyait savoureux, mais aurait préféré léger.

– J'ai sorti quelques vieilles bouteilles du vin de ton père, ajouta Finou à l'intention de César. J'ai pensé que ça conviendrait.

Le Hollandais avança la tête vers la première bouteille que César choisit sur la desserte. Il en oublia qu'il faisait chaud dans la pièce et que, malgré la fenêtre ouverte qui lui permettait de s'échapper, une mouche y bourdonnait. Il suivit les gestes de César, qui avait refermé une main sur le corps de la bouteille et de l'autre enfonçait le tire-bouchon, surveilla avec une ferveur jalouse ce privilège de maître de maison, comme s'il l'avait observé en secret, usant d'un droit de cuissage. Lentement, César se servit, fit rouler le vin autour de son verre, le huma, en apprécia la couleur et enfin le goûta, gravement s'en imprégna, jouissant de la langue et de tout le palais, laissant l'autre dans l'attente, deviner le verdict, sachant qu'un brin d'incertitude s'attache aux plus belles œuvres du Créateur. César enfin avala le vin et déclara doucement : « Bon, très bon », avant de servir un Vermeulen presque jaloux.

Finou n'était jamais sortie de Dordogne – sauf un jour, pour assister au mariage d'une petite-cousine en Charente – et ne lisait pas de romans, mais elle connaissait l'espèce humaine. Elle n'aurait pas fait de discours comparant la cuisine et l'amour, mais elle savait que les deux jouissances se complètent, que l'une mène à l'autre, que pareillement fondent les résistances quand l'homme aborde une chair ardente ou un mets amoureusement préparé par une main experte.

Près de la porte, elle se préparait à sortir. Son rôle se terminait là. Mais elle se souvenait d'un dîner qu'elle avait préparé autrefois avec autant de soin pour un homme qui valait mieux à lui seul que ces

246

deux-là réunis. Un soir, en l'absence de son mari, elle l'avait attendu. Ne le voyant pas venir, à onze heures, elle avait fini par se coucher, sans avoir eu le cœur à dîner seule. A minuit, on avait frappé à son volet, en l'appelant à voix basse. L'homme, en entrant avait enlevé son béret et l'avait saluée d'une inclinaison de tête et d'un « bonsoir » laconique, ajoutant seulement ensuite « J'ai été retenu. »

Elle avait réchauffé le dîner et l'avait servi, debout contre la table. Il avait mangé sans parler et sans presque lever la tête, ce dîner si bon quelques heures plus tôt et qui avait acquis la consistance plus épaisse, le fumet légèrement sucré des plats un peu trop cuits. Il mâchait lentement, buvait de longues rasades de vin et son regard se maintenait au niveau des hanches de Finou, alors âgée d'une trentaine d'années.

« Assieds-toi », avait-il dit. « Je préfère rester debout », avait-elle répondu. Refuser de s'asseoir à ses côtés ne faisait pas d'elle sa servante. Elle le dominait et le protégeait à la fois, mère et amante. Elle dépendait de lui, mais il dépendait d'elle, trempant longuement son pain dans la sauce du civet faite de vin et de sang dont les reflets roux échauffaient l'assiette. En même temps, elle le voyait mieux ainsi et il ne surprenait pas l'intensité de son regard, sauf quand il renversait la tête pour boire. Alors, leurs yeux se rencontraient et ceux de l'homme se rétrécissaient, ne laissant filtrer qu'une lumière aiguë, comme à la chasse, au moment d'épauler. Quand il avait repoussé son assiette, indiquant qu'il était rassasié, elle avait attendu un commentaire qui n'était pas venu et avait fini par demander :

– C'était encore bon?

Il l'avait fixée :

– Si ça devait pas être bon, j'aurais pas été là. Une

femme qui ne sait pas cuisiner pour son homme n'est bonne à rien d'autre.

Elle n'avait pas reçu mieux en guise de déclaration d'amour de la part de ce taciturne, pour lequel elle aurait quitté son mari, si celui-ci n'avait pas été chauffeur chez un marchand de bois et appelé à se déplacer une partie de l'année.

Une autre fois, un soir d'hiver où elle devait retrouver son amant, à la croisée de deux chemins, près de chez elle, son mari était rentré à l'improviste, elle n'avait pu sortir qu'à cinq heures du matin, quand il était reparti travailler. Elle avait couru, n'espérant plus trouver l'homme au lieu du rendez-vous, mais ne pouvant s'empêcher d'y aller. Il avait gelé toute la nuit, pourtant il l'avait attendue, assis sur une pierre. De loin, elle l'avait aperçu qui dormait, les coudes aux genoux, la tête dans ses mains, le col de sa veste relevé. Il l'avait entendue venir et n'avait bougé qu'en la sentant proche. Tout raide, il s'était levé et n'avait posé aucune question en la voyant paraître avec huit heures de retard.

Avant de sortir, Finou observa ces deux-là, atta-blés devant elle : ils lui paraissaient également égoïstes et jouisseurs, incapables d'endurer, de se taire, de s'acharner, à la manière dont cet homme et elle avaient su le faire depuis l'enfance, comme ceux de leur génération, qui avaient commencé à travailler en adultes à quatorze ans, dix heures par jour, six jours par semaine. Son amant avait même eu la vie plus dure : ses parents l'avaient loué à l'âge de neuf ans.

Aujourd'hui, Finou avait mijoté ce dîner, non par amour de César, ni par haine de Vermeulen, mais pour qu'un membre de la famille Abadie ne subisse pas l'humiliation d'être dépouillé chez lui par un étranger. Si le Hollandais, appesanti par un bon dîner, agacé par la chaleur et les mouches, était moins vigilant, moins impénétrable dans son jeu et que César en profite pour regagner ce qu'il avait perdu, elle serait satisfaite.

En apportant les plats, elle observa que les deux hommes parlaient peu, oppressés peut-être par le temps et respectueux de ce qu'ils mangeaient et buvaient.

Quand vint la tarte aux abricots qui terminait le repas, Vermeulen complimenta Finou sur son dîner. Il s'adressait à elle par-dessus la tête de César, le jugeant trop jeune pour comprendre qu'au-delà du talent, une vieille et profonde sagesse était nécessaire pour cuisiner ainsi.

Finou s'inquiéta de voir que, dans le masque sans rides, le regard du Hollandais était attentif. Ce gros corps dissimulait une lourde patience, une concentration de bête qui, n'ayant plus l'agilité nécessaire pour bondir, se place sur le passage de sa proie et attend qu'elle soit à sa portée pour, d'une détente, s'en emparer.

César avait les sens en éveil, elle le sentait, mais saurait-il tenir en haleine celui-là, muni d'argent et endurci par les années ?

Il proposa du café. Vermeulen accepta, à condition qu'ils le prennent dehors. César acquiesça. Un souffle annonciateur d'orage entra par la fenêtre. Une toile d'araignée translucide, fraîchement tissée, palpitait à l'angle d'une fenêtre. Une guêpe, assommée de tournoiements, gavée de sucre, s'assoupissait contre une vitre. Lentement, la nuit sans lune s'épaississait. Finou aurait voulu que César retienne Vermeulen dans la salle à manger, le laisse à court de respiration, épongeant sa nuque et ses bajoues.

Sous le tilleul, comme elle l'avait prévu, elle le vit de loin prendre son temps, laisser le sucre fondre dans sa tasse en le remuant à peine, flairer l'émoi de cette nuit tourmentée, en homme habitué au spectacle de la fièvre dans les êtres et les éléments. Il n'a rien perdu de sa pugnacité, se dit-elle, inquiète. Des ombres indéfinissables rôdaient autour d'eux, nuages effilochés, lointaines chauve-souris, tourbillons de vent dans le dédale touffu du jardin.

— Si vous êtes toujours disposé à acheter, j'ai obtenu la bénédiction de la famille pour vous montrer plusieurs choses, dit César.

— Quand vous voudrez.

— Pas ce soir, malheureusement. Il faut y mettre un peu de discrétion.

— De quoi s'agit-il?

— Des porcelaines dont je vous ai parlé. Elles sont du XVIIIᵉ siècle pour la plupart. J'ai pensé aussi à un coffre de sacristie et à un tryptique flamands, qui me paraissent du XVIᵉ siècle.

— Bien, commenta sobrement Vermeulen.

— Etes-vous disposé à me laisser jusqu'à la fin du mois pour régler ma dette?

Le Hollandais reposa sa tasse de café vide, eut une moue de ses lèvres gourmandes :

— Fin août? Entendu.

— Parfait. Y allons-nous?

— Allons-y, accepta Vermeulen, prenant appui sur les deux bras du fauteuil de châtaignier, qu'il fit grincer.

Du seuil de la cuisine, Finou appela César. Il s'approcha.

— Souviens-toi, lui glissa-t-elle, qu'il est mauvais comme un âne rouge. Règle ce que tu dois ce soir même et ne le revois pas!

A haute voix, elle ajouta :

— N'oublie pas de fermer les volets avant de te coucher!

Les deux hommes rentrèrent. Comme la fois précédente, ils fixèrent la fin de la partie à deux heures du matin.

Assez longtemps, le jeu s'équilibra. Puis César commença à gagner. Un papillon de nuit vint buter contre le lustre, y frotta ses ailes de poudre grise, s'éloigna, fit plusieurs fois le tour de la pièce en aveugle, un léger son mat avertissant qu'il se cognait aux vitres, un battement d'ailes frénétique qu'il était pris dans un rideau. Vermeulen s'épongea, leva le nez deux ou trois fois, cherchant de l'œil la bestiole, quand lui ou César se préparait à distribuer les cartes. César se moquait de ce qui volait ou rampait, guêpes ou fourmis, araignées ou serpents, pourvu que les morsures n'en soient pas mortelles.

Les minutes passèrent, partagées entre de brefs silences, les paroles des joueurs et la ronde affolée du papillon.

— Repoussez donc les volets, que cette bête puisse sortir! demanda Vermeulen avec agacement, à un moment où il battait les cartes.

— Cela ne servirait qu'à en faire entrer d'autres, répliqua César.

Malgré ses lointains voyages, le Hollandais avait conservé une vague répugnance pour certaines des habitudes communes aux peuples du sud de l'Europe, en particulier pour leur insouciance vis-à-vis des règles d'hygiène. En France, il se rétractait à la vue d'une mouche sur un fromage, d'un chat se léchant sur une table de cuisine, d'un enfant tapotant le dos de son chien avec la baguette du déjeuner familial. Au début du dîner, il s'était irrité de voir graviter autour du lustre un réseau ténu de moucherons, que César n'avait même pas aperçu.

Le papillon de nuit poursuivait sa ronde imbécile, inconscient du rôle qu'il jouait, des dégoûts de Vermeulen, qui inclinait la tête involontairement, en sentant la bête s'approcher, de la joie mauvaise qui allumait les yeux de César, au fur et à mesure que son adversaire perdait sa concentration.

251

– Tâchez donc de chasser ce satané papillon! dit enfin le Hollandais.

Il était inutile de proposer l'interruption de la partie. César aurait refusé.

Vermeulen tendit la main vers son whisky, pendant que César éteignait la lumière et, dans l'ombre, poursuivait le papillon, armé de sa serviette de table. Il faillit l'abattre, se souvint qu'il devait se montrer maladroit, pour finir d'exaspérer Vermeulen, frappa à l'endroit d'où la bestiole venait de s'envoler. Puis, prétendit l'attraper à la main, fit traîner les choses en longueur, réussit à l'effleurer, montra la poussière grise qui lui restait au bout des doigts.

– Ouvrez les volets, enfin! Il faudra bien qu'il sorte! cria le gros homme, ne se contenant plus.

César obéit. Un souffle d'air pénétra dans la salle à manger. Au bout de quelques instants, le papillon avait disparu.

La partie reprit. Vermeulen se ramassa sur lui-même, s'enferma dans l'espace de la table qui les contenait, César et lui. Par-dessus ses cartes, César glissait vers les mains de l'autre un regard de tueur. Il aurait voulu le voir éponger sur son visage le sang de la curée et pas seulement les litres d'eau qui lui montaient de la panse.

C'est alors que le papillon reparut, émergeant de la bordure de la tapisserie dans laquelle il s'était fondu, et reprit sa course. Les moments de repos eurent beau se faire plus longs entre ses vols, Vermeulen ne put retrouver son calme, tant il guettait la prochaine manœuvre de l'ennemi.

Quand deux heures sonnèrent, la bouteille de whisky était vide depuis un moment et César avait regagné la presque totalité de ses pertes. Au lieu de s'en réjouir, il détesta la règle qui le forçait à limiter sa remontée.

Ils comptèrent les jetons accumulés de part et

d'autre – en majorité devant César. Vermeulen poussa au milieu de la table le calepin où il finissait de noter ces résultats en face des chiffres de leur première partie.

– Vous me devez mille quatre cents francs, annonça-t-il.

– En ce cas, je préfère vous régler tout de suite, dit César.

De la poche intérieure de sa veste, accrochée au dos de sa chaise, il tira une liasse de billets, encore cerclés de leur bracelet rayé, en détacha trois, les plaça devant le Hollandais, qui lui rendit cent francs. Ils étaient quittes.

Le matin, César s'était résigné à vérifier combien d'argent lui restait, exercice qu'il redoutait. Il avait trouvé à peine mille dollars, au lieu des deux mille sur lesquels il comptait.

Maintenant qu'il avait remboursé Vermeulen, il devenait urgent de vendre ce que l'autre serait prêt à acheter.

– Etes-vous libre demain matin? Nous pourrions regarder ces porcelaines dont je vous parlais.

– Je peux m'arranger. Montrez-moi aussi ce coffre et ce tryptique, n'est-ce pas?

– Entendu. Dix heures, ça vous va?

– OK.

César avait raccompagné Vermeulen. Celui-ci tenait ouverte la portière de sa voiture, attendait, comme s'il avait autre chose à dire, finit par se décider :

– Nous n'avons pas eu le temps de parler de Bob...

– C'est vrai! Alors, quelles nouvelles?

– Mercredi soir, j'ai appelé d'Amsterdam. Le lendemain de son arrivée, vers trois heures du matin, comme il sortait d'un bar avec son associé, leur voiture a eu un accident, elle s'est retournée et a pris feu. L'autre est mort, Bob est très gravement brûlé.

— Mais il s'en sortira? demanda César, interdit.

— Vous savez, il est enveloppé de pansements et lutte contre la mort...

Un long silence tomba. César hésita, sentit l'incongruité de la remarque qu'il se préparait à faire, puis il se lança, songeant que Bob, lui, ne s'était jamais laissé étouffer par la délicatesse :

— Il suffirait qu'il dise un mot, qu'il accepte de vous laisser négocier... la vente des tableaux à Maerten.

— Quand il ira mieux, peut-être.

— Donc, vous n'avez parlé de rien au vieux?

— Non, naturellement.

Vermeulen mit le moteur en marche.

— Rien de changé pour notre rendez-vous de demain?

— Il n'y a pas de raison. Entre dix heures et dix heures et demie.

— Bien, opina le Hollandais qui, en homme averti, jugea que César ne se laisserait pas longtemps retenir par les scrupules et que, sous peu, il serait prêt à écouter n'importe quelle proposition.

C'est seulement après son départ que les questions se pressèrent dans la tête de César. Auprès de qui Vermeulen avait-il obtenu ces informations? De quels éléments disposait-il pour avoir déclaré, peu auparavant, que Bob maniait des affaires trop importantes pour lui, qu'il s'était fait des ennemis?

Le samedi, comme d'habitude, Marie se rendit au marché du Bugue avec Daniel. Après avoir elle-même proposé à César de vendre les porcelaines, Finou ne pouvait s'opposer à ce qu'il les fasse évaluer, surtout en sachant qu'il avait regagné la veille la presque totalité de ses pertes.

Le Hollandais examina les porcelaines, les

regroupa par lots, écarta ce qui était ébréché, calcula. La fourchette de prix qu'il énonça enfin n'était pas négligeable, mais moins élevée que ne l'espérait César.

Restaient le coffre et le tryptique. Mais la porte du garde-meubles ne s'ouvrit ni quand il tourna la poignée ni sous la poussée. Le sang monta à la tête de César.

– Allons chercher la clef, dit-il à Vermeulen, en tentant de contrôler l'irritation de sa voix.

Il le laissa attendre dans le vestibule, pendant que, dans la cuisine, il se précipitait sur Finou :

– C'est toi qui as fermé la chambre du haut?

– Qui veux-tu que ce soit?

– Si tu ne me donnes pas la clef, je peux l'ouvrir d'un coup d'épaule ou d'un coup de pied!

– Je ne te le conseille pas. De toute façon, tu ne déménageras rien sans que j'en sois avertie!

Il sortit en claquant les portes. Presque aussitôt, Finou entendit s'éloigner la voiture du Hollandais.

César s'allongea au soleil dans la cour, enfoui dans une torpeur dont il ne sortit pas de la journée. Seule Marie s'approcha. Dans la matinée, elle lui apporta le verre d'eau qu'il demandait. Vers quatre heures, après avoir déjeuné chez son amie Josette Thibaut, elle s'inquiéta :

– Tu vas attraper du mal à rester comme ça, sans bouger! Tu ne veux pas te mettre à l'ombre?

Il refusa. Quand Finou s'installa à sa place habituelle, sous le tilleul, pour tricoter en écoutant la radio, ils ne s'adressèrent pas la parole. A six heures et demie, comme elle se levait pour aller préparer le dîner, il la prévint qu'il comptait sortir. Elle ne le regarda même pas.

César devait rencontrer le Hollandais le soir au château de La Bassade, ayant expliqué que leurs veilles tardives dérangeaient le rythme de vie de La Faujardie.

Inquiète de l'humeur sombre de César, Finou mit longtemps à s'endormir. Le train de onze heures était passé depuis un moment quand elle entendit s'approcher une voiture inconnue, qui s'arrêta près de la maison, le moteur continuant à tourner. Elle s'élança dans le couloir, persuadée que César venait enlever les meubles du rez-de-chaussée, faciles à sortir par la porte-fenêtre, au dos de la maison.

Placée trop haut et trop loin, elle n'aperçut que les contours d'une camionnette garée en haut de l'avenue, en partie masquée par les arbres. Aussi vite que le lui permettaient son poids et les vieilles pantoufles qui ne lui tenaient pas aux pieds, elle descendit dans les W.-C. du premier étage, se pencha, regarda entre les interstices du volet. Quelqu'un avait ouvert les battants arrière de la camionnette, empêchant de voir ce qu'on y chargeait. Immobile, attentive, Finou ne vit personne, ne distingua ni pas, ni son de voix.

Des coups sourds retentirent alors à l'intérieur de la camionnette. Cela ressemblait au choc de catcheurs tombant au sol, dans ces combats que Paul regardait parfois à la télévision. Pas de cris, pas de plaintes, aucun signe de présence humaine, sauf que cette voiture n'était pas venue toute seule et que quelqu'un avait ouvert les portes. Parfois, le martèlement s'interrompait, puis reprenait, la tôle résonnant sous la poussée plus forte d'un objet – ou d'un corps? – qui semblait rebondir d'un côté à l'autre.

Le bruit ne cessa qu'au bout d'un long moment. Les portes de la camionnette claquèrent, sans que Finou distingue si une ou plusieurs personnes y prenaient place. Elle avait une certitude : personne n'était entré dans la maison, ni dans la grotte. Le véhicule fantôme fit demi-tour et repartit lentement.

Elle fixa longuement l'endroit où il avait stationné, sans rien remarquer d'anormal et finit par aller se recoucher.

Le lendemain matin, elle fit part à Paul de cette étrange visite. Il alla voir, revint sans trace d'agitation, s'assit devant son café.

— Le pneu du tracteur n'y est plus. C'est Gignou qui est venu le chercher pour le réparer. Je lui avais téléphoné hier.

— Il serait venu à une heure pareille?

— Tu sais bien qu'en cette saison, quand il faut dépanner les gens, l'heure ne compte pas. Il a dû avoir du mal à faire entrer le pneu et cogner pour y arriver.

Il se confirma que Paul avait deviné juste.

*

César s'était remis à perdre, mais sa rage de gagner en redoublait. Il ne se passa guère de soir pendant cette courte période, sans qu'il rencontre Vermeulen. Ils se retrouvaient à La Bassade, Finou refusant de recevoir le gros homme.

Les journées paraissaient interminables à César, qui les passait à boire et à paresser au soleil. Il n'écoutait ni ne voyait la vieille femme. La nuit, il avait cessé de rejoindre Marie.

Amical, Vermeulen proposait une trêve. Acharné, César exigeait de poursuivre. Le Hollandais accordait les délais demandés pour se voir régler. A différentes reprises, César gagna, atténua l'ampleur de sa dette. Au lieu de s'en satisfaire, il n'avait de cesse que, chaque jour, il eût traîné devant la table de jeu Vermeulen qui conservait le masque de l'indifférence. Un voleur, un ivrogne, un drogué n'aurait pas vécu plus que César en somnambule pendant ces journées.

Enfin, il perdit une telle somme qu'il fut acculé. Sans se soucier d'être entendu, par une admirable nuit éclaboussée d'or, il conduisit Vermeulen dans le grenier. Une lampe dans une main, de l'autre il soulevait les housses, servile comme une marchande à la toilette proposant sa fille, après un lot de dentelles défraîchies. Arguant du mauvais état des meubles et des réparations importantes qui seraient nécessaires, le Hollandais en offrait des prix relativement bas.

— Evidemment, dit-il, ce qui se trouve dans les pièces du rez-de-chaussée se vendrait mieux.

— Je ne veux pas y toucher! répondit César sèchement.

Le Hollandais n'insista pas.

Finou voyait approcher le désastre, mais se sentait impuissante à le conjurer. Tout au plus, pouvait-elle détourner l'attention de Paul, qui aurait été capable d'une réaction brutale s'il avait su son frère victime du démon qui avait accablé leur père dans sa jeunesse et contribué à ruiner La Faujardie. Cette expédition nocturne dans le grenier, qui ne put lui échapper, finit de la décider : il fallait agir, contre César si nécessaire.

Depuis une huitaine de jours, ravagé, il vivait hors de la réalité, ne demandait même plus des nouvelles de Bob ou de Jane. Quand Vermeulen téléphona à la vieille femme, proposa d'éloigner César un matin et de venir la voir, elle se sentit forcée d'accepter.

Elle le fit asseoir dans l'office, prit place en face de lui et attendit.

— Vous savez que, malgré mes avertissements, César s'est obstiné à jouer aux cartes avec moi. Il a perdu et me doit beaucoup d'argent. Si vous voulez éviter que j'achète pas mal de choses dans cette maison, qu'il est prêt à me céder pour acquitter sa dette, c'est à vous d'agir.

Lèvres serrées, le front buté, la vieille le laissait aller. Vermeulen poursuivit.

– Il peut obtenir à la fois de quoi payer ce qu'il me doit et conserver un pécule qui lui permettrait de redémarrer d'un bon pied. Voici comment. Il détient des tableaux, provenant d'un vol effertué en Hollande, chez un collectionneur célèbre. En réalité, son ami Bob, de Bordeaux qui a monté l'affaire, le paye pour garder les tableaux à l'abri des indiscrétions, chez vous, à La Faujardie. Contacté par Bob, il y a quelques semaines, le propriétaire des tableaux a accepté le principe d'un règlement à l'amiable. Un accord n'a pu être trouvé dans l'immédiat. Bob est parti en voyage aux Etats-Unis, où il a été victime d'un accident de voiture dont il ne se remettra pas. Sa fin n'est qu'une question d'heures. César le sait mais des scrupules le retiennent encore de négocier à la place de son ami. Cependant, c'est la dernière chance offerte par le collectionneur. Si rien ne se résout rapidement, ce sera le scandale, ou pire... Je ne sers que d'intermédiaire et je ne suis pas autorisé à en dire plus.

Il se tut, Finou l'avait écouté sans proférer un son, sans lever un sourcil. Enfin, elle demanda :

– C'est tout ce que vous aviez à me dire?

– Oui, madame.

– Bien. Au revoir, monsieur.

Elle le raccompagna jusqu'à la porte d'entrée, le suivant des yeux pendant qu'il traversait la cour. Il se retourna une dernière fois et, sans élever la voix, ajouta :

– J'ai donné à César jusqu'à demain soir pour me faire connaître sa réponse, me montrer les photos et au moins une des toiles.

Avant le retour de César, Vermeulen téléphona. Il reconnut la voix de Finou, se nomma et dit simplement : « Bob est mort. Prévenez César et confirmezlui que je viendrai le voir demain soir, après le dîner. »

– Non, pas plus tard que six heures, dit Finou d'un ton sans réplique.

Vermeulen comprit que si la vieille femme n'était pas présente lors de la discussion, elle resterait proche et rien ne se conclurait sans son accord tacite.

La journée fut calme. C'est seulement au milieu de l'après-midi que Finou se trouva seule avec César sous le tilleul et lui rendit compte de la visite du Hollandais.

– Qu'est-ce que tu en penses? demanda-t-il.

– Ce Maerten et lui jouent les gentlemen, mais c'est pas du joli monde. Ils auraient pu combiner entre eux l'accident de ton ami Bob et maintenant s'arranger pour venir à bout de toi sans trop de mal.

– Tu veux vraiment dire se débarrasser de moi? Tu n'es pas gaie!

– Ils n'ont pas besoin d'en venir là. Il leur suffit que tu en passes par où ils veulent. Mais leur argent et leurs tours de malice ne suffisent pas dans un coin comme ici. Ils sont que des étrangers, tout le monde les a à l'œil. Demain soir, montre-toi aimable, demande ton prix et ne fais pas de discours.

– Et si Vermeulen refuse?

– Il devra de toute façon en parler à son Maerten, ça te fera gagner du temps. Si tu as peur de te laisser avoir trop facilement, file en douce quelques jours, comme l'autre fois. Je le retiendrai ici, à patienter. Quand on traite une affaire aussi grosse qu'il le dit, on peut pas être trop pressé.

– Et s'il trouvait les tableaux?

– Sa seule chance, il l'a eue le soir avant le quatorze juillet, où il s'est promené tout seul, avant que René s'en aperçoive. Il sait bien que ça ne se retrouvera pas.

Pour la première fois depuis qu'il était rentré en France, sa situation parut claire à César. Que Vermeulen œuvre pour Maerten, on n'en pouvait plus guère douter. Que tous deux aient combiné l'accident de Bob, rien ne permettait de le supposer, mais là-dessus l'intuition de Finou rejoignait la sienne.

César ne pouvait pas lutter de front contre deux hommes aussi dangereux et déterminés. Pour retrouver une certaine liberté de manœuvre, desserrer l'étau dans lequel ils croyaient déjà le tenir, il lui fallait biaiser, grignoter des jours. Finou saurait expliquer ses dérobades, les mettre sur le compte de son caractère fantasque, souffler en même temps le chaud et le froid, maintenir l'espoir d'une solution satisfaisante et aviver la crainte que ne manqueraient de ressentir deux étrangers, en voyant l'affaire s'éterniser.

Quand ils seraient prêts à lâcher du lest, César réapparaîtrait, confiant d'obtenir sinon le montant exact demandé, du moins une somme qui ne serait pas dérisoire.

Vermeulen fut ponctuel. César l'attendait sous le tilleul. Finou ne se montra pas plus que Marie ou Daniel. René, qui bottelait de la luzerne, était assez malin pour éviter de se trouver nez à nez avec le Hollandais. Paul, occupé à déchaumer du côté de Saint-Julien, n'était pas attendu avant sept heures et demie.

– J'ai besoin de cinq millions, déclara César aimablement.

Vermeulen fut surpris de cette désinvolture. Il se contenta de plisser les lèvres autour de sa cigarette odorante.

– L'important est que votre proposition ne braque pas le vieux Maerten, répondit-il enfin.

— Ce n'est pas le dixième de ce que valent ses six précieux tableaux! bluffa César, qui ne connaissait pas les prix.

Il se carra dans le fauteuil de châtaignier et allongea les jambes devant lui.

— Songez qu'il ne faut pas partir de trop loin, pour ne pas nourrir de faux espoirs, ni vous user en vain à les défendre.

— Il veut récupérer l'ensemble, n'est-ce pas?

— Oui, bien sûr, dit Vermeulen, sur un ton qui laissait place au doute.

Ne voulant pas se laisser entraîner à discuter, César choisit d'ignorer cette ouverture et de jouer au rustre.

— Je ne suis pas un homme d'affaires et je ne veux pas passer des heures à tenter de marquer un point contre vous ou contre Maerten. Si rien ne vient et que je me lasse, je suis capable de vous envoyer au diable et de disparaître. Dans trois générations, celui qui retrouvera les toiles saura sûrement s'en débrouiller!

Encore conciliant, mais déjà plus ferme, Vermeulen précisa :

— De toute façon, comme je vous l'ai dit, avant d'aller plus loin, je dois voir au moins un des tableaux et des photos récentes des autres.

César attrapa sa veste de toile, jetée sur la table, fouilla dans la poche intérieure, en tira des photos qu'il tendit au Hollandais. Celui-ci les regarda méticuleusement, tapota du doigt une photo regroupant les six tableaux au-dessus desquels était posé, nettement visible, un journal daté du 3 juillet :

— Ça a été pris juste avant que Bob ne vous confie les tableaux, n'est-ce pas? Il me faut une photo plus récente.

— Vous plaisantez? riposta César. Je déteste les

appareils de photos, ce serait un comble que j'en achète un pour vous faire plaisir!

— Si vous voulez que votre offre soit crédible et que je la transmette à Maerten, je dois voir au moins une des toiles, je vous l'avais dit!

— Niet! fit César d'un ton léger. Il faudra vous contenter d'avoir vu ces photos. Si mon chiffre est accepté, tout pourra aller très vite, mais j'exige que l'échange ait lieu ici, entre Maerten, vous, moi et personne d'autre. Je ne veux pas non plus que le pays remarque un défilé de têtes nouvelles à La Faujardie. Par conséquent, mettons les choses au point, rencontrons-nous et qu'on en finisse!

Vermeulen argumenta. Les yeux mi-clos, la nuque reposant sur le dossier de son fauteuil, César répondait à peine, ne cachant pas qu'il se désintéressait de cet entretien avec un homme identifié dorénavant comme un subalterne. Enfin, il se leva, donna une tape amicale dans le dos du Hollandais, lui dit, cordial :

— Allons, mon vieux, vous voyez bien que vous n'arriverez à rien. Séparons-nous et téléphonez-moi demain pour me donner la réponse de votre Maerten. Nous verrons alors ce qu'il convient de faire.

Un Vermeulen humilié se tira de son siège, persuadé que seule la vieille femme avait pu insuffler cette pugnacité à César, qu'il devinait ombrageux et versatile, mais dont il ignorait les ressorts profonds. Finou n'avait pas eu à faire de discours, elle s'était contentée de fouetter son orgueil de caste en lançant rageusement : « Tu ne vas pas te laisser berner par le domestique d'un vieil escroc! Ton père en aurait eu un coup de sang! »

Sauvé une fois encore, César se secoua, s'étonna de la faiblesse dont il avait fait preuve, crut une fois de plus à sa chance et à l'avenir.

Quand Vermeulen téléphona, proposant un rendez-vous dans la soirée, il refusa net tant que les termes ne lui en seraient pas énoncés à l'avance.

— Eh bien, il est prêt à traiter sur la base d'un million, lâcha Vermeulen, réticent.

— Non! fit César, péremptoire, en raccrochant.

Certain que le Hollandais n'allait pas tarder à paraître, pour tenter de renouer le fil de la discussion, il rassembla les dollars qui lui restaient, empila ses vêtements et ses affaires de toilette en désordre dans son sac de voyage, fit ses adieux à Finou, la prévenant qu'il appellerait tous les deux ou trois jours. Il demanda à Marie de l'accompagner. Sous le portail de la cour, elle s'arrêta et, ostensiblement, lui tendit la joue pour un baiser amical.

— Ah! on prend ses distances! dit César.

Il posa son sac à ses pieds, lui attrapa le visage dans une de ses mains, pour un vrai baiser. Elle protesta :

— On va nous voir!

— Tant pis pour toi, puisque tu ne veux pas venir jusqu'à la voiture!

Il la retint, goûtant son émoi.

— Arrête, voyons! s'exclama-t-elle, un peu haletante.

— Tu m'en veux de ne pas m'être occupé de toi ces jours-ci?

— Non, c'est fini, tout ça, tu le sais bien!

— Tu verras, ces amours-là ne finissent jamais tout à fait! J'irai te voir à Bordeaux.

— Non! s'écria-t-elle.

Sans se formaliser, lui envoyant des lèvres un dernier baiser, César reprit son sac, en lançant d'une voix chantonnante :

— Ciao, ma douce!

On était à la veille du quinze août.

TROISIÈME PARTIE

QUAND Marie arriva à la gare de Bordeaux, le trente et un août, César l'attendait sur le quai.

– Ah! non, s'écria-t-elle, comme il s'emparait de sa valise et de son sac de voyage.

– Pourquoi? Ton mec vient te chercher? demanda César, satisfait de son effet de surprise.

Sans attendre de réponse, il poursuivit :

– Ça pèse une tonne! Tu trimbales des explosifs!

– Lâche ça!

Il tenait trop fermement les poignées des bagages pour que Marie les lui arrache. Un faible cliquetis de verre le renseigna :

– Ta mère t'a donné des bocaux pour tout l'hiver et des provisions pour une semaine, je parie?

– Ça ne te regarde pas! J'ai le droit de rentrer seule chez moi, si je veux!

Il avançait à grands pas, dépassant les autres voyageurs, la forçant à trotter en s'essoufflant à ses côtés. Il mit les bagages dans le coffre de sa voiture, ouvrit la portière droite, attendant que Marie monte. Elle s'y refusait, piétinait. Ils parlementaient encore, alors que la foule s'était écoulée. On klaxonna César, qui s'était garé en double file et, les autres voitures parties, restait seul au milieu de la cour de la gare.

— Monte! tu vois bien que nous bloquons le passage! dit-il, en lui prenant le coude et la poussant dans la voiture.

Elle ne comprit pas comment il retrouva de lui-même le chemin de son quartier et de son immeuble, où il n'était venu qu'une fois. Ses bagages descendus, elle resta debout, sur le trottoir, attendant qu'il parte.

— Tu me prends pour un sauvage? Tu crois que je vais te laisser monter ce barda, que tu peux à peine soulever?

— Si, j'y arrive!

Elle peina en soulevant la valise d'un côté, le sac de l'autre.

— C'est bien ce que je te dis! clama César. Allons, passe devant. Je pose tout ça sur ton palier, tu ouvres, tu regardes si tout va bien et je m'en vais.

— Je ne te crois pas!

— Parce que je suis menteur?

— Non, tu changes d'avis.

— J'ai un rendez-vous à neuf heures et demie. Je n'aurais même pas le temps de prendre un verre avec toi, si je voulais. Simplement, je serai plus tranquille si je te sais rentrée sans embêtements.

— Qu'est-ce que tu veux qu'il m'arrive?

— Tu es partie depuis un mois. Il peut y avoir une fuite d'eau, ton appartement peut être inondé!

— La gardienne m'aurait téléphoné.

— Et si on t'a cambriolée?

Elle baissa le nez. Secrètement, elle nourrissait cette crainte vague. Sentant qu'il avait visé juste, il insista :

— Si tout est en l'air, la fenêtre grande ouverte, tu ne sauras même pas si le gars est encore là ou non, qu'est-ce que tu feras?

— J'ai l'habitude de rentrer toute seule.

Pour ne pas prolonger la discussion, elle céda. Sur

le palier, il attendit docilement qu'elle entre et vérifie que rien ne paraissait anormal.

– Tout va bien, merci. Tu peux me laisser, dit-elle hâtivement.

– Tant mieux! approuva César, allègre, en posant les bagages dans l'entrée.

– Je te dis au revoir tout de suite, parce que je voudrais ranger un peu avant de me coucher.

D'en bas, quelqu'un appela l'ascenseur, dont le mécanisme cliqueta.

– Zut! où sont mes clefs? dit César, tâtant ses poches.

– Tu les avais à la main, pendant que nous attendions l'ascenseur, dit Marie, nerveuse.

– La poche extérieure de ton sac n'était pas fermée, elles ont pu tomber dedans.

Marie recula pour aller vérifier. César se gardait bien d'entrer. L'ascenseur eut un soubresaut, s'arrêta à leur étage. Marie ne voulait pas que ses voisins la voient en discussion avec César qui refusait de s'en aller. Il avança de deux pas, se trouva dans l'appartement, Marie poussa la porte. Obligeant, il la ferma et, d'un doigt posé sur les lèvres, lui fit signe de se taire, pendant que des gens sortaient de l'ascenseur.

– Je n'ai qu'une demi-heure avant mon rendez-vous. Si tu m'offres quelque chose de frais, je ne refuserai pas. Après, il faut que je file, dit César, restant debout.

– J'avais arrêté l'électricité, le frigidaire est débranché. Je n'ai rien de frais.

– Tant pis, ne t'occupe pas de moi. Je partirai dès que j'aurai trouvé mes clefs.

Evitant de faire tinter le trousseau qui n'avait pas quitté sa poche, il fit mine de regarder par terre dans l'entrée, sur le palier et même dans l'ascenseur, resté au même étage. Marie ne le crut qu'à moitié, quand il prétendit enfin les retrouver.

– Je m'en irai dans un quart d'heure, vingt minutes, déclara-t-il.

– Assieds-toi et ne me dérange pas! dit Marie fermement.

Il obéit, s'étendit dans le grand fauteuil qui était le meuble le plus confortable de la pièce, replia une jambe sur l'autre, l'air inoffensif, la regardant déplier ses affaires, accrocher ses robes. Elle s'était arrangée pour lui tourner le dos.

« Ma pauvre douce, songea-t-il, tu devrais quand même savoir que tu es aussi mignonne de dos que de face. »

Elle ne dissimula pas suffisamment vite ses sous-vêtements et il s'attendrit de ces petits bouts de lingerie. Une culotte tomba à ses pieds. Il la ramassa, en écarta l'élastique, la lui tendant au bout de ses doigts largement ouverts. Elle la lui arracha.

– Il est temps que tu ailles à ton rendez-vous, dit-elle, la voix tendue.

Il regarda sa montre.

– Oui. Remarque, ce bonhomme est toujours en retard.

Neuf heures et demie arrivaient. César ne se levait pas. Soudain Marie resta agenouillée sur la moquette, où elle finissait de vider sa valise, se prit la tête dans les poings, cria presque :

– J'en ai marre de toi, marre! Va à ton rendez-vous ou va au diable, mais va-t'en! Je ne veux plus te voir! Tu me cours après quand ça t'arrange, tu me laisses tomber quand tu as mieux à faire et ce sera toujours comme ça!

Il pesa rapidement ses chances. S'il le voulait, elle serait sienne dans les minutes qui suivaient. Mais il valait mieux lui laisser le temps de se réconforter. « ... De me regretter aussi un peu, n'est-ce pas, ma

douce? » continua-t-il dans son monologue intérieur.

« Ne t'en fais pas, Marie, je reviendrai », voulut-il
dire. Mais il fallait la laisser dans l'incertitude.

– Je m'en vais. Bonsoir, mon petit écureuil.

Il la laissa flageolante, les yeux rouges, partagée
entre le rejet et le désir.

Il dévala deux à deux les marches de l'horrible
escalier de béton, car il n'était pas sûr d'avoir le
courage de partir, s'il attendait l'ascenseur. Il imagina la réprobation des honnêtes gens : comme ils le
traiteraient de salaud, s'ils savaient! Et eux, que lui
offriraient-ils à son adorable Marie? Ils l'inviteraient
au restaurant et se vanteraient de la manière dont ils
tenaient tête à leur chef, de l'avancement qu'ils
escomptaient, de leurs astuces et de leurs combines,
déguisant dans cette parade leur début de bedaine et
de calvitie. Les plus sérieux lui offriraient le mariage,
un F3, des vacances dans un terrain de camping.
Mon Dieu! imaginer Marie prisonnière d'un de ces
braves types!

Il émergea dans la rue, monta dans la voiture.
Personne ne l'attendait naturellement.

L'avenir lui paraissait aussi vague que la vie
éternelle.

*

Une dizaine de jours plus tard, on sonna chez
Marie, un matin, à sept heures et demie. Elle regarda
dans l'œilleton, reconnut César, ouvrit et resta là,
tenant la porte ouverte, sans lui proposer d'entrer. Il
ne força pas le passage.

– Bonjour, ma douce. J'ai roulé toute la nuit.
Est-ce que je peux prendre une douche et me raser
chez toi?

– Tu ne loges plus dans l'appartement que t'avait prêté un de tes copains?

– C'était celui qui s'est tué en voiture.

Elle hésitait à le croire.

– Je peux entrer? redemanda César.

Elle s'effaça pour le laisser passer. En effet, il n'avait pas l'air frais.

– Attends que j'aie fini de me préparer, dit-elle. Tu te laveras tranquillement quand je serai partie. Il te suffira de claquer la porte en partant. Pour une fois, tant pis si elle n'est pas verrouillée. Tu veux du café?

– Merci, ça me fera du bien.

Il fut gentil et discret, resta dans la cuisine, devant les affaires du petit déjeuner qu'elle n'avait pas encore rangées, sans chercher à la surprendre dans ses allées et venues entre la pièce et la salle de bain.

– Voilà, je te laisse, dit-elle en prenant son sac à main et en l'enfilant par-dessus la tête, en bandoulière.

En ce chaud début d'automne, elle portait une robe d'été et des sandales à petits talons. Et pas grand-chose dessous, devina César, en lançant un rapide coup d'œil à la manière dont le corps bougeait sous la robe.

– Je ne t'embrasse pas, dit-il, je suis trop sale.

Il posa un baiser sur le bout de son doigt et le doigt sur les lèvres de Marie. Rien de plus.

Quand elle rentra le soir, vers six heures et demie, César, les cheveux encore humides de sa douche, rasé de frais, vêtu de son jean, torse nu, était étalé dans le grand fauteuil, une bière à la main, regardant la télévision.

– Tu vois, j'ai baissé le son, pour les voisins, expliqua-t-il.

Marie posa dans la cuisine les provisions qu'elle avait rapportées, revint près de lui, perplexe.

– Tu es resté là toute la journée?

– Après ton départ, je me suis endormi et je n'ai pas ouvert l'œil avant quatre heures de l'après-midi! Comme je n'avais plus rien de propre à me mettre, j'en ai profité pour laver mes affaires.

Alors seulement, elle remarqua le linge étendu sur le balcon.

– Tu as su te servir de la machine à laver?

– Oui, madame.

– Avec cette chaleur, ça devrait être sec.

Les chemises étaient sèches, en effet, mais pas les slips et les chaussettes, ni les tee-shirts, étendus à l'ombre.

– Qui va repasser tout ça? demanda Marie.

– Je peux le faire tout à l'heure, si ça ne t'ennuie pas.

– Tu sais repasser?

– Pas vraiment, mais ça suffira.

– J'aime mieux m'en occuper moi-même, demain, avant de partir et tout déposer chez la gardienne. Je la préviendrai que tu passeras prendre ça pendant que je suis au bureau. Ce soir, je vais préparer le dîner et tu peux le prendre avec moi, mais après, je ne veux pas que tu restes.

– Pourquoi? tu attends quelqu'un?

– Je ne veux pas, c'est tout.

Elle semblait déterminée.

– Bon, j'accepte ton invitation.

Elle enfila des sandales plates, alla dans la cuisine, où elle mit de l'eau à bouillir, commença à éplucher les légumes.

– Tu fais de la soupe?

– Si tu ne l'aimes pas, tu n'es pas obligé d'en prendre.

– Si, j'aime.

Appuyé d'une épaule au montant de la porte, sa bière à la main, il buvait au goulot à petites gorgées. Il aimait la voir affairée à des tâches ménagères. Elle épluchait avec la dextérité d'une femme de la campagne, formant de minces et longues pelures, sans accrocher le couteau dans les nœuds des pommes de terre et des carottes. La soupe sur le feu, elle prépara vivement et sans bruit la salade, le fromage, les fruits.

Il lui prit des mains le quart de jambon et le couteau à découper qu'elle sortit d'un placard.

– Laisse-moi faire!

– Attention, coupe des tranches minces!

– Il vient de La Faujardie?

– Oui et il faudra t'en contenter, je n'avais rien prévu d'autre. Je te signale aussi que j'ai l'habitude de dîner tôt et dans la cuisine.

– Parfait.

Toujours pieds et torse nus, il fit ce qu'elle lui demandait, coupa le pain, ouvrit une bouteille de vin, essuya la table de formica où sa bouteille de bière vide avait laissé un rond.

– Tu veux que j'arrête la télévision? demanda-t-il.

– Ça m'est égal. On a manqué les nouvelles régionales, le reste n'est pas intéressant.

Quand ils eurent fini de dîner, elle prit ses chemises froissées :

– Je vais te les repasser tout de suite, comme ça tu pourras les emporter ce soir. Remets la télévision, si tu veux.

« La maligne croit me neutraliser. Non, pas de télévision, pensa César. Je vais te regarder, ma douce. »

– Tu n'as pas quelque chose à boire? demanda-t-il.

– Quoi? du whisky? Il doit en rester dans ce placard.

Il trouva la bouteille, la pencha et dit :

– Il y en a un fond.

– Finis-le, j'en rachèterai.

« Il va falloir que je le fasse durer, c'est vraiment un petit fond », songea César. Il se servit, ajouta des glaçons, se coula dans le fauteuil.

Vive, appliquée, elle repassait, sans parler.

– On dirait que tu veux te débarrasser de moi le plus vite possible, fit remarquer César.

– Après une journée au bureau, je n'ai pas envie de passer mes soirées et mes nuits à traîner. J'ai besoin d'être un peu tranquille avant de me coucher. Je termine et tu t'en vas!

– Et si je restais juste ce soir et que je dorme sur ton bout de tapis?

Il désignait le rectangle de peau aux longs poils blancs et frisés, posé sur la moquette. « Leur camelote exotique arrive même ici! C'est tout juste de la bique et on a dû lui faire croire que c'était du lama ou de l'agneau des Indes! »

– Non, répondit Marie.

– Tu sais à quoi tu me fais penser, avec ta voix de maîtresse d'école? A une femme qui veut se refaire une vertu parce qu'elle a enfin rencontré un monsieur convenable.

Marie retourna avec une ombre de nervosité la chemise qu'elle tenait. « Elle n'a pas remarqué que j'étais grossier, se dit César. Je voulais juste m'amuser à la provoquer, mais j'ai peut-être soulevé un lièvre. »

– Un autre homme s'intéresse à toi? reprit César, gentil, pour ne pas effaroucher les confidences qui flottaient dans l'air.

Elle se taisait. Etait-ce un aveu? César se vexa :

— Tu pourrais avoir la politesse de me répondre, au moins!

— Oui, j'ai rencontré quelqu'un, dit Marie, posément.

— C'est vrai? demanda César, encore incrédule.

— Oui, il vaut mieux que je te le dise tout de suite.

Il n'y avait pas cru jusque-là, mais à l'instant la gravité de Marie venait de sonner vrai.

— Tu-as-ren-con-tré-quel-qu'un? martela César. Ça veut dire quoi? Tu as vu un bonhomme, vous vous êtes plu et vous attendez de faire naître la bonne occasion pour fricoter vos saloperies?

— Tais-toi! Si tu me parles sur ce ton, je te fais sortir et je te lance ton linge par la fenêtre!

Il émit un sifflement faussement empreint de considération :

— Admirez comme ça change vite, une femme qui veut larguer un mâle pour un autre! Faut-il que tu sois pressée de te faire enfourner par celui-là! On aime la variété, hein, ma douce?

— Tu es un imbécile! J'ai le droit de rencontrer quelqu'un de sympathique, de normal et d'en avoir par-dessus la tête de tes crises. Voilà ce que c'est, il n'y a pas de quoi en faire un roman.

— Tu prends ton air virginal et tu me mets à la porte, juste en prévision d'un petit bavardage, demain ou après-demain, avec quelqu'un de normal et de sympathique? C'est ce que tu prétends me faire croire?

— Oui!

— Menteuse! enragea César. Elles commencent toutes comme ça : par la conversation! Et ce mec-là, comme les autres, sait qu'il faut y passer, par la conversation, pour arriver ailleurs, entre leurs sacrées bon sang de cuisses! Vous avez parlé en prenant un verre?

Marie se tut.

– Au restaurant? Vous en êtes déjà là? C'est la dernière étape avant le grand écart! Bravo, mon vieux, ça n'a pas traîné! Toi, tu appelles ça bavarder et lui, sans même écouter ce que tu racontes, il évalue tes seins, tes hanches et ta croupe quand tu te lèves, et le reste. Il ne faut pas oublier le cher petit reste, si prometteur, si accueillant! Salope!

Blanche, Marie posa le fer.

– Un mot de plus et je ne te reverrai jamais!

Au fond de sa fureur, il comprit qu'il avait été trop loin, fit péniblement marche arrière.

– Bon, je veux bien te croire, souffla-t-il, en s'efforçant de contrôler sa respiration. Mais ne te laisse pas avoir par ce que racontent ces salauds. Il est jeune ou vieux, d'abord?

– Jeune.

– Bravo! tu as bien choisi! Un gamin qui ne pense qu'à baiser! Evidemment, au début, il fera semblant de s'intéresser à ce que tu racontes, tant il aura envie d'atterrir dans ton lit. Tu te laisseras attendrir, tu croiras qu'il te comprend. Et puis, il prendra ses aises, trouvera économique de dîner et de coucher chez toi, et de partir le jour où ça l'arrange!

– C'est bien ce que tu fais!

– Moi, ce n'est pas pareil. Nous avons été élevés ensemble, nous nous sommes toujours aimés.

– Non.

– Quoi, non?

– Je te plais, mais tu ne m'aimes pas. Tu n'aimes personne.

Il en resta interdit car, là, elle touchait de bien près la vérité. Il se tassa dans le fauteuil, faisant machinalement tournoyer les glaçons dans son verre.

– Je ne supporte pas l'idée que ce type te touche! dit-il sombrement.

– Puisque je te dis qu'il ne m'a pas touchée!

– Si! Un homme qui a envie d'une femme la touche toujours! Cela prouve seulement qu'il est adroit, qu'il sait attendre, qu'il s'est contenté jusqu'ici de te prendre par le bras, par l'épaule, en passant, comme des gestes naturels, sans importance. Si tu ne t'en aperçois pas ou que ça ne te dérange pas, c'est que déjà il te plaît!

Soudain, César se sentit prêt à basculer dans une violence folle. Le grand éclair noir du sadisme l'éblouit. S'il touchait Marie, il était un homme fini. En un sursaut de lucidité, il se demanda s'il s'agissait de jalousie ou plutôt de panique, à la pensée de perdre le seul être sur lequel il exerçât encore un pouvoir.

Ils restèrent une longue minute, chacun de son côté, à émerger de leur vertige. En revenant à la surface de lui-même César ne sut si c'était en rêve ou en réalité qu'il avait rencontré ce frère humain étrange et dépravé, qui lui ressemblait comme un jumeau et qu'il avait de bien peu refusé de suivre.

Marie finit de plier la dernière chemise.

– Voilà, j'ai terminé, dit-elle, la voix encore incertaine. Je vais te ranger ça dans un sac en plastique. Tu pourras l'emporter ce soir.

Encore pantelant, César s'étonna de la rapidité avec laquelle elle passait des outrances du cœur et de la chair aux questions de popote. Il fixa le sac qu'elle lui tendait, refusant de le prendre, de constater qu'il n'avait plus d'excuse pour s'attarder.

– Attention, tiens-le droit! recommanda-t-elle.

– Laisse-moi dormir cinq minutes dans ton fauteuil. Je suis comme soûl. Si je pars maintenant, j'aurai un accident.

– Commence par mettre une chemise, tu vas prendre froid. Laquelle veux-tu?

– Je m'en fous!

– Bon, celle-là.

Maternelle et précise, elle déplia la chemise pliée un quart d'heure plus tôt, la lui tendit, déboutonnée, sans qu'il bouge.

– César, mets-la, voyons!

Il se redressa un peu, tendit un bras, eut un pâle sourire.

– Joue les grandes sœurs, habille-moi!

– Sois raisonnable!

– Si tu refuses, je ne bouge pas.

Il se renfonça dans le fauteuil.

– Lève-toi et ne fais pas l'enfant!

Il finit par obéir, tenant son verre de whisky, qu'il changea de main en enfilant une manche après l'autre de la chemise que tenait Marie. Elle ferma les deux boutons du haut.

– Je te laisse terminer, dit-elle, en débranchant le fer, qu'elle posa par terre, sur un morceau de molleton.

Pendant qu'elle repliait la planche à repasser, César l'avertit :

– Puisque c'est comme ça, je vais sortir pieds nus, ma chemise flottant sur mon pantalon, comme un bourgeois de Calais.

Résigné, il finit de s'habiller. En lui disant bonsoir, il se contenta de lui donner un léger baiser à la commissure des lèvres. Comme elle allait appuyer sur le bouton pour appeler l'ascenseur, il l'arrêta :

– Je descends à pied, j'ai horreur de ces boîtes en métal.

Marie écouta le son étouffé de ses pas dégringolant l'escalier. Elle ferma la porte, rentra dans l'unique pièce de son appartement, tomba sur le lit, claquant des dents comme si elle venait d'être repêchée après une tentative de suicide. Elle ramena son dessus-de-lit sur elle, s'y pelotonna. Hébétée, sentant qu'elle s'endormait, elle se releva, se déshabilla, se lava à peine et se laissa aller à une somnolence fiévreuse d'où elle finit par glisser dans le sommeil.

*

Vers le 15 septembre, César téléphona à Finou, après être resté presque deux semaines sans donner de ses nouvelles. Vermeulen dissimulait son mécontentement et l'attendait, lui confirma-t-elle. Elle répéta mot à mot le message qu'elle était chargée de transmettre à César : Deux – oui, le chiffre deux – était accepté. C'était cela ou la rupture, avec les conséquences qu'il connaissait.

– Bon, admit César. Quand il rappellera, dis-lui que je suis d'accord. Qu'il fixe la date où il amènera Maerten à La Faujardie, mais je tiens à négocier seul en tête à tête avec le vieux.

La lassitude aidant, les difficultés furent aplanies des deux côtés. Rendez-vous fut pris pour un vendredi, fin septembre, à cinq heures de l'après-midi.

Finou fourbit le salon, non par égard pour les invités attendus, mais par amour-propre. Elle n'aurait pas toléré que des étrangers croient la vieille demeure à l'abandon et se gaussent de la famille Abadie.

La pluie était venue au début de la semaine, torrentielle pendant une journée, fine mais incessante le lendemain. Le vendredi après-midi, Paul, qui tenait à être absent lors de cette rencontre, alla semer du colza dans une pièce de terre éloignée. La chienne Zaza souffrant opportunément d'arthrite dans une patte, René, accompagné de Daniel, la conduisit chez le vétérinaire et reçut pour instruction de ne pas rentrer avant sept heures.

César, qui ne tenait pas en place, sortit après le déjeuner, prévenant Finou qu'il rentrerait peu avant cinq heures.

Finou, restée seule, tricotait sous le tilleul quand, vers trois heures, une voiture dont elle ne connaissait pas le bruit s'arrêta devant le portail. Des portes claquèrent. Ce M. Maerten serait-il tellement en avance? pensa-t-elle avec inquiétude.

A la queue leu leu, apparurent dans la cour une forte femme aux cheveux teints de couleur rouille, gris à la racine, un homme à casquette dont on devinait qu'il n'avait pas voix au chapitre, et deux jouvenceaux, garçon et fille, se tenant maladroitement en arrière, ne sachant, comme ceux de leur âge, ni se présenter ni se conduire dès qu'ils sortent du cercle étroit qui leur est familier.

Finou se leva au dernier moment, quand la grosse femme était déjà dans l'ombre du tilleul, et avec une réserve laissant imaginer qu'elle ne connaissait pas ces visiteurs.

— Bonjour, Finou! claironna la dame, dont l'accoutrement coloré trahissait l'assurance et probablement une réussite récente.

— Té, c'est vous, Yvette, dit enfin la Finou, comme si elle venait tout juste de reconnaître la femme.

Elles s'embrassèrent sans chaleur. Les mêmes embrassades furent échangées avec Maurice, le mari.

— Vous reconnaissez Gérard?

Finou examina le grand dadais à l'air mou qui l'avait appelée Tata sans conviction.

— Peut-être bien, répondit-elle sans se commettre.

— Et voilà Sylvie, sa fiancée, poursuivit la mère.

Une poignée de main faisait l'affaire pour qui n'était pas de la famille. Celle-là, avec son physique de souris, c'est une maligne, pensa Finou. Elle sait que le magasin de chaussures des parents marche bien et elle s'est attrapé le fils. En effet, les yeux fureteurs de la petite examinaient la maison, avec un mélange d'admiration pour ce qu'elle annonçait du rang social des propriétaires et de déception devant son délabrement.

Quand il fallut sortir des sièges, elle se proposa pour aider Finou, qui refusa, déclarant d'un ton net : « Gérard va m'aider », sachant que ce niais ne remarquerait rien et que la petite, au contraire, mourait d'envie d'apercevoir l'intérieur de la maison.

« J'expédierai tout ce monde-là en une demi-heure », jaugea Finou.

La conversation fut laborieuse. Depuis des années, Finou et la sœur de son mari « ne se parlaient plus », comme on dit. Cette forme de renfroidissement se situe un cran au-dessous de la brouille et signifie que l'on s'ignore mutuellement. La vieille femme se méfiait de cette visite que seul pouvait guider l'intérêt ou le souci de déterrer quelque nouveau motif de querelle. La visiteuse pressait contre son ventre un sac à main en peau de porc, trop neuf pour être posé dans l'herbe ou sur la table de fer à la peinture écaillée.

— On voulait que vous fassiez connaissance avec Sylvie, continua la dame.

En position de force, puisqu'elle n'avait rien à solliciter, Finou se contenta d'enregistrer d'un hochement de tête cette explication, sans en croire un mot. Avantageuse, l'autre se mit en devoir de faire briller sa future belle-fille.

— Elle a fait dactylo et travaille chez un grand avocat, qui a son cabinet dans notre rue, juste après le magasin.

« Si on ne parle pas des parents de la gamine, c'est qu'ils ne valent pas grand-chose », estima Finou, sans faire de commentaires. Il n'était pas question qu'elle aide sa belle-sœur à sortir ce qu'elle avait derrière la tête. Elle avait pris l'initiative de cette présentation, qu'elle en fasse les frais!

Insensible à ces réticences, auxquelles elle était préparée, la grosse dame en vint tout naturellement aux perspectives d'avenir de son fils. Le jeune homme avait commencé un BTS de gestion, qu'il avait abandonné pour faire son service militaire. Désirant se marier, il cherchait maintenant un emploi.

– Il pourrait vous aider au magasin, dit la Finou, sournoisement, en pensant : « Ce serait trop fatigant pour toi de te baisser et d'enfiler des chaussures aux pieds de quelqu'un! »

– Le magasin, c'est pas son affaire. Il préfère travailler dans un bureau.

– Mais c'est pas facile, hasarda le mari. Maintenant, il faut une formation et des diplômes, même pour faire employé aux écritures ou quelque chose comme ça.

Sa femme, retenant le sac rutilant sur son estomac, s'empressa d'ajouter, pour être sûre que son mari en dirait le moins possible :

– Employé aux écritures! ça se disait dans le temps! Aujourd'hui, ça n'existe plus. Maintenant, Gérard est inscrit en informatique, c'est ce qu'il faut pour réussir de nos jours et c'est ce qui lui plaît, hein, Gérard? fit-elle avec détermination, en se tournant vers son rejeton.

Celui-ci lâcha la main de sa fiancée qu'il pétrissait, en lui glissant quelques mots et répondit faiblement à sa mère :

– Ouais, c'est ça.

« Tu vas pas bientôt arrêter de tripoter ce sac, pour que je le voie bien! » pensait Finou, en fixant sa belle-sœur.

– Cette fois, il faudrait qu'il aille jusqu'au diplôme, dit le père, balançant sa casquette entre ses genoux et s'avançant au bord de la chaise dépaillée qui lui irritait le postérieur.

Etonné de ne pas être interrompu, il s'enhardit et compléta :

— Toutes ces écoles, ça ne sert qu'à vous manger votre argent. Pour le permis de conduire, c'est pareil. Lui, si on l'écoutait, il ferait rien d'autre que bricoler sa voiture, pourtant il faut bien qu'il trouve un emploi convenable!

— Pourquoi il ne fait pas mécanicien? suggéra Finou, sentant que la mère y était opposée.

— Tu vois..., commença le père, s'accrochant à ce soutien inattendu.

On le fit taire sans ménagement.

— Ah! non, dit la rousse Yvette, pour qu'il s'en sorte, il faudrait lui acheter un garage, ça irait chercher trop loin.

« Je vois, se dit Finou, il sait bricoler mais pas travailler. »

La mère se pencha et prit un air important :

— Avec les appuis qu'on a, du côté de Maurice, dans la Haute-Vienne, et son cousin Roland, qui a un très bon poste à la préfecture de Limoges, on s'occupe de lui trouver un travail par là.

Finou regarda le petit homme falot, dont on lui avait rapporté qu'il se tenait sur le seuil du magasin, saluant les personnes de connaissance qui passaient dans la rue et interrogeant les clients à leur entrée, les dirigeant vers l'une ou l'autre des deux vendeuses. Sa femme tenait la caisse et ne lui avait jamais confié ce rôle. Yvette poursuivait :

— Evidemment, la Haute-Vienne c'est pas la Dordogne. Mais c'est moins loin qu'ailleurs. Il pourra revenir tous les week-ends. Alors que, croyez-moi, dans les grosses boîtes, ils ne se gênent pas. On déporte les jeunes à des vraies distances de chez eux! On a un petit voisin qui s'est retrouvé à travailler dans le Puy-de-Dôme, et pas à Clermont-Ferrand, dans une sous-préfecture, je sais plus laquelle. Il n'y avait pas de train direct pour revenir même sur Périgueux. Et là-bas, ils ont un drôle de climat! L'hiver, les routes sont si mauvaises qu'on peut pas toujours circuler. Heureusement, ses parents avaient du piston et ils ont pu le faire revenir à l'EDF, à Bergerac. Enfin, des coins isolés comme ça, c'est pas intéressant. Et ça coûte! Faut se loger, toujours le restaurant, personne pour vous laver votre linge. Gérard a pas été habitué comme ça. Je lui tiens ses affaires impeccables, c'est pas pour qu'il aille vivre à des kilomètres, à mal se nourrir et à pas se tenir propre. Il voudrait pas de ça, d'ailleurs, alors qu'à Limoges, avec le cousin de Maurice, ce serait moins pire, n'est-ce pas, Gérard?

Le garçon se déjeta d'une fesse sur l'autre avant de répondre :

. – Ben non. Avec les trajets et le reste, on y laisse quand même toute sa paye. Ça vaut pas le coup.

La mère s'empressa de dissiper cette mauvaise impression en vantant les avantages de Limoges. Finou laissa exprès passer un bon moment avant de demander :

– Vous boirez bien quelque chose?

La mère protesta mollement :

– Vous dérangez pas, on n'a pas soif.

Comme il se doit, Finou insista, Yvette céda. Le garçon accompagna la vieille femme, une fois encore, pour l'aider à rapporter les boissons, des bières pour les hommes, du jus de fruit pour les femmes. La bouteille d'orangeade étant ancienne, Finou la secoua subrepticement, afin que les visiteurs ne voient pas la pulpe de couleur ocre tassée dans le fond.

« Ça ne devrait pas leur causer de mal, se dit-elle. Si ça leur en causait, ça me ferait pas deuil. »

On se servit, alors que retombait à nouveau un silence contraint, dont sortit la mère.

— On est allés au cimetière pour montrer à Sylvie la tombe du grand-père Lafargue.

Finou avança l'assiette de biscuits vers sa belle-sœur qui se servit du bout des doigts, en poursuivant.

— Et on ne l'a pas trouvée, cette tombe...

Sans hâte, Finou continua à passer les biscuits à la ronde.

— Pourtant, elle y était bien, quand on est venus à l'enterrement du Lucien.

« Parlons-en! grinça la Finou en elle-même. Vous êtes venus à l'église et au cimetière, pour repartir aussitôt, sans monter jusqu'à la maison, avant ni après! »

Le silence retomba. La grosse dame ne pouvait aller plus loin sans paraître attaquer. C'était à Finou de répondre. Au moins, elle connaissait maintenant le motif de leur visite. Elle se réservait de découvrir plus tard qui avait parlé à Yvette de la tombe supprimée.

— La commune a fait des travaux au cimetière. Il a fallu la déplacer pour qu'ils puissent élargir l'allée et faire passer le corbillard.

— Et alors, où elle se trouve maintenant?

— La mairie pouvait pas nous redonner un emplacement juste pour le pépé. D'ailleurs, la tombe était en mauvais état. Avec le gel, la pierre s'était fendue et il y avait des infiltrations.

— Où vous l'avez mis, alors?

— Je suis pas été le tirer du ciel, dit la Finou sèchement.

— Enfin, où il est ce cercueil? s'énerva la dame rousse.

— Avec le Lucien.

286

Yvette se tourna vers son mari, le prenant à témoin de la gravité du fait et appuya :

– Vous avez fait ça sans nous prévenir?

– J'allais pas vous courir après jusqu'à Bergerac! Depuis des années, vous ne veniez même pas à la Toussaint!

– N'empêche qu'il aurait fallu nous demander!

– Vous ne vous êtes pas montrés pendant tout ce temps, non? Qui a payé l'entretien de la tombe du pépé, et les chrysanthèmes à la Toussaint et la pièce au cantonnier? Pas vous, toujours!

– Mais la tombe du pépé, c'est Lucien et moi qui l'avons payée. Vu que la maman était morte en quarante et avait voulu être enterrée chez elle, à Saint-Julien, et qu'on avait mis le papa avec elle, quand il était mort en cinquante-quatre, puisqu'on n'avait pas de tombe à Reyssac. Et le pépé, qui a tenu le coup jusqu'en cinquante-six, il a bien fallu lui payer sa tombe et son enterrement, comme il restait plus de place ailleurs. Vous y avez pensé aux frais que ça nous a faits?

Les trois autres avaient reposé leurs verres, pour ne pas troubler par leurs déglutitions ce genre de mise au point, qui a lieu entre femmes parlant au nom de leur branche, et d'où naît souvent l'éclatement des familles. Le mari, inerte, les jeunes, les yeux au sol, laissèrent s'affronter les vraies détentrices du pouvoir, avec lesquelles ils n'étaient pas de taille à se mesurer.

Le déballage eut lieu, nourri de vingt ans de rancœur, du rappel de chaque méfait commis de part et d'autre : une plaque de cheminée prise par Yvette dans l'héritage de sa mère, les pièces d'or qui ne se seraient pas retrouvées après la mort du pépé.

Finou s'insurgea :

– Qui l'a logé, nourri et soigné, en plus de votre père, de 1940 à 1956? Il se salissait, il n'avait plus sa tête! De tout ce temps-là, vous lui avez donné une fois un demi-jambon, et rien d'autre!

– Vous étiez sur place, et vous savez bien qu'il voulait pas venir habiter en ville. D'ailleurs, vous appelez ça soigner, quand on nous a raconté que la veille de sa mort, vous avez dit à Lucien : « On va pas encore le changer de draps, puisque le docteur a dit qu'il risquait d'y passer d'une heure à l'autre. »

– Vous cherchez quoi? dit Finou, le poing au bord de la table, pendant que sa belle-sœur, comme si elle se sentait menacée, se rétractait sur sa chaise, barricadée derrière son sac neuf. Vous voulez qu'on fasse des comptes, après toutes ces années? Je vous préviens, vous n'y gagnerez pas et vous pourriez même avoir à me payer plus que vous ne pensez!

– Allons, allons, intervint le mari, il s'agit seulement de trouver un arrangement juste.

– Juste! cria Finou. Combien vous me payerez pour les cinq ans que j'ai passés à torcher le pépé? Ça se calcule comment, ça? C'est un salaire d'infirmière que vous me devez et pour tout ce temps-là! Voilà ce que je veux, si la Yvette tient à faire les comptes!

Celle-ci battit légèrement en retraite.

– N'empêche, le Lucien et moi, on a été de moitié dans les frais de la tombe. Quand vous l'avez supprimée, vous auriez dû m'en parler. Si on partage les frais, on partage les décisions.

– Quoi encore? Vous voulez peut-être aussi la moitié des os du pépé?

Prise de court, Yvette se tut un instant et, ne voulant pas démordre de ses exigences de partage, grommela :

– Té, ce serait justice.

– Qui va payer l'ouverture de la tombe et du cercueil? triompha Finou.

– On partagera, s'obstina la belle-sœur.

– Vous croyez que la loi vous permet de prendre la moitié d'un bonhomme, comme ça?

– On pourra au moins lui enlever son alliance! C'est vous qui l'avez laissé enterrer avec!

– Vous pourrez aussi récupérer le costume et les chaussures avec lesquels on l'a mis en bière! C'est vous qui avez voulu le cercueil le moins cher! Résultat, quand on l'a sorti, le fond était crevé, le pépé, on lui voyait les chaussures! D'ailleurs, je me moque de vos histoires! Si vous tenez tant à récupérer l'alliance, ça pourrait être que votre magasin ne marche pas aussi bien que vous le dites!

Sous l'insulte, Yvette suffoqua :

– Dans ma famille, on avait du bien! Chez vous, rien! C'est pour ça que vous avez mis le grappin sur ce pauvre Lucien. Et ça vous a pas empêchée de le tromper ensuite!

– Pauvre femme, va! dit Finou avec commisération. Vous êtes encore vexée que mon Lucien n'ait pas épousé cette Andrée, que vous lui aviez présentée, voilà tout!

– Vous l'avez brouillé avec sa famille! cria la grosse dame, arc-boutée sur son sac.

– Si vous croyez qu'il était content de vous voir! Vous le traitiez comme votre mari, et c'était pas joli à entendre!

– Allons, Yvette..., dit faiblement le pauvre homme ainsi mis en cause, mais sans oser intervenir franchement.

Les deux femmes ignorèrent cette interruption.

– Et M. Paul, vous ne l'avez pas isolé depuis la mort de son père?

– Il n'a plus de famille, coupa Finou.

– Pardon! On lui connaît deux cousines à Cahors et un vieil oncle, qui était curé à Sarlat et qui vit maintenant dans une maison de retraite. Et son cousin, M. Maillac, qui cultive sa belle propriété et gagne des concours avec ses poneys?

— Même du temps de M. et Mme Abadie, c'étaient des personnes qu'on ne voyait pas.

Ramassée sur elle-même, Finou ne se livrait pas. L'autre, plus sanguine et habituée à régner sans partage, s'échauffait :

— La vérité, c'est que nous vous gênions et que vous vouliez mener vos manigances sans témoins! Vous avez tout fait pour couper M. Paul de la société, vous l'avez enfermé, pour l'empêcher de se marier! Plutôt que de laisser vendre La Faujardie, vous comptez bien que plus tard il la léguera à votre petit-fils! Quant à M. César, il est revenu, mais avec les bêtises qu'il fait, il finira en prison!

Elle secoua brutalement la main que, dans une tentative d'apaisement, son mari lui avait posée sur le bras.

— Vous vous faites des illusions sur ces gens-là! aboya-t-elle. Les nobles et les gros bourgeois de par ici, qui possèdent les mêmes terres depuis des générations, c'est comme les hommes politiques, ils vous touchent la main, quand ils font leur tournée sur les marchés, avant les élections, mais ils vous donnent rien!

Elle fit claquer l'ongle de son pouce sur ses dents.

— Pauvre femme! dit Finou avec mépris. Comment vous connaîtriez ces vieilles familles, qui ne vous laisseraient pas entrer chez elles, même dans la cuisine, avec le genre que vous vous donnez!

La voix d'Yvette se fit hystérique :

— M. Paul finira vieux garçon et on vendra tout ça! glapit-elle, vengeresse, lâchant son sac d'une main pour englober d'un geste circulaire les bâtiments et les terres. Votre fille a beau avoir couché avec on ne sait lequel de ces messieurs, votre Daniel n'aura en héritage que les quatre sous que vous lui mettrez de côté!

– Il saura travailler et gagner sa vie, ce qui n'est pas le cas de tout le monde, dit Finou, hautaine. Il a de l'éducation, mais vous ne savez même pas ce que ça veut dire!

– Allons, Yvette, interrompit le mari d'un ton plaintif, il faut partir. Tu sais bien que je dois repasser au magasin avant six heures.

– Ça peut attendre demain! dit aigrement sa femme.

– Mais c'est toi qui voulais..., commença le petit homme, qui renonça à achever sa phrase, comprenant qu'il aurait tort de toute manière.

L'argument porta cependant, ou peut-être Yvette comprit-elle qu'elle s'était aventurée en terrain moins sûr, en parlant de la famille Abadie. Les deux belles-sœurs se tinrent ostensiblement à l'écart l'une de l'autre, pendant que le mari, ne voulant pas s'associer à l'initiative de sa femme et partager avec elle la responsabilité d'une rupture, bafouillait quelques paroles de modération et échangeait avec Finou des salutations écourtées. Le nez bas, les deux jeunes l'imitèrent. La mère laissa faire pour garder la possibilité d'une ouverture, si un jour les circonstances le demandaient et les visiteurs repartirent dans le même ordre qu'à l'arrivée.

– De quoi elle se mêle, cette guenon! marmonna Finou, qui resta debout sous le portail jusqu'à ce que la voiture ait disparu, non par respect des convenances, mais pour incruster dans le dos de cette femme son regard perçant, chargé de mépris et de souhaits néfastes.

291

*

César revint enfin et, une ou deux minutes après cinq heures, une voiture se fit entendre dans l'avenue. Quand elle s'approcha, Finou, qui s'attendait à quelque nouveauté et un peu de véritable élégance, reconnut avec déception le gros véhicule maladroit de Vermeulen. Il valait très cher, lui avait-on dit, mais elle ne le trouvait guère plus beau qu'une bétaillère. « C'est mieux comme ça, sans doute, admit-elle. On est habitué dans le pays à voir cette vilaine auto, ça évitera les jacasseries. »

Le Hollandais était au volant. Il ouvrit la portière de droite et, respectueusement, aida à descendre un petit vieillard coiffé d'un chapeau, enveloppé, malgré la chaleur, d'un ample manteau et d'une écharpe. Il resta debout, sur ses jambes grêles, la main tendue, jusqu'à ce que Vermeulen ait plongé vers le siège arrière pour prendre une canne qu'il lui mit dans la main.

A pas minuscules, Maerten – il fallait bien que ce soit lui – s'avança jusqu'au portail, puis attendit que Vermeulen le rejoigne et le soutienne de son bras. Finou s'approcha, nota que le manteau était en vigogne. Elle avait été à bonne école avec M. Abadie et savait reconnaître la qualité d'un tissu.

– M. César Abadie est-il là, je vous prie? demanda Maerten d'une voix enrhumée de vieille femme. Il m'attend.

– En effet, monsieur, dit Finou avec une dignité sévère. Si vous voulez bien me suivre...

D'après ce qu'elle savait du collectionneur, il ne méritait pas l'emploi de la troisième personne. Impérieux, le vieillard repoussa alors Vermeulen :

– Madame va m'aider. Descendez plutôt la serviette!

– J'y vais, répondit le gros homme, transformé en exécutant docile.

La main maigre et tremblante de Maerten se posa sur le bras de Finou, les doigts osseux s'y crispèrent, comme des pattes d'oiseau de proie. Déjà César ouvrait la porte du vestibule, venait au-devant du visiteur, qu'il salua avec aisance. Rien n'indiquait qu'il était acculé, sans argent et sans avenir, trop heureux d'accepter les termes qu'on lui proposait.

« On se croirait revenu au temps de Monsieur, se dit Finou avec nostalgie, sauf que celui-là et son Vermeulen sont plutôt crapules et compagnie. »

Quand il dut passer de l'herbe de la cour au cailloutis qui bordait la maison, Maerten usa de lenteurs et de précautions infinies. « Peut-être se fait-il plus infirme qu'il n'est, pour atténuer la vigilance de ses interlocuteurs », songea César. De ses pas de poupée mécanique, Maerten progressa à nouveau, examinant César à petits coups, de son regard vif et sans cils.

Vermeulen les rejoignit, portant une lourde serviette, dont le contenu distendait les soufflets. César l'accueillit d'un simple signe de tête. Tous entrèrent dans le salon. Finou désigna à Maerten un des fauteuils Louis XVI, les bergères et le canapé étant trop bas et trop profonds pour lui. D'un hochement sec et d'un doigt rabattu sur le pommeau de sa canne, il approuva. Elle le soutint jusqu'au bout, le porta presque pour le faire asseoir, approcha un tabouret de tapisserie, où il étendit sa jambe raide.

A petits coups de canne sur le parquet, il indiqua l'endroit où devait être déposée la serviette, avant de congédier Vermeulen :

– Ne vous éloignez pas, Frans. Je vous appellerai quand j'aurai besoin de vous.

« Eh bien, mon gros, cette fois tu te fais traiter en larbin! » se dit Finou, satisfaite d'avoir deviné juste et de n'être pas, elle, au service d'un vulgaire parvenu.

– Je vous remercie, madame, fit le vieillard, avec une inclinaison de tête.

– Merci, Finou, dit César à son tour, soudain redevenu courtois et familier, comme l'était son père. Peux-tu fermer la fenêtre avant de sortir?

Il se tourna vers Maerten :

– Que souhaitez-vous boire, monsieur?

– Je ne prends rien hors de chez moi, répondit le vieil oiseau, occupé à s'installer dans le fauteuil.

Finou remarqua contre la bibliothèque un rouleau soigneusement enveloppé de papier kraft et deux gros paquets emballés de façon rudimentaire. A travers la porte refermée, lui parvint la voix de crécelle qui disait à César :

– Vous avez beaucoup de chance que j'aie accepté de me déplacer sans que vous ayez montré à Vermeulen autre chose que des photos!

Le gros homme attendait dans le vestibule. Quand Finou reparut et se dirigea vers le tilleul, il lui demanda la permission de la suivre et de s'asseoir près d'elle. « Si ce sont les ordres que vous avez reçus... », dit-elle froidement. Tous deux se placèrent de manière à ne pas perdre de vue les fenêtres du salon.

Comprenant qu'elle ne ferait pas les frais de la conversation, il parla des beautés de la région qui, à l'en croire, auraient impressionné Maerten et conclut par un couplet à la louange d'un château, transformé en hôtel, où ils avaient déjeuné la veille.

« Pauvre homme, va! songeait Finou. D'abord, c'est dans le Lot, même pas en Dordogne. Et puis, il suffit de payer pour aller dans ces endroits-là. Etre invité dans un château, c'est autre chose! En plus, je suis sûre que ton Maerten ne s'intéresse qu'à l'argent. » Mue par une inspiration soudaine, autant que par le désir de remettre à sa place le gros homme qui s'était cru l'égal de César, elle demanda :

— Vous ne seriez pas un peu son garde du corps à ce monsieur?

Un instant, la placidité de Vermeulen fut ébranlée. Quand il se mit à rire, il n'avait pas l'air de s'amuser du tout :

— Vous avez vu trop de films à la télévision! s'exclama-t-il.

— Je sais ce que je vois, grommela Finou.

Une demi-heure plus tard, César rouvrit la fenêtre du salon. Le Hollandais l'interrogea d'un geste du menton. Sur le signe affirmatif qu'il reçut en retour, il regagna le salon. Tous trois sortirent peu après, Maerten faisant à nouveau appel au bras de Finou, où il enfonça la corne grise de ses serres. Le groupe régla son pas sur le sien, César avec une sobriété d'homme du monde, Vermeulen portant le rouleau qui contenait les toiles et la serviette, dont on devinait qu'elle était vide.

Maerten resta debout près de la voiture, jusqu'à ce que Vermeulen ait fait deux autres allées et venues pour rapporter les cadres. Finou fut mécontente que César ne lui ait pas confié le soin de les empaqueter, tant ce gros papier qui crevait aux angles et ces ficelles mal ajustées lui faisaient honte. Avec un soin maniaque, le vieillard dirigea l'opération, faisant mettre les toiles enroulées sur le siège arrière, et dresser contre lui les cadres, séparés par une épaisseur de mousse de nylon.

Avant que Vermeulen ne se mît au volant, César lui tendit une liasse de billets, en règlement de sa dette de jeu.

Enfin, très doucement, la voiture descendit l'avenue, et il se retrouva seul avec Finou. Côte à côte, ils regagnèrent la maison.

— Tu sais ce que m'a appris Maerten? demanda

César tout à coup. Aux Etats-Unis, Vermeulen a été son valet de chambre, puis son chauffeur.

– Ça ne m'étonne pas, dit Finou, méprisante. Et comment ils vous ont retrouvés?

– Par un domestique, renvoyé peu avant le vol. Les renseignements qu'il avait donnés à Bob avaient permis de monter l'affaire. Viens! ajouta-t-il, la retenant à l'entrée du vestibule.

Elle le suivit dans le salon. Là, il lui montra deux sacs de toile, de ceux qu'utilisaient autrefois les marins, fermés par une corde.

– Montons cela! Je t'expliquerai de quoi il s'agit.

Parvenu dans sa chambre, il les ouvrit, lui montra les liasses de billets usagés qui les remplissaient à moitié :

– Il y a un peu moins d'un million – cent millions de tes anciens francs – dans chacun de ces sacs, expliqua César. Je compte partir lundi, en déposer un quart environ dans une banque à Bordeaux, emporter le reste. Si tout va bien, vous ne me reverrez pas de longtemps. Au cas où les choses ne tourneraient pas comme je le prévois, si tu récupères tout ou une partie de cette somme, la moitié sera pour Marie et pour toi, l'autre moitié pour Paul. Regarde! Sur le dessus, il y a des francs français. Au fond, ce sont des dollars.

Il pêcha un paquet de billets verts, qu'elle regarda d'un air maussade :

– Pourquoi tu as accepté ça?

– C'est moi qui les ai demandés.

– Eh bien! dit-elle, accablée. Tu as préféré leur papier américain plutôt que de beaux napoléons! On te les aurait gardés ici, dans un coin, ça t'aurait fait une garantie.

– L'argent, ça doit être placé et pas caché dans un trou.

– Je sais, admit-elle, sans se départir de sa méfiance. Et quand leur Bourse dégringole, il vous reste vos yeux pour pleurer!

Il referma les deux sacs, les boucla à double tour à l'intérieur du placard dissimulé dans la boiserie, sous la fenêtre de son cabinet de toilette. Tenant la clef à bout de bras, il la déposa sur le rebord du crucifix accroché au-dessus de son lit.

– Si tu crois que le Bon Dieu va te servir de banquier et s'occuper de tes sous! remarqua Finou.

– Au moins, il ne les dépensera pas.

– Bon, j'ai à faire en bas, dit-elle, tournant les talons.

Arrivée à la porte, elle se retourna :

– Ce que tu m'as montré, ça vaudrait en cas qu'il t'arrive quelque chose. Et si tout va bien pour toi?

– Je te l'ai dit, je m'en irai.

– Alors, tu ne laisserais rien pour Daniel?

– Si, bien sûr, j'allais t'en parler, mentit César. Je te donnerai de l'argent avant de partir, ensuite je t'en enverrai chaque année, pour lui permettre de faire des études.

– Je vois, conclut Finou, sans illusions.

Il la rattrapa, lui passa le bras sur les épaules, alors seulement montra combien il exultait :

– Finou, enfin je suis sorti des pattes de ces combinards! Ils ont peut-être eu Bob, mais il n'y a pas de danger qu'ils me remettent la main dessus!

– Des combinards, tu en trouveras partout, dit-elle, sévère. Si ce n'est pas ceux-là, ce sera d'autres, ou pire.

Il rit, détendu, rajeuni, imperméable aux objections.

Maintenant qu'il avait touché cet argent, il se sentait invulnérable. Enfin, la chance avait tourné! Il jubilait, s'attendrissait en pensant à Marie, riait de ses propres craintes : « Ma douce, tu avais pourtant réussi à me faire peur, avec tes prédictions de sorcière de village! »

Pendant le dîner, devant Finou réservée, Paul et René, pas plus bavards qu'à l'ordinaire, Daniel intrigué, il ne put dissimuler son allégresse, l'expliquant par l'heureux dénouement d'une affaire délicate qui l'avait retenu en France jusque-là. En se levant de table, il s'avança dans la cour, au milieu de la nuit tiède, les bras étendus, prêt à la bénédiction et à la conquête.

Devant l'écurie, René calait son thermos de café contre le siège de sa 2 CV. Il farfouilla un instant dans le noir avant d'enfoncer la clef de contact. Le moteur démarra avec un bruit de batteuse. Il releva sa vitre, la cala sur le bord du rétroviseur extérieur.

— Vous paraissez content, dit-il à César, sans prétendre partager sa satisfaction.

— Tu ne peux pas savoir! Pour la première fois de ma vie, je suis libre et j'ai les moyens de redémarrer vraiment!

— Démarrer quoi? demanda René, enclenchant la marche arrière.

— Ici, ce que j'ai touché représente une bonne somme, sans plus. Ailleurs, si on sait l'investir, ça permet de se lancer sérieusement dans les affaires.

— J'aurais pas cru que vous aviez le sens des affaires, dit René. Allez, bonsoir, monsieur César.

Quand elle fut seule avec Paul, Finou relata brièvement ce qu'elle avait su et entendu de la rencontre entre César et Maerten, sans étendre son récit à l'entretien qui avait suivi, dans la chambre de César. A son avis, conclut-elle, les deux étrangers s'étaient lassés de cette affaire, qui traînait en longueur, et on ne les reverrait plus à La Faujardie.

— Il était temps que ce Vermeulen débarrasse le plancher! dit Paul entre ses dents.

Depuis plusieurs heures, la vieille femme cherchait dans sa mémoire, elle ne savait quoi, une image qui la fuyait. Cela lui revint alors qu'elle plongeait les mains dans la bassine d'eau savonneuse, pour commencer la vaisselle. Elle acheva sa besogne en hâte, mettant de côté les plats qui tremperaient jusqu'au lendemain.

Laissant Paul accoudé devant le journal, elle se hâta jusqu'au bureau, inutilisé depuis la mort de M. Abadie. Paul ne s'intéressait pas aux livres et n'avait jamais ouvert les bibliothèques qui recouvraient les murs. Finou alluma la lampe posée sur la table de travail, souleva quelques papiers, crut trouver ce qu'elle cherchait, chaussa ses lunettes pour s'en assurer.

Sous la lumière, elle tenait une grande photo jaunie, des années trente, représentant M. Abadie entouré de ses trois meilleurs amis, devant l'automobile qui venait de gagner un Grand Prix. Autrefois, il lui avait expliqué où cette photo avait été prise, mais qui pourrait retenir ces noms étrangers! Lui, à l'époque, était vraiment bel homme, se dit-elle avec fierté. A ses côtés, elle reconnaissait, pour les avoir vus à La Faujardie, le duc anglais qui ne se séparait pas de son lévrier, le grand brun très mince et un peu voûté, qui collectionnait des tableaux, et le comte de Beaumont, si drôle qu'au cours d'un déjeuner, les petites qui servaient n'avaient pu s'empêcher de pouffer à ses plaisanteries.

Finou se revoyait, deux ou trois ans avant la guerre, alors qu'elle était arrivée depuis peu dans la maison, examinant la photo que lui avait montrée M. Abadie et demandant : « Et le petit, dans le coin, qui c'est? » Il avait regardé de plus près, comme s'il n'avait pas remarqué ce personnage, rencogné au second plan. « Tiens, c'est Martin! avait-il dit. Parti de rien, il trouve toujours moyen de se glisser là où se trouvent des gens connus, espérant être pris pour un de leurs amis. » Et il avait ajouté : « Je sens que cet homme est capable de n'importe quoi pour arriver. »

Sur la photo, tenue dans les doigts rudes et crevassés de Finou, on retrouvait un Martin à l'air déjà vieux, avec des épaules étroites, un physique souffreteux, de petits yeux en vrille, qui rappelait étrangement Maerten. Ratatiné dans son col, il portait une écharpe à franges – comme celle qu'elle lui avait vue le jour même! – alors que les autres étaient vêtus de costumes d'été.

Satisfaite d'avoir fait le lien entre les deux personnages, elle s'assombrit au souvenir du pronostic de M. Abadie. L'individu qui s'était approprié les tableaux d'André Steiner était sans aucun doute capable, des années plus tard, d'identifier ceux qui, à leur tour, l'en avaient dépouillé, d'éliminer l'un d'entre eux, pour réduire l'autre à sa merci. Pareil homme ne laisserait pas de gaieté de cœur son argent aux mains de César.

Alors qu'il flottait en pleine euphorie, elle se résigna à ébranler sa confiance, fraîchement regagnée.

Elle rangea précipitamment la photo, retourna à la cuisine, où Paul restait rivé à son journal. Allant retrouver César dans la cour, elle lui fit part de but en blanc de sa découverte et des déductions qu'elle en tirait.

– Je sais tout cela depuis le début, répondit-il tranquillement.

Elle en demeura stupéfaite :

– Et tu restes ici, à attendre de les avoir sur les talons?

– N'oublie pas que Maerten tient à éviter toute publicité autour de ces tableaux. Et puis, deux millions ne représentent rien pour lui. Tu ne vas pas m'accuser d'être raisonnable, au moment où je décide d'ouvrir un compte en banque et d'y déposer un petit quelque chose, qui fructifiera gentiment d'ici mes vieux jours?

– Pour une fois, il me semble que tu ferais mieux de filer plutôt que de te soucier de tes économies!

Il eut un rire joyeux, enfantin :

– Ne t'inquiète pas pour moi. Je me suis tiré de situations plus difficiles.

Soudain, il fit remarquer :

– Nous sommes vendredi! Qui va chercher Marie à la gare?

– Elle ne vient pas. Elle est invitée samedi soir.

– Ah!

L'esprit ailleurs, il songea vaguement : « Qu'elle sorte, ça la distraira! » et se crut généreux, quand il n'était qu'indifférent. Son seul souci consistait à tuer les heures interminables de ce week-end, dernier obstacle avant la grande envolée.

Bien qu'ayant balayé d'un revers de main les conseils de Finou, il choisit de passer ces deux jours devant la télévision. Soudain, le dimanche, il sortit de sa torpeur pour dire à son frère :

– Tiens, j'irais bien faire un tour de chasse, demain matin, avant de partir. Tu sais si les fusils de papa sont en état?

– Ce n'est pas mon affaire, je ne chasse pas.

– ... et s'il y a des cartouches?

– J'ai donné depuis longtemps à René celles qui restaient.

– Aujourd'hui, il a dû aller voir s'il trouvait quelque chose à tuer. Il pourra sûrement me dépanner.

– Vois avec lui.

– Le dimanche aussi, il vient soigner les bêtes? Il sera là vers six heures?

– Oui.

César alla regarder les fusils, accrochés au râtelier du vestibule, examina le vingt, élégant et léger, que préférait son père, retint le douze, plus robuste, pour lequel René lui prêterait facilement des cartouches. Il le nettoya sur la table de l'office.

Regagné par l'impatience, il suivit Finou quand elle se dirigea vers le poulailler, peu avant six heures.

– Je vais changer de vie, tu sais, dit-il.

Comme elle ne répondait pas, occupée à remettre de l'eau dans la bassine où s'abreuvaient les canards, il insista :

– Tu ne me crois pas?

– Je t'écoute, c'est déjà beaucoup.

– Dis, je me rends compte que je n'ai rien donné à Daniel. Tu crois qu'un peu d'argent de poche lui ferait plaisir?

Elle surveillait les canards, qui se précipitaient sur le maïs qu'elle leur avait jeté.

– Fais comme tu veux, répondit-elle enfin.

– Où est-il?

– Dans l'écurie, il répare son vélo.

Appliqué, le gamin, qui avait enlevé la chaîne, s'affairait autour du pédalier. César, qui détestait la mécanique, ne fit pas semblant de s'y intéresser. Sortant ses cigarettes, il s'amusa à tendre au petit le paquet ouvert :

– Tu en prends une?

– Non merci, je ne fume plus, répondit-il, avec un grand sérieux. De toute façon, ce serait dangereux, avec la paille qui est là-haut.

Il désignait le grenier.

– C'est vrai. Dis donc, tu as déjà fumé?

– Oui, avec tonton René. Seulement, ça me fait tousser.

– Ta grand-mère le sait?

– Elle me l'a pas demandé.

– Pardi! tous les mêmes! On se tait, c'est plus prudent que de mentir!

Replongeant le nez dans sa bicyclette, Daniel ne répondit pas. César lui tendit un billet de deux cents francs.

– Tiens, tu t'achèteras quelque chose.

A la manière campagnarde, le gamin commença par refuser puis, sur l'insistance de César, prit le billet et remercia avec embarras.

– Vous pouvez pas le donner à mémé? demanda-t-il. Ici, je vais le salir.

César le reprit. Puis l'enfant se haussa vers lui et lui colla sur les joues deux baisers bien ronds.

– Merci, monsieur César.

– Décidément, tu me dis toujours « monsieur »!

– Oui, admit le gamin avec un large sourire, en remontant d'un revers de poignet ses lunettes, embuées par l'effort.

Quand la voiture de René se fit entendre dans le chemin, se dirigeant vers la métairie, César le rejoignit devant l'étable.

– Tu as tué quelque chose?

– J'ai même pas tiré.

– J'ai envie d'aller me promener demain matin avec le douze de papa. Tu peux me passer des cartouches?

– Je savais pas que vous aviez pris votre permis.

– Ne t'occupe pas de ça. Le garde-chasse ne peut pas être partout.

Prudent, René se tut. César reprit :

– Il y a du lièvre?

– A certains endroits, peut-être. Ici, on n'en a pas.

– Les palombes devraient bientôt arriver?

– On est tout juste à la Saint-Michel, ça va commencer dans huit, dix jours. Seulement, si cette chaleur continue, elles ne descendront pas. Il y en a aussi qui disent qu'avec leur *Chernoville*, ça les aurait intoxiquées.

— Les gens sont fous en Europe! fous! Ils ont peur de tout!

René se gratta le haut du crâne à travers son béret, dégageant à l'arrière sa houppe de cheveux gris. César cessa de piétiner un pissenlit qui ne lui avait rien fait et releva la tête :

— Et les bécasses?

— Ça n'ouvre que le cinq octobre, et puis c'est réglementé. On peut les tirer que dans les bois de plus de trois hectares et avec un chien qui porte un grelot.

— Quoi?

— C'est comme ça.

— Il est vraiment temps que je parte! Je préfère vivre dans n'importe quel coin pourri, plutôt qu'avec leurs interdictions, leurs paperasses, leurs contrôles!

— Bon, fit René. Quand il vous les faut, ces cartouches?

— Apporte-les demain matin, en arrivant.

Quand René entra dans la cuisine, peu avant le dîner, Finou et lui s'absorbèrent en un grave conciliabule.

— Avec cette chaleur, il devrait s'en trouver dans la semaine, dit-il.

— Ça fait seulement dix jours qu'il a plu.

— Je connais un coin bien abrité, où les petits noirs viennent vite, sous la bruyère. J'irai y faire un tour demain.

— Moi, tant que j'en trouve pas vers le lac, c'est pas la peine de chercher ailleurs. J'y suis été ce matin, y avait rien.

— On verra. Si je te ramène seulement de quoi faire une omelette, tu seras pas fâchée.

— Demain, ils pourraient se trouver, c'est sûr. Et ce serait bête que quelqu'un y passe avant nous.

– Y a ceux qui n'ont rien d'autre à faire! Evidemment, ils peuvent être dans les bois à sept heures du matin, alors que, nous autres, on est tenus jusqu'à neuf heures au moins. Je te jure que si je prends chez nous n'importe qui de la famille Poujol, le père, la mère, ou un des trois gamins, ça se passera mal! Au printemps, ils ont vendu pour huit cent mille francs ce qu'ils avaient trouvé chez les autres. Avec ça, il leur suffit de travailler à la saison des fraises et de s'inscrire au chômage pour le reste de l'année, ils sont tranquilles! Si encore ils en ramassaient pour les manger ou pour se faire un peu de conserves, les gens ne diraient trop rien, mais pour les vendre, alors non, c'est pas acceptable!

– Seulement, ces gens-là, tout le monde au gouvernement les plaint et les chouchoute, les droites comme les gauches! Nous, on peut se crever à travailler, avec leurs bêtises qu'ils racontent à la télé, ils font croire que les agriculteurs sont des mendiants qui pleurent après les subventions!

*

En descendant prendre son petit déjeuner, le lendemain, son bagage à la main, César trouva les cartouches posées sur le buffet de la cuisine. Dès qu'il eut avalé un bol de café et une tartine, il alla trouver René à la métairie. Il avait mis les vaches et leurs veaux dans le pré voisin de l'étable, pendant qu'il sortait le fumier et remplaçait la paille.

César annonça qu'il ne voulait pas s'attarder, car il avait besoin d'être à Bordeaux en début d'après-midi.

– Eh bien, puisque c'est comme ça, au revoir, monsieur César. Je vous souhaite une bonne santé.

Comme César voulait lui serrer la main, René l'arrêta :

– Attendez! Je suis pas trop propre.

Il tendit le revers de son poignet, que César secoua.

Le soleil perçait entre de grandes coulées de brume, quand il mit le fusil de son père dans le coffre de la Jaguar et partit sans dire de quel côté il allait chasser.

Après avoir soigné les bêtes, René s'empara d'un panier et entreprit de descendre par le pré au bas du coteau. Depuis le matin, il couvait du regard la combe et sa grande pièce de maïs, enfouies dans la blancheur cotonneuse et, en face, le penchant d'où seul émergeait le haut des arbres. Il n'aimait rien tant que de trouver les premiers champignons, ceux qui poussent quelques jours après la pluie, quand la chaleur a permis à la terre encore chaude de fleurir et de fermenter.

Les girolles sont trahies par le chapeau jaune au bord godronné qui leur donne des allures de cocottes 1900. Mais il faut un connaisseur, un amoureux aux sens en éveil, pour flairer et découvrir les premiers cèpes, ronds et trapus, les deviner sous le renflement imperceptible du tapis de bruyères ou de feuilles mortes.

René avançait à petits pas, en bordure du bois, genoux pliés, s'aidant de son bâton pour écarter un amas de brindilles, un léger entassement de roux et de brun, où se glissait la lumière. Au pied d'un gros châtaignier qui envoyait ses branches au-dessus du maïs, il trouva en demi-cercle six petits noirs fermes et dodus, les chapeaux refermés sur leur courte queue blanche, que ni les limaces ni les vers n'avaient eu le temps d'attaquer.

« On est de cette nuit, mes mignons, les premiers de la famille? » dit-il avec gourmandise, les cueillant d'une main précautionneuse, les humant de son long nez avant de les déposer au fond du panier garni de fougère. S'il en trouvait assez et si la Finou acceptait de les farcir, ce serait un vrai délice que ces petits-là!

Il remonta le coteau, sans en voir d'autres, rencontra vers le haut le pépé des Bories et sa fille, qui arrivaient juste et n'en avaient récolté que deux.

– On n'en trouve pas par chez vous? demanda René benoîtement, pour leur rappeler de ne pas trop s'attarder sur les terres de La Faujardie.

– Té, par ici c'est mieux exposé, ils viennent plus tôt, répondit la fille, en faisant semblant de ne pas comprendre.

Plus loin, dans le chemin, il rencontra la Marguerite, une femme du bourg. On constata aimablement de part et d'autre que la cueillette était modeste et on se sépara.

Il était notoire que Marguerite avait le bon œil. Du coup, René se dit qu'il serait bête de rentrer si tôt, qu'il aurait sûrement intérêt à pousser plus loin. « Je vais aller voir vers les Mussoux, je ne ferai que longer le bois et revenir », décida-t-il.

En y arrivant, il trouva quatre jeunes champignons sous une touffe de chênes malingres. Alors, il ne put résister et s'enfonça dans ce bois peu fréquenté, si ce n'est des sangliers, tant il était pentu pour aboutir à d'inextricables ronciers. Sans bruit, il furetait sous les taillis impénétrables, entre les racines d'une souche renversée, là où une mince couche de terre recouvrait un ancien éboulis de rocher, rendant le sol instable, repérant un pied de houx ou un buisson d'épine noire qui signalait le voisinage d'une borne, reconnaissant les arbres fendus par le gel au cours de l'hiver précédent, se guidant sur une éclaircie causée par la tempête trois ans plus tôt.

Une odeur de terre bonne et chaude le retenait, avec ce bruissement sourd des bois, pulsation vivante qui les remue tous, dans ce pays-là.

En bas, une clarté plus nette annonçait l'orée du bois. René parvint au fond de la combe, au bord d'une grande pièce que Paul avait labourée la semaine précédente. « Ça ne fait guère plus d'un kilo, se dit-il, en contemplant son panier. Je vais rejoindre le chemin pour rentrer, ça monte moins dur. »

A trente mètres de là, César, lui tournant le dos, épaula, tira sur un merle qu'il manqua.

René suivit la lisière du bois qui bordait la combe, restant sous le couvert des arbres. César l'aperçut au mouvement des feuillages qu'il déplaçait. René s'arrêta, le laissa approcher, regarder par-dessus les hauts bords du panier de châtaignier.

— Vieux malin! dit-il, je parie que tu es le premier à en trouver.

— Si ça aurait été hier, peut-être. Aujourd'hui, ils se trouvent déjà mieux. Et vous, vous avez vu quelque chose?

— Rien. Il ne reste plus dans ce pays que des palombes à la saison et du gros gibier, qui fait des dégâts partout. J'aurais bien aimé lever une bécasse, pourtant.

— Ah! dit René, il ne s'en trouve pas toujours.

César allait poursuivre son chemin quand, contrairement à son habitude, l'autre poursuivit la conversation.

— Dommage de ne pas trouver mieux, surtout si vous partez pour longtemps.

— Oui.

— Et la Marie?

— Comment ça, Marie?

— Elle va rester ici?

César fut pris de court par une question aussi directe. Il rusa :

— A La Faujardie? Mais non! Tu sais bien qu'elle ne veut pas quitter son travail à Bordeaux!

– C'est ce qu'elle raconte. Pourtant, quand on a fait un petit à une femme, on ne la laisse pas s'en arranger toute seule.

Cette attaque en règle était peu dans la manière de René, mais César comprit qu'il ne devait pas se dérober.

– Je vais laisser de l'argent à Finou, pour elle et pour Daniel. Et j'en enverrai de là où je serai.

– C'est pas ce que vous avez fait jusqu'ici.

– Je n'avais pas de quoi. Maintenant, j'ai les moyens. Ne t'en fais pas, je veillerai à ce qu'ils ne manquent de rien et à ce que Daniel fasse des études.

– Quand on est loin, on oublie. Si vous restiez ici, que vous épousiez la Marie, elle aimerait sans doute mieux ça, pour elle et pour le gamin, que vos promesses d'envoyer de l'argent.

– Je ne peux pas me marier avec la vie que je mène.

– Ça ne vous ferait pas de mal d'en changer. A vingt ans, on peut faire ces drôles de métiers, mais à quarante – et on y arrive bien assez vite – on est mieux chez soi, devant son feu et sa soupe.

Pour couper court à cet interrogatoire, qui commençait à lui chauffer les oreilles, César lança en guise de boutade :

– Epouse donc Marie! Toi aussi, tu es libre!

René se baissa, ramassa une pierre à la forme curieuse, qu'il examina avant de la laisser retomber. Ignorant la plaisanterie de César, il suivit sa pensée.

– N'empêche que vous devriez réfléchir.

– Ce n'est pas la peine. En France, l'argent que j'ai ne me durerait pas trois ans et je ne veux pas vivre comme un gagne-petit.

– Ici ou ailleurs, c'est pas facile de dépenser gros sans travailler.

— Je travaille, mais pas à des heures régulières comme vous.

— Vous pourriez au moins demander à la Marie si elle veut se marier avec vous.

— Elle ne voudrait pas.

— Si vous lui en parliez comme il faut, ça m'étonnerait qu'elle refuse.

— Je te dis, moi, qu'elle préfère trouver quelqu'un d'autre! repartit César brutalement.

— Vous êtes le père du petit. Ce serait bien, au moins, de le reconnaître.

— J'ai mes raisons pour agir comme je le fais, coupa César, ayant peine à se contenir.

— Sans doute, mais la Marie aussi a des raisons d'espérer autre chose.

— Il est inutile d'insister. Je ne changerai pas d'avis pour le moment. D'ailleurs, ça ne te regarde pas!

René remua les pieds au creux du fossé qu'il n'avait pas quitté et parut admettre que la discussion était close. Il souleva les champignons qui garnissaient son panier et, sous la fougère, prit un paquet enveloppé d'un tissu à fleurs.

— Vous connaissez ça? demanda-t-il à César, sans trace d'animosité.

— Oui, c'est une robe que portait Marie autrefois.

Il se souvenait de cette robe, que la ceinture, nouée dans le dos, faisait remonter au-dessus des genoux.

— Et ça? poursuivit René, posant le panier à ses pieds et écartant les quatre coins pliés du chiffon.

— Tiens! s'exclama César sans intérêt, en étendant la main vers le gros revolver noir et luisant, qui reposait au creux du chiffon. A quoi ça te sert?

— C'est plus commode que le fusil, pour faire peur à des 19 ou à des 33, si j'en rencontrais à chercher les champignons par ici.

310

– Si tu menaces des gens avec ça, ils peuvent porter plainte et t'attirer des ennuis.

– Non, je dirais que c'était un faux, un jouet que j'avais pris à Daniel.

César s'approcha pour mieux regarder l'arme.

– C'est le P.38 que papa avait gardé dans le tiroir de son bureau, après la guerre?

– Oui. Celui que vous avez pris, quand il est mort et que vous vous êtes amusé à essayer en tirant sur mon chien.

– C'est vrai, je l'ai tué! reconnut César, en riant. Il bavait, il avait une taie sur l'œil! Pourquoi est-ce que tu gardes toujours de vieux chiens aussi moches?

– Et s'ils me plaisent, à moi?

– Tu as des goûts bizarres! Tout de même, je suis content de savoir enfin qui a piqué ce revolver dans ma voiture. A l'époque, ça m'a vraiment tracassé de ne pas comprendre comment il avait disparu. Qu'est-ce que tu comptais en faire?

– Vous empêcher de vous en servir. A ce moment-là, déjà, quand vous aviez une idée en tête, vous vous occupiez pas de savoir si elle pouvait faire du mal à quelqu'un.

– Excuse-moi pour ton chien, c'était une bêtise de gosse!

– Et c'est quoi, votre bêtise de laisser la Marie toute seule?

– Tu n'as pas fini de te mêler de cette histoire!

René se dandinait d'un pied sur l'autre, remuant vaguement les feuilles près de son panier.

– C'est que, vous voyez, se décida-t-il à expliquer..., je suis son père.

– Le père de qui? fit César, perplexe.

– De Marie.

– Tu couchais avec la Finou?

René se tut. Dans ce silence, César partit d'un

éclat de rire gigantesque, homérique, tête renversée, épaules secouées, ne cherchant même pas à contrôler son hilarité, comme si la cocasserie de cette révélation le dispensait de toute retenue.

Gravement, René l'observait.

— Votre père parlait dru, dit-il enfin, mais il se serait pas permis d'être grossier et méprisant comme vous.

Sans se soucier de la pesanteur avec laquelle s'exprimait le vieil homme, de son visage de bois, César lâcha avec désinvolture, dès qu'il eut repris son souffle :

— Qu'est-ce que j'y peux si, dans cette famille, les femelles se font remplir par n'importe qui !

Quand René leva le revolver, dont la crosse était toujours enveloppée du tissu à fleurs, il crut à un geste d'intimidation et ne s'écarta pas. René tira un seul coup. Lentement, César ploya les genoux, s'écrasa en travers des labours, la tête et le buste dans l'ombre d'un gros châtaignier dont les branches avançaient au-dessus des premiers sillons.

Dans le pré, sur l'autre versant, les vaches avaient à peine levé la tête.

René s'approcha de César, l'observa longuement, sans le toucher, comprit qu'il était vain d'en attendre un mouvement. L'instinct paysan reprenant le dessus, il se recula avec son panier sous le couvert des arbres, enfouit à nouveau l'arme sous les champignons et la fougère, après l'avoir enroulée dans le chiffon et demeura aux aguets.

Aucune maison ne se trouvait à portée de voix, personne n'était en vue, on n'entendait ni tracteur ni tronçonneuse. Dans le champ, seul apparaissait le piétinement des pas de César, René n'ayant pas quitté la bordure du bois.

Alors, il enjamba le fouillis de ronces et de branches coupées qui longeait la pièce de terre, regarda une dernière fois autour de lui, pour voir s'il n'avait laissé aucune trace de son passage et, lentement, remonta vers La Faujardie, par où il était venu. Il avança avec autant de prudence que s'il braconnait, évita de piétiner les bruyères, de casser les rameaux, guetta les bruits alentour, pour s'assurer qu'aucun chercheur de champignons ne le surprendrait.

Quand il atteignit le maïs, en bas de la propriété, au lieu de remonter droit vers la métairie, il bifurqua, prit l'escalier de pierre qui menait au jardin, s'enfonça dans cette jungle protectrice. Il s'arrêta auprès d'une petite fontaine, d'où l'eau n'avait jamais coulé. Elle était couronnée par un amour de bronze qui inclinait au-dessus de la vasque une urne fleurie. René glissa le revolver enveloppé du tissu à fleurs dans une large brèche qui, à l'arrière, mutilait la tête de la statue, jeta par-dessus deux poignées de terre et de feuilles mortes. Puis il redescendit les marches et, contournant le mur du jardin, regagna la métairie.

Arrivé devant le hangar où était rangé d'un côté le fourrage de l'autre le matériel agricole, il essuya dans l'herbe ses mains et ses chaussures, scruta l'espace autour de lui. Du pré ou du maïs, on aurait pu le voir aller au jardin ou en revenir. Mais les chercheurs de champignons restaient dans les bois, sans s'aventurer aussi près de la maison, car dans le pays on se méfiait de Paul et de ses humeurs sombres.

Dans la cuisine, Finou s'épanouit à la vue de la récolte de René. Il raconta qu'il était allé sur le coteau d'en face et avait un peu poussé vers les Mussoux. Elle-même avait trouvé cinq champignons autour du lac et commenta avec satisfaction :

– Ça nous fera une belle omelette pour ce soir !

René acheva sa journée comme si de rien n'était !

*

A l'heure du déjeuner, l'absence de César n'aurait pas étonné Finou s'il n'avait exprimé son impatience à rejoindre Bordeaux dans la journée.

— Ne t'occupe pas de lui! dit Paul rudement. Est-ce qu'il s'occupe de nous?

Le soir, elle suggéra que René aille faire un tour dans les terres, pour voir si César n'aurait pas été victime d'un accident.

— Quel accident? aboya Paul. Et où veux-tu le chercher?

Ils achevaient de dîner quand Juste Birou, un agriculteur qui habitait la partie basse de la commune, à trois kilomètres de La Faujardie, frappa à la porte de la cuisine. On le fit entrer. Il refusa de s'asseoir et raconta, à la fois embarrassé et haletant :

— Y a M. César, en bas de Combe Jadouille, qui a dû recevoir un mauvais coup. Il est couché là-bas, dans votre terre et... enfin... on dirait bien qu'il est mort. Il a dû accrocher son fusil et le coup est parti... Il est déjà raide.

— Bon, j'y vais, dit Paul.

— C'est qu'il faudrait peut-être d'abord téléphoner aux gendarmes.

— Venez avec moi!

Les deux hommes s'éloignèrent en direction du vestibule.

— Qu'est-ce qui est arrivé, mémé? demanda Daniel.

— Tu as entendu ce que vient de dire Juste. Je ne sais rien de plus.

René hocha la tête :

— Quelle misère!

— Tu peux le dire! s'exclama Finou. Ça alors, ça

m'arrange pas! Si les champignons se trouvent, j'aurais voulu faire des conserves. Au lieu de ça, il va y avoir tout ce tracas! Il va falloir que je coure chez le coiffeur me faire faire une indéfrisable!

— Pourquoi? demanda timidement Daniel.

— Té, je m'en suis faite faire une pour l'enterrement de M. et de Mme Abadie. Il faut que je fasse pareil pour M. César, même s'il valait pas ses parents! Et puis, s'il se trouvait tout seul quand c'est arrivé, en plus des gendarmes, on va avoir une *entopsie*, ça va durer toute la semaine. Ah! on peut dire que ça tombe mal, juste au moment des champignons!

Paul, suivi de Birou, revint dans la cuisine, retira ses pantoufles, se prépara à enfiler ses chaussures.

— J'y vais. Les gendarmes arrivent. Ils appellent un médecin.

— Je viens aussi, dit René en se levant.

Pendant ce temps, Birou répétait l'explication qu'il avait dû donner à Paul :

— Tout à l'heure, j'allais avec le tracteur dans mon pré, au-dessus de Combe Jadouille, pour prendre la tonne et remettre à boire à mes vaches, quand j'ai vu la voiture de M. César au bout du chemin. J'avais pas à aller jusque-là, n'est-ce pas, alors elle me gênait pas et j'avais pas à m'en inquiéter. Et puis, comme j'accrochais la tonne après le tracteur, j'ai vu en bas, en bordure de votre bois, une forme, pas comme une branche, comme quelqu'un de couché. Cette fois, ça m'a paru drôle. J'avais le fusil sur le tracteur, je l'ai pris, j'y suis été voir. Et enfin... j'ai bien reconnu M. César, et il était déjà fini, quoi, ça se connaissait tout de suite. Pour moi, c'est un accident, il a dû tomber et faire partir son fusil.

— C'est ce qu'il pouvait faire de mieux, dit Paul froidement.

Personne n'eut l'imprudence de relever le propos.

– Le temps que je rentre avec le tracteur et que je prenne la voiture, j'ai pas pu faire plus vite, s'excusa Birou.

– Ne vous inquiétez pas pour ça, grommela Paul.

Il finit de lacer ses chaussures. Sentant que la famille était contrariée mais pas bouleversée, Birou hasarda un commentaire à propos des cèpes, dont il avait reconnu l'odeur en descendant de voiture :

– On dirait que les champignons vont commencer à se trouver.

– Jusqu'ici, ça n'a fait qu'un fond de panier, répondit Finou.

– Chez nous aussi. Le pépé en a trouvé trois, quatre derrière la maison, et moi autant, avant de voir... pour M. César.

Les trois hommes sortis, Finou acheva de dîner avec l'enfant, tout en fulminant :

– Il manquait plus que ça! Venir se tuer ici! Comme s'il n'allait pas traîner dans assez d'endroits où il aurait pu faire ça tout aussi bien! Naturellement, c'est à nous qu'il fait ce coup-là!

Dès neuf heures et demie, elle monta avec Daniel, brusquant le chien qui la bousculait dans l'escalier. Elle fit dire au petit une prière pour César.

– Tu crois que le Bon Dieu va lui pardonner, s'il a fait quelque chose de mal? demanda l'enfant, inquiet.

– C'est au Bon Dieu de s'en arranger! Il sait ce qu'il a à faire!

Elle embrassa Daniel, le calma en lui expliquant que des accidents de chasse arrivaient tous les ans, cita des cas semblables, s'assit auprès de lui, avec son tricot, en attendant qu'il s'endorme.

Faisant redescendre le chien dans la cuisine, elle s'arrêta au premier étage, prit la lampe électrique accrochée à l'entrée des W.-C., suivit le couloir jusqu'à la chambre de César, entra. Elle avait fait le lit le matin, tout était en ordre. Les sacs de toile étaient restés dans le placard du cabinet de toilette. Elle les transporta dans la lingerie, les ouvrit, bourra le dessus de chiffons, enfonça chacun d'eux en bas d'une armoire à linge différente, derrière un amas d'oreillers et de traversins jaunis, dont ils ne se distinguaient guère.

Puis, installée dans l'office avec son tricot, en écoutant Radio Périgord, elle attendit le retour des hommes.

Ils revinrent aux alentours de dix heures, sombres, silencieux. Après avoir longuement frotté ses semelles terreuses sur le paillasson, René déposa furtivement sur le buffet de la cuisine un joli champignon, tout faraud sous son chapeau beige grand ouvert.

— Je l'ai trouvé au bord du chemin, là-bas. Ils avaient tous piétiné à côté sans le voir, expliqua-t-il discrètement à Finou.

Ayant fini de se déchausser, Paul se décida à parler.

— Ce ne serait pas un accident. Il aurait été tué par une balle de gros calibre, pas par du plomb.

— Voilà autre chose! murmura Finou.

Elle enroula son tricot dans la serviette qui le protégeait, le rangea dans la soupière. Tous trois prirent place autour de la table de l'office.

— Si c'est comme ça, on ne va pas en sortir de sitôt, dit-elle encore. Les gendarmes y sont toujours?

— Oui, ils font leurs relevés, prennent leurs mesures, leurs photos, tout le bazar. Ils ont bouclé le coin et fouillent autour pour voir s'ils trouvent la balle et la douille, ou autre chose. Ils vont emmener sa voiture et le fusil.

— On peut dire qu'ils perdent pas de temps, fit remarquer René.

— Et César, ils vont le laisser là?

— Demain, ils l'emmèneront à Bordeaux, pour l'autopsie. Cette nuit, on le portera à la mairie, quand ils auront fini leurs constatations. Le maire est d'accord.

— Il est venu, celui-là? Il ne se remue pas si vite, quand il s'agit de faire les paperasses qu'on a besoin!

— Demain matin, ils viendront ici, pour voir un peu dans ses affaires, si j'ai bien compris. Ne touche à rien, en attendant. Ils te poseront aussi des questions. René et moi, ils veulent nous entendre à Rossignac. Comme c'est parti, ça va nous prendre la journée! Je devais aller au cadastre, à Sarlat, c'est fichu!

— Ils ne voudront pas voir toute la maison, quand même? s'inquiéta Finou.

— Je n'en sais rien. Montre-leur ce qu'ils demandent.

— Et sur M. César, qu'est-ce qu'on dira?

— Rien! dit Paul brutalement. On ne sait rien de lui depuis dix ans! Il allait et venait, sans donner d'explications, c'est tout.

— Les gendarmes auront entendu parler de la demoiselle anglaise, sans doute.

— Et alors? Tu connais son nom? Tu sais d'où elle vient, de quel pays? Rien! Pour Vermeulen, c'est la même chose. Est-ce que quelqu'un ici lui parlait? D'où César le connaissait, s'ils avaient des affaires ensemble, on ne s'en occupait pas!

— Le soir où je l'ai pris à se promener par-derrière, j'en parle ou pas? demanda René.

— Il vaudrait mieux, intervint Finou. Faut bien leur parler de quelque chose, aux gendarmes, sinon ils croient qu'on fait des mystères et ils ne vous lâchent plus. Simplement, il ne faut rien dire sur la famille, c'est bien ça que vous voulez monsieur Paul?

— Oui!

— Pour le vieux monsieur qui est venu l'autre jour, c'est pareil. Personne n'était là. Moi, je l'ai vu de loin et j'ai rien entendu, puisque je suis restée dans la cour.

— Y a pas à s'en faire, puisque tout ça c'est la vérité, dit René paisiblement.

— Et l'argent que César nous a donné pour la maison?

— Deux ou trois malheureux billets de cinq cents francs! Raconte-le si tu veux, je m'en fiche! Maintenant, je vais me coucher, ça nous fait assez d'embêtements pour la journée!

A son tour, René se leva. Il se tenait encore sur la marche de la cuisine, quand on entendit Paul entrer dans sa chambre, au premier étage.

— C'est tout de même une sale histoire, dit Finou, qui l'accompagna dans la cour, suivie du chien.

— Ne t'en fais pas, répéta René tranquillement. Comme ils sauront pas ce que j'avais contre le César, ni que je lui avais pris son revolver, autrefois, ils auront rien contre moi. Et là où je l'ai mis, crois-moi, ils sont pas à la veille de le trouver.

Elle s'arrêta, interdite.

— Qu'est-ce que tu racontes?

— Là où j'ai planqué le revolver, personne le trouvera.

— Parce que c'est toi qui...?

Il haussa les épaules avec fatalisme.

— Ça s'est trouvé comme ça.

— Tu es descendu au fond du bois des Mussoux, alors?

— Histoire d'y jeter un coup d'œil, rien de plus. En bas, à Combe Jadouille, je suis tombé sur le César, qui a fait l'arrogant, m'a sorti des grossièretés. C'est arrivé sans que je m'en rende compte.

— Tu te promenais avec ce revolver?

— Depuis un moment, je l'avais dans la voiture. Té, je me disais, si j'avais l'occasion de lui faire une surprise, au César, il ne l'aurait pas volée! Je voulais seulement lui montrer qu'il n'était pas toujours le plus malin, que j'avais su lui prendre son revolver sans qu'il s'en doute. Ça m'aurait embêté si... cette chose-là avait fait deuil à M. Paul. Mais, en revenant tout à l'heure, il m'a dit qu'il aimerait féliciter celui qui avait fait ce joli coup. Alors...

L'aspect moral de la question ainsi réglé, les deux vieux n'envisagèrent plus que l'enquête sous son aspect pratique.

— Vers les Mussoux, tu as rencontré quelqu'un? demanda Finou.

— Non. Attends, y a mieux que ça! En face, en partant, j'ai parlé à la vieille Marguerite!

— Ah! dit Finou, avec une note d'optimisme dans la voix.

Personne ne pouvait nier que cette femme avait le bon œil.

— Tu vois, acheva René, il ne peut rien nous arriver. Y a qu'à attendre que les autres se lassent.

— Faudra bien, soupira Finou. Ça fera des tracasseries, mais si on sait que ça se terminera bien, c'est l'essentiel. Dès qu'on saura la date de l'enterrement, je téléphonerai à Marie.

— Dis-lui bien qu'elle se fasse pas trop d'émotion et qu'elle en raconte le moins possible quand elle ira chez les gendarmes.

— Attends, il y a autre chose. Tu es revenu des champignons vers onze heures, la soupe finissait de cuire. Il faudra dire que tu es rentré sur les dix heures et demie.

— Bon, ça va.

320

– Personne ne pourra dire le contraire, puisqu'il n'y avait que nous deux à la maison.

*

Tôt le lendemain matin, le chef de la brigade de Rossignac et un autre gendarme arrivèrent à La Faujardie.

Paul demanda à Finou de leur servir du café, qu'ils s'excusèrent de ne pouvoir accepter. Pressés par le temps, ils voulaient voir sans tarder la chambre et les affaires de César.

Paul fit signe à Finou de leur remettre son sac de voyage, puis les accompagna au premier étage, ouvrit les portes de la salle de bain et des deux chambres qu'il avait occupées successivement, expliqua quelles étaient les autres pièces de la maison.

Rendue soucieuse par ces pas dont elle entendait la lente progression, au-dessus de sa tête, à l'autre bout de la maison, Finou bondit tout à coup :

– Mon Dieu! Je n'ai pas réveillé le petit! Il va être en retard à l'école!

Elle se hâta dans l'escalier, arrivée sur le palier, appela Daniel, qui répondit d'une voix embrumée : « J'arrive! » Quand il débula dans la cuisine, grillant de curiosité à la vue des gendarmes qu'il avait aperçus dans le couloir, elle ne parvint pas à lui faire boire son café et manger ses tartines tranquillement. Le gamin était plus excité qu'inquiet de cette visite matinale, chacun ayant l'habitude de rencontrer les gendarmes au cours de leurs tournées. Enfin, il partit pour l'école.

A un moment, Paul redescendit, seul, l'air embarrassé.

– Ils voudraient voir la chambre de Marie.

Finou demeura sans voix. Elle ne craignait pas l'enquête, mais n'avait pas prévu que, si vite, elle frapperait de plein fouet l'intimité familiale. Puis, elle se ressaisit :

– Je viens, dit-elle, s'essuyant les mains à son tablier.

Paul resta en bas, non par délicatesse, mais pour ne pas avoir à se mêler d'amours ancillaires qu'il avait décidé d'ignorer.

L'orgueil plus que le cœur de Finou saigna quand elle dut répondre aux questions courtoises mais laconiques du chef de brigade. César était monté cinq ou six fois chez Marie et elle ne l'avait pas rejoint plus souvent dans sa chambre. Oui, Daniel était son fils. Non, il n'avait pas parlé de le reconnaître. Oui, il était sur le point de partir sans avoir rien changé à cette situation. Non, aucune dispute n'était intervenue entre César et Marie. Elle connaissait trop bien son caractère pour attendre de lui autre chose.

En redescendant, le gendarme continua à poser des questions, abordant des points de détail, sur le ton de la conversation, pour décrisper Finou qu'il sentait nouée comme un paquet de cordes.

Ayant demandé à Paul à quel endroit se tenaient César et Vermeulen quand ils se rencontraient, il les conduisit dans la salle à manger, où ils ne s'attardèrent pas.

Les panoplies accrochées dans le vestibule étant connues de tout le pays, ils demandèrent à les voir. A ce même moment, le téléphone sonna. Le maire souhaitait parler à Paul. Il y alla, confiant à Finou le soin de guider les gendarmes, qui tombèrent en arrêt devant les panoplies. Les hommes étaient tous les mêmes, des gamins fascinés par les armes, songeait-elle. Pourtant, on savait bien que parmi ces armes anciennes on ne risquait pas de tomber sur celle qui avait tué César.

Ils questionnèrent Paul, qui revenait :

– La Résistance a caché des armes ici, pendant la guerre?

– Une ou deux fois seulement, m'a dit mon père. Derrière, dans le souterrain.

– On peut y aller?

– Oui. Seulement, avec les pluies du mois d'avril, nous avons eu un effrondrement et il ne faudrait pas se risquer jusqu'au bout sans précautions.

Ils examinèrent sans s'y attarder l'entrée de la grotte et le souterrain, se réservant sans doute d'y revenir plus tard, si cela s'avérait nécessaire.

Quand la visite fut terminée, Paul et René suivirent les gendarmes à Rossignac, où le chef de brigade devait les entendre, après s'être rendu le matin à Combe Jadouille, en compagnie du capitaine venu de Sarlat et du procureur. La partie basse de la commune, placée aux premières loges, ne perdit pas une miette du spectacle qu'offraient les voitures et les fourgons de gendarmerie montant et descendant la route. Sans compter l'équipe qui faisait du porte-à-porte, s'arrêtant dans chaque habitation, demandant aux gens ce qu'ils avaient vu et entendu le lundi matin.

On avait vu le facteur et le camion du laitier. Sur ceux-là on pouvait tout dire, le bruit de leur pot d'échappement, la manière dont ils abordaient le tournant en épingle à cheveux, l'un s'arrêtant presque et redémarrant en première, l'autre fonçant après un grand coup de klaxon. La voiture de M. César Abadie, c'était autre chose. Naturellement, on l'avait remarquée dans le pays depuis le début de l'été. Seulement, savoir si on l'avait vue... quand déjà? lundi? hier matin, vous voulez dire? vers neuf heures? Après des réflexions prudentes, des hésitations, des regards en coulisse vers les autres membres de la famille, deux femmes reconnurent qu'il était passé devant chez elles. Mais elles furent catégoriques : elles ne savaient rien de plus. Le matin, avec tout ce qu'on a à faire, on ne reste pas planté au même endroit à regarder la route. Si c'était l'après-midi, encore, on était moins bousculé, on aurait peut-être remarqué quelque chose.

Les gendarmes n'attendaient pas meilleure moisson de renseignements le premier jour de l'enquête. Personne ne parlerait à la légère d'une famille du pays, encore moins de la famille Abadie.

Restée seule, Finou sentit pour la première fois une nasse se refermer autour de la Faujardie. Elle ne craignait pas que les gendarmes reviennent l'entendre plus longuement, comme ils l'avaient annoncé. Elle savait se défendre. Seulement, ici, ses déclarations pourraient peser lourd sur le sort d'autres êtres, René avant tout. Or il était l'homme pour qui, un soir, elle avait réchauffé un dîner trop cuit. Heureusement, seul M. Abadie avait su qu'il était le père de Marie.

Le pire était d'ignorer de quelles informations disposaient les gendarmes. Ainsi, au détour d'un échange banal, par une question, ils montraient que tel ou tel coin obscur de votre vie leur était familier. En les observant ce matin, elle avait compris leur manière de faire vis-à-vis d'une vieille famille respectable comme la leur. Ils ne se départissaient pas d'une courtoisie un peu grave, abordaient les points sensibles avec prudence, mais sans trace de réprobation ou de scandale dans le ton. Cette manière d'évoquer les faits vous amenait insensiblement à accepter le dialogue, à admettre que des inconnus s'entretiennent avec vous des événements douloureux ou secrets de votre vie. Elle comprenait comment bientôt, on pouvait se laisser entraîner à rectifier un détail, à répondre, à parler en somme!

Elle s'en voulut de n'avoir pas assez mis en garde

Paul et René. Ils étaient peu bavards mais, pris par surprise, sauraient-ils feindre l'indifférence?

Finou se remettait à peine, respirant à petits coups, les mains aux genoux, quand une voiture entra dans la cour, se planta devant la cuisine, dont la porte était ouverte. Seuls le facteur et les gendarmes s'arrêtaient ainsi.

Un jeune mal peigné, avec un lourd matériel en bandoulière, sortit de l'auto que conduisait son compagnon. Celui-ci, également débraillé, s'avança sans trace d'embarras vers Finou, immobile dans l'entrée.

– Bonjour, madame. Je cherche M. Paul Abadie.

– Il est sorti.

– Où peut-on le trouver?

– Je ne sais pas.

– Vous êtes de la famille?

– De quelle famille vous parlez?

– Celle qui habite ici.

– Je ne vois pas pourquoi vous posez la question. Si vous venez les voir, c'est que vous les connaissez. Sinon, vous n'avez rien à faire ici.

Souveraine, elle les toisait, ces jeunes gens qui ne savaient même pas dire qui ils étaient ni l'objet de leur visite. Comprenant qu'il avait été maladroit, celui qui avait entamé le dialogue se fit plus respectueux, pour expliquer :

– Je suis journaliste.

Lançant un coup d'œil autour de lui, mi-curieux, mi-admiratif, il ajouta :

– Elle est belle, votre maison. Et puis, c'est calme, ici. Vous permettez que nous prenions quelques photos?

– Non!

Déjà, elle s'avançait menaçante, pour empêcher l'autre de sortir ses appareils. Le premier lui lança de ne pas insister, et donna le signal du départ, en se remettant au volant, jeta au vol :

– Allez, viens, Jean-Loup, on va voir ailleurs. Au revoir, madame, merci!

Ces derniers mots, prononcés sur le mode ironique, finirent de convaincre Finou que les journalistes étaient tous des sans-gêne. Se souvenant pourtant que, comme tout le pays, elle écoutait quotidiennement la radio régionale, elle rectifia, pour elle-même : « Il n'y a que ceux de Radio-Périgord qui soient pas prétentieux et bien capables dans leur métier! »

*

A la gendarmerie de Rossignac, Paul était assis en face du chef de brigade, qui commença à l'interroger assez longuement, avant de reprendre l'essentiel des points soulevés, un jeune gendarme, installé dans un coin de la petite pièce, tapant alors les questions et les réponses échangées.

Rasé de près, avec la netteté un peu sévère des militaires en service, mais la rondeur d'un homme du pays, le maréchal des logis-chef savait qu'à la campagne, il ne faut jamais brusquer son monde. La précipitation ne correspondait d'ailleurs pas à son tempérament.

Il fit répéter à Paul son emploi du temps du lundi, qui ne posait pas de problèmes. Plusieurs personnes l'avaient vu ce jour-là, sur son tracteur, où il semait son orge d'hiver, à deux kilomètres des lieux de l'accident. Il avait déjeuné à La Faujardie et était directement reparti travailler. Interrogé sur les habitudes de César, il dit abruptement qu'il ne savait rien. Sur les rapports de César avec chaque habitant de la maison : ce n'était pas compliqué, il ne parlait qu'à Finou, ne s'occupait de personne d'autre.

Même pas de Marie Delteil? Même pas! répondit Paul. Pourtant, Mme Delteil elle-même – Finou – admettait que César était le père du petit Daniel? Ça reste à prouver, dit Paul tranquillement. Cette présence d'un frère imprévisible et dépensier, qui semblait ne pas travailler ni contribuer à l'entretien de la propriété, aurait pu lui peser, à lui, l'aîné, qui se donnait de la peine depuis tant d'années pour maintenir les biens de la famille? Paul explosa :

– Ça oui! il me tapait sur les nerfs, avec ses habitudes de nouveau riche et son je-m'en-foutisme! Sans compter le temps que Finou passait à s'occuper de monsieur, à nettoyer la pagaille qu'il laissait dans sa chambre et dans la salle à manger! Croyez-moi, si je savais qui m'en a débarrassé, je le remercierais! Et je m'en fous que ce soit contraire à la loi!

César était arrivé avec une jeune femme de langue anglaise. Combien de temps exactement était-elle restée à La Faujardie?

– Demandez à Finou, moi, je n'ai pas fait attention! Elle a dû partir après le quatorze juillet. César couchait avec elle, mais ne paraissait pas y tenir. Elle traînait au soleil et se fourbissait les ongles à longueur de journée, c'est tout ce que j'ai vu!

Elle aurait pu être jalouse de voir César se détacher d'elle dès que Marie Delteil était apparue? Paul eut un geste d'indifférence absolue. Les relations entre César et Marie Delteil avaient repris, semble-t-il, à cette époque-là?

– Ça, je n'en sais rien et je ne veux pas le savoir! cracha Paul entre ses dents.

Et ce Hollandais qui depuis le début de l'été venait assez régulièrement à La Faujardie?

– Je les ai vus ensemble dans la cour, César et lui, toujours occupés à boire. Ils jouaient aux cartes, après le dîner, à en croire Finou. Moi, je me couche tôt et ce qu'ils faisaient ne m'intéressait pas.

César entretenait-il des relations d'amitié ou aussi d'affaires avec ce monsieur? Paul eut une moue d'ignorance. Un autre visiteur était venu le vendredi précédent, amené par Vermeulen?

– Finou se trouvait seule à la maison cet après-midi-là, c'est elle qui saurait. Vous n'allez pas les interroger, eux?

Si, naturellement, dès qu'on les aurait retrouvés, puisqu'il s'agissait d'étrangers ayant actuellement quitté la région. Et René Fouilletourte, quelle attitude avait-il vis-à-vis de César? Oh! René parlait si peu et était si indifférent aux gens! Personne ne le gênait. Pourtant, César avait tué son chien, autrefois? Son chien? répéta Paul, l'air aussi perplexe que si on lui parlait une langue étrangère. Oui, René lui-même avait raconté l'histoire au plus ancien de la brigade, qui s'en souvenait. Il y avait dix ans de cela. Paul avait compris où le gendarme voulait en venir. Il se replia, penché en avant, ses mains osseuses pendant entre les genoux, sembla faire un effort de mémoire. Ayant gagné de précieuses secondes, égalisé son souffle, il se redressa et, d'un ton neutre, répondit :

– C'est possible. Mais ça ne me dit rien.

– C'est un peu loin, évidemment. Votre frère a quitté le pays juste après. Ce jour-là, il voulait essayer un revolver. C'est un peu par hasard, peut-être, qu'il a tué le chien. Fouilletourte en a été très affecté. Vous avez peut-être oublié, mais il a dû vous en parler.

– Vous savez, René et moi, nous parlons travail, nous n'avons pas le temps de faire des conversations.

Cette fois, de part et d'autre de la table, on était en guerre. Méthodique, le gendarme complétait ses explications.

– Ce revolver aurait appartenu à M. Abadie, qui

le conservait dans le tiroir de son bureau. Ce ne serait pas étonnant que votre père ait gardé une telle arme après la guerre, beaucoup de gens dans le pays ont fait la même chose. C'est après sa mort que votre frère s'en serait emparé, et en l'essayant qu'il aurait provoqué cet accident.

Tout en Paul était devenu lourd, opaque.

Le gendarme poursuivait, aimable :

– Vous serait-il arrivé de voir ce revolver dans le bureau de M. Abadie ou de l'entendre dire de quel modèle il s'agissait?

– Je n'allais jamais dans son bureau et je ne connais rien aux armes.

– Pourtant, vous aviez fait votre service militaire, en Allemagne, n'est-ce pas?

– Oui, mais je ne savais rien de ce qui concernait mon père ou mon frère, et tout le monde vous dira qu'à La Faujardie je n'ai jamais touché une arme.

Sur ce dernier point, le gendarme savait qu'il disait vrai.

– Par la suite, vous auriez pu apprendre si votre frère avait emporté ce revolver ou si, par exemple, il l'avait caché dans la maison?

– A mon avis, il l'aurait emporté pour parader devant les amis peu recommandables qu'il fréquentait déjà.

Après avoir relu et signé le procès-verbal, Paul sortit de ce petit bureau, plus fatigué que par une pleine journée de travail. Des gendarmes, plus nombreux que d'habitude, se croisaient, entraient et sortaient. Tout de suite on accapara le chef de brigade. Ne semblant pas affecté par ces mouvements, René déjeunait de bon appétit, sur un coin de table.

– Je t'attends, lui dit Paul.

– Ne vous inquiétez pas, monsieur, nous le ramènerons.

– J'attendrai quand même, dit Paul lourdement. J'ai à faire dans le coin, je repasserai. Je peux prévenir à la maison?

On lui présenta le téléphone.

– Finou? René et moi, nous rentrerons plus tard. Ne nous attends pas... Oui, tout va bien. Au revoir.

Il raccrocha. Le chef de brigade lui serra la main. Paul vit qu'on ne le laisserait pas seul avec René, lui adressa un hochement de tête, en guise d'encouragement et sortit. Il s'invita, à cent mètres de là, chez une vieille femme, qui avait été lingère à La Faujardie et savait déjà ce qui l'amenait à Rossignac.

Le chef de brigade était tout juste monté chez lui, pour avaler quelque chose sur le pouce, quand il revint dans son bureau, où René prit place sur la chaise occupée par Paul une demi-heure plus tôt.

Dès le début de l'audition, René répéta chaque question, mot pour mot, ou sous une forme légèrement différente, comme pour pénétrer son sens, ou, se taisant, ménagea une longue pause avant de répondre. Opiniâtrement, il résista à toute tentative de la part du gendarme pour accélérer le rythme de ses réponses.

Sur son emploi du temps, il s'en tint à ce qu'il avait dit le premier soir. A quelle heure était-il arrivé en haut du bois des Mussoux? C'est qu'il n'avait pas de montre! Dix heures? Peut-être bien. Y avait-il encore de la brume à ce moment-là? En bas, oui, il en restait, mais pas en haut. En bas, vers Combe Jadouille? Non, de la bordure du bois, on ne voyait pas de ce côté-là, mais sur l'autre penchant, où le pré était encore dans la brume.

César lui avait emprunté des cartouches? Oui, une dizaine. Avait-il dit de quel côté il voulait chasser? M. César? Vous plaisantez! Il ne disait rien, jamais. Combien de temps était-il resté en haut des Mussoux? Juste ce qu'il fallait pour longer le bois sans se presser. Un quart d'heure? Ça se pouvait, on ne se rendait pas compte du temps, quand on était occupé. Quand on lui redemanda s'il avait seulement suivi le chemin, il parut interloqué : « C'est ce que je viens de vous dire! » Y avait-il trouvé des champignons? Cinq petits, pas vilains. De là, avait-il entendu tirer des coups de feu? Ce lundi, la chasse était autorisée, alors il ne fallait pas s'étonner que ça ait eu péta-radé! Il n'y avait pas fait attention. Le fils Martin avait chassé du côté des Brandes, René aurait pu l'entendre? Oui, de ce côté-là, j'ai bien pensé que c'était lui. Et vers Combe Jadouille? On a dû tirer une fois, mais plus haut, vers les sapinettes. René savait qu'on avait retrouvé là, dès la veille, une des douilles, provenant du fusil de César. Un seul coup de feu? Ben, oui, mais je me suis pas attardé. Vous pourriez dire de quelle arme il venait? Oh! la, la, vous m'en demandez trop! Avec la résonance qu'il y a d'un coteau à l'autre, on entend différemment à cent mètres de distance. Sur le chemin du retour, vous avez entendu quelque chose? Non, mais je me dépêchais. J'avais des pommes de terre à arracher pour la Finou, fallait plus que je traîne. A quelle heure était-il arrivé à La Faujardie? Finou le saurait peut-être, si elle avait regardé le réveil. Lui n'avait pas eu à entrer dans la maison. Il faut dire aussi qu'il s'était arrêté à la métairie. Pour quelle raison? Changer l'ampoule électrique, qui avait sauté, dans l'étable.

Il dut expliquer qu'il avait sorti l'escabeau, pris l'ampoule neuve, posée le matin sur le rebord de la fenêtre, avec la lampe qu'on y laissait toujours. Pourquoi ne l'avait-il pas changée au moment où il l'avait apportée? En cette saison, on y voyait assez clair sur les huit heures, et puis il était pressé d'aller aux champignons.

En fait, il avait changé l'ampoule avant de soigner les vaches, mais jugea qu'il ne serait pas mauvais de remplir un peu le temps passé sur le chemin du retour, puisqu'il avait supprimé de ses occupations la demi-heure passée dans le bois des Mussoux et la discussion avec César.

M. César Abadie lui avait autrefois tué son chien? Ah! vous pouvez le dire! Ça lui ressemblait tout à fait! Il n'avait en tête que des mauvaisetés. Se souvenait-il de l'arme qu'il avait utilisée ce jour-là? Té, le revolver qu'il avait pris dans le tiroir de M. Abadie. C'est lui qui s'en était vanté. René en connaissait-il la marque ou le modèle? Ah! un fusil de chasse, il saurait peut-être, mais ces trucs-là, il n'y connaissait rien. Un gros machin noir, assez lourd. Vous l'avez tenu en main? Non, mais M. César le tenait comme ça, en me le montrant (René fit le geste de soupeser) et ça paraissait lourd. Pourtant, pendant la guerre, vous avez aidé un cousin de Mme Delteil à cacher des armes dans le souterrain qui anciennement allait jusqu'au château? Une seule fois, c'était la nuit et je tenais pas à y regarder de trop près, je vous assure, parce qu'ils étaient pas bien prudents, ces gars-là. Je le faisais pour le Jules Andrieu, celui qu'on appelait le Toupi, qui m'avait fait avoir mes papiers, après que je me suis été évadé. Vous l'avez aidé deux fois, nous a dit M. Andrieu.

– Vous lui avez demandé? Vous alors, vous perdez pas de temps! Mais la deuxième fois, j'ai surveillé dehors, au coin de l'avenue, d'où on entend tout ce qui se passe sur la départementale et sur la route du bourg. J'ai pas pu voir ce qu'ils déchargeaient.

Savait-il ce que César avait fait ensuite de ce revolver? Il avait dû le garder, pour faire le malin devant ses copains, à Bordeaux, des gens qu'il n'aurait pas osé amener à La Faujardie. Il avait fallu que ses parents soient morts pour qu'il vienne avec la demoiselle anglaise et avec le Vermeulen. Que savait René de ces visiteurs? Heureusement, il n'avait pas eu à les voir ou à leur parler. Pourtant, un soir, il avait surpris le Hollandais en train de se promener dans le souterrain? Tiens, M. Paul avait raconté ça!

— Oui, le Flahut a fait une drôle de tête, en tombant sur moi. C'était la veille du quatorze juillet, tout le monde était sorti. J'étais resté chez moi, parce que j'aime pas trop ces fêtes, et puis je voulais pas quitter ma chienne, qui était malade. Elle avait des vers.

René avait-il une idée de ce que cherchait ce monsieur dans le souterrain?

— Non, j'ai pas compris. Sauf si M. César y tenait quelque chose qui l'intéressait. Ils étaient peut-être en affaires, mais ça ne me regardait pas.

— Vous ne saviez pas que M. Vermeulen collectionnait les armes de guerre?

— Té..., fit René, intéressé, qui vous a appris ça?

Le gendarme ignora la question et poursuivit :

— C'est assez courant chez des hommes de sa génération. Il a pu apprendre que des armes avaient été cachées là autrefois, par la Résistance, et voir s'il n'en traînait pas une dans un coin.

— Té..., redit René, ça c'est une idée!

Depuis que le projecteur était braqué sur Vermeulen, il avait eu la tentation de se détendre, mais il sentit quel danger il y aurait à laisser paraître la moindre satisfaction. Il ne se départit donc à aucun moment de sa lenteur et de sa maladresse.

A la fin de son audition, René était sonné, autant par le bruit incessant de la machine à écrire que par cet échange, le plus long qu'il ait soutenu de sa vie. Il signa les feuillets qu'on lui avait relus.

— Je vais vous raccompagner. Je dois aller entendre Mme Delteil, dit le chef de brigade, que le jeune gendarme s'apprêtait à suivre, sa machine à écrire à la main.

Mais au croisement suivant attendait Paul, que René aperçut aussitôt et vers lequel il se dirigea tout droit. Les deux gendarmes suivirent dans leur fourgon.

Un immense soulagement envahit Paul et René quand ils se retrouvèrent dans la vieille 504.

— C'est bizarre, dit René, comme ils sortaient de Rossignac. J'ai l'impression comme si je sortais de prison et ça me fait tout drôle de me retrouver libre. Ils sont aimables et tout, quand on les rencontre, mais quand ils vous tiennent pour quelque chose, on se demande s'ils vont vous lâcher! En plus, on comprend pas où ils vont chercher tout ce qu'ils savent!

— Au début, tout le monde fait du zèle, c'est normal, le rassura Paul. Après, ça se calme.

— Faut espérer. Si ça devait durer comme ça, ce serait pas tenable.

Après un soupir, René se lança dans l'explication qu'il ne pouvait éluder :

— Il faut que je vous dise...

— C'est toi?

— Croyez bien que je l'ai pas voulu!

— Ne t'excuse pas. Je suis sûr qu'il l'avait cherché. Tu n'as pas gardé le revolver chez toi, au moins?

— Non. Personne ira le chercher là où je l'ai mis.

— C'est le P.38 de papa?

— Oui.

— Bien. Comment c'est arrivé?

René raconta sobrement sa rencontre avec César et conclut :

— On a une chance, dans tout ça, c'est que je sois tombé en route sur la vieille Marguerite.

– Ne t'en fais pas, dit Paul. C'est la faute de César, pas la tienne. Ce qui est bête, c'est que les gendarmes savent cette vieille histoire de ton chien.

– Oui, j'aurais jamais dû raconter ça à Bourdet! gémit René, démonté pour la première fois. On se connaissait depuis longtemps, ça faisait des années qu'il était là. Je suis tombé sur lui, devant la mairie, juste après que M. César m'a tué ma Bébelle. J'en avais si gros sur la patate que j'ai pas pu m'empêcher de lui raconter ça!

Une voiture de gendarmes était arrêtée dans une cour, en bas de Reyssac.

– Ils continuent à poser leurs questions, dit René. Mais j'ai pas quitté le couvert du bois, personne a pu me voir. Et même si on m'avait vu, ça m'étonnerait qu'on leur réponde...

A La Faujardie, Daniel, qui guettait l'arrivée des deux hommes, se précipita pour les embrasser. Finou, du seuil de la cuisine, les vit s'approcher avec émotion, l'un petit et sec, l'autre grand et voûté, silhouettes dissemblables et pourtant jumelles.

Paul posa sur la table le pain de trois livres que Finou lui avait demandé de rapporter de Rossignac. Elle leur servit des bières, le gamin termina sa collation.

En attendant l'arrivée des gendarmes, qui s'étaient arrêtés pour parler avec ceux qui se trouvaient à l'entrée de la commune, Paul avertit brièvement la vieille femme des points sur lesquels semblait se concentrer l'enquête.

Portes fermées, c'est dans la salle à manger que Finou s'assit avec le chef de brigade, qui l'interrogeait et avec le jeune gendarme dont, bientôt, cliqueta la machine à écrire.

Elle ne craignait pas de trop parler, tant elle avait enfermé de façon hermétique dans un coin de son cerveau ce qu'elle avait décidé de taire. Mais elle

avait conscience que le sort de René reposait largement entre ses mains. Il n'avait pas de montre, était
connu pour ses singularités, sa notion fantaisiste du
temps. Il pourrait sans dommage dans ses déclarations se tromper, oublier, rectifier, en jurant de sa
bonne foi. D'elle, à la tête claire et ferme, qui tenait
la maison en comptant chaque sou et chaque minute
de travail, on attendrait la précision. Revenir sur ses
dires, ne serait-ce qu'une fois, comporterait des
risques redoutables.

On la questionna longuement sur la personnalité
des étrangers que César avait amenés à La Faujardie, elle seule les ayant approchés. Dans les limites
de ce qu'elle avait prévu de dire, elle parla sans
réticences.

Dehors, la radio du fourgon grésillait. Plusieurs
appels se succédèrent. Un homme resté disponible y
répondit. Une fois seulement, il avertit le chef de
brigade qu'on le demandait. Pendant ces quelques
instants de répit, Finou se retint de fermer les yeux
pour ne pas avouer sa lassitude.

Elle cacha également qu'elle se raidissait quand on
en vint à parler de César et, inévitablement, de ses
relations avec chacun des habitants de la maison,
même Daniel. Sur ce terrain miné, le gendarme et
elle redoublèrent de circonspection et pesèrent leurs
mots avec soin. César avait la réputation d'être
emporté et même violent? lui demanda-t-il. Pas
vraiment, il avait plutôt des sautes d'humeur, des
lubies. Il pouvait plaisanter à un moment et aussitôt
après s'irriter, devenir insultant. Lui arrivait-il de
blesser les gens par son ironie? Oh! il suffisait de ne
pas y attacher d'importance, car il se calmait aussi
vite qu'il s'était énervé. Il lui fallait du mouvement,
de la distraction, de la nouveauté à tout prix.
Pourtant, il avait choisi de passer de longues vacances à La Faujardie? Par mesure d'économie, sans

doute, en attendant que s'organise un autre voyage lointain, elle ne savait vers quelle région. Mais il dépensait gros? Pour ce qui l'intéressait, mais la propriété, il s'en moquait! Savez-vous, par exemple, s'il aurait remis de l'argent à votre fille, de petites ou de grosses sommes? Rien! Et pour la maison, quand il est arrivé avec la demoiselle, quelques billets, c'est tout. Paraissait-il inquiet ce lundi matin? Au contraire, il était tout content. Ses affaires devaient être réglées, il se préparait à repartir. Il n'a pas dit où.

Après un silence, l'homme en uniforme se fit plus lent, plus attentif, pour demander : « La rumeur a couru pendant un certain temps que René Fouille-tourte serait le père de votre fille? » Avec un calme olympien, Finou rétorqua, les yeux dans les yeux qui la fixaient, vigilants : « On a dit aussi que c'était M. Abadie. Je vous laisse choisir! »

Le pire, quand on se trouve en face d'un de ceux-là, est que toute initiative vous échappe, songea Finou, qui pourtant retrouvait peu à peu sa combativité. Quand on l'interrogea sur la mort du chien de René, elle ne montra aucun trouble. Paul l'avait avertie. C'était oublié cette histoire, il n'en avait jamais reparlé depuis, dit-elle tranquillement. Elle qui était depuis si longtemps attachée à la famille et jouissait de son entière confiance, n'avait-elle jamais été informée par M. Abadie de la présence d'un revolver dans son tiroir? « Madame me l'avait dit, un jour, mais je ne l'ai jamais vu. D'ailleurs, ce tiroir était fermé et M. Abadie gardait la clef sur lui. »

Le gendarme en avait sans doute fini, car il lui demanda ensuite où l'on pourrait joindre Marie, à Bordeaux, afin de l'entendre elle aussi. Finou alla chercher dans la soupière les numéros de téléphone de son appartement et de son bureau.

– Laissez-moi la prévenir d'abord. Je lui télépho-

nerai ce soir, chez elle. L'enterrement ne pourra pas
être avant samedi?

— Probablement.

Les gendarmes partis, La Faujardie se remit
machinalement à ses tâches quotidiennes. René et
Finou allèrent chacun de leur côté, soigner les bêtes.
Daniel, trop énervé pour faire ses devoirs, ne reçut
pour une fois pas de rappel à l'ordre et suivit sa
grand-mère. Dès qu'il fut seul avec elle, il lui
demanda :

— Tu vas aller en prison, mémé?

— Qu'est-ce que tu imagines comme bêtises, mon
Bibi! s'écria-t-elle avec tant de conviction qu'il en rit,
soulagé.

— Mais si tu vas à la gendarmerie, je resterai tout
seul?

— Je t'ai déjà laissé tout seul?

— Non.

— Alors, ça ne va pas changer aujourd'hui.

— Les gendarmes reviendront ici?

— Oui, c'est leur travail de poser des questions,
pour savoir ce qui est arrivé.

— A moi aussi, ils me poseront des questions?

— Nous verrons bien! Si on te demande quelque
chose, tu répondras, c'est pas compliqué!

— Mais tu resteras avec moi?

— Evidemment!

— Et pourquoi on ne sait pas qui a fait ça?

— Hé, ça se voit dans tous les journaux, des gens
qui font des accidents de voiture et qui se sauvent
pour pas être pris!

— Celui-là, on va l'attraper?

— Je n'en sais rien.

— Et s'il vient nous tuer, après?

— C'est pas quelqu'un qui a voulu tuer, à mon
avis. Ils ont dû se rencontrer et parler un peu.

L'autre a pu s'entraver et tirer sans le vouloir, en tombant.

– Quand le tracteur s'est retourné sur Jeannot, aux Granges, c'était aussi un accident, pourtant les gendarmes ne sont pas venus!

– Bien sûr que si, ils sont venus!

– Tu crois?

– Puisque je te le dis!

Elle lui tendit un panier :

– Ramasse donc les œufs, au lieu de rester là sans rien faire.

Quand ils rentrèrent dans la cuisine, elle le morigéna gentiment :

– Tes lunettes sont sales que c'en est une honte, mon biquet! Nettoie-les, voyons!

– J'ai pas de mouchoir.

– Prends un coin de torchon.

Assis, il la regarda préparer le dîner.

– Arrête de balancer tes jambes, mon Bibi, tu me donnes le tournis, dit Finou, grondeuse.

Il ralentit le mouvement de ses jambes sous la table, sans l'interrompre.

– Mets donc le couvert, ça me rendra service, dit-elle enfin, pour ne pas le laisser inactif.

René, ayant fini plus tôt que d'habitude de soigner les vaches et les cochons, passa la tête, sans entrer dans la maison :

– Finou, je vais jeter un coup d'œil en bas, pour voir si je trouve quelques champignons.

Daniel bondit, laissant en plan le travail entrepris :

– Je viens avec toi!

– Bon, dit la vieille femme, satisfaite de cette distraction proposée au petit. Ne vous écartez pas trop, je sers dans une demi-heure.

Elle les regarda s'éloigner côte à côte, un bâton à

la main, René portant un panier de châtaignier. Elle vivante, personne ne toucherait à ces deux-là!

A la métairie, Paul fendait du bois pour le fourneau de la cuisine, qu'elle allumerait bientôt. Cette chaleur ne pouvait durer indéfiniment.

Daniel et René furent en retard pour le dîner, comme elle l'avait prévu. Le gamin posa fièrement sur la table le panier contenant le fruit de leur cueillette :

– Ça fait presque deux kilos, a dit tonton René! Moi, j'ai trouvé ces trois-là!

Il pointa vers un groupe de champignons, un jeune et deux plus petits, réunis par leurs queues.

– Ils sont vraiment jolis! dit la vieille femme, en les retournant pour mieux apprécier. Cette fois, c'est sûr, ils viennent. Puisque tu n'as pas classe demain, mercredi, on ira ensemble, le matin, si tu veux.

A table, la tête penchée sur leur assiette, les hommes avalèrent à grandes lampées la soupe aux haricots, parfumée de hachis à l'ail, où trempait le pain. Puis, Finou apporta un reste de chou farci, en servit une large portion à Paul :

– Ne m'en donne pas tant! Il n'en restera pas pour vous.

– Terminez-le avec René. Vous n'avez pas dû manger grand-chose à déjeuner.

– Si, c'était bien, fit René.

Péremptoire, Finou le servit, en déclarant :

– Le petit et moi, nous ne digérons pas bien les farcis, le soir. J'allais préparer une omelette.

– Oui, fais une omelette! s'écria l'enfant.

De la poêle noire, elle la fit glisser, baveuse, dorée, dans leurs assiettes. Sans rien ajouter, les hommes se resservirent, finirent le plat. Puis, René finissant de saucer son assiette, Paul s'abstenant – l'éducation de son enfance prévalait dans ses manières de table, son langage et son comportement avec les gens –, ils attendirent qu'elle apporte la salade et le fromage. En réponse à un coup d'œil que jetait le gamin au réveil, Paul remarqua :

– On n'est pas en retard. C'est à huit heures et demie.

– Quoi? demanda Finou.

– Le film.

– Vous le regardez?

– Oui.

Elle n'osa montrer son étonnement.

– Et toi, René?

– Té, tu voudrais que je tourne ma chaise dans l'autre sens?

Oublieux de la mort de César, de l'enquête qui débutait et ne pouvait manquer de rôder autour d'eux pendant des jours ou des semaines, ils s'installèrent devant la télévision.

Pendant ce temps, elle téléphona à Marie.

– Il est arrivé un accident à César, dit-elle, ne sachant pas tourner autour du pot.

– Je le savais, il est mort! cria Marie.

Finou expliqua les circonstances de l'accident, sans dire quel rôle René y avait joué. A l'autre bout du fil, Marie pleurait. Finou n'entendait que de petits reniflements et une voix enchifrenée qui répondait par monosyllabes.

– Tu ne pouvais rien attendre de lui, il était sur le point de partir et il ne pensait déjà plus à Daniel ni à toi, ma pauvre petite fille.

– Je sais, hoquetait Marie. Je sais, mais ça ne change rien.

– Bois une tisane, ça te calmera, dit Finou maladroitement.

– Je vais prendre un cachet pour dormir. Comment va Daniel? Qu'est-ce que tu lui as dit?

– Que c'était un accident de chasse.

– Fais attention, tous les gosses vont lui en parler à l'école.

– J'y ai pensé.

– Tu peux me le passer?

– Ils regardent tous le film à la télé. Ça les distrait. Alors, il vaut peut-être mieux ne pas lui reparler de tout ça maintenant.

– Je comprends.

Marie étouffait de brusques sanglots.

– Les gendarmes vont t'appeler. Tu feras attention à ne rien dire... enfin... qui fasse mauvaise impression, sur la famille Abadie, ou sur nous et René.

– Ne t'inquiète pas, je n'irai pas dire n'importe quoi!

– Ils nous ont déjà interrogés aujourd'hui. M. Paul et René sont restés des heures à la gendarmerie, à Rossignac.

Comme Marie n'écoutait pas, sa mère, incapable de mener au téléphone une conversation de plus d'une ou deux minutes, demanda en faisant un effort d'imagination :

– Tu n'as pas une amie qui pourrait dormir dans ton appartement ce soir, juste pour que tu ne sois pas toute seule?

– Ça ira, je t'assure. Avec un cachet, je dormirai.

– Avec l'*entopsie*, l'enterrement ne sera pas avant samedi. Je te préviendrai.

– Je demanderai un jour de congé.

– Demain, j'emmène Daniel aux champignons. Ils commencent à se trouver.

– Ah! bon? fit Marie, une lueur d'intérêt dans la voix.

– Je t'en ferai quand tu viendras. Si j'en trouve assez demain, je préparerai des bocaux, tu pourras en emporter.

Ne trouvant rien d'autre à dire, Finou conclut par les vieilles recommandations paysannes :

– Apporte quelque chose de chaud à mettre pour l'enterrement. Le temps peut se rafraîchir vite en cette saison.

Marie eut un bref sanglot et ne répondit pas.

– Tu m'entends? Prends une veste de laine, insista Finou.

– Oui, d'accord.

– Bon, alors, je te retéléphonerai. Bonsoir, ma minette. Ne t'en fais pas trop.

– Bonsoir, je vous embrasse tous.

Les hommes ne tournèrent même pas la tête, quand elle revint dans l'office. Seul, Daniel demanda :

– Tu téléphonais à maman?

– Oui. Elle t'embrasse.

– Elle vient quand?

– On ne sait pas encore. Ça dépend de l'enterrement.

– Elle est triste?

– Bien sûr.

Qu'est-ce que l'enfant avait surpris, deviné, des relations de sa mère avec César? Rien, peut-être, étant donné la réserve dont elle avait fait preuve, et le profond sommeil qu'il tenait de Marie et de son grand-père.

Le film se prolongeant, Finou déclara pendant un temps mort :

– Au lit, mon Bibi. Il est dix heures passées!

Elle monta avec lui. Alors qu'elle s'apprêtait à redescendre, il s'agita, se plaignit :

– Reste avec moi, mémé, j'ai peur!

– Mais enfin, mon biquet, sois raisonnable! Tu sais bien que j'ai encore du travail en bas!

– J'ai peur que quelqu'un entre par la fenêtre!

– Si je la ferme, tu vas étouffer. Tu sais bien que,

s'il se passait quelque chose, ta chienne aboierait et qu'on l'entendrait d'en bas!

— Et si vous arrivez trop tard et qu'on m'a déjà tué?

— Bon. Je ferme la fenêtre et le volet et je ne monterai pas trop tard. Ça ira comme ça?

— Et tu me laisses Zaza en attendant?

— Évidemment.

— On a oublié ma prière!

— Dis-la plus courte, pour aujourd'hui ça suffira.

La prière dite, elle l'embrassa, contourna le chien déjà couché en rond sur la carpette, sortit en laissant la porte entrouverte. L'enfant se rassura en entendant jusqu'au rez-de-chaussée le pas traînant de la vieille femme.

Finou se laissa tomber dans son fauteuil. Heureusement encore, les gens de la commune n'avaient pas osé venir présenter leurs condoléances à la famille. S'il avait fallu supporter un défilé, en plus de tous ces gendarmes, ç'aurait été à devenir fou.

Elle savait ce que pensait le pays. La mort de César était un malheur, si on voulait. Mais il aurait pu arriver pire. On ne savait trop d'où il tirait cet argent qu'il jetait en l'air, comment il avait acheté cette belle voiture. Ça aurait pu finir par un scandale, la pire des choses pour une famille qui a des traditions. Là, si on ne trouvait pas de coupable, ce serait ennuyeux pour les gendarmes et pour la justice, mais au fond, ça ne ferait de peine à personne. A La Faujardie, on ne raisonnait pas autrement.

En attendant la fin du film, elle reprisa des chaussettes. Quand Paul eut éteint la télévision, indiquant à René de rester à sa place, il se tourna vers Finou :

— Alors, qu'est-ce que tu avais à dire?

Il avait donc remarqué tout à l'heure qu'elle

souhaitait parler mais, à son habitude, avait attendu pour le relever que le moment lui convienne.

— Nous trois, dit Finou, il aurait peut-être fallu qu'on se dise ce que les gendarmes nous ont demandé et ce qu'on a répondu.

— Vas-y!

En quelques phrases, elle rendit compte de son audition, dont elle gomma simplement ce qui était par trop personnel. Paul et René ne furent guère plus loquaces.

La conclusion s'imposait d'elle-même : les gendarmes ne croyaient pas à un crime commis par un étranger. L'endroit était trop isolé. A part les chasseurs, bien des gens de la commune n'y avaient jamais mis les pieds. Cette malencontreuse histoire du chien de René, dont ils connaissaient les détails, contribuait évidemment à le rendre suspect.

— Faut pas oublier qu'avec les champignons, il vient plein de rôdeurs, dit Finou. Ça va compliquer leur travail, s'ils doivent courir après tous ces gens-là.

— C'est le début des champignons, ce matin je n'ai pas vu de voitures étrangères le long de la route ou dans les chemins, remarqua Paul.

— Ils ont pu venir à pied d'aussi loin que Saint-Julien. Ces gars-là n'hésitent pas à faire des kilomètres!

Cela était en effet un élément positif.

— Tu as bien planqué le revolver, tu en es sûr? demanda Paul à René.

— Pour ça, ne vous en faites pas! A moins d'un hasard incroyable...

René eut un geste, prenant le ciel à témoin de ce que les événements inouïs ne dépendent pas des humains.

— Ne fais pas le con, c'est tout ce que je te conseille. Ne crois pas que tout est fini parce que tu

345

ne te fais pas coffrer cette semaine ou la suivante. Il suffirait que tu boives un coup de trop, cet hiver, à un concours de belote et que tu parles plus qu'il ne faudrait!

– Ne craignez rien, il saura se taire et nous aussi, dit Finou.

– Alors, il n'y a qu'à attendre que ça se passe.

– Il faudrait aussi qu'on se mette d'accord pour donner la même explication de l'accident. On pourrait dire que M. César a dû rencontrer un traînard ou un étranger qui chassait à Combe Jadouille. Il aurait voulu le renvoyer, un coup de feu serait parti. C'est tout. Comme ça, on n'accuse personne du pays.

– Entendu.

On échangea des bonsoirs, René semblant le moins affecté de tous par cette journée et les rudes lendemains qui se profilaient pour lui plus encore que pour le reste de la famille.

– J'ai autre chose à vous montrer, dit Finou, au moment où Paul montait se coucher.

– Ce soir?

– Oui, vous n'en serez pas mécontent. C'est là-haut.

– Je te suis.

Dans la lingerie, elle s'agenouilla péniblement devant une des armoires, sortit un des deux sacs qu'elle avait dissimulés le matin même. Agacé, Paul regarda les chiffons qu'elle en retirait. Alors, elle lui fit signe de regarder à l'intérieur. Il vit les liasses de billets.

– M. César m'avait expliqué, il y a quelque temps, que s'il lui arrivait quelque chose, je devrais aller voir dans le placard de son cabinet de toilette, prendre ce que j'y trouverais et vous le remettre. Voilà.

Sans y toucher, Paul avança la tête :

– Ça fait combien?

– Un peu moins que cent millions. C'est ce que le vieux monsieur lui a donné quand il a récupéré les tableaux.

– Tu es sûre que tout y est? demanda Paul, méfiant.

– Naturellement!

En même temps, elle songeait qu'il aurait été impossible d'avouer à Paul le partage voulu par César. Il n'aurait pas supporté de savoir que la vieille servante de sa famille était traitée par son propre frère sur un pied d'égalité avec lui.

– Il faudrait compter, dit-il enfin.

– Si vous voulez.

Il sortit liasse après liasse, d'argent français d'abord, mit un temps infini à les compter, oubliant le chiffre qu'il venait d'annoncer, recommençant, si bien que Finou dut aller chercher un papier et un crayon et noter au fur et à mesure chaque chiffre énoncé, en tenant le papier sous ses yeux pour qu'il ne la suspecte pas de frauder. Il admit enfin que le total calculé par la vieille femme était correct. Le compte des dollars fut plus rapidement fait.

– Je vérifierai demain à quel cours il se vend. En attendant, tu rangeras ça! dit-il, en guise de conclusion.

– Qu'est-ce que vous voulez dire?

– Remets-le dans l'armoire.

– Vous devriez placer cet argent, il vous rapporterait.

Il s'énerva :

– Qu'est-ce que j'irai raconter au Crédit Agricole du Bugue, en m'amenant avec ce tas de billets? Et puis, placer de l'argent ne vous rapporte que des embêtements, le fisc y met le nez et on n'en a jamais fini!

– Ils savent que La Faujardie est pleine de belles

347

choses. Dites que vous avez vendu des meubles à Vermeulen, par exemple. Ils vous croiront et ce ne sera qu'à moitié faux.

– Pour que ça se répète et que nous soyons cambriolés, merci bien!

Comme elle serrait fort le cordon du sac, pour le refermer, il lui dit : « Attends! », l'ouvrit à nouveau, en tira une liasse, d'où il détacha soigneusement deux billets de cinq cents francs, qu'il tendit à Finou.

– C'est pour quoi faire? dit-elle, sans les prendre.

Comme à regret, il sortit deux autres billets.

– Voilà, mille pour la maison, mille pour toi, dit-il.

– Pour la maison, c'est bien, répondit-elle, en pliant deux des billets qu'elle mit dans la poche de son tablier. Moi, je n'ai besoin de rien.

Paul y vit une confirmation de sa générosité, alors que Finou jugeait cette aumône insultante, en comparaison de la somme qu'elle venait de lui remettre. Ils se livrèrent à ce ballet connu, lui insistant, elle refusant, jusqu'à ce qu'il use de l'argument qui mit un terme au débat :

– Tu l'utiliseras pour Daniel.

Avant d'aller enfin se coucher, après cette soirée pour lui interminable, il demanda :

– A propos, tu ne m'as pas montré où César gardait ces fameux tableaux.

– Je vous y mènerai demain.

C'est seulement après qu'il l'eut quittée qu'elle ramassa les billets posés sur la commode et les ajouta à ceux qui étaient dans sa poche.

– Son père avait des défauts, grommela Finou, mais il m'aurait donné la liasse entière.

En veillant à faire craquer le plancher le moins possible, elle monta chercher le chien, endormi chez

Daniel, redescendit l'enfermer dans l'écurie, avant de regagner enfin son lit.

*

Le mercredi matin, comme René finissait de boire son café, la vieille Follette fit entendre sa toux asthmatique et il vit arriver une des voitures bleues de la gendarmerie, d'où sortirent le chef de brigade et un jeune gendarme. Le premier expliqua courtoisement qu'ils étaient venus perquisitionner chez lui et le ramèneraient ensuite à Rossignac, où il serait gardé à vue et entendu de nouveau.

— Té, comme vous voudrez, fit-il, interloqué. Il faut pourtant que j'aille soigner les bêtes chez M. Abadie.

— Ne peut-il le faire à votre place?

— Il n'aime pas trop ça. Faut traire la Belle, détacher les veaux, les faire téter, mettre tout le monde dehors, pendant que je sors le fumier et que je rapporte de la paille. Après, je nourris le cochon.

— Il vous arrive bien d'être malade ou en vacances?

— Je suis jamais malade et les jours de fête, ça compte pas, pour les bêtes. Faut bien faire le travail. Et puis c'est là-bas que je mange, alors... Remarquez, M. Paul s'occupe bien des vaches une fois de temps en temps, enfin il enlève le dessus du fumier et il retourne un peu la paille. Ces jours-là c'est la Finou qui s'occupe du cochon.

On proposa de l'accompagner à La Faujardie, pour expliquer la situation à Paul. Ne voyant pas d'autre solution, René accepta. Il fut encore plus perplexe, quand on lui demanda s'il portait tous les jours les chaussures qu'il s'apprêtait à enfiler. Sur sa

349

réponse affirmative, on lui demanda de les laisser sur place.

— Ben, qu'est-ce que je vais mettre?

— Vous en avez bien une autre paire?

— C'est vrai que, si je viens avec vous, je me salirai pas. Je peux mettre mes noires, mais ça fait bien cinq ans que je les ai pas enfilées, peut-être que j'entre plus dedans. J'ai aussi mes souliers d'hiver. Par ce temps, ça me fera trop chaud, mais qu'est-ce qu'on y peut?

A La Faujardie, Paul n'était pas prêt et finissait sa toilette. A moitié habillé, pas rasé, il sortit de la salle d'eau, en entendant la voix des gendarmes. Ils répétèrent les explications qu'ils venaient de donner à Finou. Pour la forme, Paul grogna un assentiment qu'on ne lui demandait pas, fit claquer la porte en s'enfermant à nouveau dans la salle d'eau.

Résigné à avoir une seconde journée gâchée par ces formalités, René observa les gendarmes qui examinaient méticuleusement les deux pièces de son habitation, apprécia que les choses soient remises en place. Quand ils eurent fini, le plus âgé désigna le hangar, demanda à quoi il servait:

— J'y garde mes outils, je bricole. L'hiver, je taille des piquets de vigne.

Le hangar également fut visité de fond en comble. L'indifférence de René était flagrante. Les deux hommes ne s'attardèrent pas et le ramenèrent avec eux à Rossignac.

Il se retrouva dans le même bureau que la veille, devant le chef de brigade.

— Nous allons tout reprendre depuis le début, lui dit-il, pour nous assurer que tout est clair et que vous n'avez rien oublié.

— Je vous ai raconté hier tout ce que je savais!

— Un détail a pu vous échapper, une précision pourrait vous revenir quand vous décrirez à nouveau les faits. En réalité, d'après les indices que nous possédons, il s'agit très probablement d'un acte ayant entraîné la mort sans intention de la donner plutôt que d'un homicide volontaire.

– Quelle différence ça fait?

– Il n'y a pas eu préméditation, c'est moins grave. Quelqu'un a pu rencontrer M. Abadie par hasard. Peut-être que M. Abadie lui-même détenait cette arme, ce revolver, qu'il l'a montrée, a voulu se vanter ou s'amuser, ou défier la personne qu'il rencontrait. Ça aurait pu mal tourner, par exemple si la personne avait cherché à s'emparer du revolver et que le coup était parti.

– Comment voulez-vous que je le sache, puisque j'y étais pas?

– Vous étiez dans les bois juste au-dessus à l'heure présumée de la mort, entre dix heures et onze heures, environ. Vous auriez pu entendre des éclats de voix, l'écho d'une dispute. Même si vous n'aviez saisi que quelques mots, ce serait important.

– Té, si c'était comme ça, je l'aurais dit hier.

– Vous auriez pu craindre d'être un accusé au lieu d'un simple témoin.

L'habileté de l'argumentation laissa René de marbre. Il comprit qu'il était le seul suspect sur lequel les gendarmes avaient mis la main et qu'ils disposaient peut-être de présomptions, mais d'aucun indice précis.

Pieds largement écartés pour être mieux d'aplomb, René se carra sur sa chaise et se prépara à attendre que passât la journée comme quand, enfant, il gardait les moutons sous la pluie ou dans la bise d'hiver.

La section de recherches de Bordeaux s'occupait de retrouver Jane, Vermeulen et Maerten, mais en Dordogne les gendarmes étaient persuadés qu'il s'agissait d'une affaire locale, pour ne pas dire familiale. Très vite, le chef de brigade eut la conviction de la culpabilité de René, mais il ne disposait d'aucun fil conducteur. Rien n'était plus difficile à prouver que ces crimes de hasard, où les circonstances, l'emportement amènent un homme paisible à devenir en un instant un assassin. Il savait à quel point ce genre de vieux paysan était endurci et capable de résister aux plus rudes épreuves. Il ne s'attendait donc pas à de faciles aveux.

La matinée passa. On mena René aux toilettes quand il le demanda. Il souhaita fumer, et on le laissa rallumer interminablement sa Gitane de papier maïs, qui s'éteignait bientôt.

— Ces cigarettes-là, c'est économique, du fait que ça ne part pas en fumée comme les autres, expliqua-t-il aimablement.

On lui apporta à déjeuner, sans oublier le café. Le chef de brigade fut appelé ailleurs, son adjoint le remplaça, reprit les mêmes questions et d'autres, revint en arrière, demanda des précisions sur plusieurs réponses de René. Celui-ci en profitait pour biaiser, décrire par le menu un lieu, un objet qui n'avaient qu'un rapport lointain avec l'enquête, l'escabeau utilisé pour remplacer l'ampoule électrique dans l'étable, les genévriers qui se trouvent en bordure des Mussoux.

On le fit parler de son passé, de son arrivée à La Faujardie, de César, de tout en somme. On évoqua cette rumeur, selon laquelle il aurait eu autrefois des relations avec Mme Delteil. La Finou? dit-il, placide. Je m'en tenais à l'écart, parce qu'on disait la même chose de M. Abadie avec elle, on a même raconté que Marie était sa fille. Mettez-vous à ma place, j'ai pas cherché à y voir de trop près. Plus tard, j'ai compris que c'étaient des bêtises, mais...

Il eut un geste pour indiquer que le temps était passé et l'occasion aussi. Le dos rond, tournant parfois le béret posé sur un de ses genoux, il n'en voulait pas aux gendarmes. Il n'avait rien contre eux. C'est normal qu'ils cherchent me faire parler, pensait-il, et c'est normal que je leur mente. A chacun son travail.

A un moment, il s'exclama :

– C'est un drôle de métier que vous faites! Faut aller et venir d'une chose à l'autre, sans mélanger. Déjà, moi, d'être assis là deux heures, j'en ai la tête comme une saucisse!

Au fond, la mort de César ne pesait guère. Même eux savaient qu'il ne valait pas grand-chose. C'était pas de chance qu'il y soit resté mais, après tout, était-ce si grave que cela? Il faut bien faire une enquête, ce ne serait pas convenable d'enterrer ce pauvre M. César sans se remuer pour trouver un coupable. Mais ils finiront bien par me lâcher, puisqu'ils ne trouveront rien contre moi. Et il expliquait, en brave homme, qui aurait voulu leur faciliter la tâche :

– Je vous comprends, ça aurait été naturel que, du chemin où j'étais, je descende vers Combe Jadouille. C'est ce que j'aurais fait, il y a encore cinq ans. Seulement, depuis que je me suis attrapé mon entorse, l'autre hiver, je veux pas risquer de tomber de travers et pas pouvoir me ramasser.

– C'est raide, mais pas tellement plus qu'à d'autres endroits, fit remarquer le gendarme.

– Tenez, je vais vous donner un bon exemple. Même M. Abadie, au moment où il avait bien besoin d'argent, il n'a pas pu faire couper le taillis dans le bois des Mussoux. On lui demandait des mille et des cents pour le sortir. Les débardeurs ont pas envie de se retourner là-dedans avec leurs engins. En plus, la terre dégringolerait si elle était à nu, il ne resterait que le rocher. Vers le bas, la broussaille vient si épaisse qu'il n'y a plus que les sangliers pour y passer. Ça se connaît avec les dégâts qu'ils ont faits dans le maïs. Et puis, vous savez, il y a toujours des petits malins pour envoyer les sangliers chez les autres, leur faire saccager les récoltes ailleurs, et les retrouver au moment de la chasse!

Le gendarme approuva de la tête. On connaissait cela dans le pays.

— Pourtant, la broussaille ne vous fait pas peur. Quand vous étiez prisonnier en Allemagne, vous vous êtes évadé avec deux camarades et vous avez vécu dix-sept jours dans les bois, en ne vous déplaçant que de nuit, n'est-ce pas?

— Ça, c'est vrai! Un jeune homme comme vous, ça n'a pas connu ces temps-là!

L'homme en uniforme, qui paraissait âgé d'une trentaine d'années, l'écoutait avec un réel intérêt. Alors, pour le distraire et parce que le temps commençait à lui peser, René lui raconta la manière dont, armés d'une boussole volée à un enfant, nourris de fruits et de légumes sauvages, à l'occasion de pommes de terre et de navets crus déterrés en bordure des champs, ils avaient traversé toute la Bavière. Dans son élan, il poursuivit. Alors qu'ils approchaient de la frontière suisse, était arrivée une patrouille allemande avec des chiens. Les trois hommes s'étaient séparés, jetés dans des broussailles. Les deux autres avaient été repris. Un chien avait hurlé longtemps devant le buisson d'épine noire au fond duquel lui s'était réfugié. L'animal n'avait pas osé se déchirer dans ce fourré où l'homme s'était glissé et était resté terré, immobile et muet, pendant des heures, attendant que les soldats renoncent, découragés par la nuit qui arrivait et la bruine glaciale qui tombait. Ils avaient fini par s'en aller. Il était sorti, gelé, trempé, les vêtements et la peau lacérés, avait continué à marcher et, la nuit venue, s'était affalé dans une cabane de berger, où des douaniers suisses l'avaient découvert au matin, n'ayant pas conscience d'avoir franchi la frontière.

— Des jeunes d'aujourd'hui n'auraient pas su tenir le coup. Deux jours à la pluie et au froid, sans manger et ils s'effondrent! Alors dix-sept jours comme ce qu'on a connu...

— En effet, les gens disent que rien ne vous fait peur dans les bois, que vous passez où d'autres ne se risquent pas.

— C'était vrai autrefois, plus maintenant avec mes rhumatismes.

— Des traces marquent le passage récent de quelqu'un dans le bois des Mussoux et à travers le roncier, en bas.

— C'est possible, je suis venu faire un tour de chasse en bas, le dimanche.

— Vous ne l'aviez pas dit!

— On me l'a pas demandé.

— Quelqu'un vous a vu?

— Je ne crois pas. Je suis parti vers midi, pour avoir la paix. J'aime pas entendre pétarader quand je me promène. A cette heure-là, un dimanche, tout le monde mange, même les chasseurs. Et puis, les gens savent que M. Paul ne plaisante pas pour les histoires de chasse. Ceux de Reyssac ne se montrent pas avec leur fusil sur les terres de La Faujardie.

— Sauf pour les champignons?

— Pas trop non plus, mais les champignons, c'est spécial.

— Vous pensez que seul quelqu'un de la famille ou un étranger à la commune se promènerait par là avec une arme?

— A mon avis, oui. D'après le caractère de M. César, il a vu quelqu'un qu'il n'était pas trop content de voir et... il est arrivé ce qui est arrivé. C'était peut-être même un qui avait garé sa voiture loin, vers la route des Eyzies.

– Quelqu'un qui aurait chassé tout seul, à balles, dans un coin inconnu?

– Ah! ça! dit René, montrant qu'il n'ignorait pas les mystères de l'âme humaine, mais renonçait à les explorer.

– Pour aller chasser à Combe Jadouille, le dimanche, par où êtes-vous passé?

– De chez moi, je suis été vers le lac, derrière La Faujardie, j'ai rattrapé le chemin un peu au-dessus de la route, qui mène à cette métairie brûlée, que M. Abadie n'a pas voulu faire reconstruire après la guerre. Je suis arrivé par le fond de la pièce de maïs et j'ai longé la combe.

– Et vous êtes reparti par où?

– Par le bois des Mussoux.

Une lueur dans le regard, le gendarme s'avança au-dessus de la table.

– Vous avez dit tout à l'heure que vous ne vous y risqueriez pas?

– Attention, j'ai dit que je descendrais pas par là. Grimper, c'est autre chose. Ça me fait pas peur. Si on a le pied qui lâche, à la descente, ça peut mal tourner. A la montée, on trouve toujours à se raccrocher.

Il était bien passé le dimanche à Combe Jadouille, mais soudain il lui était apparu prudent de dire qu'il était revenu par les Mussoux, au cas où les gendarmes feraient appel à des chiens, pour retracer son parcours du lundi matin. Leur chenil du Lot n'était pas loin. Le flair des bêtes n'irait pas jusqu'à démêler deux pistes tracées à moins de vingt-quatre heures d'écart.

Rusé, habitué aux détours du gibier, René esquivait par instants, fuyait au petit trot, sans forcer. Quand le rythme des questions s'accélérait, il se butait : « Vous allez trop vite, je ne vous suis pas! », cassait la tentative d'encerclement, jouait au pépé peu imaginatif, au radoteur, se perdant dans des anecdotes filandreuses, feignant de ne pas comprendre quand, en recoupant plusieurs de ses réponses, on tentait de l'amener à se contredire, gagnant du temps, ne lançant pas trop vite la repartie qui le tirait d'affaire.

Il hochait la tête avec sympathie comme si, d'avance, il préparait les gendarmes à l'échec :

– Franchement, pour la mort de M. César, les gens ne parleront pas. Ils ne voudront rien dire qui puisse nuire à la famille Abadie.

– Il s'agit de lui apporter le soutien de la justice, non de lui nuire!

– Ils veulent pas de ce soutien-là, parce que ça ferait parler d'eux. En bien ou en mal, c'est pareil. C'est ce que pense M. Paul et les gens le savent.

Les gendarmes aussi le savaient.

En fin de journée, il devint évident que, si René avait quelque chose à dire, il ne parlerait en tout cas pas ce jour-là. Sa garde à vue fut suspendue et on le reconduisit chez lui.

Il mit ses vêtements de travail, partit pour La Faujardie. Finou l'attendait. Elle avait téléphoné à la gendarmerie pour demander quand il rentrerait, alors même que la voiture quittait Rossignac.

– Comment ça s'est passé? demanda-t-elle, inquiète.

– Ça va, sauf que, d'être enfermé, j'en ai la tête en bouillie.

Il observa la lessiveuse qui chauffait, devant la cuisine, perchée sur son trépied.

– Alors, tu as trouvé des champignons?

– Douze kilos, ce matin, avec Daniel. J'ai fait des bocaux. C'est toujours ça de pris, parce qu'avec leur enquête, on ne peut pas travailler comme on voudrait! Tant pis, si je n'ai pas le temps pour mon indéfrisable!

Avant le dîner, profitant de ce que Daniel jouait dehors avec son chien et que Paul n'était pas rentré, elle ouvrit devant René le *Sud-Ouest*, où un grand titre, en haut de la première page, renvoyait à un article figurant dans les pages régionales. A l'intérieur, une photo montrait Juste Birou, dans son pré, désignant l'endroit où se trouvait le corps de César quand il l'avait découvert. Dans un petit encadré était publiée une ancienne photo de La Faujardie, du temps où la maison était couverte de vigne vierge.

– Qu'est-ce que ça dit? demanda René.

Résumant et lisant des lambeaux de phrases, elle expliqua :

– Ils parlent de M. Abadie et que, dans sa jeunesse, la maison – ils disent le « château » – a vu défiler des gens très chics, ça, ils sont bien obligés de le reconnaître – et que maintenant, « le dernier descendant de cette ancienne famille vit de manière très modeste, entouré d'une vieille servante et de son petit-fils, cultivant ses terres avec l'aide d'un ouvrier agricole, toute la vie des habitants du château s'étant repliée sur la cuisine ». Et puis, ils disent que M. César était parti à la chasse, comment on l'a retrouvé, et patati et patata. Sur lui, ils racontent de drôles de bêtises, qu'il aurait fait du trafic de pierres précieuses entre l'Asie et le Moyen Orient – comment ils ont été inventer ça? « A Bordeaux, où il avait effectué une partie de ses études, César Abadie aurait renoué d'anciens contacts depuis le début de l'été. Dans quel but? C'est ce que s'efforce d'éclaircir la section des recherches de la gendarmerie. La brigade de Rossignac, qui est chargée de l'enquête, semble pourtant favoriser la thèse d'un accident ou d'une vengeance locale. » Et puis, ils répètent que pas mal de gens, par ici, ont conservé des armes, après la guerre, « parmi lesquelles des P.38, modèle de l'arme avec laquelle pourrait avoir été tué M. César Abadie ».

– Qu'est-ce que M. Paul en a dit?

– Rien, il attend qu'on oublie ça. C'est tout ce que ça mérite.

– Les gendarmes ont continué à questionner les gens?

– Oui, ils sont passés partout, sans apprendre grand-chose. C'est si à l'écart et si enfermé, Combe Jadouille! Maintenant, ils demandent jusqu'à Saint-Julien et vers la route des Eyzies, si les gens auraient remarqué des voitures arrêtées dans les chemins ou autrement.

Après le dîner, Paul annonça brusquement :

– Ils auront demain les résultats de l'autopsie. L'enterrement peut avoir lieu samedi.

Comme il ne semblait pas disposé à en dire plus, Finou demanda :

– Il faudra décider si vous faites prévenir les gens ou pas.

– Non, ils viendraient par curiosité. Une messe basse à huit heures suffira.

– Si ça convient à M. le curé. Vous pourriez l'appeler ce soir?

– Tu m'y feras penser demain quand je descendrai.

– Il faudra téléphoner aussi aux pompes funèbres.

– Je le ferai en même temps.

– Moi, je vais aller prévenir Marie.

– Pour l'instant, fais-nous plutôt un vin chaud, ça nous requinquera.

L'odeur du vin qui chauffait et de l'écorce d'orange monta, douce-amère. Quand le mélange frémit, Finou y ajouta le sucre, la cannelle, un clou de girofle, fit flamber. Ensuite, les deux hommes eurent le même geste pour refermer les mains autour de leur verre fumant et embué, tout en regardant à la télévision, avec Daniel, un film historique vieillot, dont ils subissaient les passages sentimentaux, dans l'attente des morceaux de cape et d'épée.

C'est Marie qui appela sa mère. Elle craignait qu'à l'école, Daniel n'eût été en butte aux réflexions brutales d'autres enfants. Finou la rassura :

— A Reyssac, quand il s'agit de la famille Abadie, on peut en penser long, mais on fait attention à ce qu'on dit.

Le lendemain, jeudi, Marie devait être entendue par le chef de la brigade de Rossignac, qui se rendait à Bordeaux pour tenter d'y éclaircir quels liens avaient unis César et le propriétaire de la Jaguar.

— Au moins, ça nous fera une journée tranquille! soupira Finou.

Marie annonça qu'elle comptait arriver le vendredi soir. A la vérité, elle redoutait de se retrouver dans la vieille maison et aurait voulu y séjourner le moins longtemps possible. Elle avait cru s'éloigner en s'installant à Bordeaux, pour découvrir bientôt que la distance était insuffisante. Maintenant elle rêvait de partir au loin et d'oublier la famille Abadie, tout en sachant que Daniel ne pourrait vivre sans sa grand-mère et l'environnement familier de Reyssac et de La Faujardie.

Passer les deux coups de téléphone prévus, le lendemain matin, mit Paul de mauvaise humeur, plus encore d'avoir à rendre visite aux pompes funèbres, pour régler les détails de l'enterrement. Pris d'une inspiration soudaine, il demanda à Finou :

— Va donc me chercher deux ou trois mille francs de cet argent que César a laissé. Autant qu'il paye son enterrement lui-même!

— Trois cent mille francs, vous voulez dire?

— Oui.

Elle obéit, nota devant lui sur son carnet de

comptes la somme prélevée et la date. Cette sagesse finit d'irriter Paul. Abrupt, il dit à la vieille femme :

– Je commence à me poser des questions, depuis le temps que tu évites de me montrer où César cachait ces tableaux!

Saisie, car il avait paru jusque-là se désintéresser de la question, elle enfila ses sabots, s'empara d'une lampe électrique et le mena dans la grotte. Là, elle désigna la vieille tonne en zinc, inutilisée depuis des décennies, qui reposait sur sa partie arrière, entre ses brancards haut levés.

– Remettez-la d'aplomb, vous comprendrez, dit-elle.

Il abaissa les brancards, agacé de ne pas voir où elle voulait en venir.

– Soulevez le couvercle.

Une barre de bois remplaçait la poignée cassée et permettait de soulever un grand couvercle rond, en zinc lui aussi, qui s'ajustait encore parfaitement à l'ouverture de la tonne.

– On peut enfoncer un seau là-dedans, mais pas des tableaux! s'exclama Paul.

– M. Abadie m'avait déjà expliqué qu'on pouvait détacher des toiles et les enrouler. Pour les tenir au sec et les surveiller, M. César n'aurait pas trouvé mieux.

Elle passa la main à l'intérieur.

– Vous voyez, ça ferme encore très bien. Pas une trace d'humidité. Au début, en le voyant de la fenêtre des W.-C. tourner dans la grotte, j'ai bien pensé qu'il s'intéressait à autre chose qu'à son vin et à sa voiture. Et puis, avant le quatorze juillet, quand il attendait le Vermeulen à dîner et que j'ai fait un grand ménage, j'ai monté au grenier cette glace fendue, qui était posée par terre dans la salle à manger depuis si longtemps. Je suis tombée là-haut sur les cadres, que je ne connaissais pas. Alors, j'ai compris.

Avec la lampe, elle se pencha une fois encore.

– Tiens, il a laissé au fond la couverture que je ne trouvais plus dans l'écurie. Vous qui avez le bras plus long que moi, vous voulez bien la sortir?

Tous deux la palpèrent. Elle était parfaitement sèche.

Paul, n'aimant pas que la vieille femme se montre trop perspicace, marmonna un « Bon, je vois » et partit pour Le Bugue, sans ajouter d'autre commentaire.

*

La Faujardie ne prêta pas grande attention au fait qu'un juge d'instruction avait été désigné, qu'une commission rogatoire avait été délivrée, non plus qu'au résultat de l'autopsie. La balle retrouvée dans le corps provenant d'un revolver P.38, les gendarmes de Rossignac eurent la satisfaction de voir se confirmer leur hypothèse sur la culpabilité de René, sans en tirer aucun élément décisif permettant de faire progresser l'enquête.

Avant l'enterrement, un de leurs fourgons se gara discrètement dans la petite rue adjacente à la place de l'église, un autre à proximité du cimetière.

Pendant la cérémonie, Paul se tint seul, au premier rang, à gauche, du côté traditionnellement réservé aux hommes. René se mit derrière lui, à plusieurs rangs de distance. Finou, tenant Daniel par la main, serrant fortement le bras de Marie passé sous le sien, s'installa à la même hauteur que lui, à droite, connaissant trop bien la susceptibilité de Paul et l'impatience qu'il aurait marquée si elle avait prétendu s'avancer, comme si elle faisait partie de la famille.

Au fond, se tenaient deux vieilles femmes, qui avaient servi autrefois à La Faujardie et le dernier couple de métayers ayant travaillé sur la propriété. Catholiques, comme tous dans le pays, ils se contentaient de pratiquer à l'occasion des principales fêtes – la Toussaint en particulier – et des baptêmes, mariages et enterrements, voyant dans le rituel religieux le nécessaire accompagnement des principales étapes de la vie. Visages fermés, respectueux de la fatalité, ils attendirent la dernière bénédiction, au cimetière, pour présenter leurs condoléances à Paul, tout en pensant, à part eux, que cette mort devait bien l'arranger.

L'office terminé, le corbillard s'ébranla sous un soleil estival et dans une triomphale odeur de champignons qu'on faisait frire à quelques maisons de là. Finou se pencha vers René, qui marchait à ses côtés :

– Qu'est-ce que je t'avais dit, tout à l'heure, en sortant de la cour?

– Tu avais raison, ça vient de chez la Louise, reconnut-il, s'inclinant devant l'odorat de cuisinière qui s'était révélé plus fin que son odorat de chasseur.

Seule de l'assistance, Marie pleurait et s'efforçait de cacher ses larmes. Paul aurait jugé indécent cet aveu public de son attachement à César.

Dans la journée, à un moment où elle se trouvait seule avec Daniel, elle lui demanda :

– Si j'allais vivre loin, dans une belle ville, tu aimerais venir?

– Mais si tu travailles, qui s'occupera de moi?

– Je ne travaillerai pas.

– Il vaudrait mieux quand même que je reste avec mémé, dit-il gravement. Souvent, elle a besoin de moi. Et puis, cet hiver je ferai le concours de belote avec tonton René. Je m'amuse bien aussi, à l'école, avec mes copains!

– Bien sûr, dit doucement Marie.

*

A la fin de la semaine, deux inspecteurs s'étaient rendus à Amsterdam, où M. Maerten, alité, les avait reçus sans trace de gêne et leur avait donné les détails et les raisons de son voyage à Reyssac.

M. Vermeulen, qui avait été autrefois son intendant, expliqua-t-il – il ne voulut pas le desservir en disant son « valet de chambre » ou son « chauffeur » – s'était reconverti dans la décoration. Les hasards de son métier, pendant qu'il aménageait le château de La Bassade, lui avaient appris que M. César Abadie détenait un tableau qui avait autrefois fait partie de sa collection, une scène de cabaret, œuvre d'un petit maître hollandais. Tout naturellement, il avait cherché à rentrer en possession de cette œuvre. Une transaction satisfaisante ayant eu lieu, M. César Abadie n'étant pas à l'origine du vol survenu à une autre époque, il n'aurait pas été justifié de porter plainte.

Il admit qu'il avait apporté en liquide la somme convenue, lors de sa visite à La Faujardie et indiqua un montant bien inférieur à la réalité.

Quant à Vermeulen, il se présenta à la gendarmerie de Rossignac, dès qu'il apprit qu'on le recherchait, par les gardiens du château de La Bassade, à qui il dut téléphoner de la région parisienne.

Il donna les noms de plusieurs personnes avec qui il s'était trouvé le lundi précédent, à partir de neuf heures, dans la région de Bergerac, puis dans le Bordelais, où il avait commandé du vin pour le propriétaire du château. De là, sans même songer à écouter les nouvelles régionales ou à lire les journaux locaux, le lendemain, il avait regagné Paris en voiture, pour rendre visite à divers antiquaires et suivre des ventes à l'Hôtel Drouot. Ses notes sur les catalogues, les achats qu'il avait effectués en témoignaient.

Sur ses rapports avec César, il fit le même récit que Maerten, prétendant toutefois ne pas connaître les circonstances dans lesquelles le tableau recherché avait disparu et n'avoir pas participé à l'échange ou au règlement final. Il précisa le nom de famille de Jane, ne fit aucune difficulté pour indiquer l'adresse où elle se trouvait. Il ne cacha pas l'avoir utilisée pour fixer César en Périgord et éviter qu'il cherche un autre acquéreur pour faire monter les enchères sur le tableau, dont il prétendait au début obtenir un prix extravagant : un million de francs!

Pourquoi l'affaire avait-elle traîné en longueur? M. Maerten était un âpre négociateur et voulait récupérer le tableau à un prix relativement bas. Vermeulen savait-il dans quel but César avait effectué plusieurs voyages en Espagne et dans différentes régions de France ces dernières semaines? Eh bien, César lui-même avait reconnu que fuir était sa seule défense face aux exigences de Maerten.

Que savait Vermeulen de Robert Boyer, dit Bob, avec qui il avait été vu à Bordeaux? César les avait présentés l'un à l'autre et ils avaient joué au poker ensemble.

Jane fut entendue, sans rien apporter à l'enquête, Vermeulen ayant eu soin de lui raconter la même histoire sommaire à laquelle Maerten et lui s'étaient tenus devant les enquêteurs.

Aucune plainte n'ayant été déposée, gendarmerie et police, n'en pensant pas moins, durent se contenter d'attendre une occasion favorable pour éventuellement lier cette affaire à d'autres, mettant en cause le milieu des trafiquants d'œuvres d'art.

Paul, Finou et René, questionnés sur la somme d'argent que César avait touchée le vendredi, déclarèrent n'en rien savoir. Aurait-il pu emporter cette somme ou la laisser dans sa voiture, le lundi matin, en partant chasser? La même antienne leur servit de réponse : « Avec lui, comment savoir? »

L'enquête se poursuivait, les gendarmes ne paraissant pas se lasser, malgré la pauvreté des informations dont ils disposaient.

René, interrogé d'innombrables fois, ne varia jamais dans ses déclarations.

*

Dans la semaine qui suivit l'enterrement de César, alors que se prolongeait, éclatant, l'été de la Saint-Martin, on toqua à la porte de la cuisine, à La Faujardie, sans que Finou ait entendu de voiture s'approcher. Le gros Vermeulen, presque certain de la trouver seule en ce milieu de matinée, n'espérait pas qu'elle ferait preuve d'amabilité. Elle s'avança sur le seuil, proféra un « Bonjour, monsieur » des plus froids et ne lui proposa pas d'entrer.

— J'ai à vous parler, madame, dit le Hollandais.

— C'est M. Paul que vous voulez voir, sans doute. Il n'est pas là.

— Non, c'est vous que je cherche.

Elle se recula tout juste assez pour le laisser debout contre le paillasson.

— Qu'est-ce que vous me voulez?

— Il vaudrait mieux nous asseoir. Excusez-moi d'insister, cela est de votre intérêt comme du mien.

— Et si demain les gendarmes demandent ce que vous faisiez ici?

— Convenons qu'il s'agit d'une visite de condoléances. Parlons clairement, de manière à épargner votre temps. Le jour où César est mort, il avait deux

366

rendez-vous à Bordeaux. D'une part, il devait rendre la voiture qu'on lui avait prêtée.

– Cette auto noire qu'il avait?

– Oui, elle appartenait à son ami Bob, qui est mort. Sa sœur souhaitait la récupérer. D'autre part, César était attendu dans une banque de Bordeaux, où il comptait déposer une certaine quantité de l'argent que M. Maerten lui avait remis le vendredi. Or, je me trouvais sur la route de Bergerac à Bordeaux, ce matin-là, pour acheter du vin, mais aussi pour l'attendre et lui proposer un arrangement raisonnable, c'est-à-dire la restitution d'une partie de cette somme. Il était si pressé de quitter la France, qu'il se serait contenté de beaucoup moins que ce qu'il a obtenu.

– Comment vous vous y seriez pris pour mettre la main sur l'argent? demanda Finou.

– Il se serait laissé convaincre, je vous assure. Puisqu'il n'est plus là et que, je le sais, il n'a pas emporté cet argent ailleurs, vous êtes sans doute la seule à savoir où il se trouve, quelque part dans cette maison. C'est donc à vous que je fais cette proposition de la part de M. Maerten : si vous lui rendez les trois quarts de la somme, vous pourrez garder le reste. Cinquante millions de centimes, ce n'est pas négligeable!

Elle haussa les épaules :

– Qu'est-ce qu'on en fait, de nos jours! C'est à peine de quoi se payer deux tracteurs qui seront démodés dans trois ans! Vous usez votre salive pour rien, en discutant avec moi.

Vermeulen ne se laissa pas décourager. Déterminé à amadouer la vieille femme, il se fit rond, aimable.

– En plus, ajouta-t-elle, qui me dit que vous ne mijotez pas ça dans le dos de votre patron? Ça vous ferait un joli bénéfice, si je marchais dans votre combine! Vous roulez le Maerten, je roule M. Paul et on la boucle tous les deux, c'est ça votre plan?

– Je suis le porte-parole de M. Maerten. Il est souffrant et ne peut se déplacer une seconde fois. Mais il vous téléphonera ce matin même, pour vous confirmer ce que je viens de vous expliquer.

Vermeulen voulait éviter de se faire mettre à la porte avant ce coup de téléphone. Il redoubla donc d'amabilités. Enfin, la sonnerie retentit. Finou ne bougea pas.

– Répondez, je vous en prie, dit Vermeulen. Vous verrez que je vous ai dit la stricte vérité et que cette solution est la meilleure. Permettez-moi de vous accompagner!

Elle le fit passer devant, pour le surveiller, traversa la salle à manger et le vestibule sans hâte, décrocha avec un « Allô » caverneux. Elle confondit tout d'abord la voix haut perchée avec celle d'une vieille femme, puis reconnut Maerten et son halètement caractéristique et, dès lors, le laissa parler. Il s'inquiéta de son silence. Enfin, elle avança :

– J'ai autre chose à vous proposer.

Le bonhomme entendait mal. Il demanda si elle pouvait lui passer Vermeulen.

– Parlez français! leur enjoignit-elle. N'allez pas raconter entre vous des histoires dans votre charabia!

– Que proposez-vous? demanda Vermeulen, en prenant l'appareil, pendant qu'elle tenait l'écouteur.

– Votre patron pourrait avoir un autre tableau pour sa collection.

Vermeulen parut très contrarié. Finou entendait distinctement à l'autre bout du fil le vieillard glapir :

– Cela suffit, ne perdons plus de temps!

– Votre patron aurait tort de faire le difficile.

Dites-lui que le tableau dont je parle vient du même endroit où il a trouvé les siens, autrefois.

– Qu'est-ce qu'elle dit? cria Maerten qui, à l'autre extrémité, n'avait saisi que des bribes de cette explication.

Vermeulen répéta. Un long silence suivit.

– Je ne comprends pas de quoi elle parle! répliqua Maerten.

– Si ça ne l'intéresse pas, tant pis pour lui! s'écria Finou, prête à en rester là.

Le gros homme intervint pour l'apaiser :

– Attendez! Ce que vous dites est trop vague. M. Maerten ne peut pas juger!

– Il comprend très bien! Je vais lui rafraîchir la mémoire quand même. Le bonhomme qui a fait cette peinture dont je vous parle est de chez vous, un Van... machin aussi. J'avais écrit le nom dans le carnet de téléphone, parce que je l'oubliais chaque fois que M. Abadie le prononçait. Il me répétait : « Si un jour, vous avez besoin de beaucoup d'argent, si on menace de vendre La Faujardie, faites passer ce tableau-là dans une vente aux enchères, à Paris. »

Vermeulen s'écarta pour la laisser fouiller dans le tiroir du guéridon branlant sur lequel reposait le téléphone. Furieux de cet aparté, Maerten criaillait.

– Un instant, monsieur, je vous prie! un instant! demanda son factotum, débordé.

Feuilletant le carnet du téléphone, suivant l'ordre alphabétique, Finou parvint à la page qu'elle cherchait, la plaça sous les yeux de Vermeulen :

– Voilà les « V ». Tenez, regardez, là, après Victor, le plombier, vous avez en grosses lettres celui-là, le peintre.

Distinctement, elle prononça :

– *Vangoche*.

Son gros doigt étant posé sur le nom écrit en

lettres capitales, Vermeulen ne lisait rien au-dessous de « Victor ».

– *Vangoche!* Enfin, vous voyez bien! insista Finou, énervée.

Sans le vouloir, elle avait déplacé son doigt. Incrédule, Vermeulen lut au téléphone :

– Van Gogh...

– Qu'est-ce que c'est que cette histoire? haleta le vieux, la voix blanche.

– Je lis ce que madame me montre dans ce carnet de téléphone, s'excusa Vermeulen.

– Qu'elle répète clairement son histoire! exigea la voix ayant retrouvé ses notes aiguës.

– Ce tableau vient du même endroit où votre M. Maerten a trouvé les siens, au début de la guerre, lança Finou avec aplomb, relayée par Vermeulen. La différence, c'est que le propriétaire lui-même a remis la peinture de ce *Vangoche* à M. Abadie!

À l'autre bout du fil, on était devenu étrangement attentif. Vermeulen répercuta une question :

– Combien de tableaux a reçus M. Abadie?

– Un, je vous dis!

– Vous en êtes sûre?

– Sûre, affirma la vieille femme, catégorique.

– Qui est au courant?

– M. Paul et moi. Seulement, lui ne veut pas en parler. Je suis chargée de lui répéter ce que vous en direz.

Elle mentait avec assurance, certaine de rendre service à Paul autant qu'à elle-même en jouant ainsi le tout pour le tout.

André Steiner avait déposé chez son ami, non pas un tableau, mais dix-huit, ceux qu'il préférait dans sa collection d'impressionnistes. Un de plus ou de moins ne ferait ni chaud ni froid à Paul, qui n'avait jamais pris la peine de les regarder alors que M. Abadie n'y avait pas touché par scrupule, mais aussi par un désir secret de côtoyer jusqu'au bout une parcelle de ce luxe qu'il ne pouvait plus s'offrir.

Ce qui décida Finou à agir, toutefois, fut un calcul simple : si elle se séparait des cent millions ou presque qu'elle détenait, elle ne retrouverait jamais pareille somme. Or, il lui fallait de l'argent. César n'avait pas reconnu Daniel, Paul ne l'adopterait pas, n'en ferait pas son héritier. Le petit devrait donc accumuler assez d'argent, obtenir une assez belle situation pour racheter un jour La Faujardie.

Quand il avait fallu réparer le toit, derrière la maison, Finou avait songé à mettre un des tableaux en vente, cela aurait permis de vérifier si M. Abadie ne s'était pas fait des illusions sur leur valeur. Paul avait refusé net : « On cherchera à savoir d'où nous le tenons, si nous en possédons d'autres. Nous aurons la justice ou les héritiers sur le dos. On nous accusera de les avoir dissimulés, volés peut-être. Ne m'embête pas avec ça, je ne veux plus en entendre parler! »

Comme, aujourd'hui, il ne voulait certainement pas restituer l'argent caché dans la lingerie, elle estimait lui rendre le moins mauvais service possible en réglant l'affaire à sa manière.

Au téléphone, Vermeulen opinait, enregistrant les instructions qu'on lui donnait d'un ton coupant. Enfin, il se tourna vers Finou.

— Il faut que je voie ce tableau. Où est-il?

— Je ne l'ai pas ici.

— Quand pouvez-vous me le montrer?

— Demain, si vous voulez. Seulement, M. Paul ne veut plus vous voir et les gendarmes trouveraient bizarre que vous montiez une fois de plus à La Faujardie.

— Où, alors?

— Eh bien! on peut remettre à mardi. René me

conduira au marché du Bugue. Il mettra le tableau dans sa voiture et se garera au pré Saint-Louis, vous n'aurez qu'à y être.

— On ne peut pas juger en un clin d'œil, peut-être avec une mauvaise lumière.

— C'est ça ou rien.

L'affaire paraissait insensée, mais sa curiosité autant que les ordres de Maerten poussaient Vermeulen à la tirer au clair. Il se fit expliquer où était le pré Saint-Louis. Rendez-vous fut pris devant le mur du cimetière, pour échapper aux regards des curieux.

Finou n'avait pas pensé que les cantonniers s'activeraient aux alentours, en prévision de la Toussaint, toute proche. Le jour venu, elle estima pourtant que cela n'avait pas d'importance. René ouvrit l'arrière de sa 2 CV, en coinça le battant avec un bâton, la tige de métal prévue à cet effet étant cassée depuis longtemps. Finou souleva une couverture rêche, découvrant, dans un cadre très simple, un paysage furieux, tordu de bourrasques, ravagé de jaunes et de bleus. Penché sur cet éclaboussement de couleurs qui se convulsaient, comme sous un incendie, Vermeulen avait peine à contenir sa respiration devenue lourde et saccadée.

— Vous permettez? demanda-t-il en soulevant le tableau.

Il l'examina attentivement, en observa le dos, les bords, la couleur, pendant que Finou et René discutaient à mi-voix du prix des chrysanthèmes. A un moment, Finou jugea bon de montrer les dents :

— Si vous n'en voulez pas, dit-elle, bourrue, je le remets de côté et on n'en parlera plus. Nous en avons assez des tracas que vous nous causez depuis cet été! D'ailleurs, il faut que j'aille faire mon marché et que je rentre mettre le déjeuner en route.

Ce n'est pas la peine de vous forcer, si ça ne vous plaît pas.

– Si, je crois que M. Maerten voudra le prendre. Autorisez-moi à réserver ma réponse pendant deux jours. Je vous appellerai alors et je vous garantis que s'il s'agit d'une toile authentique, comme je le pense, l'affaire sera considérée comme close une fois pour toutes et que ni vous, ni M. Paul Abadie, ni personne de votre famille n'en subirez aucune conséquence.

– Il reste à voir combien vous nous en offrez, marmonna Finou.

Alors qu'il croyait l'affaire réglée, Vermeulen dut servir d'intermédiaire dans une ultime et âpre négociation entre Maerten et Finou. Enfin, un accord intervint. Les deux millions restaient acquis à la famille et la vieille femme s'estima satisfaite après avoir soutiré trois cent mille francs de plus au collectionneur. Interrogée sur la possibilité de découvrir d'autres toiles de la même série, elle répondit froidement :

– Je vous ai dit que nous n'avions rien d'autre!

Maerten et Vermeulen avaient hésité à parler à Paul, mais l'aubaine avait paru si extraordinaire au vieillard que l'avidité avait eu le pas sur la raison. Il avait préféré croire la vieille femme mandatée par Paul et traiter avec elle, sur qui on pouvait compter.

Paul ne sut rien. Il en aurait fait un drame, se dit Finou. Il préférera garder ses cent millions et ignorer les manœuvres qu'ils m'ont coûtées. Ce que j'en ai tiré ne regarde personne.

*

A la fin octobre, alors que l'automne commençait tout juste à refroidir le temps, le feu prit une fin de journée au hangar de la métairie, fit rage pendant quatre heures, détruisant la totalité du foin et de la paille qu'il contenait.

Paul et René avaient commencé à récolter le maïs au-dessus de Saint-Florent, au début de l'après-midi. Quand ils arrivèrent, prévenus par un voisin, les pompiers de Sarlat, venus à la rescousse de ceux du Bugue, considéraient le hangar comme perdu. On sauva les bêtes et le matériel, on empêcha les flammes de gagner le reste des bâtiments, sauf ce qu'on appelait le logement du cocher. Adossé au hangar, il s'ouvrait sur la cour, dans le prolongement de l'écurie. Rien ne put le préserver.

Vers neuf heures du soir, il ne restait des deux constructions que des murs noircis, qui puèrent la fumée refroidie, dans l'air piquant de la nuit.

De nouveau, les gendarmes vinrent. Cette fois, on estima que le destin s'acharnait sur la famille Abadie, on parla ouvertement de malveillance. De vaguement suspects, les habitants de La Faujardie devinrent des victimes, même après la confirmation par les experts qu'un court-circuit dans la clôture électrique attenant au hangar était la cause du sinistre.

Avec quoi nourrirait-on les bêtes jusqu'au printemps suivant? Le fourrage manquait, après deux années de sécheresse. Ce qui avait été sauvé dans l'écurie était insignifiant.

René allait atteindre ses soixante-cinq ans, Finou l'aidait depuis plusieurs mois déjà à remplir ses papiers pour obtenir l'année suivante sa retraite de la Caisse agricole. Paul songea à vendre les bêtes. Finou l'en dissuada.

– Qu'est-ce que tu veux qu'on fasse? s'obstinait-il. J'ai touché moins de mille deux cents francs pour l'indemnité sécheresse de l'année dernière – oui, cent vingt mille de tes francs. Là, je vais obtenir des facilités de paiement pour acheter du fourrage, mais il faudra bien le payer un jour. A quoi ça m'avance?

– Prenez un peu de l'argent qui vous vient de M. César, suggéra Finou.

– Je n'y pensais plus, maugréa Paul.

De lui-même, alors, il parla de reconstruire :

– Il faudrait rebâtir un hangar plus grand, où tienne tout le matériel. Avec ce que me versera l'assurance et ce que j'ai touché de l'EDF pour le poteau qu'ils ont planté par erreur au Mas, on y arrivera. Ça m'est égal qu'on ait perdu le logement du cocher, ce sera un bâtiment de moins à entretenir. A partir de l'écurie, on fermera la cour par un mur, qui rejoindra celui du jardin. René et moi, nous le ferons dans l'hiver.

– Avec tout ça, fit remarquer Finou, on a perdu ces fameux tableaux de M. Steiner. J'ai même pas pensé à les tirer de là quand le feu a pris au logement du cocher.

– J'aime autant que nous en soyons débarrassés, dit Paul. Je savais bien qu'un jour ils nous porteraient la poisse!

*

L'enquête piétinait, en apparence.

Il avait été rapidement établi que ni Maerten ni Vermeulen n'étaient directement impliqués dans la mort de César.

Cependant, il était apparu que l'accident ayant coûté la vie à Bob avait été provoqué. Les investigations menées par la police à partir de là dépassaient de beaucoup celles conduites en Dordogne et s'annonçaient longues et difficiles. Rien ne permettait pour l'instant de débrouiller les fils qui avaient uni César et Bob entre eux, d'une part, à Vermeulen d'autre part. Moins encore pouvait-on envisager à ce stade de remonter jusqu'à Maerten.

A Rossignac, les gendarmes n'avaient pu recueillir aucun indice permettant d'inculper René. Habitués à ces longues traques silencieuses, ils se fiaient à leur vigilance, à leur ténacité et à la chance pour connaître un jour la vérité.

A La Faujardie, une certaine routine avait repris ses droits, malgré les multiples interruptions dues à l'enquête. Au cours de l'hiver, Paul et René finirent de raser ce qui restait de l'ancien logement du cocher, parvinrent à en récupérer quelques pierres et bâtirent un mur à la place.

Paul acheta du fourrage et l'installa provisoirement dans l'ancien hangar à tabac, recouvert de bâches en plastique, car le toit était en mauvais état. Il le paya avec de l'argent tiré du précieux sac de toile.

A la Chandeleur, Marie annonça qu'elle allait épouser un Italien rencontré quelques mois plus tôt, alors qu'il effectuait un stage à Bordeaux. Dès lors, elle revint moins souvent à La Faujardie, fit même un voyage de quelques jours à Modène, d'où son fiancé était originaire et où il travaillait. Elle rencontra sa future belle-famille, revint enchantée. « Elle n'ose pas me dire que c'est un bourg de rien du tout », songea Finou, qui n'avait jamais entendu prononcer le nom de cette ville et ne crut rien de ce que lui dit sa fille. De plus mauvais augure encore lui parut le fait que Marie soit de trois ans plus âgée que le jeune homme, et inquiétante la hâte qu'elle mettait à fuir La Faujardie, au point de ne rien vouloir entendre sur la mort de César. Quand Daniel eut nettement refusé de suivre sa mère, Finou se désintéressa de ce mariage.

Ayant rempli ses comptes à la Caisse d'épargne et à la poste, la vieille femme s'était fait conduire par

René à Périgueux, afin d'y ouvrir un autre compte, sans risquer de rencontrer tout le canton, au Crédit Agricole du Bugue. Voulant s'informer avant d'avouer de quelle somme elle disposait, elle épuisa de questions l'employé qui la renseigna et manqua s'étouffer de fureur en comprenant que ces revenus seraient imposables. Outrée, elle traversa le cours Montaigne, entra dans une banque concurrente, où un homme plus âgé sut lui inspirer confiance par sa rondeur et son onctuosité de chanoine et s'ingénia à lui conseiller les placements qui lui permettraient le mieux d'échapper au fisc. Satisfaite du discours de cet homme sensé, elle sortit du sac noir en toile cirée qu'elle avait apporté un vieil emballage des Trois Suisses bourré de billets, qu'il compta devant elle de l'air le plus naturel du monde.

Daniel et Marie furent mis au courant de ces démarches, mais ignorèrent l'importance de la somme en jeu. Finou leur montra la double paroi du mur de sa chambre, où elle avait rangé des napoléons et quelques lingots. Un jour, elle prit l'enfant à part :

– M. César était ton père, lui dit-elle. Il m'avait montré où il gardait son argent, au cas où il lui arriverait quelque chose. Je l'ai partagé comme il me l'avait demandé, une partie pour M. Paul, une partie pour toi. C'est justice. Tu peux en parler à ta mère, mais à personne d'autre. Tu as bien compris?

– Oui, mémé, dit le gamin, abasourdi de ces révélations successives.

– Avec cet argent, tu pourras faire des études, sans être obligé de gagner ta vie tout de suite. Cette année, à l'école, il faut que tu sois encore premier, pour que l'année prochaine ils t'acceptent en sixième au collège Saint-Joseph, à Sarlat. C'est là que M. Abadie a étudié, et c'était un vrai monsieur. En attendant, il va falloir apprendre à te tenir. A table et en parlant, tu ne feras plus comme moi, mais comme M. Paul. Tu regarderas comment il pose ses couverts, comment il essuie son assiette, tu écouteras les mots qu'il emploie.

Elle le regarda avec une immense tendresse :

– Tu saurais faire ce que je te dis?

– Pas tout de suite, mais je ferai bien attention.

– Pour commencer, redresse tes lunettes et va te peigner, mon Bibi!

Les questions viendraient plus tard. Sur le coup, Daniel se tut, rassuré par la superbe autorité de sa grand-mère. Elle ne paraissait douter ni du présent ni de l'avenir. L'enfant ne se souvenait pas de l'avoir connue si alerte.

Prétextant une digestion pénible et ses embarras intestinaux habituels, elle demanda au docteur de lui faire faire des analyses et des radios. « Vous êtes bâtie pour vivre cent ans », lui déclara-t-il en lui rendant compte des résultats.

« Il me suffit de vingt, songea-t-elle, et qu'il n'arrive rien d'ici là à M. Paul et à mon Bibi. J'irai mettre un cierge à la sainte Vierge, et aussi à saint Joseph. On l'oublie toujours, le pauvre homme. M. le curé lui met les fleurs de l'autel, quand elles sont fanées. Si on s'occupait de lui, peut-être qu'il se montrerait utile. »

*

Un dimanche de février, après un concours de belote organisé à Rossignac, René buvait un dernier verre de rouge avec quelques vieux. Entre eux, le patois roulait dru.

– Toi, je ne remets plus ta tête, pourtant je te connais, dit-il à un père tranquille, qui avait fait équipe avec un joueur de Saint-Florent.

– J'ai habité vingt ans dans le coin, j'étais gendarme au Bugue.

– Té, c'est comme ça que je t'ai vu, alors?

– Sans doute. Je suis en retraite depuis douze ans. J'habite chez ma fille, vers Thenon. Mon gendre est mécanicien.

– Comment tu t'appelles?

– Rosset.

Sept heures approchaient. Peu à peu, les autres se levèrent, pour rentrer souper. Ne restaient plus dans le café que des jeunes, réunis en une seule tablée et, plus loin, René et le retraité.

– Dis donc, demanda René, toi tu devrais savoir combien d'années il faut pour que leur prescription soit valable?

– Ça dépend. C'est pas pareil pour le vol d'une poule ou pour l'assassinat d'une mémé.

– Tiens! fit René, intéressé, ça fait une différence si on tue un jeune ou un vieux?

– Non! Je te dis ce qui me passe par la tête, pour servir d'exemple.

– Alors, ça va chercher dans les combien?

– C'est dix ans pour les crimes, trois ans pour les délits.

– Dix ans, ça fait un bail! Disons que si c'était moi qui aurais tué quelqu'un, j'ai soixante-quatre ans, à supposer que leur enquête n'avance pas, qu'ils trouvent rien, faudrait que j'arrive à soixante-quatorze pour être tranquille?

– Pas forcément. Le temps ne compte qu'à partir du jour où la procédure est close. Ça peut ajouter un an, trois ans, ça dépend des cas...

– Té... c'est pas bien intéressant, alors, leur système, dit René, flegmatique.

– Et en dix, douze ans, il se passe des choses. On peut découvrir des éléments nouveaux, il y a des gens qui parlent.

René eut une grimace dubitative, puis il tapa sur la table du plat de la main.

– Allez, faut que je finisse par y aller! Bonsoir, messieurs dames!

Il serra la main des patrons.

– Je te suis, dit l'autre. Je me ferai engueuler par ma fille, si je rentre trop tard pour souper.

Dans l'ombre, devant le café, avant de regagner chacun sa voiture, ils pissèrent contre une clôture, puis se dirent adieu cordialement.

– Tu sais, le César, pour ce qu'il valait..., dit René, philosophe.

– Tu me l'apprends pas, approuva l'autre, sans s'émouvoir.

– Ce que je viens de te dire, tu vas aller le raconter à tes collègues de la gendarmerie, à Rossignac?

– C'est tous des jeunes, même le chef. Ici ou ailleurs, moi, je les connais pas. J'ai pas à leur parler. Et je viens guère dans votre coin.

– Eh bien, si c'est comme ça, bonsoir!

– Bonsoir! On se reverra bien l'année prochaine, au concours.

*

Le lendemain, pluie et bruine alternèrent sans répit. Vers cinq heures, le jour s'obscurcit, le brouillard tomba. Peu à peu, il avala les bois, avança, cernant La Faujardie de plus près. Seuls les grands arbres du jardin émergeaient encore. Lentement, l'obscurité se mêla à la brume. On n'y voyait plus à cinquante mètres, bientôt à trente. L'horizon se fondit dans une épaisseur grise et impalpable.

Avant six heures et demie, tout était fini. La nuit avait eu raison du crachin et de la grisaille qui encerclaient la grande maison, elle l'avait fait sombrer dans un noir compact, sans lointains et sans voûte céleste. Avalées les statues et les vasques du jardin, englouti le revolver, protégé par son amour mutilé, étouffés les bruits et les odeurs, déguisés le bien et le mal, sous le manteau de soufre de dame nature!

Jusqu'au dernier instant, René Fouilletourte était resté devant son hangar, finissant de tailler des piquets de vigne à la lueur d'une lanterne. Sur la route, il devina plus qu'il ne reconnut le fourgon des gendarmes. Le couteau levé, le cœur en suspens, il attendit qu'ils aient dépassé son chemin, avant que le sang ne reprenne en lui sa course monotone et rassurante.

Souvent, cet hiver-là, alors qu'il était assis sur son tabouret, la même pensée lui vint. Et si, un jour, ils montaient chez lui?

« Moi, en tout cas, je n'irai pas en prison! avait-il décidé. Déjà, dans leur bureau, on respire pas. C'est pas leur faute, dès qu'on quitte la vraie campagne, on mène pas une vie normale! Enfin, s'ils voulaient m'emmener, je me foutrais une décharge dans la tête et on n'en parlerait plus! »

Dès lors, il garda son fusil chargé à la tête de son lit. Pour faire bonne mesure, il chaparda un jour de foire un fichu que la vieille Marguerite laissa tomber de son panier.

De tous les habitants de Reyssac, il est le plus serein.

PUYNÈGRE

Brigitte Le Varlet est issue d'une vieille famille périgourdine, dont une branche est établie depuis le XVIIᵉ siècle dans la région de Sarlat. Elle a séjourné pendant sa jeunesse en Egypte et en Angleterre. Fonctionnaire dans une organisation internationale, elle a travaillé à New York puis à Paris et a voyagé dans de nombreux pays. Mais c'est dans sa région natale qu'elle a situé le cadre de Fontbrune *et de* Puynègre.

En 1840, celle qui fut l'héroïne de *Fontbrune*, règne sur Puynègre, l'une des plus belles propriétés de la vallée de la Vézère. Veuve d'un général d'Empire, elle n'a que trente-quatre ans. Son appétit de vivre et son goût de l'indépendance sont intacts. Lorsque arrive de Paris un homme élégant et hardi, poursuivi par des rumeurs de scandale, le destin ne peut que rapprocher ces deux êtres au caractère brûlant et dont le comportement tranche sur le bon ton de leur entourage. Adeline va se laisser conquérir. Edouard veut davantage. Pied à pied, ancrée dans sa terre et forte de l'antique méfiance qui lui fait rejeter toute démesure, Adeline va résister...

Paru dans Le Livre de Poche :

FONTBRUNE.

BRIGITTE LE VARLET

Puynègre

ROMAN

ALBIN MICHEL

Il est en chaque être des halliers si profonds que ni le soleil ni la raison n'y pénètrent jamais.

1

En ce mois de juin 1840, dans la chaleur d'un été précoce, j'étais assise à mon bureau et je tenais sans le lire le mémoire du plâtrier qui avait reblanchi l'écurie.

Les épais volets de bois poussés, j'avais entrouvert la fenêtre pour sentir le parfum entêtant du chèvrefeuille. Son odeur, le bruissement des guêpes m'avaient engourdie. Irrésistiblement me revint en mémoire cet autre jour d'été où, quinze ans plus tôt, j'avais frappé à la porte de cette pièce, à la fois bibliothèque et sanctuaire de travail du général Fabre, où l'on ne pénétrait pas sans avoir été convoqué.

On était en pleine cueillette des prunes et, ne trouvant pas la clef du fruitier où on devait les étaler sur des claies, la pensée m'était venue que j'avais pu l'oublier sur le bureau du général, quand j'étais venue le matin lui remettre mes comptes de la semaine.

En frappant, je m'étais annoncée, non en bonne épouse qui, par étourderie, se voit obligée de déranger un instant son mari, mais comme un étranger suspect qui demanderait à être introduit dans la chambre forte de la Banque de France.

« Entrez », me répondit-on posément.

J'avais obéi et expliqué le motif de ma visite.

9

Courtois, Fabre s'était levé pour m'accueillir. A quarante-huit ans, il avait gardé cette belle allure un peu raide qui allait bien avec son visage sévère, au grand nez busqué, et sa large carrure.

« Vous êtes bien essoufflée », fit-il remarquer.

En effet, j'avais couru. J'étais décoiffée, le col ouvert, les manches relevées. Il ferma la porte. J'enrageais en silence du temps qu'il me faisait perdre.

Il revint vers moi. J'avais trouvé la clef, restée posée à l'endroit où je m'étais assise quelques heures plus tôt. Je ne sais quelle méfiance me fit reculer. La pièce était grande, comme toutes les pièces de Puynègre. Il avança. Je reculai. Il avait l'air amusé, raison de plus pour que je me méfie. Je contournai le bureau et un fauteuil, de l'air le moins gauche possible, continuant à battre en retraite. J'étais furieuse contre moi-même : fallait-il que je fuie devant mon mari comme un écolier devant son maître? Je dois avouer qu'à l'époque je n'avais pas vingt ans et que Fabre m'intimidait fort. Cependant, j'approchai du mur.

« Vous n'êtes pas Moïse devant la mer Rouge, précisa-t-il aimablement, et il y a peu de chance que le mur vous livre passage.

– Je dois retourner au verger. On m'attend.

– On vous attendra. »

Il était à deux pas de moi. Il pouvait changer si rapidement de ton que je ne savais pas encore à quoi m'attendre, jusqu'à ce qu'il prenne mon cou dans sa main. Ses mains me fascinaient : fortes, chaudes, musclées, elles ne lâchaient pas volontiers ce qu'elles avaient saisi.

« Laissez-moi vous regarder de près, ma petite gardeuse de dindons, dit-il avec un demi-sourire. Vous voilà tout en désordre. »

Il n'y avait plus à s'y tromper.

« Fabre, ne plaisantez pas! dis-je, alarmée.

– Je suis tout à fait sérieux, mon cœur, me dit-il doucement.

– Je n'ai pas le temps!

– Vous ai-je proposé quelque chose? »

Il se pencha, écarta le col de ma robe, sa bouche se posa sur la veine de mon cou, à la naissance de l'épaule. Je rassemblai ce qu'il me restait de dignité.

« Je suis pressée.

– Vraiment? demanda-t-il, distrait, en remontant une mèche de mes cheveux et en essuyant d'un revers de doigt la sueur qui glissait derrière mon oreille.

– Je suis pressée, répétai-je d'une voix moins assurée.

– C'est vous qui prolongez les discours. Quant à moi, je peux m'en passer.

– Songez qu'habituellement vous ne tolérez pas qu'on badine aux heures où l'on doit travailler.

– Mon cœur, vous avez franchi la frontière, vous êtes sur mon territoire et vous paierez l'octroi.

– Je vous connais, vous me ferez ensuite payer le souper et l'auberge!

– Ce sont choses qui arrivent quand on se lance inconsidérément sur les routes. »

Etais-je sotte! J'aurais dû ne rien lui répondre. Il était moins prêt que jamais à me lâcher et semblait, cette fois, s'amuser franchement. Enervée, je lui lançai :

« Sachez que je n'en ai pas la moindre envie!

– Quoi, vous regardez à la dépense?

– Et au reste! »

Il sourit. Rien ne le divertissait autant que de m'exaspérer et il n'y parvenait que trop facilement.

« J'ai l'honneur de vous informer, madame, que cela est secondaire. »

Doucement, il ouvrit mes doigts, s'empara de la clef qu'il glissa dans sa poche. Puis il me prit contre lui et se mit à m'embrasser posément, en prenant son temps. Ce n'était pas un de ces baisers de mari attentionné dont on se dépêtre avec deux mots gentils et un peu d'adresse.

« Mmm..., murmura-t-il, vous avez mangé des prunes, votre bouche a un goût de fruit. »

Je tremblai d'inquiétude à l'idée qu'on pourrait me chercher, m'appeler. Mais ma faiblesse était manifeste. En détresse, je protestai :

« Fabre, au nom du Ciel, vous n'allez pas... au milieu de l'après-midi... quand je suis occupée... cela ne se fait pas!

— Vous êtes mal informée, mon cœur, cela se fait n'importe où et n'importe quand. »

Il me fallut l'admettre. Son grand canapé de cuir en fut témoin.

Quand, plus tard, il me rendit la clef, je rajustai en hâte ma robe et mes cheveux et tentai de plaisanter.

« Je me vengerai!

— Je n'aime rien tant que vos vengeances, mon cœur! me dit-il tendrement.

— Vous m'avez fait perdre une demi-heure! insistai-je.

— Mettez cela sur le compte des imprévus. Dans tout budget, il faut une provision destinée aux frais accidentels. »

Au moment de sortir, je revins brusquement en arrière et me jetai dans ses bras avant qu'il se rasseye.

« Fabre, je... je...

— Moi aussi, mon cœur », dit-il, rassurant.

Les femmes se plaignent souvent de n'être pas comprises. Moi, je ne l'étais que trop. Mais avec le temps j'avais appris à déchiffrer les silences et l'apparente impassibilité du général. Nous ne nous étions jamais lassés de cette joute amoureuse.

En public, nous nous contentions de nous observer du coin de l'œil ou d'échanger un serrement de mains furtif. En tête-à-tête, nous en arrivions parfois à nous détester violemment, à nous affronter des heures entières dans sa chambre glacée, puisqu'il avait la particularité de n'aimer vivre qu'en plein vent, fenêtres ouvertes en toute saison, ne tolérant du feu dans sa chambre que les jours où les douleurs causées par ses anciennes blessures le retenaient au lit.

Un jour, il m'avait menacée d'un chandelier avec tant d'empressement qu'une des bougies allumées m'avait volé dans les cheveux. Une autre fois, où je m'étais estimée froissée dans ma dignité pour une raison que j'ai oubliée, sans prévenir personne j'avais disparu toute une journée à Fontbrune, chez mon oncle Elie et ma tante Charlotte. Rentrant le soir et ne me trouvant pas, Fabre était parti me chercher – n'ayant guère de doute sur le lieu de ma retraite –, m'avait arrachée à la table du dîner, me tenant d'une poigne de fer pendant qu'il déroulait une aimable excuse devant ma famille interdite. Il m'avait hissée dans le cabriolet sans me laisser le loisir de poser le bout de ma bottine sur le marchepied, avait lancé son cheval dans les cahots de l'avenue et conduit à rompre les roues, sans desserrer les dents, jusqu'à la cour de Puynègre.

Nous avions connu là une réconciliation mouvementée.

Je le tançais parfois :

« Ne pourriez-vous me faire la cour de temps en temps?

– Je vous aime plus que ma vie, vous le savez. Que peut-on dire de mieux?

– Répétez-le avec des variantes! »

Il riait.

« Je veux bien en faire tant que vous voudrez, mais pas en dire! »

S'il haïssait les longues conversations, c'est qu'il

avait une manière brève et instinctive de juger les gens et les situations. Il portait une attention extrême à ce que l'on disait et savait en un instant démêler l'accessoire de l'essentiel. Il me devinait si bien que jamais, je crois, je n'aurais pu le tromper, si je l'avais voulu. Il me tenait constamment en haleine, paraissait m'ignorer quand je voulais attirer son attention, répondait aux questions que je n'avais pas formulées, m'en posait à l'instant où j'aurais voulu le voir à cent lieues. Mais, par-dessus tout, il me submergeait de tendresse et je le lui rendais.

Il était mort d'un accident de cheval deux ans plus tôt. Mon deuil venait de s'achever, mais je m'étais juré de n'épouser personne d'autre. Il m'avait tout donné, personne ne le remplacerait. D'ailleurs, comparés à lui, les autres hommes n'étaient que fretin de Vézère.

Du partage des biens effectué après la mort de leur père, Pauline avait conservé Forge-Neuve et les métairies qui en dépendaient, Puynègre était revenu à Jérôme.

Fabre m'avait constitué une rente assez importante pour que je sois riche jusqu'à la fin de mes jours. Mais, avantageant son fils par ailleurs, il avait voulu que je conserve une part d'usufruit sur cette propriété à laquelle il avait consacré près de trente ans de sa vie.

Absorbé à Périgueux par les débuts de sa carrière d'avocat et ses succès féminins, Jérôme m'avait demandé de prendre la direction de Puynègre.

Cette tâche n'était pas au-dessus de mes forces, avec l'aide de Joseph, le régisseur, que tout le pays nous enviait. Fabre m'avait en outre depuis longtemps informée de ses affaires et laissé le soin de ce qui regardait le bien-être et les difficultés familiales et matérielles de ses métayers et bordiers. Mes activités charitables et de simple administration m'avaient menée dans à peu près chaque maison de Limeuil et du Bugue. Je connaissais les gens, leurs soucis, leurs intérêts. Je savais observer, écouter, négocier, décider, et me taire aussi quand il le fallait.

Ces obligations m'avaient aidée à surmonter mon désespoir. A la mort de Fabre, j'avais considéré que ma vie était finie. Il me restait Puynègre. Rien ne m'amènerait à y renoncer.

*

Le dimanche suivant, je retrouvai Pauline et son mari, Julien Maraval, à la sortie de la messe du Bugue. Ils allèrent chercher leur fille, Emilie, âgée de deux ans, et sa bonne et nous repartîmes ensemble à Puynègre, où ils devaient déjeuner.

Tous trois offraient l'image d'une famille paisible et heureuse. Julien Maraval contemplait sa femme et sa fille avec une dévotion que j'admirais. Pauline baignait avec sérénité et confiance dans cet amour dont elle ne semblait pas douter un instant. Pourtant, elle n'ignorait ni la souffrance ni la mort. A l'âge de six ans, elle avait perdu sa mère, puis peu après son mariage, son père qu'elle adorait, enfin son premier enfant qui n'avait vécu que quelques semaines. Elle n'était pas naïve, mais elle croyait en la divine Providence avec une certitude lumineuse.

Julien était honnête et sérieux à l'excès. Je lui en faisais parfois le reproche en riant mais je suis trop paysanne pour mépriser ces vertus-là. Depuis la mort de Fabre, il m'avait rendu de grands services. Ayant fait de solides études de droit, il secondait son père, notaire au Bugue, et était toujours prêt à me donner un conseil et à faire une démarche, quand je le lui demandais. Enfin, il m'avait fait réaliser des placements avantageux et, avec mon

15

esprit d'économie, j'avais décrété que je le préférais trop grave que trop léger.

Au moment où l'on allait se mettre à table, parut Jérôme que l'on n'attendait pas. Il m'embrassa avec cet air de tendre complicité dont il usait à mon égard, câlina sa sœur, serra la main de son beau-frère et disparut à la cuisine, pour demander, dit-il, que l'on ajoute son couvert, en réalité pour se faire cajoler par Antonia, Miette et Bertille qui raffolaient de lui.

Par-dessus tout, Jérôme aimait séduire. A vingt-quatre ans, non content de plaire aux femmes, que son aisance faisait pâmer, il déployait son charme et sa gaieté pour les êtres les plus modestes ou les plus disgracieux. Et il traitait les maris qu'il déshonorait avec tant de délicatesse qu'il s'attirait reproches et bouderies de ses belles amies qui se jugeaient délaissées.

Le déjeuner et l'après-midi se déroulèrent dans une atmosphère de joyeuse nonchalance.

La tante Ponse de La Pautardie, volontairement confinée depuis des années dans sa chambre au premier étage, se montrait d'une insatiable exigence dès qu'elle s'estimait écartée d'un événement familial. De plus, elle affectait une grande méfiance à mon égard et ne s'en remettait qu'à Pauline pour toutes les missions délicates.

Chacun était monté la saluer et Pauline avait passé un grand moment avec elle, après le déjeuner.

La tante Ponse envoya néanmoins plusieurs fois en ambassade sa fidèle Malvina qui réclama pour sa maîtresse une recette de crème à l'orange, le texte d'une prière à saint Eusice, protecteur des rhumatisants, et un point de broderie, alors que ses doigts déformés ne lui permettaient depuis longtemps aucun ouvrage.

Pauline, charitable, fit dire qu'elle chercherait

sans retard les réponses voulues. Jérôme riait. Il prétendit que Mgr l'archevêque de Paris avait modifié les responsabilités établies jusqu'alors entre les saints du calendrier. Saint Eusice serait désormais chargé de la guérison des ulcères et saint Clotaire de celle de la peste. Une vacance temporaire existait pour le traitement des rhumatismes et l'on attendait à ce sujet une communication des autorités religieuses.

Malvina ne comprit goutte à ce discours et resta plantée devant nous, ses gros bras rouges repliés sur son ventre.

« Par ici, monsieur Jérôme, on n'a jamais suivi ce qui se décide à Paris. Madame continuera à prier saint Eusice.

— Tu veux que ses rhumatismes continuent à la faire souffrir? demanda Jérôme, mimant la sévérité.

— Ah! soupira Malvina, je n'aime pas me fâcher avec les saints, mais s'ils ne font pas leur besogne, je sais ce qu'il nous reste à faire!

— Tu vas recourir à tes remèdes de sorcière et cueillir tes herbes à la pleine lune!

— Ce ne sera pas nécessaire », répliqua dignement Malvina en se dirigeant vers la porte.

Avant de sortir, elle nous lança d'un ton de défi :

« J'ai toujours ce qu'il me faut, cueilli, macéré, bouilli, cousu dans des sachets. Je me méfie des saints! Ils ont leurs affaires à mener et en oublient de s'occuper de nous autres. Je prends mes précautions. La Sainte Vierge me le pardonne! » conclut-elle en se signant.

A peine remontée, la malheureuse dut redescendre. Cette fois, elle devait remettre à Pauline cent sous destinés au tronc de saint Antoine, dans l'église du Bugue. Cette riche obole devait être un signe de réconciliation, les fâcheries étant fréquentes entre la tante Ponse et le saint. Elle l'aurait voulu en permanence à sa disposition car, sans quitter sa chambre, elle égarait tout ce qu'elle touchait. Or il la faisait parfois attendre et, malgré d'insistantes supplications, Malvina et elle ne retrouvaient qu'après un certain temps l'objet pourchassé.

Plus tard, on alla dans le verger cueillir des cerises, au Coderc voir un petit veau né de la veille. Enfin, les Maraval regagnèrent Le Bugue.

*

Les journées étant longues, Jérôme avait décidé de ne repartir pour Périgueux qu'après le dîner, qu'on servait alors à six heures.

En sortant de table, il monta faire ses adieux à la tante Ponse. Puis, contrairement à mon attente, il se rassit près de moi sur la terrasse, au lieu de faire seller son cheval et de se mettre en route. Il est vrai que quatre heures lui suffiraient pour arriver et que chevaucher par une si belle nuit était pour lui plaire.

Il parla de choses indifférentes jusqu'à l'heure où Miette, comme chaque soir, vint fermer les volets. Puis, elle nous dit bonsoir et se retira.

Traditionnellement, cette heure m'appartenait et je lisais alors sans crainte d'être dérangée. Par beau temps, je laissais la porte-fenêtre ouverte, que je me tienne dans le salon ou sur la terrasse, et j'entendais l'écho des conversations et des rires qui fusaient de la cuisine à l'autre bout de la maison. Les nuits de pleine lune, j'attendais souvent cette heure magique où la Vézère scintillait comme une nappe d'argent avant de retomber dans l'ombre. Quand j'étais rentrée et que j'avais fermé la porte-fenêtre, Ricou, l'homme de peine, lâchait les chiens.

Ce soir-là, Jérôme était silencieux. Comme cela

durait, l'inquiétude me prit. S'agissait-il de quelque chose de grave ?

« Savez-vous, notre Adeline, me dit-il enfin, que j'aimerais faire un voyage ? »

Seul il m'appelait encore de ce nom d'affection que sa sœur et lui m'avaient donné quand, bien des années plus tôt, j'étais venue m'occuper d'eux, encore enfants, après la mort de leur mère.

« Eh bien, qu'y a-t-il là de singulier ? dis-je, soulagée. Vous pouvez certainement vous absenter quelques semaines. Vous avez fait preuve d'une grande assiduité depuis trois ans et maître Fontalirant comprendra votre besoin de liberté.

– Il ne s'agirait pas de quelques semaines. »

La peur me reprit. S'ennuyait-il en Dordogne ? J'aurais dû y songer. Voulait-il quitter la région, s'établir ailleurs ? S'était-il pris de passion pour une femme qui l'entraînait dans un autre pays ?

J'avais réprimé avec une feinte gaieté ou en dissimulant mon émotion les bouffées de tendresse qu'il avait eues envers moi et qui, à plusieurs reprises depuis la mort de son père, avaient failli glisser vers un sentiment d'une tout autre nature. Ne devinant pas combien, en deux ou trois occasions, j'avais été près de céder, il m'avait crue inflexible. Il ne m'avait pas gardé rancune de cette rigueur, mais l'affectueuse complicité qui nous avait toujours liés s'était nuancée de mélancolie. L'ombre formidable de son père l'avait sans doute fait reculer, mais renoncer, je n'en étais pas sûre.

A sa légèreté se mêlait une profonde sensibilité qu'il avait appris à déguiser. Ne m'avait-il pas un jour avoué en riant : « D'autres se cachent pour donner libre cours à leurs vices, moi je me cache pour travailler. Je veux que l'on m'accuse de danser toute la nuit et non de m'ensevelir dans mes dossiers! »

L'attachement que j'avais pour lui m'avait commandé de ne pas peser sur son avenir. J'écoutais ce qu'il choisissait de me raconter mais je ne l'interrogeais sur aucun sujet qui aurait pu ramener le genre de propos que j'étais déterminée à écarter.

« De combien de temps souhaitez-vous disposer? demandai-je, préférant en avoir le cœur net. Un an?

— Plus peut-être. Je ne le sais pas moi-même. Songez que je ne suis jamais allé nulle part! s'exclama-t-il, comme pour se justifier.

— Je ne ferai rien pour vous dissuader de partir et, dans une certaine mesure, je vous approuve », dis-je paisiblement.

S'il n'avait pas de projet défini, je savais qu'il reviendrait.

Il respira profondément, étendit les jambes et parut soulagé de mon calme.

« J'en ai envie depuis longtemps, reprit-il. J'ai faim d'autres soleils, d'autres visages, d'autres langues, de climats ardents, de vieilles civilisations qui se meurent, réfugiées dans des monuments qui nous survivront tous. Tant que mon père vivait, j'ai étouffé cette fantaisie qu'il aurait jugée frivole. Un voyage d'esthète ou d'épicurien! aurait-il pensé. Un luxe tout juste bon pour un jeune homme riche et oisif!

— Il aurait fort bien compris ce voyage, si vous lui aviez donné un but.

— Justement, je n'en veux pas. Je souhaite monter en voiture et en descendre à ma guise, coucher dans une auberge ou à la belle étoile, traverser les villes sans m'arrêter ou séjourner deux semaines là où l'humeur m'en viendra!

— Et dans quelle direction partirez-vous?

— L'Espagne, le Maroc et l'Algérie sont à la mode, je le sais. Mais en matière de voyages, je suis aussi ignorant qu'un enfant. Je remonterai le temps jusqu'aux sources de notre vieux monde, allant de l'Italie vers la Grèce et enfin l'Egypte. Ne pas voyager maintenant, c'est y renoncer à jamais. Et je ne me pardonnerais pas de devenir un de ces roitelets de province qui brillent facilement, faute de concurrence, et se limitent à la connaissance des affaires locales.

– Maître Fontalirant est très content de vous, mais il ne manquera pas de jeunes ambitieux pour prendre la place que vous laisserez vacante.

– Il se contentera de me remplacer dans l'intervalle. Si mes qualités ne suffisaient pas à le convaincre, l'intérêt au moins le pousserait à me reprendre à mon retour. Il est très soucieux de sa carrière politique. Or il n'a rien à attendre des légitimistes et de l'aristocratie du département. S'il a été élu, c'est grâce au Juste Milieu et aux orléanistes, auxquels se sont ralliés les bonapartistes. Auprès de ceux-ci, je lui suis fort utile par le nom, la réputation et la fortune que m'a laissés mon père. Maître Fontalirant est un homme arrivé, mais il sait que pour durer il faut traverser les régimes. Et qui peut dire de quoi demain sera fait? quelles nouvelles alliances se formeront? quel poids pourrait retrouver le parti bonapartiste? Voyez l'inquiétude qui tient le gouvernement et les Chambres depuis que M. Thiers a fait autoriser le retour des cendres de l'Empereur. On veut écarter la famille Bonaparte de la cérémonie, on prend mille précautions pour éviter que le souvenir ne fasse renaître un parti. Les bonapartistes ont vieilli et se sont dispersés, mais, en cas de troubles, si un homme savait ranimer la flamme, la population le suivrait peut-être. Le prince Louis-Napoléon est en Angleterre, où il dépense la fortune que lui a laissée sa mère. Sa tentative de 1836 a piteusement échoué, mais il se trouve toujours des hommes avides de parvenir au pouvoir pour se réunir à l'ombre d'un grand nom.

– S'il est habile, maître Fontalirant ne devrait pas dédaigner l'aristocratie. Elle est riche et puissante et dans nos provinces rien ne peut se faire sans elle.

– Sans doute, mais elle vit dédaigneuse et repliée sur elle-même. Elle méprise le monde industriel qui est en train de naître et regarde de haut la fortune récemment acquise de maître Fontalirant. Quant à lui, il ne s'embarrassera pas de délicatesses et ménagera, le moment venu, les alliances qui lui seront profitables.

– Je ne vous savais pas si attentif aux combinaisons de politique et d'intérêt.

– C'est une distraction qui en vaut une autre. »

La nuit était tombée. Les premiers grillons s'égosillaient, la Vézère luisait en contrebas, le silence était tombé du côté de la cuisine. Je me laissai aller à l'engourdissement heureux que sécrètent les belles nuits d'été. Jérôme dut le percevoir, malgré l'ombre qui l'empêchait de distinguer mes traits.

« Je craignais que mon départ ne vous inquiète et ne vous chagrine. Je vois que vous en avez facilement pris votre parti, dit-il avec une ombre de nostalgie.

– Oui, je l'accepte par affection pour vous. Je perçois vos motifs et je les respecte. Mais vous connaissez mon caractère : je ne peux pas sangloter, me jeter à vos pieds, inonder le tapis de mes larmes, vous supplier de revenir sur votre décision. »

Je ris pour ne pas laisser l'attendrissement nous gagner.

« Pourtant, j'aurais fait une excellente actrice de mélodrame! Arracher les rideaux, me jeter par la fenêtre, égorger un tyran m'aurait beaucoup plu! Peut-être serais-je même parvenue jusque sur la scène du Théâtre-Français. Je me sens la force de réciter les imprécations de Camille de manière à figer de terreur dix rangées de spectateurs!

– Avec mon père, vous n'hésitiez pas à déployer ce talent...

– J'étais jeune, alors. Et, à vrai dire, quand un événement prétend m'abattre, j'ai cette faculté de concentrer en moi une réserve d'énergie qui me permettrait de faire n'importe quoi. Si j'ai surmonté la mort de votre père, il n'est rien que je ne puisse supporter.

– On ne dit pas plus aimablement à quelqu'un qu'il n'occupe dans votre vie qu'une place secondaire!

– Jérôme, cessez de vous tourmenter! Décidément, vous me réclamez une scène d'adieux déchirante! Comme si vous ignoriez que je vous aime du fond du cœur, Pauline et vous. Ce sentiment ne changera pas avec les humeurs et les saisons, vous le savez. »

Il paraissait triste et je m'en voulus d'avoir secoué trop brusquement toute mélancolie.

« Je suis donc un sot, car je m'inquiéterai de vous tous, même là où je me divertirai le mieux.

– Cela fait partie des voyages. A quoi bon s'instruire si l'on n'apprend pas à souffrir! »

Je tremblais qu'il me réponde : « Que savez-vous de ce que j'ai souffert à cause de vous? » Il avait autre chose en tête, car il s'écria :

« Si au moins j'étais sûr que vous ne ferez rien de déraisonnable pendant mon absence!

– Déraisonnable? fis-je sans comprendre.

– L'été vient, votre deuil est fini, on vous invitera. Vous plaisez sans même vous en donner la peine...

– Ah! m'exclamai-je, tombant des nues. Vous craignez que je me remarie? Soyez tranquille, cela est exclu.

– Sait-on soi-même ce que l'on redoute, quand on

quitte des êtres chers? » dit Jérôme d'un ton rêveur.

S'il ne pouvait me connaître entièrement, son intuition ne le trompait pas. Je respectais les règles de comportement admises – car tel est le prix de la paix familiale et de la vie en société. Ce principe établi, j'agissais avec l'indépendance d'esprit et de mouvement que j'avais apprise de Fabre et, pourvu que mes actes ne nuisent à personne, je repoussais les bornes de l'acceptable aussi loin qu'il me convenait. Quant au fond, j'avais adopté une discipline personnelle qui constituait, non une règle dont on pût se vanter, mais le meilleur des garde-fous.

En bref, je comprenais l'inquiétude de Jérôme, car la crainte n'aurait suffi à me retenir sur aucune pente.

« Allons, fiez-vous à moi! » dis-je gaiement, pour le rassurer.

Je me levai et lui tendis les deux mains pour le tirer de son fauteuil.

« Il commence à faire frais. Ne voulez-vous pas rentrer? »

Jérôme me suivit et ferma derrière nous les volets de la porte-fenêtre. Je me jetai dans la bergère que je préférais aux autres sièges.

« Vous ne devriez pas trop tarder, vous arriverez à Périgueux au milieu de la nuit, fis-je remarquer. Savez-vous, ajoutai-je, prise d'une inspiration soudaine, que ces émotions m'ont affamée! Faisons une collation, vous partirez ensuite. »

Il rit.

« Mon Dieu! Voilà deux mois que j'hésite à vous parler, car j'imaginais avec naïveté que votre réaction serait violente. Or, le premier étonnement passé, vous êtes seulement saisie de fringale! Eh bien, soupons! »

J'allai dans l'office. On n'entendait aucun bruit, tout le monde était monté se coucher. Je sortis un pâté de lièvre, du pain et une bouteille de vin. Nous nous attablâmes dans le salon, une serviette jetée sur la table à jeu faisant office de nappe.

J'avais meilleur appétit que Jérôme. Je me délectais. Le pâté fondait dans la bouche, le vin était moelleux – autrefois je n'en buvais pas, maintenant je l'aimais excellent et en petite quantité. Je me carrais d'aise dans mon fauteuil, poussant des soupirs de béatitude. Quelle satisfaction de manger après de fortes inquiétudes!

A force de patience et d'adresse, je lui rendis sa belle humeur. Entre ses boutades et mes plaisanteries, le pâté de lièvre et la bouteille de vin disparurent.

« Avant de partir, je vous conseille d'apprendre la boxe anglaise, lui dis-je.

– Je vous rappelle que je manie l'épée et le pistolet mieux que la plupart des gens. Il était difficile de trouver meilleurs maîtres en ce domaine que mon père et Joseph.

– On n'a pas toujours le temps de se mettre en garde, face à des malandrins.

– Je me garderai en vie, je vous le promets! Je m'engage même à vous rapporter un cadeau. Que voulez-vous?

– Eh, mon Dieu, choisissez le premier objet rencontré qui soit d'une jolie couleur, d'une jolie matière ou d'une jolie forme.

– J'attends des précisions.

– Ce que je voudrais est difficile à trouver et encore plus à rapporter!

– Dites toujours.

– En ce cas, j'aimerais... un pirate... ou un tombeau! »

Au lieu de se moquer de moi, il me regarda avec cette tendresse brûlante dont je me défiais tant.

« Pourquoi laissez-vous si rarement vagabonder votre imagination? » me demanda-t-il simplement.

Je fis rapidement diversion en parlant de Pauline.

Puis, au mépris de toute civilité, je pris devant moi la terrine qui avait renfermé le pâté et grattai la gelée qui restait collée au bord. Je l'étalai sur une tranche de pain que je partageai équitablement avec Jérôme. Il paraissait triste.

« M'écrirez-vous, au moins?

– Bien sûr! Mais où écrire à un vagabond? Aux bons soins du Tibre, à Rome, ou sous le pont des Soupirs, à Venise?

– Je vous ferai connaître mon adresse dès que je resterai quelque temps dans une même ville.

– C'est entendu. Et Pauline vous écrira régulièrement, j'en suis sûre. Mais ne m'accusez pas de vous abandonner : vous savez que mes habitudes de correspondance sont fantasques!

– Je n'en attacherai que plus de prix à vos lettres.

– Vous l'aurez voulu! Je m'engage à vous envoyer des relations complètes sur nos activités ménagères, potagères, jardinières, familières et saisonnières. »

Je le poussai dehors à onze heures, moins gaie que je ne l'avais paru en le voyant disparaître à cheval au bout de l'allée.

*

Maître Fontalirant se résigna à accorder un congé d'un an à Jérôme, comprenant qu'il n'était pas de force à le dissuader de partir.

La plus forte opposition vint de sa fille, une jeune demoiselle âgée de seize ans et fort capricieuse, qui fit une colère, répandit un flot de larmes et bouda son père pendant deux grandes journées pour bien marquer son mécontentement. Jérôme railla gentiment ce chagrin d'enfant gâtée et y vit, plutôt qu'une passion précoce, une preuve de la tyrannie que cette petite personne exerçait sur un père demeuré veuf et qui ne savait rien refuser à sa fille unique.

Bientôt, la nouvelle se répandit en cercles concentriques, et, de Puynègre, atteignit Le Bugue, Limeuil, nos amis et les membres de ma famille. Je fis la sourde oreille quand me revinrent des rumeurs acerbes : j'aurais exercé sur Puynègre une mainmise absolue, mon autorité aurait lassé Jérôme, je l'aurais dépouillé de son bien, le condamnant presque à s'éloigner. Il se trouva un nombre étonnant d'âmes charitables pour laisser entendre à mes beaux-enfants d'avoir à se méfier de moi, leur prédire des conflits d'intérêts et suivre d'un œil avide ce que l'on prit pour les premiers déchirements d'une famille dont la prospérité s'était montrée jusque-là sans faille.

Je fus la moins sensible à ces bruits de discorde et Jérôme se contenta d'en rire. Mais les habitants de Puynègre et les Maraval rejetèrent les insinuations avec une telle hauteur que les mauvaises langues se virent obligées d'abandonner ce morceau de choix et de retomber sur leur pitance ordinaire et des bavardages de moindre envergure.

Le plus méfiant demeura le docteur Manet.

Il avait conservé l'habitude de venir au Bugue chaque mardi, jour de marché. Ayant cédé quelques années plus tôt sa maison et son cabinet de la place de l'Eglise à un jeune confrère, il recevait ses anciennes pratiques chez le marchand grainetier du quartier du Temple, qui mettait une pièce à sa disposition.

Le soir, il dînait et couchait à Puynègre et repartait le lendemain pour Mauzens.

Vers cinq heures et demie on voyait paraître dans la cour sa jument broussailleuse. Fabre avait réussi à imposer à son vieil ami une espèce de ponctualité et d'ordre dans ses vêtements quand il venait nous voir. Si cela était profondément contraire à la nature de Manet, le pli était pris et il était trop tard pour s'en défaire.

A peu de temps de là, Jérôme qui avait eu à traiter une affaire dans les environs se trouvait à Puynègre un mardi soir. Notre Antonia était fine cuisinière et le docteur trop gourmet pour gâcher un dîner par une conversation sérieuse. A table, selon lui, les propos devaient être comme les mets, moelleusement arrosés, relevés mais pas trop épicés, savoureux sans risquer d'endormir ou d'échauffer les convives, et éviter la prétention.

Quand nous fûmes assis dans le salon, après avoir calé ses reins douloureux sur les coussins du canapé et allongé sur un tabouret sa jambe enflée, il étendit la main pour prendre le verre d'eau de prune que Miette venait de lui servir.

« L'âge n'apporte que des misères, soupira-t-il. La tête, les membres, les entrailles se dérobent. Seule demeure intacte la jouissance du palais. Tout bonheur doit se concentrer dans cette minuscule caverne, condamnée hélas! à n'être qu'un lieu de passage. »

Il tapota le canapé à côté de l'endroit où il était assis.

« Viens là, Jérôme, j'ai à te parler. »

Amusé, Jérôme obéit.

« Tu ne me feras pas croire, mon ami, que tu vas passer un an à contempler des monuments, déclara le docteur sans autre forme d'introduction. Tu n'auras de cesse que tu n'aies rencontré une passion ou une cause. Je ne redoute pas de te voir la proie des femmes. Tu es assez avisé pour avoir déjà constaté qu'elles sont les mêmes ici qu'ailleurs, à part quelques détails de costume. Je crains plutôt que les noms de Constantinople et d'Alexandrie ne t'aient fasciné. Tu imagines sans doute quelles vignettes tu auras l'occasion de peindre dans tes carnets et quels charmants périls tu traverseras. Sache bien, cependant, que l'Orient c'est beaucoup de poussière et de mouches, et un peu d'or pour beaucoup de crasse. Que tu perdes tes illusions, rien de plus naturel, mais ne poursuis pas au péril de ta vie des rêves qui n'existent que dans nos têtes. Epargne ta santé et tes quatre membres. Ce sont des choses dont on a besoin une fois de retour au logis, l'exaltation retombée. Fais-moi par-dessus tout le plaisir de laisser le Pacha d'Egypte vider sa querelle avec le Sultan sans te mêler d'avoir un avis là-dessus, comme nos imbéciles de compatriotes qui croient s'être fait une opinion quand ils répètent ce qu'ils ont lu le matin dans leur journal. Ces gens-là ont des affaires auxquelles nous n'entendons rien et nous ne leur montrons de sollicitude que pour tirer profit de leurs malheurs. »

Le cabinet Thiers, mis en place le 1er mars 1840, était fort empêtré de la question d'Orient. Affaibli, tombé aux mains d'un adolescent, l'Empire ottoman était menacé d'éclatement et, comme il se doit, les puissances voisines n'étaient pas indifférentes à cette perspective. La France soutenait le Pacha d'Egypte qui, vainqueur l'année précédente des armées du Sultan, son suzerain, voyait ouverte la route de Constantinople et exigeait la souveraineté héréditaire sur l'Egypte et la Syrie. M. Thiers essayait de modérer son protégé, craignant que le Sultan, menacé, n'appelle à son secours la Russie à laquelle le liait un traité. L'Angleterre et la Prusse s'étaient rangées aux côtés du Sultan, non sans se méfier des ambitions de leur allié russe.

« Que la Russie et l'Angleterre s'amusent à tenter de dominer l'Orient, je leur souhaite bien du plaisir ! maugréa le docteur. Mais bah ! le destin de tout empire est d'éclater un jour, c'est une loi de l'Histoire. Je souhaite seulement que notre Jérôme ne suive pas cette mode lancée par Lord Byron de mourir pour la liberté des autres. Voilà bien une idée de poète de courir se faire tuer là où l'on n'a nul besoin de vous. Je sais, il est très joli de mourir pour une cause perdue d'avance, face à une plaine bien déserte, sur une montagne bien aride ou sous un soleil bien desséchant. Celui qui survit après avoir accompli les prouesses d'usage ne doit cependant pas s'attarder sur place. Il lui faut rentrer à Paris, se faire appeler bienfaiteur de l'humanité, fréquenter les antichambres des ministères et les salons des duchesses. On le consultera, on lui commandera des articles. S'il n'a pas la fibre journalistique et ne sait pas distraire le monde parisien par le récit habilement troussé des désastres, réels ou imaginaires, dont il se dira le témoin, qu'il publie des poèmes ou des récits de voyage! Entre-temps, le peuple auquel notre héros s'intéresse aura sans doute été décimé par la misère, les épidémies ou les armées de l'occupant. Malheureusement si, vues de Paris, les calamités sont pittoresques au début, elles ennuient au bout de quelques semaines. Rien de plus monotone qu'une population qui n'en finit pas de se faire exterminer!

— Vous-même, docteur, n'avez-vous pas quitté le séminaire avec mon père, pour rejoindre les armées de la Convention et porter avec elles la bonne parole révolutionnaire dans toute l'Europe? demanda Jérôme, malicieux.

— Pardi! les congrégations étaient dispersées, les prêtres soumis au serment, les séminaires fermés, je crevais la faim chez un pauvre diable de barbier-chirurgien, au Bugue, et le seul avenir qui s'offrait était de suivre les drapeaux. Toi qui as un état, qui es riche et considéré, qu'est-ce qui peut bien te jeter sur les routes? La profession d'avocat te pèse-t-elle à ce point? Je ne croyais pas qu'elle exigeât des vœux de pauvreté, d'obéissance et de chasteté!

– Mais si, faire carrière en province est un sacerdoce! Il faut consacrer sa vie à la modération et à la dissimulation!

– Avec, dans ton cas, la prospérité pour récompense! Voilà un beau malheur! Enfin, si l'on ne peut t'empêcher de partir, je veux au moins te mettre en garde contre le déplorable goût du romanesque qui règne chez les jeunes gens de ton âge. Souviens-toi tout d'abord que l'Orient commence à Venise. Si tu te hasardes au-delà, ne cherche à savoir et à comprendre que le strict nécessaire. Au pays des Turcs, si tu rencontres un mari ayant ficelé sa femme dans un sac et la menant noyer – l'aventure est courante –, ne joue pas les paladins et ne cherche pas à sauver la victime. La coutume a des bizarreries qui ne nous regardent pas. Tu aurais aussitôt à tes trousses, en plus du mari, ses domestiques, ses collatéraux, sa clientèle. D'ailleurs, dans ces contrées, il suffit de jeter un coup d'œil dans la direction d'une femme ou d'une fille pour que toute sa parentèle se jette sur vous, le poignard à la main!

– Je le sais, j'ai lu Lord Byron et Victor Hugo! plaisanta Jérôme.

– Il aurait mieux valu relire Hérodote et Volney.

– Je l'ai fait aussi.

– Je me demande, fis-je remarquer, d'où vient cette furie qu'ont les hommes, de l'Espagne au Levant, de préserver la virginité des femmes plus que tout autre bien. Quelle curieuse idée de loger son honneur là où l'on ne peut se tenir en sentinelle jour et nuit! J'ai toujours eu l'impression que ces peuples ressemblent à ceux qui évoluent dans nos opéras. Ils tuent et interrogent ensuite le cadavre. Sur scène, un grand concours de foule se réunit autour de la victime, non pour s'en partager les dépouilles – ce que je concevrais – mais pour clamer sombrement : « Fatalité! » cependant que l'orchestre assourdit le parterre de ses déchaînements. On devrait plutôt vociférer : « Imbécillité! » à ce chœur de mâles vaniteux qui approuvent celui d'entre eux qui anéantit ce qu'il adorait. On peut constater, d'ailleurs, que les hommes, lorsqu'ils atteignent le fond du désespoir, ont tendance à tuer ce qu'ils aiment avant de mettre fin à leurs jours. Cela se voit dans la tragédie antique comme dans les feuilles illustrées. Les dames dont la vie a été épargnée deviennent généralement folles. On trouve alors quelque moine pour célébrer les desseins du Très-Haut et vanter l'austère vie des cloîtres. »

Manet haussa les épaules à ma remarque.

« Les femmes aiment que les hommes se battent pour leurs appas! Le jour où elles se lasseront de notre tyrannie, elles nous le feront savoir! Nous n'en sommes pas là. »

Puis, se tournant vers Jérôme, il lui demanda brusquement :

« Es-tu bien armé, au moins? Il te faut une paire de pistolets de voyage, légers et maniables, mais cela ne suffit pas. »

Il fouilla dans sa poche, vaste comme une besace, où se mêlaient habituellement le contenu de sa tabatière, un flacon d'eau-de-vie, un portefeuille qui faisait fonction d'herbier et les divers objets qu'il y enfouissait distraitement au long du jour. Il tira de ces profondeurs un petit poignard au manche et au fourreau d'argent – finement ciselé – et le tendit à Jérôme qui s'exclama :

« Hé! docteur, que dois-je faire de ce précieux joujou?

– Ce que tu voudras. Tranche ton pain avec, si le cœur t'en dit. Mais tu aurais tort de mépriser cette lame. Je te garantis qu'elle tue très bien, j'en ai été le témoin. »

Manet la tira de sa gaine et elle brilla dans la lueur de la lampe, aiguë, incroyablement effilée, inquiétante. Il la tendit à Jérôme que je sentis attiré par l'élégance et le mystère d'un tel objet, insolite dans les mains du docteur et qui avait sûrement valeur de souvenir.

« Ce poignard est trop beau, dit-il enfin, on me le volerait.

– Vois comme il est mince. On le porte dans sa chemise, à même la peau, et non à la ceinture. Ne t'en sépare pas. »

Et balayant d'un geste nos protestations, il poursuivit, fouillant à nouveau dans sa poche :

« Tiens, je t'ai apporté également ce flacon de poudre de quinquina, car tu ne manqueras pas d'attraper les fièvres, je présume. Elle s'utilise aussi en cataplasme, contre les infections ou la gangrène. »

Pour couper court aux remerciements, il se frotta rapidement le visage de haut en bas, d'un geste qui lui était familier, et lança à Jérôme d'un air gourmand :

« Que dirais-tu maintenant, mon ami, de te faire battre au jacquet, aux échecs ou à l'écarté? Je te laisse le choix de ta défaite! »

Manet était un joueur enragé. Les dés, les cartes, le tapis vert, tout lui était bon. Jérôme, enchanté de ce défi car le docteur était un adversaire de qualité, se leva aussitôt.

« Faisons une partie d'écarté. Mais il faudra apprendre à vous méfier de moi, docteur. J'ai d'autant plus envie de gagner que j'ai grand besoin d'argent! Notre Adeline veille si farouchement sur mon patrimoine qu'elle me laissera vivre d'expédients tout au long de mon voyage plutôt que de me faire envoyer un sou de plus que mon revenu de l'année! Par la force des choses, d'agneau que j'étais, me voici devenu loup! »

Il eut à mon intention un sourire en coulisse, que j'accueillis d'un petit geste moqueur des doigts.

Il aida le docteur à se lever, ce qui ne se fit pas sans grimaces. Manet boitilla vers la table en grommelant :

« Dommage que cette misérable goutte me tienne encore. J'aurais volontiers repris de votre eau de prune, ma chère Adeline. »

J'allai chercher dans le bureau les journaux que je n'avais pas eu le temps de lire. Une heure plus tard, je commençai à bâiller. Je demandai aux deux hommes de m'excuser et montai me coucher, non sans leur avoir recommandé de ne pas se ruiner et de ne pas veiller trop tard.

« Ma chère Adeline, faut-il vous rappeler la profession de foi du joueur, selon Regnard ? *"Je ronflerai mon soûl la grasse matinée / Et je m'enivrerai le long de la journée"* », me cita Manet d'un ton sentencieux, sans réussir à m'encolérer.

*

Jérôme partit à la fin du mois de juin.

Contrairement à ce que j'avais imaginé, son projet avait inquiété Julien Maraval plus que Pauline qui avait davantage confiance dans les qualités de son frère qu'elle ne redoutait ses faiblesses. Son mari, par contre, ne voyait que trop la versatilité de Jérôme et son penchant pour une vie brillante.

Dans les jours qui suivirent, les multiples activités que ramène la belle saison me furent une distraction forcée. Entre la récolte des fruits, la fabrication des conserves, la moisson et la vie mondaine, qui bat alors son plein, je n'avais guère le temps de réfléchir.

Je fus conviée à une matinée littéraire et artistique offerte par le marquis et la marquise de Campagne, en l'honneur de M. Casimir de Bersède, poète en renom à Paris dans le salon de mon lointain cousin le vicomte d'Arlincourt. Mme Pouilley, du théâtre de Bordeaux, chanterait des airs de *La Juive* et des *Huguenots*, qui l'avaient rendue célèbre. M. Lebat, du Théâtre-Français, viendrait spécialement de Paris.

Le jour venu, je montai dans la grande calèche attelée de chevaux anglais, menée par Faye, aussi gourmé que s'il conduisait un grand d'Espagne.

Quand nous arrivâmes à Campagne, plusieurs voitures étaient déjà dans la cour. Pourtant, j'avais été avertie que ce serait un après-midi sans cérémonies auquel seule une compagnie réduite avait été invitée.

Après avoir salué le marquis et la marquise de Campagne, je m'avançai vers la marquise douairière, assise un peu plus loin. Elle me fit signe de me baisser et me dit à l'oreille : « Je vous parlerai tout à l'heure, mon enfant. J'ai une fois encore besoin de vous. »

La vieille dame était d'une charité sans limites. Elle avait souvent eu la bonté de solliciter mon avis ou mon aide pour guider ou tirer d'embarras ses protégés. Mon sens pratique et ma vie active me permettaient fréquemment de trouver un emploi ou d'offrir un soutien à des gens dans le besoin. Généreuse elle-même, elle en avait conclu que je l'étais aussi, ce qui était loin de la réalité. Les maux de mon prochain ne m'empêchaient pas de dormir et, si je tentais d'y remédier, c'était par goût de l'ordre et horreur du laisser-aller.

Une des premières personnes que je rencontrai fut le préfet, M. Romieu. Ancien élève de l'Ecole polytechnique, il remplissait sa charge avec toute la dignité qu'on peut attendre d'un haut fonctionnaire. Il était un des hommes que je préférais rencontrer dans le monde, tant sa vaste culture et l'originalité de son esprit perçaient sous l'air grave qu'il avait adopté.

Fabre m'avait appris que, quelques années plus tôt, notre préfet avait fait partie à Paris d'une bande de gais lurons, essentiellement occupés de farces, de beuveries et de littérature. En 1833, quand il avait été nommé en Dordogne, ses compagnons, outrés que l'un d'eux eût préféré l'administration à la vie bohémienne, firent courir le bruit qu'il avait été dévoré par des hannetons, plutôt que de s'avouer trahis.

Au début de son séjour à Périgueux, alors qu'il rentrait à la préfecture après un souper largement arrosé, il vit trois ou quatre gamins qui s'acharnaient à viser avec des cailloux le réverbère qui éclairait ce noble édifice. Il s'approcha sans être vu et contempla ces malencontreux efforts. Enfin, il ne put se contenir, ramassa une pierre et l'envoya dans le verre de la lampe qui se brisa. Poussant la grille de son domicile, dans l'obscurité revenue il déclara noblement : « Voilà comment cela se pratique, messieurs ! »

Une autre fois, il avait invité à un déjeuner d'apparat qu'il offrait à la préfecture le plus fidèle de ses anciens camarades, de passage à Périgueux. Il paraît que, du temps de leur jeunesse, M. Romieu avait montré une sollicitude de mère à l'égard de son compagnon quand celui-ci, plus faible, succombait le premier à l'empire des vins. On l'avait même vu, un jour qu'il ne se sentait pas la force de monter les escaliers son ami sur le dos, lui ménager à sa porte un oreiller de feuilles de laitue et de fanes de carottes ramassées parmi les rebuts abandonnés par les marchandes de la halle. Il avait eu ensuite la délicatesse d'allumer un quinquet à ce chevet improvisé, afin de désigner le dormeur à la bienveillance des passants.

Ce sont de ces souvenirs qui lient deux hommes,

et l'on ne s'étonnera pas que le visiteur ait traité notre préfet avec familiarité, le tutoyant sans vergogne d'un bout à l'autre de la table. Romieu, imperturbable, répondait par le vouvoiement.

« Ah! çà, mon cher, clama joyeusement l'ami ainsi renié, tu me dis « vous » et je te dis « tu », on va te prendre pour mon domestique! »

Notre préfet avait dédaigné l'interpellation. Rien ne l'attendrissait quand l'honneur du corps auquel il appartenait était en cause.

On m'arracha bientôt aux aimables propos de M. Romieu. Comme il s'agissait d'une de mes premières sorties dans le monde depuis la fin de mon deuil, je fus sollicitée de toutes parts. L'assemblée, en fait, était plutôt restreinte, l'atmosphère joyeuse et bon enfant : la morgue et la raideur n'ont pas cours dans notre région.

On servit des rafraîchissements, des sorbets, des gâteaux, avant de nous faire savoir que M. de Bersède était prêt à dire ses vers.

Sa réputation avait été à son comble après 1830. Le Faubourg Saint-Germain avait fait de lui une notoriété, affichant en même temps son mépris pour les jeunes gens extravagants et chevelus qui gesticulaient et vociféraient à l'Odéon ou au Théâtre de la Porte-Saint-Martin pour défendre les premières œuvres du romantisme naissant.

J'invite les rieurs à ne pas se gausser de notre goût provincial en voyant monter M. de Bersède sur l'estrade que l'on avait aménagée à une extrémité du grand salon. Paris a la caractéristique de nous enlever nos meilleurs talents, ne sachant sans doute en produire lui-même. Il nous envoie en retour, défraîchis et passés de mode, les artistes qu'il a encensés quelques lustres plus tôt. Cela dénote simplement de sa part un manque de manières, mais aussi quelle courtoisie attendre d'une ville si sale malgré ses dorures que l'on ne peut y circuler par temps de pluie sans se crotter jusqu'aux narines!

M. de Bersède avait traversé l'arrangement de chaises où l'assistance avait pris place en saluant noblement, comme un empereur romain en route pour le Capitole. Il avait un visage rond et plein, un embonpoint dénotant l'aisance de qui a su plaire aux académies et l'habit bien coupé de qui peut s'offrir un tailleur en renom. Ayant l'habitude d'être entouré d'admiratrices, il accueillait avec bienveillance les marques d'intérêt dont il était l'objet. Il prit place, appuyé d'une main sur un fauteuil de velours rouge.

Pendant une demi-heure, nous avalâmes des quatrains, des odes, des sonnets – pas de poème épique, heureusement, cela nous aurait menés jusqu'à la nuit. Ce fut un fatras de prières à des dames cruelles, d'envolées en l'honneur de preux chevaliers, d'imprécations contre les flots déchaînés et de gémissements sur le sort des héros écrasés par le destin.

Il ne fallait pas être grand clerc pour s'apercevoir que tout cela était du dernier convenu. Très vite, je renonçai à écouter et pus observer l'assemblée à loisir.

Si les femmes semblaient émues par ces envolées, je crus deviner que les hommes s'ennuyaient ferme, y compris le maître des lieux.

Je remarquai, un peu à l'écart, une dame mûrissante. Les bouillonnés de son corsage ne suffisaient pas à dissimuler une pente abrupte menant à un ravin, là où l'on aurait pu attendre les doux vallonnements propres à son sexe. L'aridité de cette géographie n'était adoucie en rien par le ruché de la guimpe qui se dressait au bord de son cou avec la sécheresse d'une falaise. Ses bras maigres s'appuyaient sur les accoudoirs du fauteuil, dans la pose d'une femme qui avait eu autrefois de la grâce, et aux gestes prématurément figés. Les dents jaunies, les omoplates saillantes, les cheveux crêpés et poudrés à l'ancienne manière pour paraître plus fournis, le rouge appliqué en deux ronds symétriques en haut des pommettes lui donnaient l'aspect d'une marquise en sucre qui aurait séché sur le dessus d'une bonbonnière. Ces artifices de toilette la vieillissaient au lieu de la rajeunir.

Une palpitation soulevait la gaze de son étole, comme elle était suspendue aux lèvres du grand homme. L'émotion faisait cligner de grands yeux bleus, seuls préservés dans le naufrage qui avait ravagé la physionomie et la silhouette. Je tendis l'oreille quand l'un des mes voisins, répondant à la question chuchotée un rang plus bas par un de ses amis, se retourna et lui glissa :

« C'est la vicomtesse de G., l'égérie de M. de Bersède. En bon français, cela s'appelle une vieille maîtresse dont on n'a pas su se débarrasser. Plus âgée que lui, elle en accepte depuis vingt ans toutes les humiliations et toutes les infidélités. »

J'allais sourire quand j'eus pitié. Dès que le grand homme se mit à réciter d'une voix pleine et harmonieuse, elle tourna vers ce bellâtre avantageux un visage où des années de dévouement et d'inquiétude avaient laissé d'ineffaçables stigmates. On ne s'oublie pas impunément pour un ingrat. Elle accompagnait imperceptiblement le rythme des vers du mouvement de ses manches, bien qu'elle ait dû entendre cent fois les mêmes effets ménagés aux mêmes endroits de la récitation.

Les rumeurs avaient attribué autrefois nombre de maîtresses à M. de Bersède et il ne s'était pas fait faute en ce temps-là de parader à travers la ville au côté de l'actrice ou de la danseuse dont on lui reconnaissait la conquête. Toutefois, soucieux de sa santé, de sa carrière et de ses ressources, il s'était borné, disait-on, à décrire dans son œuvre la fureur des passions, tandis que, dans la pratique, il s'en tenait à la modération. Je lui voyais en effet une affectation et une complaisance de beau parleur qui ne laissent rien présager de bon dans le domaine amoureux. Je ne songeais pas à nier ses succès, d'ailleurs. Les femmes se laissent toujours prendre au ramage et au plumage.

Et puis, quelle que soit sa rage de rester jeune, un homme de cinquante ans ne méprise tout à fait ni sa robe de chambre ni ses pantoufles. Séduire entraîne des frais, des sorties, des cadeaux. Au fur et à mesure qu'approche l'instant du choix, le moment où il devra prononcer les paroles ou esquisser les gestes convenus, bien souvent il recule, se dit lâchement que celle-ci sera comme les autres, que son rhumatisme l'a repris le matin et qu'il fait bien humide à minuit quand on sort du théâtre ou d'un restaurant. Et il rentre, sa vanité satisfaite d'avoir senti la victoire à portée de la main, soulagé d'avoir renoncé alors qu'il en était encore temps, rassuré de savoir qu'on l'attend et qu'on s'inquiète, qu'on souffre et qu'on s'interroge.

Bercé par la certitude d'être aimé, monsieur se montre aimable pendant un quart d'heure, demande un pot de tisane et annonce d'un air inspiré qu'il doit travailler. Il se retire alors dans son cabinet, où il se déshabille au hasard, jette son toupet aux pieds de la nymphe qui orne la pendule, tombe en travers du lit dressé pour accueillir ses veillées solitaires et inspirées et ronfle comme un notaire, bouche ouverte, redevenu lui-même enfin, lâchant des vents et des grognements de cocher.

Les applaudissements me ramenèrent à la réalité. M. de Bersède salua, s'écarta du fauteuil et du guéridon qui lui servaient de décor, salua de nouveau et fit mine de descendre de l'estrade. On comprit qu'il en avait fini et, pas chiche, le public le gratifia même de quelques acclamations. Le Périgourdin est d'un joyeux naturel et, quand on le divertit, il dispense ses louanges avec générosité, quitte à railler ensuite.

Notre auteur avança, recula, prétendit se soustraire aux suffrages du public, eut des modesties de fiancée menée vers le lit nuptial, son sourire reposant directement sur l'ampleur empesée de son jabot – car il avait peu de cou et beaucoup de cravate.

On finit par se lever et les domestiques servaient des boissons et des fruits confits lorsque la marquise douairière me fit dire de la rejoindre. Une dame âgée était assise auprès d'elle. Je me crus importune et allais me retirer quand elle me fit au contraire signe d'avancer, me prit affectueusement la main et me fit asseoir entre elle et l'autre dame, à laquelle elle me présenta.

« Je suis très liée à Mme de Bonnefond, que vous n'avez jamais rencontrée car elle sort peu et habite au-delà de Monpazier, m'expliqua la marquise Nous avons fomenté un petit complot auquel nous aimerions vous intéresser.

– J'ai une faveur à vous demander, madame, dit alors Mme de Bonnefond. Il s'agit d'une affaire qui vous paraîtra bien simple, au premier abord, mais qui est délicate par certains aspects. »

Que voulaient dire ces précautions oratoires? Allait-on me demander d'ouvrir un hospice ou une école pour les pauvres nécessiteux de Monpazier?

« Voici, dit Mme de Bonnefond. Un de mes petits-neveux, qui a la fantaisie des monuments anciens, se propose de passer l'été en Dordogne. Il s'intéresse à l'abbaye de Cadouin et surtout à son cloître qui, hélas! est à l'abandon depuis la Révolution mais s'orne, dit-on, de belles sculptures. Fort lié à M. Prosper Mérimée, membre distingué de la Commission des monuments historiques, il s'est engagé à lui soumettre un rapport détaillé sur l'état de conservation de l'ensemble.

– M. Romieu m'a parlé de ce chef-d'œuvre de l'art gothique, qui a été transformé en étable à porcs. Il vient d'obtenir que le département en fasse l'acquisition.

– Je comprends maintenant pourquoi, dès son arrivée, il s'est concerté avec mon neveu. »

Mme de Bonnefond soupira.

« Tout autre que ce jeune homme ferait œuvre pie en se penchant sur ce qui fut un saint lieu. Pour lui, je doute qu'il le fasse dans un esprit de foi et de recueillement. Pourtant, je voudrais l'aider autant qu'il est en mon pouvoir. Qui sait si le Seigneur ne choisira pas ce moyen de le ramener à Lui? Pareil travail devrait aussi le rapprocher des hommes du saint ministère capables de le renseigner, comme notre cher érudit, M. l'abbé Audierne. Voilà où je voulais en venir : la bibliothèque de Puynègre a conservé, je crois, les ouvrages et les archives qui lui viennent de la famille de Bars. Parmi ceux-ci se trouvaient, avant la Révolution, des copies du Cartulaire de l'abbaye de Cadouin et de l'inventaire établi au XVIIIᵉ siècle des œuvres d'art appartenant à nos églises et à nos couvents. Autoriseriez-vous mon neveu à les consulter, car il compte mener des recherches à la fois historiques et architecturales sur l'abbaye? »

Elle arrêta doucement le geste que j'esquissais et la phrase que j'allais prononcer pour accorder spontanément cette autorisation.

« Je n'ai pas mentionné devant lui les richesses de votre bibliothèque ni même prononcé votre nom. A parler franc, ce jeune homme a causé de grands troubles par sa conduite et je n'osais vous demander de l'accueillir sous votre toit. Mme de Campagne, cependant, m'a assurée que vous étiez la personne la moins susceptible de souffrir des désordres dans votre demeure et m'a encouragée à vous faire part de mon souci. »

Je retins un sourire. C'est le propre des vieilles gens de faire une montagne d'une taupinière. Mme de Bonnefond s'exagérait sans doute l'impiété et la conduite scandaleuse de son neveu. Le goût des archives et des vieilles pierres me semblait mal s'accorder avec des habitudes de débauche.

« J'accepte volontiers, madame, dis-je avec la modestie qui convenait, pourvu que monsieur votre neveu consente à étudier ces ouvrages dans une pièce que je mettrai à sa disposition, car la bibliothèque de Puynègre me sert de bureau et il n'est de jour où je n'y travaille. »

Je reçus gravement les remerciements des deux femmes. La marquise eut un sourire jeune et charmant à l'égard de son amie.

« Ne vous avais-je pas annoncé que Mme Fabre ne songerait pas à la gêne que peut lui causer une telle présence et ne verrait là qu'un bienfait à accomplir? » dit-elle de cette voix mélodieuse des gens de l'Ancien Régime qui semble avoir disparu de nos jours.

Tant d'innocente bonté me laissa muette.

Mme de Campagne fit signe à un valet de pied et lui parla à mi-voix. Quelques instants plus tard, Mme de Bonnefond tendait la main à quelqu'un que je n'avais pas entendu approcher et qui se tenait derrière mon épaule.

« Approche, Edouard, mon ami! » s'exclama-t-elle gaiement.

Un homme s'avança, s'inclina profondément devant moi, pendant que la vieille dame posait affectueusement son éventail sur la manche noire d'un habit coupé dans le drap le plus fin.

« Madame la baronne, voici M. le comte de Céré, dont je vous entretenais à l'instant », dit Mme de Bonnefond.

Il se redressa. Je demeurai abasourdie. La stupéfaction me jeta le cœur dans les dents. Je suffoquais,
l'air ne passait plus dans ma gorge. Je regardais
alternativement les deux vieilles dames, avec leurs
doux sourires satisfaits, et l'homme qui me faisait
face.

« Ma tante, j'ai eu le privilège d'être présenté à
Mme Fabre par mon oncle, le colonel de La Bardèche, il y a deux ans, quand elle avait bien voulu me
vendre un superbe cheval auquel je suis très attaché », répondit-il avec tous les signes du respect.

Comment ne pas le reconnaître? C'était lui,
inchangé, grand seigneur, montrant cette parfaite
bonne grâce qui cache une indifférence absolue à
son prochain. Grand, mince, brun, souple et vigoureux, insolent et bien mis, il était de ces hommes à
qui je tourne le dos sans hésitation, irritée par leur
superbe.

Par contre, je n'avais eu aucun scrupule, un soir
d'orage, à séduire ce bel animal, sûre que j'étais de
ne pas le revoir. Je peux tout oser et un amour de
rencontre ne me fait pas peur, mais je ne veux pas
que l'on se présente à nouveau sans avoir été
convié, pour commander le même souper, accom-
modé de la même façon. S'il séjournait en Dordogne, M. de Céré s'attendrait à être reçu à Puynègre,
se croirait des droits, agirait avec la tranquillité du
voyageur qui revient à l'auberge dont, lors d'un
précédent passage, la gargotière s'est montrée
accueillante.

Il ne semblait pas se moquer et avait été jusqu'à
mettre une touche de velours dans son regard noir,
mais on ne lit rien sur le visage de ces messieurs,
habitués à jouer toutes les comédies et à miser un
an de fermage sur une carte.

Si j'avais été seule avec lui, je lui aurais signifié
franchement qu'il ne devait attendre de ma part
qu'une politesse de commande et rien de plus. En

public, cependant, j'étais condamnée à faire bonne contenance. L'effort que je fis pour me dominer m'étrangla. Je vécus d'horribles secondes durant lesquelles je me demandai si je parviendrais à proférer un son.

Ma complexion m'empêche heureusement de rougir ou de pâlir. La marquise ajouta une remarque bienveillante et cet instant de répit me permit d'écraser mon orgueil à vif et de rassembler toute l'énergie dont je disposais. Par une convulsion de toute ma volonté, je produisis le sourire que l'on attendait et les quelques paroles banales qui prouvaient que la réputation de M. de Céré ne m'intimidait pas.

Ces dames eurent un sourire approbateur. Elles imaginèrent que je saurais tenir en respect M. de Céré. De menus propos furent échangés. Mme de Bonnefond mit fin à ce bref entretien en disant à son neveu :

« Mon ami, nous ne voulons pas te retenir. Je sais que tu nous as ménagé une surprise pour la dernière partie du spectacle et je suppose que tu dois veiller à ses préparatifs. Tu reviendras me voir ensuite. Entre-temps, je vais dire en confidence à Mme la baronne Fabre que tu n'es pas aussi mauvais sujet qu'il y paraît et que j'ai toujours eu pour toi une faiblesse que le Seigneur me pardonnera, je crois! »

M. de Céré salua les deux vieilles dames et se tourna vers moi :

« Puis-je avoir l'honneur de vous reconduire à votre chaise, madame?

– Nous ne vous avons que trop retardée, mon enfant, me dit la marquise de sa douce voix flûtée. Nous vous laissons regagner votre place, car Mme Pouilley s'apprête à chanter, semble-t-il. »

J'avais retrouvé mon calme quand je pris le bras que m'offrait M. de Céré.

« Me permettez-vous de vous parler net, monsieur? dis-je, profitant des instants où nous traversions les deux salons.

– Je vous en supplie, madame. Je ne me serais pas flatté de mériter pareille distinction.

– Il est inutile d'y voir une faveur. Je parle généralement ainsi. C'est avec grand plaisir que j'ai accordé à Mme de Bonnefond d'ouvrir la bibliothèque de Puynègre, qui renferme certains ouvrages d'intérêt pour la connaissance des monuments de la province, à un neveu qu'elle me décrivait comme passionné d'antiquité. J'ignorais que vous étiez ce neveu, mais peu importe. Il vous suffira de me traiter avec les égards dus à ma position dans ce pays. Abstenez-vous de penser que je vous suis quelque chose et que je mérite de votre part d'autres attentions que celles exigées par la courtoisie et une reconnaissance obligée. Vous éviterez des désagréments qui n'en valent pas la peine et vous y gagnerez peut-être mon amitié. Voilà ce que je vous propose.

– Je ne savais rien, madame, de ce marché auquel vous avez consenti sans savoir quel chaland on vous proposait. Pardonnez, je vous prie, à Mme de Bonnefond l'affection qu'elle me porte sans que je la mérite et qui, seule, l'a portée à cette démarche que je n'aurais pas approuvée si je l'avais connue. J'accepte que vous ayez de moi la pire opinion, non pas que vous me soupçonniez d'avoir recours à ce genre de procédé pour m'introduire chez vous, ou de croire que je me présenterais dans une maison où l'on ne souhaite pas me recevoir. »

Les traits de M. de Céré s'étaient à peine animés pendant cet échange, mais son regard s'était fait incisif, sa voix brève, son bras s'était raidi.

Je souris. J'ai toujours aimé l'orgueil.

« Savez-vous qu'il nous est interdit de nous fâcher? Que vous ne veniez pas à Puynègre serait m'insulter, que je ne vous reçoive pas serait insulter Mme de Bonnefond! Me pardonnez-vous, sur la foi de votre réputation, de vous avoir cru redoutable et de vous avoir attaqué pour éviter d'avoir à me défendre? »

J'éclatai de rire, car la situation était cocasse. Nous avions l'air grave et concentré de gens qui discutent des affaires de l'État.

« Tenez, j'avoue même que je me repens! Cela ne m'arrive pas souvent! En profiterez-vous pour m'absoudre? »

Il me regarda sans rire. Je l'avais sans doute blessé plus que je ne l'avais cru. Je poursuivis, riant toujours :

« Savez-vous ce que la rumeur dit de vous et ce que répètent parfois les chroniques mondaines des journaux? Que vous vous souvenez mieux d'un cheval que vous avez monté que d'une femme qui vous a plu. Cela ne mérite-t-il pas que vous soyez traité avec un peu d'insolence?

– Il en est des femmes comme des chevaux : celles qui sortent de l'ordinaire ne s'oublient pas.

– Pourtant, vous traitez fort bien vos chevaux et fort mal les femmes.

– Quiconque se laisse maltraiter ne vaut pas mieux que la manière dont on le traite. »

Je maudis la vivacité qui m'avait fait attaquer ce Don Juan de boulevard sur un terrain où il devait être imbattable. Pourtant, il m'avait répondu de ce ton sans détour comme sans persiflage, qui mène tout droit à la familiarité.

« Je devrais me garder de tout badinage avec vous, c'est un exercice pour lequel je n'ai à vrai dire aucun goût.

– Moi non plus.

– Vous le pratiquez pourtant avec maestria, répliquai-je sottement, au lieu de me taire.

– Par nécessité, comme vous. Cela tient en respect les importuns. »

Deux ans plus tôt, en me quittant, ne m'avait-il pas dit : « Laissons là les lieux communs. Ils ne nous concernent ni l'un ni l'autre. » Il semblait tenir pour acquis que nous nous ressemblions. L'idée était si absurde que je ne cherchai même pas à la réfuter.

Je me retrouvai devant ma chaise. Mes voisins, les Carbonnières, avaient déjà pris place. Le piano préludait. M. de Céré nous salua et s'éloigna. Il me sembla qu'il quittait le salon.

Mme Pouilley chanta, voix de rossignol dans un corps de marchande à la toilette.

En dépit de mon amour du chant, je ne parvins pas à le goûter vraiment. Je voulais me fixer à l'égard de M. de Céré une ligne de conduite dont je ne m'écarterais pas. Adopter un air froid et distant n'était pas dans ma manière. Le plus facile serait qu'il courtise l'une ou l'autre des femmes de notre entourage. Tout naturellement alors il ne me réserverait que les soins et l'attention qui relèvent de la simple bienséance.

D'ailleurs, il pouvait être de ces séducteurs qui ne se soucient pas d'une femme qui leur a appartenu. Pourtant, même un homme d'un cynisme égal au sien n'avait pas dû oublier cette nuit où nous avions échangé plus que des caresses et de la volupté. Il n'est pas si fréquent d'aller au bout de soi-même et de l'autre, et en ce domaine je trouve bien hardi le mépris des moralisateurs qui abaissent les plaisirs de la chair au rang des satisfactions subalternes.

Quand M. de Céré était parti, je ne lui avais rien offert et il ne m'avait rien demandé. J'avais ri quand il m'avait dit que nous nous reverrions, moins quand il avait tranquillement ajouté : « Ce n'est pas une question que je vous pose, c'est un avertissement que je vous donne. » Revenir après deux ans ne montrait pas un grand empressement, je pressentais pourtant que la logique n'avait pas grand-chose à voir dans cette affaire.

Je m'avisai que Mmes de Campagne et de Bonnefond n'auraient introduit M. de Céré chez aucune autre femme de mon âge vivant sans époux, de peur de la compromettre. Il se confirmait ainsi que j'étais considérée comme irréprochable, et j'entendais le rester aux yeux de l'opinion.

Si des bruits avaient pu courir autrefois sur les liens fort peu innocents qui m'avaient unie pendant quelques mois à mon cousin Pierre de Cahaut, ils n'avaient trouvé à s'appuyer sur aucune certitude. Ma famille, assez paysanne pour préférer un bon silence à un mauvais scandale, avait choisi d'ignorer ces rumeurs. Le feu s'était éteint faute d'aliments.

Fabre, déterminé à m'épouser la tête haute, avait dédaigné de se venger, ce qui aurait confirmé les soupçons. Il n'aurait pas toléré, cependant, la moindre atteinte à son honneur après notre mariage.

Veuve, j'avais surmonté mon accablement et personne ne s'était avisé de trouver suspect que j'offre l'hospitalité à M. de Céré un soir d'orage, au lieu de le jeter sur les routes à la nuit tombante.

Les femmes n'avaient jamais vu en moi une rivale. Une opulente torsade de cheveux noirs, une gorge et des épaules abondantes, un beau port de tête, une allure vigoureuse, une inaltérable santé ne font pas une Messaline. De plus, je ne cachais pas mon appétit, je riais sans retenue, je parcourais le pays à grands pas, je voulais être à l'aise dans mes vêtements et refusais de serrer mon corset. Je ne pouvais, hélas! me vanter de la seule supériorité que m'eût reconnue l'ensemble des femmes : mon linge, qui était digne d'une princesse. Fabre n'aimait en effet me voir porter que les chemises les plus fines, ornées de dentelles et de broderies dont le luxe dépassait de très loin ce qu'on avait jamais vu en Dordogne. Mais à part lui, seules ma brodeuse et ma chambrière le savaient. Je fus secouée d'un rire silencieux en imaginant la surprise pincée de ces dames si cette étonnante nouvelle avait été publiée. Ma belle humeur me revint en même temps. A quoi bon préparer une parade à des attaques de M. de Céré qui ne viendraient peut-être jamais? J'improviserais, voilà tout.

Je dus faire grincer ma chaise ou imprimer à mon bras des secousses involontaires. Mme de Carbonnières me jeta un coup d'œil furtif et parut étonnée de ma gaieté, au moment le plus pathétique de l'air chanté par Mme Pouilley.

Après une autre interruption, M. Lebat entra en scène. Il récita le monologue de Cinna, suivi de celui d'Hamlet. On jugera de ma simplesse quand j'avouerai n'avoir connu de Shakespeare à l'époque que des extraits de cette tragédie, à l'exclusion de toutes ses autres pièces. Malgré la célébrité donnée en France à ce rôle par Talma, j'étais restée insensible aux superbes interrogations du prince de Danemark.

La tournée des comédiens anglais à Paris en 1827 avait véritablement fait découvrir Shakespeare aux Français. On avait admiré les comédiens, mais en s'effarouchant des brutalités de la langue et des situations qu'il dépeint.

Puis, Lebat annonça qu'il allait avoir l'honneur d'interpréter avec ses camarades des scènes tirées d'*Othello*. Il tiendrait le rôle de Iago, Mlle Jenny, artiste bien connue du Théâtre des Variétés, serait Desdémone. Des artistes venus de Bordeaux joueraient les personnages secondaires. Dans le rôle d'Othello paraîtrait un de leurs camarades, qui ne souhaitait pas être nommé. On avait répété au château en grand secret, pendant plusieurs jours.

La première scène fut celle, très courte, du IIe acte qui réunit Othello et Desdémone. Mlle Jenny possédait ce genre de beauté que je croyais rare chez une femme de théâtre et qui offrait à la fois les apparences de la candeur et d'une grande jeunesse. Othello était de belle stature dans son ample manteau, méconnaissable sous le fard qui basanait son teint.

Aux premières paroles qu'il prononça : « *Ô ma belle guerrière!* » je sus que c'était M. de Céré. Il poursuivit : « *Ô joie de mon âme! Si après chaque tempête viennent de pareils calmes, puissent les vents souffler jusqu'à réveiller la mort!* »

J'aimais passionnément le drame moderne et Victor Hugo plus que tout. Mais, en un éclair, je sentis qu'il y avait là autre chose.

J'ignorais les brèves interruptions ménagées à l'endroit des coupures, l'absence de décor, le texte tronqué. Rien n'importait. M. de Céré jouait sans ménagements pour la délicatesse de son auditoire. Othello était un homme de guerre et de passion, tant pis si l'on jugeait Shakespeare de mauvais goût.

Etait-ce bien Céré, célèbre pour allier une nonchalance souveraine à un esprit cinglant, qui montrait ce lyrisme ardent face à Desdémone puis, au fur et à mesure que la tragédie se nouait, jouait avec l'emportement désespéré du lion pris dans les rets de la jalousie? Pouvait-il se tirer du cœur ces accents rauques, ces rugissements? Electrisé par cette violence, Lebat fut sublime en Iago. Un sombre génie l'habita, il devint ivre de vengeance autant que l'autre de désespoir. Othello crachait :

« *Arrière! va-t'en! tu m'as mis sur la roue! Ah! je jure, il vaut mieux être trompé tout à fait que d'avoir le moindre soupçon! (...) J'aurais été heureux quand le camp tout entier, jusqu'au dernier pionnier, aurait goûté son corps charmant, si je n'en avais rien su.* »

L'adieu à ses troupes, à son coursier, aux trompettes, fifres et tambours qui avaient accompagné ses victoires, ressemblait à la marche d'un homme à la mort. « *Adieu la bannière royale et toute la beauté, l'orgueil, la pompe et l'attirail de la guerre glorieuse!* » souffla-t-il, brisé, à ce rêve qui s'enfuyait.

Puis, dans un sursaut, il bondit à la gorge de Iago :

« Misérable, tu me prouveras que ma bien-aimée est une putain! N'y manque pas, n'y manque pas! Donne-moi la preuve oculaire ou bien, par le salut de mon âme éternelle! il eût mieux valu pour toi être né chien que d'avoir à répondre à ma fureur en éveil! »

L'audience était atterrée. Etait-on venu dans un salon d'aussi bon ton pour voir s'affronter les passions avec une telle crudité, dans un langage aussi trivial? Le déchaînement d'Othello paraissait d'une bestialité révoltante. Les dames en restaient confuses. Aucune pourtant n'osa se lever ou marquer ouvertement sa désapprobation, le marquis et la marquise de Campagne ne semblant pas s'effaroucher du génie de Shakespeare. Les maîtres de maison ne montrant aucun signe de répulsion, les invités durent se tenir cois.

Othello gémissait :

« S'il y a encore des cordes ou des couteaux, des poisons ou du feu ou des flots suffocants, je n'endurerai pas cela! Oh! avoir la certitude! »

Les mains dressées, il semblait dévoré de fièvre. Iago, justicier à la haine insondable en ses replis obscurs, contemplait avec une sombre délectation l'agonie de son capitaine.

Un silence pesant régnait dans le salon. Seul le battement trop vif des éventails brassait l'air.

Mlle Jenny elle-même, quand elle s'avança pour la scène finale, sembla troublée par cette sombre détermination. L'assistance parut sur le point d'intervenir, croyant l'actrice en danger face à ce malheureux qui avait perdu l'esprit. D'un œil flamboyant et d'un geste impérieux, il rejeta les spectateurs sur le velours et le crin de leurs chaises en articulant à l'adresse de Desdémone le « *Tu vas mourir* », qui scellait le dénouement de la tragédie.

Elle mourut avec grâce et l'on se rassura un instant. A la fin, cependant, quand Othello se dressa, seul, avec son épée, on retint un souffle d'horreur, comme si M. de Céré avait trouvé cette horrible manière d'en finir avec la vie. Le soulagement fut sensible quand on lui arracha son épée. La soudaineté avec laquelle il sortit un poignard de sa ceinture et s'en frappa fit onduler le public, révulsé, comme si on l'avait forcé à assister à une exécution.

La gêne fut à son comble quand, au moment d'expirer, il murmura, s'affaissant sur Desdémone : « *Je t'ai embrassée avant de te tuer... Il ne me restait plus qu'à me tuer pour mourir dans un baiser.* » Enfin, il tomba en travers d'elle de tout son poids et le baiser qu'il lui donna, pour être d'un mourant, n'en parut pas moins fort impudique.

On tira le rideau de fortune mis en place pour l'occasion. Tout bruit, tout mouvement fut suspendu dans la salle jusqu'à ce que le marquis donne le signal des applaudissements. Il fut suivi à distance et de faibles battements de mains marquèrent l'approbation polie à laquelle on ne pouvait se dérober.

Je ne sais pas tapoter mes gants de mon éventail en un bruit feutré. Mes applaudissements furent donc entendus nettement par-dessus le morne brouhaha qui montait de l'assistance accablée.

Un de mes voisins se pencha galamment vers moi, comme si mon enthousiasme annonçait un penchant pour la débauche.

« Je vois, madame, que ces mœurs barbares ne vous effraient pas.

– Monsieur, qu'importent les convenances quand parle le génie! »

Il eut un sourire entendu.

« Vous êtes bien indulgente pour le talent de M. de Céré.

– Il a de grands dons, en effet, mais je parlais de Shakespeare.

– Bah! ce théâtre-là est tout juste bon pour la soldatesque! »

J'ironisai :

« Je vois, monsieur, que l'on ne saurait vous en conter! »

Il se rengorgea. Je prétextai la chaleur auprès de nos amis pour sortir rapidement du salon. J'espérais cacher mon trouble dans le jardin et y trouver quelques instants de silence avant de me replonger dans le flot des conversations.

M. de Carbonnières me rejoignit peu après, accompagné d'un autre de nos voisins, M. de Saint-Ours. Ils avaient observé la chaleur avec laquelle j'avais accueilli la représentation et m'en firent la remarque en souriant. Ils n'auraient pas parlé avec la même liberté en présence de leurs épouses, les femmes ayant pour la plupart ce malheureux talent d'affadir les conversations auxquelles elles prennent part ou dont elles sont témoins.

Je pus dire que, de ce jour, je mettrais Shakespeare au-dessus de tous les autres tragiques, sans qu'ils s'en offusquent et leur exprimai mon étonnement devant la froideur générale.

« Cela est naturel, dit M. de Saint-Ours. Les plus

âgés d'entre nous ont connu des périodes aussi violentes que celles décrites par Shakespeare. Nous ne voulons pour rien au monde qu'on nous y ramène. Nous demandons à être divertis, rien de plus, et acceptons de frémir, pourvu que l'épopée ou le drame se passe loin de nous, sur une autre terre ou à une époque reculée. Nous refusons d'entendre parler de la fragilité humaine, de la déraison et de l'impitoyable destin, avec des accents terribles qui sonnent par trop vrai. En France, les avertissements ne servent qu'à ceux qui les profèrent. On rit au nez des sages, les traitant d'esprits chagrins. »

On découvrit alors, à l'ombre des arbres, dans le parc, un buffet dont la disposition, la recherche et l'abondance attirèrent bientôt toutes les personnes présentes et ramenèrent la gaieté.

Je fus mêlée à des groupes divers où l'on s'entretenait, sinon des sujets du jour, comme il aurait été de mise à Paris, du moins de ceux de l'année : le mariage du duc de Nemours, second fils du roi Louis-Philippe, celui de la reine Victoria et du prince Albert, la guerre d'Afrique, la guerre de l'opium qui opposait l'Angleterre à la Chine. Mais le principal motif d'agitation venait des Chambres et du gouvernement dont une loi récente autorisait le retour en France des cendres de l'Empereur. Devant moi, cependant, on aborda ce sujet avec prudence : l'aristocratie qui m'entourait était légitimiste et savait Puynègre bonapartiste jusqu'aux moelles, et orléaniste depuis 1830.

Les hommes écartaient spontanément toute considération politique dès qu'ils s'approchaient des femmes, sachant ces thèmes rébarbatifs à leurs jolies oreilles et à leurs frêles cerveaux. On commentait alors les dernières œuvres de nos auteurs : *Les Rayons et les Ombres*, de Victor Hugo, *Le Centaure*, de Maurice de Guérin, les *Poésies nouvelles*, d'Alfred de Musset, les *Notes d'un voyage en Corse*, de Prosper Mérimée.

On s'accorda à trouver vulgaires M. de Balzac et ses descriptions des diverses couches de la société. M. Beyle manquait, lui aussi, d'élévation. Si l'on reconnut que *La Chartreuse de Parme* contenait des portraits fins et vrais, on ne pardonna pas à l'auteur de se complaire à dévoiler en chacun de ses personnages des mouvements de l'âme d'une hypocrisie et d'un cynisme outranciers, en particulier dans *Le Rouge et le Noir*.

La vie extravagante de George Sand et le nombre des amants qu'on lui attribuait ne permettaient pas de la considérer comme une personne de bonne compagnie. Quelqu'un plaisanta sur son récent engouement pour les idées socialistes.

« Bah! comme toutes les femmes elle n'a d'opinion que celle de son amant du jour », s'esclaffèrent deux jeunes gens.

A un moment, je me retrouvai au milieu de gens d'âge respectable, qui débattaient de la deuxième partie de l'ouvrage de M. de Tocqueville, *De la Démocratie en Amérique*, qui venait de paraître. Personne ne croyait que cette forme de gouvernement pût un jour s'acclimater en France. L'avis général fut qu'elle aurait une influence néfaste sur le développement de la société, détruirait toutes les traditions et que, d'ailleurs, cette pratique de l'égalité et ces mœurs utilitaires n'obtiendraient jamais durablement les suffrages des Français.

« Nous aimons trop la pompe! déclara péremptoirement un esprit éclairé. Même la Révolution ne nous en a pas fait passer le goût. Le peuple, comme les grands, veut des cérémonies et des parades. Pour cela, il faut que l'Eglise, la monarchie et l'armée gardent leur position dominante. Les Chambres, les comités, les administrateurs et les banquiers sont peut-être utiles au progrès, mais ils ne nous offriront jamais le spectacle d'un *Te Deum*, ou d'un couronnement!

— Pourtant, messieurs, on dit que M. de Tocqueville est très apprécié en Angleterre, où son œuvre a déjà été traduite. On y prend fort au sérieux les théories qu'il avance, fit remarquer M. Romieu qui, en s'approchant, avait saisi la fin de la conversation.

— Voilà qui achève de me convaincre! s'exclama le péroreur. Vérité au-delà des mers, erreur en deçà! »

Le théâtre et l'opéra suscitèrent moins de polémiques. Je ne sais plus ce qu'avaient produit cette année-là MM. Scribe, Adam et Auber. Mlle Rachel brillait au Théâtre-Français de tout son jeune éclat. Mlle Pauline Garcia, sœur de la Malibran, avait fait ses débuts aux Italiens quelques mois plus tôt, suscitant un enthousiasme délirant.

Donizetti régnait sur la salle Ventadour, où l'on avait représenté au mois de février *La Fille du régiment*. Je ne pouvais l'ignorer, car mon cousin Pierre de Cahaut s'était engoué des airs martiaux de cet opéra et, depuis que la partition était parvenue en Dordogne, on l'entendait dans les réunions de famille entonner de son énorme voix de baryton, éraillée par la boisson, des « *Rataplan plan plan... Vive la guerre et ses alarmes! et la victoire et ses combats!... Rataplan, vive la guerre! Rataplan, vive la mort!* ». Ce refrain succédait aux « *Pif paf pouf* » et aux « *Rataplan* », de Meyerbeer, dans *Les Huguenots*.

Il se faisait tard, la nuit allait bientôt tomber, et ces propos effilochés que l'on échange dans les réceptions me lassent plus qu'une longue course à travers la campagne. Depuis deux ans, mes sorties s'étaient limitées aux événements familiaux et, n'ayant jamais aimé que médiocrement le tourbillon du monde, je m'en trouvais alors plus éloignée encore. Ignorant la solitude avant la mort de Fabre, me croyant incapable de la supporter, j'avais fini par la goûter et la rechercher.

Je me retirai discrètement, après avoir salué les maîtres de maison. La marquise douairière retint ma main dans les siennes, comme je lui faisais mes adieux. « Je compte sur vous, mon enfant, et je prierai pour le succès de notre entreprise », me dit-elle affectueusement.

Je confirmai à Mme de Bonnefond que je recevrais volontiers M. de Céré et lui donnerais toute liberté de chercher dans la bibliothèque de Puynègre les ouvrages qui pourraient l'intéresser.

J'attendais que s'avance ma voiture quand il parut.

« Je me réservais de parler avec vous après le souper, qui sera servi tout à l'heure. Je pensais que vous auriez alors rempli tous vos devoirs de politesse et n'auriez plus de prétexte pour m'échapper, dit-il en souriant. Je suis puni de mon imprudence! Mais je n'ai pas le droit de me plaindre depuis que ma chère tante a si bien plaidé en ma faveur. »

J'éclatai de rire.

« Nous voici condamnés à devenir de bons amis!

— Bons amis..., fit-il avec un demi-sourire. Je n'attendais pas cela de vous. C'est ce que disent à Paris les femmes qui veulent garder leur autorité sur un homme sans rien lui promettre. C'est une manière polie de dire : « Monsieur, vous me plairez peut-« être. Ne vous éloignez pas, car je pourrais alors « vous oublier tout à fait ou en distinguer un autre. « Mais si je vous autorise à rester, je vous interdis « de nourrir aucun espoir. »

Je le regardai, évaluant le danger, qui n'était pas mince. Il avait l'aisance des gestes et de la tenue que donnent la naissance et la fortune. La coupe stricte de son habit, la finesse de son linge étaient parfaites. Rien d'apprêté en lui, cependant. Son mélange de désinvolture et de réserve donnait l'impression qu'il dédaignait de s'attarder à des détails de toilette. Pourtant, à la perfection de son élégance, on comprenait que s'il était méticuleux jusque dans le moindre aspect de sa mise, dès qu'il mettait le pied hors de chez lui, il ne lui accordait ni un regard ni une pensée.

Sa courte barbe noire accentuait une certaine sévérité dans son expression. Il ne portait aucune des breloques, des épingles ou des bijoux extravagants qu'affectionnent les dandys. A l'annulaire de la main gauche, une cornaline admirablement gravée représentait le seul ornement de sa tenue. Tout cela, uni à un teint mat, un œil insondable et un cœur froid, devait lui soumettre bien des femmes de toutes conditions.

A nouveau, je ris.

« Je n'entends rien à vos subtilités. Si elles valent à Paris, elles n'ont pas cours ici. Par contre, m'autoriserez-vous une fois de plus à être franche? Un homme de votre monde peut avoir été charmé un soir par les audaces d'une dame qui est plus paysanne que baronne. Mais dans l'univers auquel vous appartenez, on ne s'attarde pas après avoir séduit. En selle, donc, monsieur le comte, il vous faut maintenant chercher mieux et ailleurs! Votre réputation le veut. Pourtant, je vous verrai sans déplaisir. Vous êtes fort bel homme, vous ornerez mon salon. Ce serait un sujet de risée parmi vos amis si l'un de vous passait pour être retenu aux pieds d'une provinciale.

– J'ai des compagnons de plaisir, non des amis, et leur opinion m'indiffère.

– Vous n'avez pas d'amis? Sans doute les aurez-vous tués en duel! »

Il me regarda d'un air étrange et ne répondit pas. Avais-je par hasard touché juste? Il soufflait un vent léger qui dérangeait mes cheveux. Faye avait avancé la voiture. Justin, le petit palefrenier, qui faisait office de valet de pied quand on attelait la calèche, abaissa le marchepied.

Je saluai M. de Céré d'un signe de tête et d'un sourire.

« Vous me trouverez généralement après le déjeuner, sauf le mardi, où je déjeune au Bugue chez ma tante Labatut. Si le temps est chaud, je ne sors guère avant trois heures. »

Quand la portière de la voiture fut refermée, je lui lançai : « Je vous dois un compliment, monsieur, vous êtes un admirable Othello! » et, sans attendre sa réponse, je fis signe à Faye de lancer les chevaux.

C'est avec soulagement que je me retrouvai à Puynègre. Je m'affalai dans ma bergère favorite, près de la cheminée du salon. Je n'avais pas faim, mais Miette m'annonça qu'Antonia était inébranlable et ne se coucherait pas tant que je n'aurais pas pris au moins une légère collation. Je cédai et me fis servir sur une petite table qu'on m'apporta.

Ma tête bourdonnait de vers, de musique et de bruit.

Je me carrai dans les coussins, avec un volume des *Premières Poésies* de M. de Musset.

« *Deux muscadins d'abbés qui soupaient chez le pape,*
Étant venus un jour à bout de se griser,
Lorsque pour le dessert on eut tiré la nappe,
Dans un coin des jardins se mirent à causer.
L'un d'eux, nommé Cassius, frappant sur sa calotte,
Dit qu'en fait de maîtresse il était mal tombé,
Ayant pour tout potage une belle idiote,
Qui s'appelait, je crois, la marquise de B. »

Ces vers avaient beau m'enchanter, au bout d'un moment j'abaissai le livre sur mes genoux. La tête contre le dossier de la bergère, j'entendais résonner à mon oreille des passages d'*Othello*. Quelle langue, quel souffle, quelle résonance!

La voix et les accents de M. de Céré me revenaient avec autant de précision que le texte lui-même. Il m'avait étonnée. Je le savais capable d'une fougue brûlante et d'un dédain glacé, mais je le croyais depuis longtemps inaccessible aux passions. Or on ne peut les exprimer et les peindre avec tant de violence que si elles sommeillent en nous, domptées, méprisées peut-être, mais vivantes.

En lui, je ne craignais pas le viveur, mais j'étais intriguée par quelque chose d'acéré dans le regard, de grave dans la voix. D'ailleurs, il ne posait ni au conquérant ni au solliciteur.

Hé! hé! madame la baronne, me dis-je en buvant à gorgées précautionneuses ma tisane trop chaude, on suppute, on calcule; on se pose des questions! Pourquoi ne pas le dire tout cru : vous aimeriez sans doute voir cet épervier-là s'abattre sur votre basse-cour!

Soudain, je décidai d'aller le lendemain voir notre vieil ami le colonel de La Bardèche qui, le premier, m'avait adressé ce peu recommandable neveu, désireux d'acheter le cheval de Fabre dont je souhaitais me défaire. Il était cloué dans sa demeure, près de Monpazier, par certaines de ses blessures qui se rouvraient périodiquement et le faisaient cruellement souffrir. Je le ferais parler des turpitudes et des maîtresses de M. de Céré. Cela me guérirait mieux que tout discours moralisateur du souvenir un peu trop vif que je gardais de ma première rencontre avec lui.

Pourtant, avant de m'endormir, je revis cet Othello, ivre d'imprécations et de véhémence, les deux poings levés vers le ciel, le cou gonflé de rage impuissante. L'image me revint aussi d'un homme aux yeux clos, à la voix brisée, murmurant un dernier adieu à la gloire et à son cortège flamboyant.

*

Le lendemain matin, je reçus une lettre de Jérôme.

Notre chère Adeline, écrivait-il,
Me voilà arrivé à Marseille après quatre jours de route et trois nuits quasiment sans sommeil. Quinze pauvres voyageurs ont bu, mangé, ronflé de conserve pendant des lieues, essuyé un orage, longé une rivière débordante, se sont embourbés, ont pris en dix minutes des repas infâmes, à des heures indues, dans des auberges inqualifiables. Vous souvenez-vous de ce Bertil, maçon à Bigaroque, à qui l'idée était venue d'aller s'employer à Paris? Dès Limoges, il avait rebroussé chemin, trouvant la soupe trop claire. Cet homme était un sage.
En sortant de la diligence, retrouvant péniblement l'usage de mes jambes, j'ai trébuché dans l'hôtel le plus proche, demandé de l'eau chaude et un souper, puis je me suis effondré sur mon lit sans faire ni bombance ni toilette.
Je viens de dormir seize heures d'une traite, il fait grand soleil, mon lit n'a pas de puces, je suis un homme heureux.
J'embarque demain sur Le Pharamond, *qui fait route vers Civita-Vecchia. Ne craignez pas que je fasse des folies, je suis raisonnable comme un clerc. Jugez-en : la fille de l'aubergiste est charmante et je ne me suis pas posé en soupirant. Si pourtant elle le regrettait d'ici ce soir, je pourrais reconsidérer ma position.*
Rappelez à Malvina, je vous en prie, qu'elle a promis de réciter chaque jour un chapelet à mon intention. Veuillez lui dire que si je me fais déchirer

par les Erinyes ou dévorer par le Minotaure, elle en
sera tenue pour responsable.

Je compte aujourd'hui visiter la ville et lire les
journaux dans quelque café d'honnête apparence.
J'attendrai d'avoir quitté le sol français pour me lier
avec des fripouilles, si la nécessité s'en fait sentir.

Quant aux cadeaux dont vous avez daigné indiquer
qu'ils vous feraient plaisir, je m'aperçois que je ne
peux obéir à des instructions aussi vagues. Voulez-
vous un tombeau avec ou sans occupants? Et votre
pirate, vous le faut-il mort ou vivant, libre ou en-
chaîné, momifié ou empaillé? A la réflexion, pour des
raisons que je ne m'abaisserai pas à donner, je refuse
de vous rapporter vivant un de ces misérables qui
vous paraîtrait d'autant plus intéressant qu'il aurait
plus de crimes sur la conscience.

Dites à tous, petits et grands, que je les embrasse
tendrement. Ayez la bonté de consoler de mon absence
ma jolie Tantbelle. Les humains sont toujours impa-
tients d'être débarrassés de leur maître, pas les
chiens.

Je suis tout à vous. Jérôme.

Il me semblait l'entendre en lisant sa lettre. Elle
me fit rire et m'attendrit à la fois. Je la posai sur ma
table à ouvrage pour la montrer aux Maraval.

*

L'après-midi, je fis seller ma jument pour aller
chez le colonel.

Avec le courage d'un gentilhomme de l'ancien
temps, il badina sur ses douleurs et soutint que ma
présence l'en distrayait. Il était allongé sur un lit de
repos, dans son salon. Par les fenêtres grandes
ouvertes, on pouvait admirer un jardin en pleine
floraison. Il le désigna d'un geste.

« Vous voyez, c'est tout ce qu'il me reste d'une

vie de gloire et de conquêtes. Le reste s'est évanoui. Je ne m'en plains pas, mais le temps est passé où l'on honorait les héros vieillissants. Les uns ne rêvent que de s'enrichir, les autres de dépenser l'argent qu'ils n'ont pas eu à gagner. Encore heureux s'ils ne nous écrasent pas sous les roues de leur voiture lancée au galop! »

Pour détourner son esprit de ces pensées mélancoliques, je lui donnai longuement des nouvelles de Puynègre et des gens de sa connaissance. Enfin, je dis d'un ton léger :

« M. de Céré est revenu en Périgord, où il aurait l'intention de passer l'été. Il était l'autre jour au château de Campagne, où il a brillamment figuré dans une pièce de théâtre.

— Tiens donc! Je le savais comédien, je ne croyais pas qu'il en avait fait un métier! ironisa le colonel. Et que vient-il faire ici? Autrefois, il ne fréquentait que l'aristocratie et la canaille. Il ne jettera pas un regard à notre noblesse de province, aussi ancienne soit-elle, et encore moins à nos épouses de notables. Tout cela sent trop sa religion et ses principes. Avant dix jours, il s'ennuiera et portera ses talents ailleurs.

— Un jeune homme à la mode ne se doit-il pas de passer l'été à la campagne?

— Il la déteste. Il n'aime que les villes et Paris plus que toute autre. Il n'est jamais las du pavé, de la cohue et du bruit. Un malheureux duel l'a forcé à s'en éloigner pour quelques mois. L'affaire doit être maintenant oubliée. Une personne d'influence a pu intervenir et obtenir son pardon. Une femme, naturellement! Mais baste! je n'en sais rien. Marquez mes paroles, toutefois : dans une semaine, il aura en poche sa place de diligence!

— Mme de Bonnefond, qui est un peu votre cousine, je crois, et parente également de M. de Céré, m'a demandé de l'autoriser à chercher dans la bibliothèque de Puynègre des documents anciens sur certains monuments de la région. Il s'intéresse en particulier à l'histoire et aux sculptures de l'abbaye de Cadouin, ai-je compris. »

Le colonel jeta les mains au ciel.

« Une sainte femme peut dans sa naïveté devenir le meilleur avocat du diable! Hé! oui, je vous l'accorde, il s'intéresse à la peinture, à la sculpture, à l'archéologie, et plus que tout à la musique. Mais ce n'est pas en Périgord qu'il trouvera des émotions artistiques inouïes. C'est en vain qu'on jetterait chaque jour sous ses yeux un esclave aux murènes ou qu'on lui servirait du pâté de lamproie. Un œil et un palais aussi blasés que les siens se lasseront en moins de temps qu'il ne m'en faut pour vous le dire! »

Je ris.

« Rassurez-vous, colonel, je ne ferai rien pour plaire à M. de Céré ou pour le retenir. J'aurais aimé, cependant, que vous m'éclairiez sur son compte. Cela m'éviterait des maladresses. »

Il hocha la tête d'un air de doute.

« Je vous crois trop de sagesse et de prudence pour être maladroite. D'ailleurs, je ne sais sur mon neveu que des histoires anciennes. »

Par mon silence, j'espérais l'encourager à poursuivre. Il finit par hausser les épaules, comme si la chose était sans importance, et reprit :

« Je ne suis pas indiscret en vous racontant cette histoire, qui a couru les journaux et les salons il y a plusieurs années. A l'époque, Edouard faisait partie de cette troupe de jeunes gens qui, Lord Seymour en tête, occupait à l'Opéra la « loge infernale » et faisait trembler le directeur, le chef d'orchestre, les chanteurs, les danseuses et jusqu'au public, tant leurs interventions étaient bruyantes et sans appel. Connaisseurs en matière de chevaux, de musique et d'élégance, membres du Jockey Club, et surtout protecteurs de ces demoiselles, ils avaient le pouvoir de faire ou de défaire une carrière. Ils étouffaient jusqu'à la claque le jour où se déchaînaient leur enthousiasme, leurs huées ou leurs clameurs.

« Un soir, certains d'entre eux entrèrent à grand tapage dans une avant-scène, à l'Ambigu-Comique, au milieu d'une représentation. Mon neveu avait à se venger, dit-on, de la conduite insolente que se serait permise envers lui une jeune comédienne plus connue pour ses charmes que pour son sens théâtral.

« Elle n'avait rien à refuser à Edouard, non plus qu'à ses amis, à en croire la rumeur. La fatuité, cependant, demeure souvent chez le libertin le plus endurci. Mon neveu avait la prétention que lui soit réservée l'exclusivité pendant la période, généralement brève, où il distinguait une jeune personne.

« Mlle Zelda commit l'imprudence de recevoir à cette même époque un noble étranger, fort riche, à qui elle avait des obligations. Trop grand seigneur pour se gêner, ce gentilhomme fit attendre sa voiture toute la nuit à la porte de Mlle Zelda. Un ami obligeant de la demoiselle ou de mon neveu s'empressa de répandre la nouvelle.

« Voilà pourquoi cette invasion eut lieu le lendemain dans le théâtre où se produisait cette artiste. Nos jeunes gens ne prirent même pas la peine de s'asseoir. Une pluie de quolibets tomba sur Mlle Zelda. On lui jeta à la tête le nom de ses amants, y compris celui de la veille, et le détail de singularités qu'elle croyait ne voir révélées que dans le secret de son alcôve.

« La salle prit son parti, voulut faire taire les gêneurs. Ce fut peine perdue. A entendre ces infamies, Mlle Zelda eut une crise de nerfs. Son partenaire se planta sur le devant de la scène et tenta de la défendre. C'était un brave homme, il eut le malheur d'être maladroit.

« Le public, comme souvent à Paris, arbitra. Après avoir clamé son mécontentement contre l'avant-scène, il se mit à rire. Du parterre fusèrent à l'adresse de Mlle Zelda des questions sans équivoque. On s'invectiva d'un bout à l'autre de la salle. Les uns voulaient que le spectacle continue, les autres se divertissaient mieux de l'impromptu.

« Ce fut un effroyable tintamarre. Il fallut baisser le rideau et interrompre la représentation. Mlle Zelda, ridiculisée, s'exila dans des tournées en province.

« Le haut personnage qui avait été cité publiquement au cours de l'incident demanda raison à M. de Céré de la publicité ainsi faite à son nom. Ils se battirent au pistolet. Mon neveu le tua et la nuit même s'embarqua pour l'Angleterre où il resta un an. »

Le colonel soupira.

« A son âge, je m'étais battu aussi souvent que lui. Mais ces jeunes gens ne nous ressemblent en rien. Dans les circonstances les plus chaudes, ils gardent un air ennuyé ou une imperturbable froideur. Ils ne s'en départent que pour railler. Faut-il que notre vieux monde ait changé pour que les femmes se laissent prendre à tant d'affectation! L'Angleterre est à la mode, paraît-il. Les hommes se retrouvent dans des cercles. Bientôt, ils ne sauront plus tenir une conversation et se contenteront des quelques mots dont on a besoin pour jouer au billard ou à l'écarté, mener son cheval ou diriger ses domestiques. »

Je laissai le colonel exhaler sa mélancolie. Par chance, il revint de lui-même au sujet qui m'intéressait.

« Je m'étonne, grogna-t-il soudain, que Jeanne de Bonnefond ait encouragé Edouard à demeurer dans la région. Il ne reviendrait pas aujourd'hui aux excès de sa jeunesse, mais je le crois toujours capable d'un nouveau scandale. Chez qui loge-t-il?

– Je ne sais pas.

– Il se sera installé dans une auberge pour y mener à sa guise la vie qui lui convient, sans avoir à se soumettre aux bienséances. Dites-lui cependant, quand il vous rendra visite, de venir voir son vieil oncle bancal. Il me distraira, car il a des lettres et de l'esprit comme un diable. Mais prévenez-le qu'il ne me tirera pas un sou. Dans ce joli monde qu'il fréquente, on passe les trois quarts de son temps à faire des dettes et le dernier quart à soutirer de l'argent à sa famille ou à des usuriers.

– Je suis sûre que M. de Céré vous est très attaché et que vous le verrez bientôt, maintenant que son temps n'est plus absorbé par les répétitions de cette pièce de théâtre. »

Le colonel parut attendri un instant, puis eut un cri du cœur :

« Croyez-moi, ma chère Adeline, vous rendrez un grand service au département si vous le laissez sans vergogne s'ennuyer entre vos grimoires et ses vieilles pierres! Ne vous mettez pas en peine de recevoir pour le distraire! Ah! j'enrage de voir l'innocence générale! On le sait de mauvaise compagnie, et cela donne à ces dames un frisson de curiosité. Or, il est capable de plaisanteries d'un goût atroce.

– Me prenez-vous pour une enfant, mon cher colonel? Si vous voulez me mettre en garde, expliquez-vous franchement, c'est un service à me rendre. »

Il baissa la tête et dit sombrement :

« Il y a quelques années, Mme de V. eut la révélation brutale des extravagances auxquelles il pouvait se porter et elle ne s'en remit pas. »

Le vieil homme paraissait fort agité. Je ramenai sur ses jambes la couverture qui avait glissé à terre.

« Ne voulez-vous pas reprendre un peu de cette eau de réglisse? » me demanda-t-il, en désignant la carafe posée sur un guéridon.

J'en versai dans nos deux verres, avant de reprendre mes questions.

« Ne poursuivrez-vous pas, colonel, ce récit que vous avez commencé? »

Il sembla réfléchir un moment avant de se décider à le faire.

« Mme de V., jeune et charmante femme, était une des beautés dont raffolait Paris cet hiver-là. Son mari remplissait à la Cour des fonctions qui le retenaient souvent aux Tuileries. Mme de V. fut piquée de la distance que lui témoigna mon neveu. Elle se laissa aller à un peu de coquetterie avec lui. Il conserva l'attitude la plus respectueuse. En femme qui n'a jamais été contrariée, elle se prit au jeu et accentua son manège. Enfin, elle fit si bien qu'elle déploya toutes les ressources de la séduction, mêlant la provocation aux mines enjôleuses. Cela fut raconté ensuite par son amie intime, la vicomtesse de R., car vous pensez bien que Mme de V. était trop habile pour se compromettre publiquement.

« Un soir, où Mme de V. recevait une société restreinte, elle retint M. de Céré après le départ des autres personnes.

« Elle avait prévu une conversation pleine de chatteries, d'escarmouches et de dérobades. Mon neveu s'adossa à la cheminée, et la laissa parler. Au bout d'un moment, Mme de V. se résigna à le piquer finement. « Eh bien, monsieur, dois-je croire « que ce tête-à-tête vous intimide? – Nullement, « madame. J'ai été convoqué, je suis à vos ordres. » Interdite, Mme de V. demanda avec un peu de hauteur : « Que voulez-vous dire? » Sans émotion apparente, M. de Céré expliqua : « Autrefois, les « grandes dames se faisaient servir dans leur cham-

« bre par celui de leurs domestiques dont elles
« avaient remarqué les belles proportions ou la
« vigueur prometteuse. C'est ainsi, je crois, que
« vous m'avez distingué. Je le répète, madame, je
« suis votre serviteur », conclut mon neveu en
s'inclinant. Mme de V. pâlit, trembla, parvint à
sonner, balbutia d'une voix étranglée : « Sortez,
« monsieur, je ne vous reverrai jamais. » Impassible, M. de Céré salua et suivit le valet de chambre
qui avait paru sur le seuil du salon. L'histoire aurait
pu se terminer là et demeurer ignorée. Ce ne fut,
hélas! pas le cas.

« Mme de V. fit consigner sa porte à mon neveu.
Le lendemain, elle resta chez elle. Son amie la
vicomtesse de R., en lui rendant visite, la trouva
fiévreuse. Mme de V. dissimula, parla d'un refroidissement. A un moment, on apporta une lettre de la
part de M. de Céré, disant que son domestique
attendait la réponse. Mme de V. balança, mais
songea qu'en refusant de l'ouvrir elle éveillerait la
curiosité de son amie.

« Elle décacheta le billet. A peine y eut-elle jeté
les yeux qu'elle demeura interdite puis, ne pouvant
se contenir, poussa un cri, le jeta par terre d'un
geste convulsif et s'évanouit. Le domestique qui
avait apporté la lettre se précipita, Mme de R.
soutint son amie. Tous deux ne purent s'empêcher
de voir la lettre ouverte à leurs pieds et les cinq
lignes qui y étaient tracées.

« Cette lettre était... euh... enfin... était abondam-
ment tachée, de manière non équivoque pour qui
avait lu les mots tracés par M. de Céré, qui disaient
à peu près : « Voici, madame, l'hommage que vous
« avez refusé hier. Il vous est dû après que vous
« avez mis en œuvre pour l'obtenir toutes les res-
« sources de votre charme et de votre séduc-
« tion. »

« La vicomtesse de R. ne sut taire cette incroyable histoire. De son côté, le peuple des offices en fut bientôt informé d'un bout à l'autre du Paris élégant. Mme de V. fut malade pour de bon, d'un secouement de nerfs, dit-on, et alla prendre les eaux à Bade. M. de V. se battit avec mon neveu. Tous deux furent blessés.

« Il n'y eut jusqu'au petit monde des théâtres qui n'apprit l'aventure et n'en rit à gorge déployée. Mon neveu fut traité en héros par ces demoiselles, qui voient dans les grandes dames des ennemies au triomphe trop facile. Il se déroba à ce succès et partit pour l'Italie.

« A son retour, il fut boudé par le Faubourg Saint-Germain. La Chaussée d'Antin lui ouvrit les bras. Dans ce milieu de la banque et des affaires, les femmes s'apprêtèrent, avec des pâmoisons anticipées, à souffrir les rigueurs auxquelles renonçaient à regret, je crois, leurs rivales de l'autre côté de la Seine.

« Il n'est pourtant pas le seul à avoir trente ans, un profil de médaille antique, un beau nom et une fortune à dissiper. Mais elles se laissent tromper par le regard de feu qu'il pose sur ce qu'il observe quand le prend la curiosité et le croient ému alors qu'il juge. De ce jour, pourtant, il professa à l'égard des femmes de la bonne société une froide courtoisie dont aucune, paraît-il, ne put le faire revenir.

« Il parcourt les salons comme s'il s'agissait d'un champ de courses, évalue les concurrents en présence – hommes et femmes –, suppute les chances de chacun, jauge la faiblesse d'un jarret et la lourdeur d'une encolure, dérange les paris en choisissant pour favori ou pour favorite l'*outsider*, comme disent les Anglais, et refuse de prendre part à la course, alors qu'il est un cavalier confirmé. Entendez-moi bien, il s'agit de franchir les rideaux d'une alcôve et non, au bas d'une tribune, des poteaux blanchis à la chaux.

« Il se déploya en son honneur sur ce nouveau terrain des efforts inouïs. On jeta dans la balance des trésors d'imagination, ce fut une rivalité de fêtes et de parures qui coûta très cher à certains maris, sans succès toutefois pour leurs épouses, car aucune d'entre elles ne peut se vanter d'être devenue la maîtresse de mon neveu.

« On sait qu'il n'ouvre plus aucune lettre de femme et les jette dans un tiroir, pour les brûler quand il est plein. Si l'on a un message à lui faire parvenir, dit-il, qu'on charge un domestique de le lui rapporter. Seules les filles, les lorettes, les demoiselles d'opéra et de théâtre peuvent s'accommoder d'un procédé aussi indiscret. »

Le colonel s'était tu, fatigué par cette longue tirade. Je voulus le rassurer.

« Vous avez raison, colonel, M. de Céré s'ennuiera vite en Dordogne. Il n'aura pas le temps d'y exercer ses talents de séducteur et de trouble-fête.

— Ah! mon enfant, gardez-vous de le prendre pour un fat ordinaire et de le traiter comme un homme sans conséquence. Il mêle de rares talents à des habitudes déplorables. Il peut faire des bouts-rimés en cinq langues, pratique à la perfection toutes les armes, la musique, le dessin et... la boxe, qu'il a apprise en Angleterre, où il se rend chaque année pour la saison et surtout pour le derby. Il a développé son goût des arts en Italie, où il séjourne fréquemment, et de l'archéologie en Grèce et en Orient. Enfin, il a complété son éducation en s'initiant au bâton et à la savate dans les mauvais lieux de Paris.

« Un à un les salons du Faubourg Saint-Germain se sont rouverts pour lui. Il s'est remis à les fréquenter, mais si parcimonieusement et avec une hauteur si sévère qu'on le prendrait pour un censeur qui ne veut pas être confondu avec un monde un peu douteux!

72

« Bref, il mène une vie excentrique, sans se soucier de l'opinion, et il est à la fois plus recherché que jamais et craint pour ses terribles bons mots et l'ironie fulgurante de ses jugements.

— Ma foi, plaisantai-je, je m'étonne qu'il se trouve encore des gens pour l'inviter!

— Vous êtes une âme simple, dit le colonel – qui avait peut-être été un bon militaire mais que je n'avais jamais connu fin psychologue. Vous ne comprenez pas l'emprise qu'il exerce sur ceux qui l'approchent.

— En effet, cela me semble étrange. Si l'on fait mine de me mépriser, je tourne le dos; de me maltraiter, je m'en vais; de me tromper, je me venge. Voilà qui me suffit en guise de morale face aux gens qui se conduisent comme M. de Céré. »

Le colonel parut songeur, puis conclut :

« Il n'aime vraiment, je crois, que la musique et les chevaux. En 1834, il refusa d'être, avec son ami Lord Seymour, un des fondateurs du Jockey Club et se contenta d'en être un des premiers membres. C'est là qu'il se lia avec notre préfet, M. Romieu, seul homme de lettres avec M. Eugène Sue à être admis parmi ces riches amateurs, propriétaires d'écuries ou de haras. Vous m'objecterez que notre cher préfet n'est pas homme de cheval. Mais il se casse le cou avec tant d'esprit! rétorquèrent ces messieurs.

« Quant à l'amour de mon neveu pour la musique, il va jusqu'à l'étrange. Il se rend toujours seul aux Italiens, ne quitte pas sa place, ne se promène pas dans le foyer, ne rend aucune visite dans les loges, ne voulant pas mêler au plaisir d'écouter la musique les frivolités de la conversation. Et il lui est arrivé de se faire donner des concerts en son hôtel, sans autre public que lui-même. »

Le colonel exhala un vaste soupir.

« Je vous en ai assez dit sur ses manières. Ne vous mêlez pas maintenant de le trouver intéressant. Il est intelligent, sans doute, mais par-dessus tout, imprévisible, et je vous conseille de vous en garder tout bonnement comme on évite une maison où bêtes et gens sont malades. »

J'en savais assez sur M. de Céré pour me sentir l'âme légère. Les ruses et les subtilités dont se délecte Paris ne m'ont jamais paru plus redoutables que les calculs et les manœuvres dont est semée la vie paysanne. Les négociations qui se mènent autour d'un héritage – et dont mon oncle Elie nous avait parfois conté les péripéties, quand il s'agissait d'histoires anciennes – mettent en jeu, non les combinaisons imaginées par de fins politiques, mais les relations, les intérêts, les ruses les rivalités de plusieurs branches et de plusieurs générations d'une même famille.

Je sais percevoir les réticences de ceux qui se taisent ou se tiennent à l'écart, les nuances d'une voix ou d'un froncement de sourcils, le danger qui couve sous le calme apparent, la faiblesse ou la crainte qui se dissimule sous des airs de matamore. Je sais discerner les enjeux, pressentir les affrontements, évaluer les atouts dont disposent les adversaires.

Non, vraiment, qu'il ait choisi de me négliger ou de me distinguer, M. de Céré ne me faisait pas peur.

Le colonel me fit apporter par son jardinier des boutures d'un rosier à cent feuilles, dont j'avais trouvé le parfum exquis. Il me recommanda de les faire tremper quelques jours dans une eau légèrement salée avant de les replanter. Il me donna aussi un pied de réséda.

« Je sais que ce n'est pas la saison, ma chère Adeline. Mais à mon âge et dans mon état de délabrement, ce serait folie d'attendre le printemps pour vous le donner. Ce petit réséda est vigoureux et il devrait pousser sans rechigner. »

Au moment où je me préparais à partir, le colonel de La Bardèche lança comme une boutade :

« En fait de charité, cette chère Jeanne de Bonnefond aurait été mieux inspirée de vous demander l'autorisation pour Edouard de tirer l'épée avec Joseph. Voilà deux adversaires qui se valent. Mon neveu ne manquera pas de s'enquérir d'un maître d'armes, s'il ne l'a déjà fait, et notre ancien prévôt se languit du manque d'exercice auquel il est condamné. »

Pendant vingt ans, chaque jour à son lever, Fabre avait tiré l'épée avec Joseph dans la tour attenante à la bibliothèque et ils s'étaient ensemble exercés au pistolet. Leur habileté à tous deux était proverbiale dans le pays. Jérôme n'avait pas été un élève indigne de ces deux professeurs, mais il n'avait pas les habitudes régulières de son père. Quand il venait à Puynègre, il cédait tout naturellement à de multiples invitations et bien souvent masques, plastrons et fleurets restaient suspendus au mur de la tour.

« Joseph a quarante-huit ans. Peut-être n'est-il plus assez agile pour un homme de l'âge de M. de Céré? hasardai-je.

– Il a eu un de ces maîtres italiens formés à Naples au siècle dernier, comme on en trouve bien peu de nos jours dans toute l'Europe. M. de Céré ne dédaignera pas, je vous le garantis, de se mesurer à lui.

– Eh bien, j'en parlerai à Joseph. »

Je quittai le colonel, ma sérénité revenue. Sceptique, il me regarda m'éloigner.

*

Le lendemain, quand Joseph me retrouva pour notre conférence quotidienne, je lui parlai de M. de Céré. Il se souvenait fort bien de ce monsieur, notre hôte d'un soir, qui avait acheté le cheval de Fabre. Il avait déjà appris que M. de Céré logeait avec son domestique chez la Janou, qui n'avait pas peur de tenir auberge en plein bois, à la sortie de Limeuil, sur le plateau qui domine toute la vallée de la Dordogne.

Je lui annonçai qu'à la demande de Mme la marquise douairière de Campagne et de Mme de Bonnefond (je tenais à ce que la chose se sache), j'avais autorisé M. de Céré à consulter certains volumes de la bibliothèque. Je comptais mettre à sa disposition le grand bureau placé au fond du salon. Il fallait qu'on le voie attablé devant des grimoires, des plumes, des encriers et des rames de papier, pendant que je vaquerais à mes affaires. Ce relatif inconfort était malheureusement la condition de ma tranquillité.

« M. de Céré est également de première force à l'épée et ne tardera pas à se chercher un maître avec qui il puisse faire des armes, si son séjour en Dordogne doit se prolonger. M. de La Bardèche a pensé que personne mieux que vous ne pourrait satisfaire M. de Céré, et je suis de son avis. Qu'en pensez-vous ? »

Je m'étais imaginée que, par une sorte de fidélité aveugle à la mémoire de Fabre, Joseph accueillerait avec réticence cette proposition. Mais son visage tanné s'éclaira d'une brusque lueur. Avant qu'il ait eu le temps de se reprendre et de revenir à sa réserve habituelle, j'avais compris quelle joie il aurait à accepter. Allons, me dis-je, la France n'est pas de ces pays où la veuve d'un souverain, ses serviteurs et ses biens devaient, dans les anciens temps, être jetés dans la tombe ou périr sur le bûcher quand il expirait. Joseph, toutefois, avait trop le sens de ses devoirs pour faire une réponse qui me froisse.

« Cela ne serait pas bien commode, madame,

avec les travaux de la saison », me fit-il remarquer.

Je levai l'objection d'un geste.

« Vous tiriez l'épée avec le général chaque jour, à de rares exceptions près, même à l'époque des foins, de la moisson ou de la vendange.

– C'est que le général se levait de grand matin. L'été, il me rejoignait à cinq heures.

– Eh bien, proposons cela à M. de Céré! Nous verrons ce qu'il en dit. »

Joseph parut préoccupé. Il est vrai que pareille offre pouvait passer pour discourtoise et que M. de Céré la rejetterait sans doute en riant. Ne voulant pas priver Joseph de ce plaisir, je transigeai.

« Bien. Je lui dirai que vous êtes à sa disposition s'il le souhaite, et qu'il choisisse avec vous une heure convenable. »

Rapidement, Joseph me fit part ensuite du programme de sa journée et je le laissai à ses affaires.

*

J'avais conservé l'habitude de lire les journaux auxquels Fabre était abonné. Après le déjeuner, je me consacrais au *Constitutionnel* et à une feuille régionale, *L'Echo de Vésone*. Je recevais également les *Annales* de la Société d'agriculture. Je me réservais en général de lire le soir *Le Journal des Débats* et *La Revue des Deux-Mondes*, qui publiaient l'essentiel des auteurs contemporains.

J'étais absorbée dans cette lecture, l'après-midi même, quand Malvina entra, la mine sévère.

« M. le comte de Céré est à la porte et dit qu'il est attendu, madame.

– Il n'a pas tout à fait tort. Faites-le entrer, Malvina », dis-je après avoir replié les journaux.

77

Il me salua profondément et remarqua d'un air amusé :

« La sorcière qui est à votre service m'a ouvert en marmonnant des imprécations que j'ai fait semblant de prendre pour des patenôtres.

– Cela montre qu'elle a du jugement! dis-je en riant.

– Elle a aussi le doigt griffu!

– Qu'importe, si ce n'est pas le pied. Mais vous ne croyez pas si bien dire. Elle a dans le pays une réputation de sorcière. Elle manie des herbes et des poudres et communique avec l'au-delà comme avec le monde des ténèbres.

– Je m'en souviendrai, dit simplement M. de Céré.

– Je m'étonne d'ailleurs qu'elle vous ait ouvert, car elle ne quitte guère le chevet de Mme de La Pautardie et ne se soucie généralement pas des visiteurs. »

Je le fis asseoir. Il ressemblait aux seigneurs de la Renaissance peints par Titien, vêtus de velours noir à peine éclairé au col du fin plissé d'une chemise ou, sur la poitrine, de la chaîne d'or d'un ordre de chevalerie.

Prince sans territoire, condottiere sans armée, il me paraissait jeter sur le monde le regard détaché de ceux qui se retirent du combat sans avoir abdiqué et choisissent la hauteur par refus du désespoir.

Je sentais dans cet esprit orgueilleux la même puissance qui m'avait fascinée deux ans plus tôt. Je ne prétendais pas comprendre cet homme mais, dans ce bel acier, trempé comme autrefois dans les eaux du Tage les lames de Tolède encore fumantes, je crus discerner une lueur qui n'était pas l'éclat froid du métal mais le reflet d'une âme.

Je ne suis pas femme à me laisser troubler par l'imagination ou par des jeux de miroirs, je crois pourtant à la Providence comme à son contraire. Et d'étranges puissances durent, là-haut, conjuguer leurs efforts pour pousser les aiguilles de la grande horloge et faire sonner une deuxième fois l'heure où nous nous trouvions face à face.

Peut-être Malvina, en sa vieille sagesse, avait-elle raison de craindre cet homme.

Puis, cette vision s'effaça et je me retrouvai devant un homme de bonne compagnie que je traitai comme tel.

On avait tiré les volets à cause de la chaleur et, malgré la banalité de nos premiers propos, il me sembla que cette demi-obscurité établissait entre nous une sorte d'intimité. Je me levai et redressai dans un vase des fleurs qui n'en avaient pas besoin et retombèrent dès que j'eus tourné le dos. M. de Céré observa courtoisement cette manœuvre inutile. Je me rassis.

« Comment va mon bon oncle, le colonel? demanda M. de Céré poliment.

– Ses douleurs le tiennent au lit et, bien qu'il s'en défende, il attend votre visite avec impatience. Je ne vous savais pas si bien introduit dans le canton que l'on vous rapporte fidèlement toutes nos petites nouvelles!

– Mon domestique m'a appris que vous étiez allée hier à Monpazier.

– Je vois qu'il vous tient lieu d'espion!

– C'est à cela, malheureusement, que l'on reconnaît un valet de chambre intelligent et dévoué. Ainsi, vous avez interrogé le colonel à mon propos, dit-il d'une voix qui constatait et ne questionnait pas. Et il a fini par vous raconter des histoires, vieilles ou neuves, toutes du plus mauvais goût, je présume?

– A peu près.

– En ce cas, elles doivent être vraies », admit-il simplement.

Il n'éprouva pas le besoin de se justifier et je lui en sus gré. J'avais pris ma tapisserie dans la table à ouvrage et un silence tomba pendant que je comptais mes points.

« Pardonnez l'indiscrétion de mon entrée en matière, reprit M. de Céré. Je préfère que vous soyez tout de suite éclairée sur mon compte. Vous avez la bonté de me recevoir aujourd'hui mais si, demain, vous ne voulez plus me voir, je respecterai scrupuleusement vos volontés. Vous ne me rencontrerez même pas sur votre chemin. »

Je tirai mon aiguillée de soie verte.

« Je ne me soucie pas que vous soyez ou non le croquemitaine décrit par la légende. Je vous recevrai à Puynègre en toute sérénité. J'ai déjà donné des ordres pour que l'on vous accueille même quand je serai absente. Je crois seulement, comme M. de La Bardèche, que les vieilles pierres ne suffisent pas à distraire un homme qui a votre train de vie et vos habitudes. Il se donne peu de soirées et de matinées littéraires et artistiques comme celle qui a eu lieu l'autre jour au château de Campagne.

— J'étais rompu d'avoir dû être aimable pendant toute cette interminable journée.

— Vous devriez être habitué à ce métier, pourtant. Vous ne vivez pas en ermite, n'est-ce pas?

— En province, il faut parler, sinon l'on est jugé maussade. A Paris, pourvu que l'on fasse bonne figure, on est libre d'observer et de se taire. On passe alors pour un philosophe!

— La vie d'un homme à la mode n'est-elle pas une servitude de tous les instants?

— En effet. Le public le croit libre et audacieux. Or, c'est un saltimbanque qui marche au fouet et au tambour — celui de la renommée — et agite ses grelots devant la foule qui guette son premier faux pas et l'instant où il roulera dans la poussière, les vertèbres brisées.

– Ainsi, le succès va aux têtes froides qui n'ont pas le vertige ?

– Ni le vertige ni la nausée ! C'est un métier, comme vous dites, où il ne faut pas avoir l'estomac délicat, car on vous y sert jour après jour des nourritures avariées. Qui a une faible constitution ne dure pas une saison. C'est que l'argent se trouve ou se vole, mais pas la santé ! J'en suis venu à manquer de patience avec l'espèce humaine et je ne suis plus qu'un spectateur de cette grande parade !

– Vous êtes, en somme, un dandy vieillissant qui vient lancer ses derniers feux en province ? lançai-je malicieusement.

– Exactement ! »

Nous nous prîmes à rire en même temps. Il n'y avait en lui ce jour-là pas trace de pose ou de pédanterie.

« Il doit vous être difficile de jouer Othello, qui semble très loin de vous ? fis-je.

– Il est vrai que je n'en ai ni l'âge, ni la stature, ni le tempérament. En confidence, je ressemblerais plutôt à Iago ! Mais je suis touché par ce personnage qui est entièrement le jouet de ses impulsions et dont le jugement s'éteint quand parle l'instinct. »

Je n'aime pas les entretiens à prétention littéraire, mais j'avais été si frappée par la pièce que je l'interrogeai sur Shakespeare.

« Si vous le désirez, je vous apporterai les traductions que j'ai faites d'*Othello* et de *Richard III*. Elles vous choqueront peut-être, car elles sont fidèles à l'original.

« La plus étonnante scène de séduction de tout l'art théâtral est celle où Richard aborde Lady Anne, alors qu'elle suit le cercueil de son beau-père. Du même souffle, il lui avoue ce meurtre et celui de son mari, puis propose de les remplacer tous deux en l'épousant. Elle le couvre d'invectives avant de céder. Il l'épousera, l'abandonnera, obtiendra le pouvoir et en périra. Tout y est, la force et la ruse, l'Orient et Machiavel.

« Le génie français a une infirmité : depuis qu'il s'est avisé d'être classique, il ne sait plus s'écarter de la mesure et du goût. Il atteint souvent le grand, pas le grandiose. Nous n'avons donné naissance à aucun des grands mythes de la littérature : Hamlet, Faust, le Quichotte, Don Juan. La raison est une belle maîtresse mais quel terrible décret lui a donné un empire absolu sur nos têtes et nos cœurs. Bah! cela fait une devanture commode à ceux qui ne sentent et ne pensent que petitement.

« Voyez, quelles œuvres a inspirées la Révolution? Quel talent dévorant a jailli de ses entrailles? Un peintre, un musicien, un poète? Un Goya, un Beethoven, un Shakespeare? Non, on n'a produit au milieu de cette fournaise que des bluettes, des tableautins, des scènes de famille, des chansons et des hymnes populaciers! Hugo, Géricault et Delacroix sont venus trop tard! Eux exceptés, les plus fiévreux de nos romantiques sont des enfants désespérés et non des géants qui tordent leurs chaînes. »

L'après-midi était assez avancé quand je le conduisis dans le bureau et lui montrai la bibliothèque.

« Je ne vous offre pas de vous installer dans cette pièce, car je m'y tiens chaque jour pour faire mes comptes et tenir ma correspondance, expliquai-je. Mais j'ai fait disposer sur le grand bureau du salon ce qu'il faut pour écrire. Vous vous y trouverez bien, j'espère, et mieux encore si vous venez demain, mardi. Je serai au Bugue une grande partie de la journée, avec presque toute la maisonnée. Seuls restent la cuisinière, l'homme de peine et le jardinier. Chacun sera prêt à vous servir et à satisfaire toutes vos demandes. Vous pourrez chercher en toute liberté les livres qui vous intéressent, sans crainte d'être dérangé. Quoi que vous décidiez, j'aimerais vous retenir pour le dîner. Par tradition, je reçois le mardi soir notre vieil ami, le docteur Manet dont vous apprécierez, je crois, la tournure d'esprit ! »

M. de Céré accepta sans fausses hésitations.

Au moment où il allait se retirer, il me fallut bien en venir à cette demande qui me trottait dans la tête sans que je parvienne à la formuler adroitement. Mécontente de moi-même, je finis par m'écrier :

« Savez-vous que depuis une heure je cherche une manière habile d'aborder une question embarrassante dont je veux vous entretenir ? »

Il sourit.

« Hésiteriez-vous à me mettre à l'épreuve ? Ou me refuseriez-vous le plaisir de vous être utile ? »

Pour couper court à des suppositions qui entraînent trop souvent là où on ne pensait pas aller, je précisai hâtivement :

« M. de La Bardèche pense que vous chercherez un maître d'armes, si vous demeurez quelque temps en Périgord.

— Il me connaît bien. Telle est en effet mon intention.

— Joseph, notre régisseur, est un ancien prévôt, dont la science des armes est reconnue au-delà des limites de la région. Il serait très heureux si vous lui faisiez l'honneur de lui demander des leçons.

— N'ajoutez rien, madame, je vous en prie. Aucun maître d'armes ne saurait me satisfaire mieux que M. Joseph, dont mon oncle m'a vanté les talents. Etrangement, vous êtes venue au-devant d'un vœu que j'aurais tu, vous le devinez, étant donné la singulière façon dont ma présence vous a par ailleurs été imposée.

– Souvenons-nous que nous sommes à la campagne. Mettons à ces choses un peu de simplicité et n'y voyons que des procédés de bon voisinage. Un point cependant sera difficile à arranger : l'heure de ces rencontres. Nos habitudes ne sont pas les vôtres. En cette saison, Joseph se lève à cinq heures et à six heures il est déjà dans les terres ou sur les chemins, d'où il ne rentre souvent qu'à la tombée du jour ou même à la nuit close. »

M. de Céré eut un sourire.

« Si cela seul vous arrête, madame, laissez-moi vous rassurer. Un homme de plaisir est, lui aussi, un habitué du petit jour. Cinq heures, n'est-ce pas l'heure où l'on désespère, où l'on se bat et où l'on meurt ?

– Vous accepteriez de venir de si grand matin ?

– J'en serais très heureux.

– Eh bien, cela est entendu. Joseph est sorti, mais je vais faire appeler sa femme, avec qui vous pourrez prendre les arrangements qui conviennent. »

Je sonnai et un bref silence s'établit. Une guêpe affolée bourdonnait, prisonnière d'une de ces grosses bouteilles rondes que, l'été, on disposait dans chaque pièce pour attraper les mouches. Le dessin de ces bouteilles était curieux et, attirés par l'eau sucrée qui en garnissait le fond, les insectes ne pouvaient ni s'envoler ni en ressortir et finissaient par s'y noyer. La guêpe se débattait furieusement, la vibration de ses ailes semblait envahir la pièce. A travers les volets, des rais de lumière filtraient. La chaleur montait de la terrasse, où le soleil commençait à frapper.

« Ne craignez-vous pas de sortir par une chaleur pareille ? demandai-je à M. de Céré.

– J'aime la chaleur », me répondit-il simplement.

Tiénette vint, les explications nécessaires furent échangées et je la priai de raccompagner M. de Céré. Nous nous étions salués avec une courtoisie un peu distante.

La guêpe m'irritait par sa révolte furibonde contre une mort inévitable. Je la poursuivis avec une brindille sans parvenir à l'atteindre. La chaleur me rendait sans doute impatiente et maladroite.

*

Le lendemain, j'accompagnai Tiénette au marché du Bugue, pour faire les achats nécessaires à la maison. J'avais gardé cette habitude de la campagne, où la maîtresse de maison veille à tout et ne se contente pas de donner des ordres.

Les habitants de Puynègre, comme ceux des bourgs avoisinants, se rendaient au Bugue tous les mardis, ayant toujours quelque emplette à faire ou quelque affaire à traiter. Seuls les plus âgés de la maisonnée avaient renoncé à plonger dans ce tourbillon de bruit, de poussière et d'odeurs fortes.

Après avoir, comme d'habitude, déjeuné chez mon oncle et ma tante Labatut, où j'avais retrouvé la plupart des membres de ma famille, je me souvins que j'avais à demander un remède au docteur Manet, pour la métayère de Curboursil. Je le trouvai dans le jardin du grainetier, fumant sa pipe sous la tonnelle, avant de reprendre ses consultations de l'après-midi.

Le désordre de sa couronne de cheveux roux et de ses favoris, l'aspect négligé de ses vêtements, le tabac éparpillé sur ses revers, montraient en quel mépris il tenait le peigne et la brosse.

Je restai debout, ne voulant pas le retarder. Mais

il refusa de m'entendre tant que je ne serais pas assise. Je m'exécutai en protestant :

« Plusieurs patients vous attendent déjà dans le couloir!

— Ces gaillards-là aiment attendre! Cela leur permet d'échanger des nouvelles. En quoi puis-je vous servir?

— Pourriez-vous me préparer du sirop anti-phlogistique? Notre métayère de Curboursil a une inflammation d'entrailles, douloureuse mais sans gravité, je crois. Cela pourrait la soulager, ne pensez-vous pas?

— Je lui en apporterai un flacon ce soir et je verrai à quoi tient son mal. Il faudra vous assurer qu'elle en avale un quart de gobelet matin et soir pendant trois jours. Une bonne femme de Saint-Félix m'a joué le tour de donner à son cochon la potion que je lui avais fabriquée pour soigner son catarrhe. Elle a pensé que ça rendrait la bête plus prospère et plus grasse. »

Se fiant à ma discrétion et aux connaissances pratiques que j'avais acquises en médecine à force de voir autour de moi les gens frappés des mêmes maux, le docteur me décrivait volontiers les cas curieux observés chez ses malades ou me livrait les nouvelles glanées au cours de ses visites.

Je crus bon de l'avertir :

« Un nouveau convive se joindra à nous, ce soir, pour le dîner.

— Je le sais.

— Comment? Déjà?

— Tiénette a mis tout à l'heure le plus grand soin à acheter des pintades. Vous me traitez magnifiquement, mais on ne l'a jamais vue tâter si méticuleusement le ventre et le flanc des volailles que vous me servez. J'en ai conclu que vous attendiez un hôte d'importance.

— Et vous savez sans doute de qui il s'agit? dis-je

86

avec une pointe d'irritation pour ces mœurs de petite ville, où l'on est observé à tout instant.

– Ne vous piquez pas, ma chère Adeline. Là s'arrêtent mes informations. »

Je lui expliquai brièvement comment j'avais accédé à la prière de Mme de Bonnefond puis décidé, par considération pour Joseph, de suivre le conseil du colonel de La Bardèche.

Les mains aux genoux, le docteur esquissa pesamment le geste de se lever.

« Vous êtes libre, mon enfant, d'encourager M. de Céré à prendre ses habitudes chez vous. Qu'il tire l'épée avec notre cher Joseph est sans conséquence. Mais ne croyez pas qu'un tel homme se transforme en agneau d'un jour à l'autre.

– Puynègre n'est pas une bergerie et n'offrirait aucune brebis assez tendre pour que ce loup daigne y mettre la dent.

– Croyez-en un vieux chasseur : les loups, pas plus que les fauves et les rapaces, ne sont faits pour fraterniser avec les humains. Quelles que soient l'espèce à laquelle appartient M. de Céré et la raison pour laquelle il vient en Périgord, tenez-vous à distance. »

Refusant énergiquement de s'appuyer sur mon bras, il parvint à se mettre debout. Il grimaça, puis son œil pétilla sous la broussaille des sourcils.

« A propos, joue-t-il aux échecs?

– Je n'en sais rien.

– Ces petits messieurs-là sont joueurs et tout leur est bon. S'il préfère les cartes, cela me va aussi. Eh bien, nous ferons une partie et je verrai ce qu'il vaut. »

En montant dans sa chambre, ce soir-là, le docteur claudiquait allégrement au long de l'escalier, ébouriffé, délesté de trois louis et transporté d'aise.

« Peste! ma chère Adeline, voici bien longtemps

que je n'ai rencontré un joueur de ce calibre!
Aujourd'hui, je me suis laissé surprendre, mais je
tiens ma revanche pour mardi prochain! »

Il ne fut plus question de se méfier de M. de
Céré.

*

Bientôt, je me rendis compte, sans avoir pu
l'éviter, que la présence de M. de Céré à Puynègre
faisait partie des choses établies.

Il ne sollicitait rien, ne s'imposait pas. Le matin, il
arrivait et repartait sans que je l'entende. Pour me
remercier, il m'avait rendu une seconde visite, que
j'avais écourtée.

Il avait choisi de revenir le mardi suivant, pendant que j'étais au Bugue, pour consulter à nouveau
certains ouvrages de la bibliothèque. Je l'avais prié
de rester dîner avec le docteur Manet et les Maraval.

Pauline et Julien se retirèrent assez tôt, car ils
devaient rentrer à Paunat, où ils passaient l'été dans
la propriété de la famille Maraval. Je résistai un
moment au sommeil, puis, au milieu de la partie
d'écarté que disputaient le docteur et M. de Céré, je
n'y tins plus, leur demandai la permission de les
traiter avec autant de familiarité l'un que l'autre en
montant me coucher pendant qu'ils finiraient leur
jeu.

Manet retrouvait sa jeunesse avec cet adversaire
froid et audacieux et il en perdait tout sens critique.
Joseph, lui, vantait le poignet de fer et la remarqua-
ble adresse de M. de Céré. Les domestiques étaient
impressionnés par sa prestance, et les chiens appri-
voisés. Mieux encore, M. de Céré s'acquit en la
personne de Pauline la plus douce et la plus ferme
des alliées. Il était excellent musicien, elle avait une
voix exquise. Elle lui demanda de l'accompagner

quand elle chantait. Il fut avec elle attentif et délicat dans ses moindres gestes et lui témoigna un respect qu'il ne manifestait envers personne d'autre. Sa politesse à mon égard était toute de forme, envers elle toute de sincérité. Je m'étonnai que de son côté Pauline accorde d'emblée sa sympathie à un homme aussi compromis. Aurait-elle, avec sa droiture et sa générosité habituelles, vu en lui des qualités que je ne discernais pas? Je ne me risquai pas à poser la question.

Je m'étais fait une règle de la netteté et de la franchise dans mes rapports avec M. de Céré. A ce ton direct et un peu rude, il répondit par une courtoisie exagérée. Je fis preuve alors d'une réserve qui ne m'était pas naturelle. Je m'étonnais que personne ne s'avise de l'affectation avec laquelle nous tenions nos rôles, car nous étions l'un et l'autre, en temps ordinaire, des acteurs moins contraints. Je le soupçonnai de vouloir me faire jouer mon rôle jusqu'à l'absurde. Ma foi, s'il voulait de l'absurde, je lui en servirais, et peut-être même d'une variété qu'il ne soupçonnait pas. Si Jérôme avait été là, il aurait vu clair dans ce manège en un coup d'œil.

Quand nous étions seuls, nous adoptions un ton qui aurait pu passer pour de la camaraderie, tant la coquetterie en était exclue.

*

Quelques jours plus tard, M. de Céré me trouva seule dans le salon, au moment le plus chaud de l'après-midi. Nous parlâmes de choses insignifiantes, avant qu'il en vienne rapidement au sujet qui l'amenait.

« Laissez-moi vous dire sans détour ce que je ne veux pas voir arriver à vos oreilles par accident, me déclara-t-il. Puisque tout se sait à la campagne, on vous racontera sûrement que je suis venu ici avec ma maîtresse et que je l'ai logée à Saint-Avit. »

Ma tête bourdonna comme si j'avais avalé une médecine violente qui me jetait le sang à la gorge. Pourtant, je répondis simplement :

« Je ne suis pas avide de ce genre de nouvelles et le plus souvent on évite de m'en faire part.

– On se fera un plaisir de vous répéter celle-ci, n'en doutez pas. Il s'agit de Mlle Jenny, cette jeune actrice que vous avez vue à Campagne. Elle a été ma maîtresse jusqu'à une époque assez récente et ne l'est plus. Elle jouait à Bordeaux, où elle a appris que je venais d'arriver en Dordogne et a obtenu de remplacer une de ses camarades qui devait tenir le rôle de Desdémone. Je l'ai fait conduire hier soir à la voiture qui partait pour Périgueux et je me suis assuré que, de là, elle regagnerait Paris. »

Je restai silencieuse. M. de Céré crut peut-être que je contemplais avec mépris le désordre de sa vie ou que je plaignais Mlle Jenny. Or, je songeais à l'imprudence que j'avais failli commettre en montrant à M. de Céré qu'il ne me laissait pas insensible.

« Oui, je l'ai renvoyée, reprit-il. Ne vous scandalisez pas trop du procédé. L'attachement entre pour bien peu dans cette affaire, d'un côté comme de l'autre. Elle est enceinte et voudrait me convaincre que son enfant est de moi, ce que personne, pas même elle, ne peut savoir tant est désordonnée la vie qu'elle mène. Plus prosaïquement, elle avait prévu de me soutirer autant d'argent que possible. Elle a prétendu être souffrante pour gagner quelques jours et s'employer à m'attendrir. Elle n'a pas entièrement perdu sa peine, car je l'ai payée plus largement que je n'en avais l'intention. Là-dessus, nous nous sommes quittés en bons termes, car ces sortes de liaisons sont trop fugitives pour mériter que l'on se fâche. Elle va rejoindre un comédien qui est, je crois, son mari et peut-être même le père de son enfant.

– Je vous remercie de m'avoir dit cela. En effet, je n'aurais pas aimé l'apprendre d'une personne autre que vous. »

Il devait voir à mon attitude que je ne le jugeais pas. Cet univers était si loin de moi qu'il me paraissait irréel.

« Rompre avec une femme bien élevée demande probablement des semaines de soins et de mensonges, dis-je. Rompre avec une demoiselle de théâtre peut se régler en quelques mots et à moindres frais, semble-t-il. C'est autant d'heures de gagnées que l'on peut consacrer à d'autres passe-temps, n'est-ce pas ? »

M. de Céré aurait pu répliquer par une boutade. Il réfléchit avant de me répondre sans ironie ou fatuité.

« Les femmes que l'on rencontre à Paris sont de curieux animaux. La religion ne leur suffit plus, la résignation est passée de mode et ce siècle leur a mis dans la tête l'image insensée du bonheur. N'étant pas maîtresses de leur destin, elles attendent qu'il leur tombe du ciel. Si au moins, comme nous, elles se contentaient du plaisir ! Mais non, elles passent les plus belles années de leur vie à guetter et appeler de leurs vœux d'improbables passions. A défaut de les connaître, elles baptisent amour ces mouvements climatiques du corps et du cœur qui ont si peu à voir avec le sentiment vrai. En chacune demeure pourtant un vieux fond mercantile. Avant d'autoriser leur imagination à s'enflammer, elles nous inspectent avec plus de soin qu'un douanier confronté à une marchandise de provenance douteuse. Elles soupèsent, évaluent, s'enquièrent de la valeur du colis. Cette étude menée à bien, leur regard s'adoucit ou se détourne. Si nous franchissons cette première étape, leur grand talent consiste à repousser le plus longtemps possible l'instant du trébuchement fatal. Pourtant, elles ne savent ni gagner ni perdre. Le succès leur donne le vertige, l'échec les accable ou les enrage. Il leur manque au jeu comme en amour cet instinct qui donne le goût de vaincre. Elles ont un moment d'hésitation fébrile devant l'adversaire abattu, elles le laissent se traîner à leurs pieds et supplier. C'est là souvent le meilleur de leur jouissance. Elles ne savent pas qu'on achève un homme avant qu'il ait relevé la tête. Elles sont de la race des tourmenteurs, pas de celle des vainqueurs. Quand elles parviennent à nous conquérir, à leur exaltation se mêle, porté au paroxysme, le souci de paraître. Nous leur servons de faire-valoir. Nous sommes aimés dans la mesure où nous acceptons de porter leur livrée et la queue de leur robe, laquais de haut vol dont on veut montrer l'obéissance au parterre et à la galerie. »

Il rit.

« Au fond, ces défauts des femmes nous conviennent et nous n'y voulons rien changer. Nous sommes sûrs ainsi de les tenir en dépendance. »

Je complétai paisiblement cette description.

« Et pour vous reposer des fatigues de votre servitude, vous arrivez chez vos maîtresses de moindre volée, à n'importe quelle heure et dans n'importe quelle tenue, vous chassez le petit chien d'un coup de pied, vous jetez sur un divan en enfonçant vos éperons dans les coussins et bâillez, les bras derrière la tête, en clamant que vous mourez de faim!

— Auriez-vous appris tout cela dans les romans? plaisanta M. de Céré. Si j'étais à souper avec quelques-uns de nos fashionables, j'ajouterais qu'il faut séduire une femme comme on ouvre une huître rebelle. Dès que le couteau a fait son chemin entre les deux bords de l'écaille, on devrait gober et passer à la suivante. »

Puis, d'un air amusé, il ajouta :

« Ah! si je trouvais une femme douce et tendre, qui me serait fidèle sans faire montre de sa vertu, prierait pour le salut de mon âme, ne me poserait pas de questions, m'accueillerait gaiement au retour de mes voyages et de mes escapades, peut-être trouverais-je l'idée du mariage tolérable...

– Ce n'est pas une femme que vous cherchez, c'est un épagneul.

– N'est-ce pas souvent la même chose? Mais rendre utilitaire le seul acte qui jette l'homme au-delà de lui-même, y chercher la prolongation de l'espèce et la transmission des biens, décidément non! Dans ces conditions, engendrer, Dieu! quelle horreur! »

Fabre et Manet avaient souvent tenu devant moi des propos aussi vifs dans l'espoir de me faire bondir au plafond, mais je ne me laissais pas entraîner sur ce terrain.

Je me tus et fixai mon attention sur le motif de tapisserie que je terminais. Quand je relevai la tête, je fus surprise de l'expression de M. de Céré. Ce visage sombre était dominé par les yeux. Si on avait appris à les rendre impénétrables, on ne pouvait les empêcher, profonds et graves, de se poser parfois sur ce qu'ils observaient avec une intensité brûlante. C'est ainsi qu'ils m'observaient en cet instant.

Malgré les volets tirés, il faisait chaud dans le salon. Je me levai pour sonner.

« Je vais demander qu'on nous serve de l'eau de cassis. Nous la faisons nous-mêmes, elle est très rafraîchissante. En prendrez-vous?

– De votre main, que n'accepterais-je? »

Je fus soulagée de le voir sourire et revenir à la banalité des galanteries.

*

Je n'avais pas pris très au sérieux l'intérêt de M. de Céré pour l'abbaye de Cadouin. Il y passait de longues heures, disait-on, mais j'évitais de le questionner sur ses recherches, vraies ou supposées, et pas une fois il n'aborda le sujet de lui-même. Quand d'autres personnes lui en parlaient, il plaisantait sur les manies des amateurs de vieilles pierres.

Nul ne douta bientôt qu'il passait une partie de son temps à tout autre chose et on ne tarda pas à jaser. Il galopait à travers le pays à se rompre le cou. On l'avait non seulement rencontré dans la forêt de la Bessède, aux environs de l'abbaye, mais là où on s'y attendait le moins, dans la forêt Barade, sur des coteaux éloignés ou dans des lieux de mauvaise renommée. Il disparaissait des journées entières, se baignait en pleine nuit dans la Vézère, avait pour domestique un Normand qui faisait la bête quand on lui parlait et prétendait ne pas comprendre le patois.

« Faites attention, avais-je dit aux gens de Puynègre, ce gaillard-là vous entend, je crois, mieux que vous ne le pensez. »

La sécheresse persistait depuis le mois de mai et me préoccupait plus que les contes qui couraient sur M. de Céré. Ni prières, ni processions, ni invocations à l'Aversier – le mystérieux maître de la pluie – n'avaient eu d'effet. Une ou deux ondées rafraîchirent le temps sans profiter à la terre.

Vers la fin juillet, je fus occupée par la moisson. Pendant cette période, Joseph était dans les champs dès le lever du soleil, je n'étais guère au logis et M. de Céré suspendit ses visites.

La récolte fut maigre. Les foins avaient été peu abondants. Le raisin s'annonçait sucré mais rare. L'année serait médiocre.

Je surpris chez Malvina de noirs coups d'œil qu'elle ne cherchait pas à me dissimuler et je finis par lui demander d'où lui venait cet air soupçonneux. Elle croisa sur son ventre ses mains rouges. Elle n'était pas de ces sorcières sèches et noueuses comme des sarments. Personne ne semblait aussi peu conformé qu'elle pour être en communication avec les esprits. Dénuée de cou, de poignets, de chevilles, elle formait une masse compacte, où les membres ne paraissaient pas se mouvoir indépendamment du tronc. Avec les années, elle était devenue large comme une barrique, se déplaçait difficilement, soufflait à chaque pas. Epaissie, ralentie, elle était cependant inébranlable, ayant la force de ceux qui sont habités par des certitudes. On ne pouvait ni la convaincre ni l'intimider. Elle parlait sans intermédiaire à la lune et aux plantes et en recevait des réponses. La Vierge, l'archange saint Michel et les divers saints avec qui elle était également en relations étroites semblaient s'accommoder de ce commerce profane. Qui aurait osé affronter Malvina, soutenue par tant de puissances réunies?

Elle me répondit avec assurance :

« Madame ne sent-elle pas qu'il y a ici un œil mal jovent[1]?

– Vraiment? Vous découvrez aujourd'hui que l'un de nous a le mauvais œil?

– Je n'ai pas parlé des gens de la maison, madame.

– Eh bien, rassurez-vous, aucun étranger n'a d'influence sous ce toit.

– Cela dépend », dit-elle énigmatique.

Je m'exclamai :

« De qui parlez-vous, à la fin?

– Si madame n'a pas remarqué certaine personne dont les mèches de cheveux sont contournées

1. Quelqu'un qui a le mauvais œil.

comme des flammes, sur le front et sur les oreilles, je me tairai. »

J'hésitai à comprendre.

« M. de Céré? » hasardai-je enfin, incrédule.

Elle acquiesça d'un mouvement de tête.

« Que me chantez-vous là? m'impatientai-je. M. de Céré n'a rien à voir avec le temps qu'il fait et les mauvaises récoltes! La sécheresse était installée bien avant qu'il n'arrive en Dordogne! Malvina, vous êtes folle!

— C'est ce qu'on dit, madame, quand on ne sait pas expliquer les choses. Cet homme-là tutoie le diable, je le sens! »

Je demeurai interdite. Sur ce point, je n'étais pas loin de lui donner raison. Mais pour couper court, je pris un ton froid.

« Ecoutez-moi bien, Malvina, Puynègre est sous ma protection. Tant que je demeure ici, rien ni personne ne pourra nous nuire, est-ce clair? Le diable fera bien de se tenir à distance! Et qu'il se tienne pour averti, car je ne plaisante pas! »

J'étais hors de moi. Ni Lucifer ni son armée fourchue ne m'auraient fait peur. Malvina se retira, encore méfiante, mais impressionnée par ma véhémence. Elle n'avait jamais contesté mon autorité et à l'occasion je savais m'en faire craindre.

*

M. de Céré reprit bientôt ses séances d'armes avec Joseph et la vie retomba dans sa torpeur estivale.

Je décidai de convier ma famille et nos proches amis et voisins à un grand pique-nique. En invitant M. de Céré, je l'avertis que peu de gens l'intéresseraient dans cette assemblée, à part le docteur Manet et son oncle le colonel de La Bardèche. Il se contenta de me répondre simplement :

« Ne me suffit-il pas que vous soyez là? »

Quand nous étions seuls, il était si économe de compliments que j'étais embarrassée par ce genre de flatterie, qu'on aurait pourtant jugée anodine dans toute société policée.

Les principales décisions prises, la qualité et la quantité des mets arrêtées, je laissai les raffinements de présentation à Pauline, secondée par Tiénette. Elles firent dresser des tables dans les coins ombreux du jardin, arrangèrent le décor des nappes, disposèrent les bouquets de fleurs et les paniers de fruits.

La journée fut belle, moins oppressante que les précédentes. Des orages avaient éclaté la veille sur la Dordogne et chassé la grande chaleur. On vint de Fontbrune, de Tourtel, de Fumerolles, de Lortal, de La Gélie, du Bugue, de Limeuil, de Sainte-Alvère, de Saint-Chamassy. Le repas fut très gai et se passa, comme il se doit, dans un tumulte de chiens chapardeurs, d'enfants tombés dans les cailloux des allées, de pâtés renversés, de bouteilles répandues, de chansons interrompues pour cause d'immoralité, de dames suffoquant pour avoir trop serré leur corset, de messieurs partant sur la pointe des pieds pour faire un somme à l'écart.

M. de Céré parla peu, évita de briller, mais rendit à chacun les attentions qui lui revenaient, avec cette politesse d'Ancien Régime qui a presque disparu de nos jours, légère, discrète et charmeuse, et dont il avait pris soin de gommer le ton de libertinage.

Les femmes âgées se chuchotaient sous l'éventail ces avis plus décisifs que brevets et distinctions : « On le dit brutal et sans scrupules, mais quelle grâce! quelles manières! Et comme il est bel homme! » Du côté masculin, on avait appris certaines des rumeurs, vraies ou fausses, qui couraient sur son compte et on se les répétait, tout en le jugeant parfaitement aimable et dénué d'affectation.

Après le café, estimant qu'il avait simplement satisfait aux devoirs de la politesse et à la curiosité des gens d'âge, je le menai vers un groupe plus jeune et plus élégant. Sous le magnolia, ma cousine Ermondine, à demi allongée dans un fauteuil d'osier, son pied fin dépassant à peine l'ampleur mousseuse de sa robe, était la reine du cercle.

A notre approche, elle tourna légèrement la tête et jeta un coup d'œil distrait à M. de Céré. Au bout de quelques instants, on vint me chercher. Un des enfants, à la suite d'une indigestion, avait été pris de vomissements et on me demandait mon flacon d'eau de mélisse.

Quand je revins sur la terrasse, un moment plus tard, je regardai machinalement en direction du magnolia. M. de Céré était assis dans l'herbe, aux pieds d'Ermondine qui riait. Les autres personnes ne semblaient pas prendre part à leur conversation.

Puis on se dispersa. Les uns se promenèrent, d'autres se réunirent autour des tables de jeu dressées dans la salle à manger. Je parlai avec ceux qui avaient été installés loin de moi pendant le déjeuner. Pauline se consacra charitablement aux moins alertes de mes tantes.

Mme de La Pautardie, qui avait voulu descendre de sa chambre pour cette occasion, s'était bientôt plainte du mouvement, du bruit, de la chaleur et avait demandé à être remontée chez elle.

Je me dirigeai vers un rond de chaises qui s'était formé près de la serre autour du colonel de La Bardèche. Quand, au détour d'une allée, j'aperçus Ermondine et M. de Céré qui me tournaient le dos. Ils se tenaient de part et d'autre d'un bosquet de buis et semblaient absorbés par une conversation qui rendait ma cousine songeuse. Puis elle pencha la tête d'un air enjôleur et parut poser une question. Par jeu, en même temps, elle jeta un pan de son écharpe de mousseline en travers du buisson. Les longues franges soyeuses effleuraient la manche de M. de Céré. Ils se parlaient, séparés – ou réunis – par ce pan d'étoffe transparente que, d'un côté, elle retenait au creux de son bras et que, de l'autre, il laissait doucement s'accrocher au drap de son habit. Il lui répondit sans faire mine de s'écarter. Elle eut une moue et se tut. Cette scène me parut interminable. Rien ne semblait devoir détourner leur attention. Ermondine, au lieu de se rapprocher de la maison, fit un pas dans l'autre direction. Lentement, son écharpe glissa sur le buis. Une tige moins bien taillée la retint. M. de Céré dégagea la mince étoffe, s'approcha, la remit sur l'épaule de ma cousine. Sans se retourner, ils s'éloignèrent sous les arbres.

Le sang me vint brusquement à la gorge. Que savait-elle du vaste monde, cette nymphe aux cheveux blonds et au cou frêle? Ayant épousé jeune un homme riche et de trente-cinq ans son aîné, elle vivait confinée entre son piano, ses prières, son podagre de mari et les deux enfants qu'il était parvenu à lui donner dans les ultimes épanchements d'une virilité qui, depuis, ne devait plus guère être sollicitée.

Pouvait-elle deviner en M. de Céré un de ces fauves, dont l'échine puissante joue sous le velours de la peau, qui font à pas lents le tour de leur cage et se frottent aux barreaux d'un air indifférent, faute d'une proie digne d'éveiller leur intérêt? La pauvrette ne risquait rien, il est vrai. Le monsieur était carnivore et ne se nourrissait pas de fleurs de serre.

« Eh bien, on s'inquiète d'avoir une rivale dans le cœur de M. de Céré? » fit une voix gouailleuse derrière moi.

C'était Pierre de Cahaut, qui avait dû, lui aussi, observer la scène. Il ne se piquait pas de finesse ou d'intuition mais je me méfiais de son flair de chasseur et de son redoutable instinct.

En répondant avec brusquerie, j'aurais confirmé ses soupçons. Au lieu de cela, je lui pris affectueusement le bras.

« Ni Ermondine ni moi ne pourrions prétendre au cœur de M. de Céré, s'il en avait un. Les femmes du monde en sont bannies depuis longtemps.

– Tu as pris la peine de te renseigner sur ce point?

– Non, cela est de notoriété publique. »

A cinquante ans, Pierre était planté comme un paysan sur ses fortes cuisses et son torse massif. Ses épais cheveux commençaient à grisonner mais bouclaient toujours de manière désordonnée. Sa lippe gourmande s'était alourdie, son regard patient et rusé s'enfonçait dans les replis du visage. Sa voix de basse taille, usée par la boisson, évoquait la chaleur des estaminets. Il me guignait ferme sous ses sourcils.

« A moins que M. de Céré ne se soit mis à préférer les garçons, ce qui ne m'étonnerait pas avec la tournure que je lui vois, il aura remarqué, crois-moi, que si ta nuque est mince sous la masse de tes cheveux noirs, tes mains fines, tes chevilles étroites, tu as aussi la gorge pleine, les épaules rondes, la taille robuste, la chair ferme et l'allure d'une fille des champs qui ne craint pas les rôdeurs. »

Il me détaillait sans vergogne. Rien n'échappait à ce balourd, et il espérait bien me faire perdre mon sang-froid.

« N'essaie pas de me faire croire qu'en toi la sève est tarie, même si tu as été sage pendant la durée de ton deuil. La vie sourd dans chacun de tes gestes. Tu vibres sans le savoir. Je t'ai vue boire, manger, rire, te mettre en colère. Je me souviens du poids que tu pèses dans les bras d'un homme, du goût de ton haleine, des muscles de tes reins. Je sais que tu es vivante. Tu perdrais ton temps à vouloir me convaincre du contraire. Je suis devenu trop ivrogne pour avoir une chance de te plaire à nouveau, à moins que la faim, l'occasion, l'herbe tendre... »

Pierre m'avait insensiblement amenée de l'autre côté de la serre. Le sachant capable de faire à haute voix quelque réflexion destinée à m'embarrasser, je n'avais pas cherché à me rapprocher du groupe qui entourait le colonel.

L'invraisemblable se produisit. La tête me tournait. J'avais résisté au trouble que m'avait causé la vue de M. de Céré au côté d'Ermondine et je me sentais sans force devant les lourdes allusions de mon cousin. Je trébuchai. Il me retint d'une main vigoureuse, sentit mon émoi, m'attira contre lui.

Je distinguai soudain l'éclair blanc de la robe d'Ermondine. Je repoussai Pierre. Ma cousine parut sous les arbres, au bras de M. de Céré. Ils s'approchèrent. Elle était trop occupée à lui plaire pour avoir regardé de notre côté. Mais j'étais sûre que lui nous avait vus. Il m'examina d'un œil rapide, perçut mon agitation.

Nous retournâmes vers la maison. Ermondine disait des riens de sa voix d'ange, Pierre observait la scène d'un air goguenard. Rien d'autre ne trahit de réaction sur le visage ou dans l'attitude de M. de Céré. Je ne sus ni s'il s'étonnait, ni s'il me jugeait, ni ce qu'il imaginait.

Dans les heures qui suivirent, je ne le cherchai ni ne l'évitai, mais au milieu des conversations auxquelles je participais distraitement, de loin je reconnaissais le timbre de sa voix et le reflet de sa silhouette dans les miroirs.

Le docteur Manet me tapota affectueusement le bras.

« Vous paraissez lasse, Adeline. Maintenant que la moisson est terminée, vous devriez vous reposer. »

Un moment, Pierre me prit à part.

« Rassure-toi, ma jolie. M. de Céré voyage avec ses victuailles! J'apprends qu'il est venu avec sa maîtresse et n'aura pas besoin de braconner à Puynègre.

– On dit aussi que cette dame est repartie, répondis-je sans ciller.

– Sornettes! Il a dû la loger un peu plus loin pour éviter que l'on ne jase.

– Quoi qu'il fasse, il est assez habile pour éviter que l'on ait des certitudes. »

Plus tard, Ermondine à son tour me prit à l'écart, avec des mines secrètes.

« J'ai découvert que M. de Céré n'était pas du tout le méchant homme que l'on décrit! Je l'ai invité à une soirée musicale que je compte donner bientôt et il a accepté de venir. Tu t'y ennuierais mortellement, toi qui n'aimes pas la musique! »

Je ris.

« Et toi qui détestes les pique-niques, tu as fait croire aujourd'hui que tu y prenais goût. »

Plus novice que moi en matière de dissimulation, elle hésita.

« Vraiment? J'ai été surprise, en effet, de trouver un grand charme à cette journée.

– Et un parfum de danger, peut-être », complétai-je.

Elle demeura interdite.

« Que veux-tu dire? »

Plus ignorante que perfide, elle soupira :

« Ton âge te protège de bien des faiblesses!

– Détrompe-toi. Ce n'est pas là que se fait la distinction. Il est des gens qui traversent la vie sans jamais connaître de grands remous et d'autres qui ne sont jamais à l'abri. »

*que, dont je me suis entiché, qui repré-
nesse. Pour l'amour du ciel, ne dis rien à
otre Adeline, qui jugeraient ces dépenses*

*s partir ces jours-ci pour Naples mais
recevoir cet argent. Je suis également
la plus douce des chaînes, qui a dix-sept
ds yeux liquides, une taille de quatre
plus jolis seins du monde, qu'elle s'obs-
sous une gorgette que j'ai le projet de
Elle parle un patois des Abruzzes auquel
nds rien, ce qui évite les discours mais
ages et laisse libre cours à tout le reste,
parfaitement, sans le secours du dic-
qu'il est doux de s'ensevelir dans cette
et presque enfantine après être passé,
y sommes tous condamnés, pauvres
dans des bras et des draps plus fripés.
e temps n'est pas venu où je serai prêt à
à être fidèle. Crois-moi, mon cher, nous
pour aimer autant que cette bougresse de
nous le permet. Le reste n'est que bali-*

*our moi toutes les charmantes femmes
t. Quant à toi, je te serre les pattes.
nes 3 000 francs. Jérôme.*

la lettre, veillant machinalement, par
re, à en respecter les plis. Je
uvrir deux ou tro
s intérêt

ériode d
à Puynè
tte que m
eindre. So
douce lâc
d'un amour

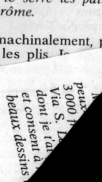

Elle ne m'écoutait pas et, prétendant chercher son mari à travers le salon, posait sur toutes les têtes masculines son regard bleu où naissait une inquiétude qui ne me parut pas strictement conjugale.

Je la quittai pour dire adieu à ceux qui s'en allaient. Les Gontier, les La Gélie, les Cahaut, les La Clergerie, les Roger, les La Robertie, qui habitaient à quelque distance, voulaient rentrer avant la nuit. Le docteur Manet regagna Mauzens avec mon oncle Elie et ma tante Charlotte, dans la voiture conduite par mon cousin Antoine.

Avant de se séparer, on me fit force compliments sur M. de Céré et on l'admira comme si je l'avais déniché dans une ménagerie. Ingénues ou malicieuses, les remarques ne m'émurent pas. Je ne ressemblais en rien aux hétaïres qu'on lui prêtait pour maîtresses et personne ne m'imaginait digne de remplir ce rôle – à part quelques hommes plus avisés que les autres en la matière, comme le docteur Manet, Pierre et le colonel de La Bardèche. Et ceux-là mêmes en plaisantaient sans y croire.

Pierre, en partant, m'embrassa en me tenant étroitement.

« Sache que je te surveille, ma jolie! » me dit-il à l'oreille.

Ermondine, à son grand regret, dut suivre son mari que la fatigue, à l'égal des enfants, rendait maussade.

On servit à souper à ceux qui restaient. Ensuite, on fit de la musique. Pauline chanta, accompagnée au piano par M. de Céré, et sa voix fut radieuse. Elle choisit certains des airs qu'avait aimés Fabre. Je les écoutai, le cœur écrasé.

Enfin, on se sépara. M. de Céré reconduisait à Monpazier son oncle le colonel. Celui-ci, tout égayé par cette journée, me remercia et me baisa les mains avec une galanterie de jeune homme. Puis,

s'enveloppant de sa houppelande, car la nuit fraî-
chissait, il lança à l'adresse de son neveu :

« Mon cher ami, ne crève pas ma jument et ne
romps pas les essieux de ma voiture, je te prie! »

Plusieurs personnes m'entouraient encore quand
M. de Céré me fit ses adieux. Je fus tout sourire, sa
bonne grâce fut parfaite. Au moment du départ,
mon regard croisa brièvement le sien, qui me parut
grave, presque tendre. Ce devait être un effet de
mon imagination. Il partit sans avoir essayé
d'échanger un mot de plus avec moi.

Pendant qu'on éteignait les flambeaux et les lustres, qu'on fermait portes et volets, je fis le tour des
pièces, vérifiai avec Joseph ce qu'il faudrait remettre en ordre le lendemain matin. Puis je dis bonsoir
à chacun et pris ma bougie pour me retirer. Depuis
longtemps je me déshabillais seule, n'aimant pas
faire veiller Bertille pour dégrafer mes robes et
délacer mes jupons.

Quand j'atteignis l'escalier, mes jambes tremblaient si fort que je dus m'appuyer au mur. Alors,
tenant la rampe, je montai lentement, marche à
marche. Parvenue dans ma chambre, je tombai à la
renverse sur mon lit, le visage dans les mains.

D'où venait cette aberration? Qui avait pu vouloir
cela? Je n'avais jamais aimé que Fabre. Pourtant, ce
soir, je défaillais pour un homme dont je n'attendais
rien, auquel je ne voulais pas me lier et que je
refusais d'aimer.

Est-il vrai que certains vivent des vies entières
sans blasphémer, sans se parjurer, sans renier les
leurs et sans faire un soir ce qu'ils juraient impossible la veille? On le dit.

Je ne voyais qu'une issue : que M. de Céré s'en
aille.

Je finis par me coucher. Il fallait dormir. J'aurais
besoin de mes forces pour faire avancer la bête qui
dort en chacun de nous, inerte et peureuse, dès

qu'elle doit affronte[...]
res, comme me l'av[...]
plus tôt.

Le lendemain, en [...]
retrouvé mon calme [...]
de s'éloigner avant [...]
pourrait trouver à n[...]
connaissant le poids [...]
avait eu le temps de [...]
de Puynègre les ouvr[...]
ressaient. Personne n[...]
maintenant chez le co[...]
l'éloignerait que mode[...]
ser qu'il y poursuive s[...]
de pays entre nous [...]
retrouver la paix de [...]

M. de Céré et moi [...]
différentes, il était in[...]
mélancolie peut passe[...]
des hommes, il peut c[...]
vie de dissipation, cel[...]
détaché.

Dans la matinée, le [...]
lettre de Jérôme. A [...]
compris mon erreur [...]
elle était destinée à J[...]
lus.

Mon cher Julien, écr[...]
tu me faire teni[...]
[...]ancs payables à [...]
[...]e jeune conse[...]
[...]parlé est da[...]
[...]me vendre [...]
[...]d'Horace

une tête an[...]
sente une fa[...]
Pauline et à [...]
extravagant[...]

Je compt[...]
j'attendrai [...]
retenu ici [...]
ans, de gr[...]
pouces et l[...]
tine à cach[...]
jeter au fe[...]
je ne comp[...]
non les ba[...]
qu'elle en[...]
tionnaire.
chair sua[...]
comme n[...]
jeunes ge[...]

Tu le v[...]
me marie[...]
sommes f[...]
dame nat[...]
vernes!

Embras[...]
qui t'ento[...]
N'oublie [...]

Je refe[...]
goût de [...]
côté sans [...]
je devina[...]
pas.

Une a[...]
mon ar[...]
dévotion[...]
faire po[...]
sons av[...]
rayonne[...]

mes parvenus à détourner ou à réprimer. Mon silence nous avait liés d'une complicité secrète et joyeuse. J'avais été effrayée quand, après la mort de Fabre, sa tendresse s'était manifestée à deux ou trois reprises avec trop de vivacité. Il avait fait preuve de sagesse en décidant brusquement d'entreprendre ce long voyage et je m'en félicitais.

Pourtant, une grande lassitude me gagnait. J'avais espéré, sans me l'avouer, que ce lien ne se dénouerait pas entièrement et qu'il subsisterait au fil des ans, distendu, apaisé, mais vivant. L'heure était venue de perdre cette dernière illusion.

Dans l'après-midi, Pauline vint avec sa fille. Elle m'apportait l'autre lettre de Jérôme, parvenue à Julien par erreur. Je lui remis celle que j'avais reçue. Elle n'imagina même pas que j'avais pu la lire. La confusion lui parut sans importance et bien dans la manière de son frère, volontiers étourdi.

Je lus à haute voix ce qu'il m'écrivait.

Notre chère Adeline,
Je réside maintenant près du Corso, dans la pension de Mme Giacinta, qui a daigné me recevoir chez elle, sur la recommandation de M. Beyle, dont j'ai fait la connaissance chez le sculpteur Tenerani.
Seuls les étrangers hantent Rome en été, quand les Romains fuient l'aria cattiva. Les Français sont remuants comme des belettes, en quête de pittoresque et voulant de la nouveauté chaque jour. Ils croient parfois impressionner les gens de ce pays en prenant l'air affairé et supérieur, comme s'ils ne traitaient que des affaires de la première importance. Ils ont le vain espoir de parvenir ainsi à se faire servir avec une plus grande diligence. Rien pourtant qui émeuve moins les Romains que ce manège, et ils regardent le spectacle de nos compatriotes agités comme on observe un singe mécanique ne sachant répéter qu'un seul tour.
Je plais considérablement aux douaniers, aux

aubergistes, aux sacristains, aux barbiers, aux vetturini – ou voituriers –, aux gardiens de tous les monuments et même aux petits chiens. Mon succès auprès des dames est plus médiocre : je les fais rire, elles me trouvent léger et joueur comme un enfant espiègle, mais je n'ai pas l'âme assez sensible, je ne sais ni exalter ni attendrir, et – en confidence – je ne suis parvenu jusqu'ici à en émouvoir aucune! A défaut d'être aimé, je me contente de plaire.

L'autre soir, j'ai versé en voiture dans un fossé que mes narines reconnurent promptement pour un égout. Le cocher, avec l'aide des passants, ne s'occupa que de sauver sa rosse, menacée d'asphyxie dans ce bourbier, et de remettre debout sa carriole. Je m'étais relevé tant bien que mal, mais j'étais pénétré d'une fange si nauséabonde que je me déshabillai sur place et roulai mes vêtements en un tas que je mis sous les pieds du cocher. Ayant sauvé son équipage, il me prêta la bâche qui servait à l'abriter par mauvais temps. C'est dans cet attirail de pénitent que je retournai chez Mme Giacinta. Elle n'y était pas et une petite servante à l'âme simple, fraîchement arrivée de sa campagne, crut de son devoir de m'aider à faire ma toilette.

Cette aventure m'a coûté deux piastres (dix francs). C'est un luxe de pauvre diable que d'avoir parfois des générosités de grand seigneur.

Je suis à vous de tout cœur et vous prie de dire à tous ma tendresse. Jérôme.

Je ris avec Pauline du récit de ses mésaventures.

A part moi, après avoir lu les informations imagées contenues dans sa lettre à Julien, je n'étais pas trop inquiète sur la sévérité des femmes à son égard. De plus, il était maintenant soigneux de ne m'envoyer que des lettres destinées à être lues à la ronde, alors que dans les premiers temps de son absence j'avais reçu de lui quelques billets un peu fous dont je n'avais pas parlé.

Une époque était révolue. Les regrets étaient inutiles et la nostalgie n'est pas mon fort. Restait le silence, mon arme habituelle.

On alla au Coderc montrer la basse-cour à la petite Emilie. Pauline m'accompagna ensuite pour cueillir des pêches de vignes dont elle voulait faire des confitures. Maigre compensation en cette année médiocre, les arbres croulaient sous les fruits au point que, malgré les étais, plusieurs branches s'étaient cassées.

Le temps s'était assombri. Une chaleur lourde régnait et Pauline repartit plus tôt que d'habitude pour n'être pas surprise en route par l'orage.

Cette journée si routinière me laissa sans force. Je lus distraitement en attendant le dîner puis, l'heure venue, ne restai guère à table. Pendant qu'elle desservait, je prévins Miette que j'allais me promener au bord de la Vézère.

Je longeai la rive jusqu'aux limites des terres de Puynègre, en direction de Limeuil, marchant d'un long pas régulier, les yeux rivés sur le chemin. Je ne pouvais m'empêcher de penser à M. de Céré et l'irritation me tenaillait. Etait-il vraiment retenu en Dordogne par de vieilles pierres? De quel droit avait-il entrepris de troubler mon repos? Prenait-il un secret plaisir à contempler le désordre qu'il semait là où il passait?

Qu'importe s'il faisait preuve d'une grande discrétion! Qu'il me rende trop ou trop peu de visites, cela suffisait! Il fallait qu'il ne vienne plus du tout! Ma colère grandissait. Je le cherchais comme on cherche l'assassin de son père. Pour un peu j'aurais crié : « Où se cache-t-il? Craint-il d'entendre des vérités que j'ai trop tardé à lui dire? Est-il brave avec les hommes et lâche avec les femmes? Cela est courant dans ce joli monde qu'il fréquente et on en rit au lieu de s'en étonner. »

En rentrant, je lançai un coup d'œil distrait aux maïs, aux arbres fruitiers, aux vignes, au chaume que l'on n'avait pas encore retourné. A la hauteur de l'île, les eaux étaient si basses qu'elles étaient envahies de ces longues herbes chevelues à fleurs blanches. Je dirais à Joseph de les faire faucher.

Je remontai lentement la pente raide du pré et j'arrivai sur la terrasse peu avant le coucher du soleil. J'entendais à l'autre bout de la maison, vers la cuisine, les voix des domestiques. L'air était pesant et la crainte de l'orage regroupait les humains comme les animaux. On avait rentré dans la serre les fauteuils d'osier, en prévision de la pluie. Seuls demeuraient sur la terrasse le banc et la table de fer qui restaient dehors toute l'année. Je m'assis lourdement, les coudes sur la table et tentai de calmer cette fureur qui me chauffait les tempes et me nouait les muscles.

C'était l'heure où se ferment les héliotropes, gorgés de lumière, après avoir au long du jour lentement viré sur leur tige pour que le soleil les pénètre au cœur. Le peuple des cigales ameutait les lointains. Un vent lourd et muet se leva, pourchassant les nuages dans le ciel mauve. L'odeur du chèvrefeuille me parvenait par bouffées. Cette lutte ardente du vent et de la nuit m'oppressait. J'appuyai mon front sur mes poings.

Au bout d'un long moment, je relevai la tête. M. de Céré se tenait dans l'encadrement de la porte-fenêtre. Je n'esquissai pas un geste de politesse, aucun mot ne me vint aux dents. Cette comédie suffisait. Pourquoi me contenir davantage devant quelqu'un qui avait la réputation de se gêner si peu?

Il me salua, s'avança et, debout, s'adossa à la balustrade, me faisant face.

110

Derrière lui, au fond du pré, la Vézère s'étalait, sombre et luisante, avec le poli d'une agate. Le soleil éclairait le haut du coteau derrière lequel il allait basculer. Le vent s'enflait, lourd et chaud, et faisait bruire les arbres dans l'ombre.

« Pardonnez-moi, dis-je enfin, je me promenais et je suis hors d'haleine. »

Il s'inclina, acceptant mon explication. Je laissai retomber le silence. Le vent tourbillonnait. Il poussa entre nous une grappe de fleurs de magnolia.

Je me levai, déterminée à en finir. J'allai dans le salon où la lumière du chandelier me parut plus rassurante que celle du crépuscule. Mais le vent faisait vaciller la flamme des bougies, battre au mur le cadre des miniatures, palpiter le cachemire qui couvrait la table ronde, animait d'une chaude confusion les objets les plus sobres. Les rideaux bruissaient, frôlant les meubles de leurs plis gonflés. La nymphe de la pendule brillait doucement, retenant à hauteur des genoux la draperie qui la dénudait plus qu'elle ne la couvrait. Les armes de la panoplie étaient animées d'un léger balancement. La tourmaline qui servait de presse-papiers, massive et immobile, miroitait, parcourue d'ondes vivantes comme des frissons. Décidément l'air était ensorcelé, je n'avais aucun secours à attendre de ce cadre familier.

M. de Céré m'avait suivie dans la pièce, en restant à quelque distance. J'entendis un bruit de porte dans la salle à manger. Miette entra, qui venait fermer les volets. Elle ne s'étonna pas de voir M. de Céré et s'exclama naïvement :

« Monsieur le comte ne va pas repartir quand l'orage nous arrive sur la tête! Ne faut-il pas lui préparer une chambre, madame?

– Peut-être est-il attendu quelque part? dis-je, me tournant vers lui.

– Personne ne m'attend. Mais rassurez-vous, Miette, ni mon cheval ni moi ne craignons l'orage.

– Si madame m'y autorise, s'écria Miette, je vais pourtant demander à Bertille de préparer la chambre verte. M. le comte partira s'il le veut, mais il ne sera pas dit qu'à Puynègre on l'a jeté dehors par ce temps du diable!

– Je vous remercie, Miette, fus-je obligée de dire. Prévenez Bertille de faire le nécessaire. Vous pouvez laisser la porte-fenêtre, je la fermerai moi-même. »

Je lui dis bonsoir. M. de Céré de son côté la remercia avec la familiarité discrète que l'on a envers les gens d'une maison où l'on est reçu en ami. Quand elle fut sortie, je me tournai vers lui.

« Le destin s'amuse à radoter. Il a déjà voulu, voici deux ans, que vous restiez à Puynègre un soir d'orage. »

Il sentit mon irritation.

« Rassurez-vous, je m'en vais. Je n'accepte jamais d'invitation faite de mauvais cœur.

– Pardonnez ma brusquerie. Vous ne me connaissez pas. Le fond de ma nature est fait de rochers et de cailloux, comme les coteaux d'où je viens. De génération en génération, on tire des pierres du même champ et d'autres pierres, année après année, remontent à la surface. Malgré les apparences, je suis moi aussi une de ces terres rocailleuses que rien ne peut amender et adoucir.

– Les plus beaux torrents jaillissent du rocher et bouillonnent sur des lits de pierres, dit-il en souriant. Vous semblez croire que la rudesse et l'adversité me rebutent. »

Il s'était approché.

« M'avez-vous cru léger? me demanda-t-il brusquement.

– Je ne sais rien de vous et c'est très bien ainsi.

– Répondez-moi quand même.

– Léger? Ah! je voudrais que vous le soyez!

– Trêve de badinage. Nous ne le sommes ni l'un ni l'autre. »

Il me salua.

« Bonsoir, madame. »

Je l'accompagnai jusqu'à la porte qui séparait le salon du vestibule. J'étais si troublée que la dentelle de ma manche s'accrocha à la poignée de la porte. Dans l'obscurité, je n'arrivai pas à la dégager. M. de Céré se pencha, effleura à peine mon bras.

« Voilà, dit-il en se redressant.

– Restez, j'ai à vous parler », lui dis-je très bas.

Certaines des bougies s'étaient éteintes. Je me taisais.

« Qu'avez-vous à me dire? me demanda-t-il doucement.

– Je ne peux me résoudre à vous le dire ce soir », avouai-je avec découragement.

Je ne pouvais non plus détacher mon regard du sien.

« Vous avez raison, murmura-t-il, regardez-moi et voyez-moi tel que je suis. Je n'ai pas de rides encore, mais bientôt je ferai partie de la cohorte des vieillards puisque j'ai choisi une vie où les années comptent double. Derrière cette enveloppe qui fait illusion, sachez que le cœur est infirme. Il peut sentir et même souffrir, mais il est incapable de s'attacher. Il a beaucoup servi, traîné à tous les étals. Il s'est atrophié sans jamais avoir été consumé.

– Pourquoi le hasard vous a-t-il ramené ici! m'exclamai-je, à bout de fatigue.

– Le hasard n'y est pour rien. »

Je me sentais si lasse que je ne répondis rien. Il prit ma tête dans ses mains. Je sentis sur ma tempe le chaton de sa bague. Ses doigts s'enfoncèrent dans mes cheveux de toute leur profondeur. Il m'enserrait entre ses poignets. Il faisait trop sombre pour que je puisse déchiffrer sur son visage le désir ou l'émoi.

En aveugle, je m'abattis contre lui. Ses bras se refermèrent sur moi et il m'embrassa. Je tressaillis sous la chaleur de sa bouche et la douce rugosité de sa barbe. J'aurais chancelé s'il ne m'avait serrée plus étroitement.

Il m'embrassait et je m'ouvrais sous ses baisers. Je le buvais à lentes et profondes gorgées, comme un de ces poisons qui s'insinuent doucement dans les veines et, avant d'y répandre l'agonie, font jaillir un incendie sous les paupières.

Mon peigne et mes épingles étaient tombés, mes cheveux lui couvraient les mains. Sa jambe s'avançait dans les miennes, le vent entortillait le bas de ma robe dans ses pieds. Je retenais de longs sanglots muets qui me traversaient le dos.

Le volet de la porte-fenêtre se rabattit violemment.

Il écarta le haut de ma robe. La caresse de ses dents, la douceur de ses cheveux contre ma peau me secouèrent de frissons que je ne contrôlais plus.

Dehors, le vieux monde courait à sa perte, comme il le fait depuis des millénaires. Son tourbillon effleurait les murs de Puynègre et allait crever en orages au-delà de l'horizon. Isolés, protégés, éperdus, nous nous embrassions. Mais les puissances d'ombre et de lumière n'ignorent jamais tout à fait un être comme M. de Céré. Elles durent s'appesantir sur lui, car il me retint soudain avec l'intensité d'un homme qui vit sa dernière heure de passion avant la mort. Puis il se ressaisit, et desserra son étreinte.

Si d'obscurs esprits l'habitaient, ils ne m'effrayèrent pas. Lentement, je sentis émerger en moi, triomphante, intacte, cette force de vie, qui ne m'avait jamais fait défaut. Haussée vers lui, je m'offrais, je me donnais, libérée de toute crainte, insoucieuse de l'avenir.

Il sentit cette grande volupté sereine qui m'envahissait, m'écarta de lui légèrement, pour mieux me voir. Je l'adjurai :

« Au nom du Ciel, ne me lâchez pas!

– Tout à l'heure, vous me supplierez de vous lâcher et je n'en ferai rien », répliqua-t-il doucement.

M. de Céré resta à Puynègre cette nuit-là. Le vent, après s'être déchaîné, finit par tomber.

Il était beau, cet homme dont je savais si peu de chose, acharné, transfiguré par le plaisir, déchiré entre son goût effréné de la conquête et son mépris de la possession. Il s'abîma en moi comme dans un gouffre où il laissait son âme. Même au cœur de l'amour, il ne se laissait pas déchiffrer. Me tenant liée à lui, il était traversé d'éclairs de rébellion contre lesquels il semblait farouchement se débattre et qui le rejetaient, haletant, abandon et refus mêlés, dans mes bras, où je l'apaisais et le berçais en cette langue simple que l'on parle aux enfants.

Il fit déferler en moi un bonheur si profond que je me sentis le pouvoir de dissoudre ses plus noires inquiétudes et de résister aux remous qui l'attiraient vers un passé qu'il avait su dompter sans être maître de le détruire.

Rien ne viendrait à bout de ce goût de vivre que je tenais du sol même auquel j'appartenais. J'étais nourrie de terre, de soleil et de vent autant que d'air, d'eau et de pain. J'eus l'intuition qu'il me fuirait, car les forces simples d'un univers primitif sont odieuses à ceux qui ont goûté aux fortes liqueurs de la civilisation. Pourtant, je n'éprouvais pas le besoin de pénétrer l'avenir.

Du bord de l'assoupissement où il avait sombré, il sentit que j'étais encore éveillée, emmêla plus étroitement mon corps au sien, embrassa confusément le haut de mon épaule et m'entraîna dans un sommeil qui abolit toutes les distances.

*

Le temps changea et la première partie du mois d'août fut instable, ponctuée d'abondantes pluies orageuses. Je ne sortis guère et les visites de Pauline se firent momentanément moins fréquentes.

M. de Céré prit l'habitude de venir me voir en fin de journée, quand il me trouvait presque toujours seule. Le plus souvent, je le retenais à dîner. Il partait à dix ou onze heures, sauf les jours où des tornades de pluie se mirent à tomber et me permirent de lui offrir l'hospitalité, et les mardis soirs, quand le docteur Manet était des nôtres. Leurs parties de cartes ou d'échecs se prolongeaient généralement fort tard et la présence du docteur sous mon toit jusqu'au lendemain matin rendait acceptable celle d'un étranger.

Je n'avais rien changé à mon mode de vie, sentant que le respect de la routine me protégeait des soupçons mieux qu'une abondance de précautions.

Quand M. de Céré était absent, je ne pensais qu'à lui, close sur ce torrent de vie qu'il suscitait en moi. J'étais emplie de lui à ne laisser place à rien d'autre. Il se dégagea de moi, pendant ces jours-là, une telle magie de force qu'il en parut envoûté. Je dédaignai d'exercer tout le pouvoir dont je me sentais riche et ne fis rien pour l'enchaîner, tout en le sachant capable de partir brusquement en me laissant un simple billet d'adieu.

Etrangement, il sembla ne pas être sûr de l'empire qu'il exerçait sur moi ou ne pas en deviner l'étendue. Il poursuivait avec acharnement cette parcelle de moi qui lui échappait et dont je lui avais dit qu'elle ne se rendrait jamais. Sous ses dehors

116

nonchalants, il mit tout en œuvre pour me réduire. Il plaisantait sur ce qu'il appelait mon insensibilité sans parvenir à m'inquiéter. Il suivait chacun de mes gestes d'un regard aussi fort qu'une caresse. Paisible, rayonnante, je me gorgeais de chaleur et de sensations, sans me soucier du lendemain.

Ma cousine Ermondine vint un après-midi, désirant et appréhendant de rencontrer M. de Céré. J'eus pitié de son trouble et lui dis bientôt que nous ne comptions justement pas sur lui ce jour-là. J'avais eu tort de parler. Elle aurait préféré, je crois, attendre sans savoir et trembler dans l'espoir coupable de le voir et de lire une marque d'intérêt sur son visage, là où pourtant la courtoisie seule commanderait.

Elle repartit, mélancolique et résignée. Certains êtres se nourrissent de miettes tout au long de leur vie, faute d'avoir osé s'attabler avec la cohue avide de mangeaille.

Un mardi, le docteur Manet arriva plus tôt qu'à l'ordinaire et me trouva dans le jardin. Je compris qu'il avait des représentations à me faire quand je le vis se frotter le visage alternativement de haut en bas et de bas en haut, signe chez lui d'agitation et de perplexité. Il mit quelque temps à aborder le sujet. Enfin, il se lança :

« Ma chère Adeline, vous êtes consciente du sort funeste que connaissent toutes les passions...

– Quelles passions? fis-je benoîtement, en continuant à couper les roses fanées.

– Ne jouons pas au plus fin. Vous me comprenez.

– Ma famille vous a-t-elle chargé de me tenir ce discours? demandai-je sérieusement.

– Mais non! Vous avez été assez adroite jusqu'à présent pour ne jeter aucun indice en pâture aux curieux.

117

– Vous êtes bon de me le dire. Cela seul compte. »

Il s'emporta.

« Je suis un vieux cheval, qui a vu des passions de toutes les couleurs et de toutes les formes. Toutes – vous m'entendez, toutes! – ont fini dans le sang ou les larmes.

– Les larmes sèchent et le sang n'a rien à voir ici. Je n'ai pas à me venger ou à être vengée.

– Ignorez-vous qu'un jour vous serez trahie? »

Je me tournai vers Manet, mon vieux couteau à la main.

« Qu'en savez-vous?

– Vous êtes trop intelligente pour l'ignorer! M. de Céré regagnera Paris avant l'hiver et reprendra sa vie de dissipations.

– Cela le regarde.

– Ne me dites pas que vous apprendriez avec indifférence qu'une lorette vous a succédé dans son cœur!

– Je ne prétends pas régner sur son cœur.

– Vous êtes plus insensée que je ne le croyais!

– Parce que je contemple la réalité en face, sans en être accablée?

– Vous le prétendez aujourd'hui. Dans un mois ou deux, vous ferez ce que font toutes les femmes, vous userez de tous les subterfuges pour le retenir.

– Moi?

– Oui, vous! »

Je posai doucement ma main sur sa manche. Je ne pouvais lui répondre que je me sentais de taille à hanter M. de Céré jusque dans les bras de ses maîtresses et à lui rendre leur amour insipide! Je me bornai à une explication dont il ne crut pas un mot :

« Docteur, vous n'allez pas me comprendre, tant pis. Non seulement je ne ferai pas un geste pour retenir M. de Céré, mais si j'avais sur lui la plus petite influence, d'ici quelques semaines, je le pousserais à partir. Je ne veux aimer personne, il n'y a place dans ma vie ni pour lui ni pour un autre. »

Manet eut un grand geste découragé et dans son agitation bouscula mon panier, posé au bord du massif.

« Croyez-vous que l'on guérisse d'une passion comme d'une indigestion, par deux jours de purge et de diète ?

– Il n'y a pas là de passion.

– Se leurrer à ce point ! s'exclama le docteur. Vous êtes plus folle que je ne le croyais, ma pauvre enfant ! »

Je me retournai, entendant un pas sur le gravier. M. de Céré s'avança. Manet l'accueillit avec une cordialité rendue bourrue par la conversation qui s'achevait. Pensant que M. de Céré avait pu en surprendre les dernières paroles, je pris les devants.

« Notre cher docteur me grondait, car il trouve que je déraisonne.

– N'est-ce pas un des privilèges accordés à votre sexe ? » répondit galamment M. de Céré, sachant qu'il m'impatienterait en me traitant avec l'indulgence qu'on réserve aux êtres faibles et démunis.

Une humeur de défi me prit.

« D'après le docteur, c'est à votre propos que je déraisonne. Il prétend que je trouverai la vie bien morose quand vous aurez quitté la Dordogne.

– Et que lui répondiez-vous ? répliqua M. de Céré d'un ton léger.

– Que la vie ne m'a jamais paru morose. »

M. de Céré prit amicalement le bras de Manet, qui frappait le bout de ses souliers à petits coups de canne furibonds.

« Admirez, docteur, comme les femmes ont l'art

de nous ramener promptement au sentiment de notre insignifiance ! »

Prise de remords, je m'emparai de l'autre bras du docteur et, pour le dérider, plaisantai sur mon goût du paradoxe et mon indépendance d'esprit qui outraient parfois, malgré moi, les opinions que j'exprimais. Je ne pus m'empêcher de taquiner les deux hommes.

« Vous estimez sans doute, messieurs, que ces qualités sont d'essence supérieure et que les femmes, par conséquent, ne peuvent les posséder. Souvent, il est vrai, vous vous avancez crânement, le cigare aux lèvres, ironisant ou faisant de la philosophie d'un air détaché sur ce qui vous est le plus sensible. Pendant ce temps, elles s'obstinent à chercher une oreille amie où déverser leurs émotions. De confidence en confidence, de déception en déception, elles préfèrent être trahies et accorder leur confiance à tort plutôt que de porter seules le poids de leurs tourments. Vous admettez ainsi que la solitude de chacun de nous est irrémédiable. Elles le nient. Vous en concluez qu'elles sont fragiles et influençables. Vous voyez que je sais ma leçon et que je la récite sans broncher ! Mieux, je me range à votre avis et reconnais que pour la plupart nous sommes incapables de nous dégager du monde des sentiments et de juger froidement de quoi que ce soit.

– Vous et moi, docteur, sommes assez beaux parleurs pour nous défendre quand notre aimable hôtesse tourne notre corporation en ridicule, badina M. de Céré. Mais quand elle fait semblant de se rendre à nos raisons, c'est alors qu'elle nous mène comme des enfants et que nous nous laissons rouler dans la confiture !

– Le temps est loin où c'est moi qui lui donnais des leçons ! grogna Manet. Aujourd'hui, je suis réduit à en recevoir ! »

Il était presque six heures et la cloche du dîner sonnait. On se dirigea vers la salle à manger. Je bénis Antonia d'avoir préparé à ce gourmet et à ce sybarite le plus savoureux des dîners et Joseph d'avoir sorti de leur poussière certaines de nos meilleures bouteilles.

Un tourain[1] à la tomate et un pâté de foie gras ne firent que nous ouvrir l'appétit. Une friture de la Vézère amusa les palais. Puis vinrent des pigeons farcis d'un mélange de foie, de lard, de fines herbes et de truffes, nappés d'une sauce Périgueux, dont le délicat fumet s'élevait au-dessus du plat en une buée odorante. Je vis frémir Manet. Il fendit le ventre de la bestiole posée sur son assiette et, paupières baissées, porta religieusement une bouchée à ses lèvres. Doucement, avec un mouvement de mâchoires aussi lent que possible, il savoura et finit par avaler, presque à regret. Il soupira, je sentis fondre dans le lointain les dernières traces de son humeur maussade.

« Par Dieu, Adeline, votre Antonia s'est surpassée, murmura-t-il. Sa farce est un velours.

— Elle a pour principe que l'on doit mieux se nourrir par mauvais temps, afin de résister aux miasmes que véhicule un air humide.

— Résister... quelle ironie! alors que je suis en train de succomber! Vous m'aviez si bien contrarié tout à l'heure que je me croyais grincheux pour toute la soirée. Mais la volonté et l'aigreur se dissolvent devant des mets aussi suaves. Ah! gardez-vous de notre chère hôtesse, monsieur, dit-il en se tournant vers M. de Céré, elle ne se bat jamais sur le terrain où on l'attend.

— Je vous remercie, docteur, répondit-il en souriant, mais cet avertissement vient trop tard. J'ai déjà compris quelle supériorité avait sur nous

1. Soupe.

Mme Fabre. Buvons, mon cher docteur, pour oublier que nous retombons en servitude! C'est la seule consolation qui nous reste! »

Il tenait légèrement son verre où le vin de Bordeaux ajoutait sa chaleur au reflet du cristal. Il but d'un trait.

« En ce qui me concerne, voilà, madame, qui scelle ma reddition! » dit-il à mon adresse.

Je lui trouvai un air de hardiesse plus que de soumission. Le docteur, tout à sa béatitude, écoutait distraitement.

« Pour des esclaves, vous n'êtes pas mal traités, ce me semble, dis-je gaiement.

– Heureusement, propos de table ne tirent pas à conséquence, fit remarquer Manet d'un ton bonhomme. Quant à moi, je ferai mentir Perse et Rabelais après lui. *Ingenii largitor venter*, disent-ils. Or ce soir je nie que le ventre éveille l'esprit et après un pareil repas je refuse de demander au mien le moindre effort. »

Je m'étonnai.

« Renoncerez-vous à votre partie d'échecs? »

Il renfonça entre les deux boutons de son gilet sa serviette qui avait glissé.

« Ma foi, nous verrons. Un petit alcool me remettra peut-être d'aplomb. »

Il se resservit amplement et la conversation reprit avec une aimable nonchalance.

Il n'était alors bruit que du traité signé le 15 juillet, à l'insu de la France, entre l'Angleterre, la Russie, l'Autriche et la Prusse, en vue de protéger la Turquie contre les intentions de conquête du Pacha Méhémet Ali, notre allié. Les quatre puissances l'avaient sommé d'évacuer la Syrie, sous peine de perdre non seulement les territoires qu'il y avait conquis, mais l'Egypte même. Lord Palmerston n'avait informé notre ambassadeur à Londres, M. Guizot, de cet accord qu'après sa signature.

L'émotion à Paris était vive. M. Thiers faisait rappeler les hommes disponibles. Il voulait la guerre, disait-on, alors que le roi n'en voulait pas.

« En matière de politique étrangère, nous sommes incorrigibles, dit M. de Céré. Nous ne rêvons que grandeur et prestige. Pendant ce temps, les Anglais ne se soucient que de leurs intérêts. Ils développent leur industrie et leur marine, s'assurent la route des mers, pénètrent en Inde, prônent le libre-échange. Londres devient le principal marché des capitaux. Si l'Angleterre vient de déclarer la guerre à la Chine, ce n'est pas seulement pour y introduire l'opium, prétexte officiel du conflit, mais bien l'ensemble de ses produits manufacturés.

– Eh oui, fit Manet, qui n'était ni aussi sourd qu'il le laissait croire ni aussi absorbé par son deuxième pigeon qu'on pouvait le penser. L'Angleterre ne prétend pas se tailler des royaumes éphémères dans l'Empire du Milieu et parer ses baronnets de titres usurpés, pour en faire des princes de Canton, des ducs de Shanghai ou des barons de Tien-Tsin. Elle veut le droit de franchise dans des ports qui rapporte du bel et bon argent, plutôt que de conquérir des sables et d'entrer, drapeau et fanfare en tête, dans des bourgades perdues au milieu du désert.

– Le prince Louis-Napoléon, pour monter sa folle équipée et débarquer à Boulogne, a peut-être eu raison en misant sur la nostalgie qu'ont une partie des Français des fastes de l'Empire. Mais il a eu tort de se présenter en si modeste équipage, vêtu de défroques. Nos concitoyens, si sourcilleux sur les questions de panache, se sont gaussés de ce militaire de vaudeville, s'avançant l'aigle au poing, vêtu comme ses complices d'uniformes achetés chez un fripier, pour se faire arrêter par de simples douaniers à l'entrée du royaume qu'il prétendait conquérir. »

Telle était en effet la piteuse aventure, arrivée le 6 août, dont on trouvait alors dans les journaux le récit ironique. Le prince venait d'être transféré à la Conciergerie, en attendant d'être jugé.

« Pour moi, reprit M. de Céré, si je tiens ce prétendant pour ridicule, je ne me gausserai pourtant pas de sa tentative. Rien n'est stable en France depuis la Révolution. En quarante ans, nous sommes venus à bout de deux dynasties et la troisième vacille. D'attentats en émeutes, il se peut que l'on finisse par la jeter à terre. Cela fait, il se trouvera bien quelques ambitieux pour tirer de prison ou d'exil ce prince providentiel, lui jurer fidélité et tenter d'atteindre le pouvoir à travers lui. La chose ne serait pas nouvelle.

– Vous vous débarrassez bien cavalièrement du roi Louis-Philippe et de sa descendance! protesta Manet, en épongeant la sauce tombée sur son menton.

– Oh! une révolution y suffira. Le peuple de Paris y a pris goût. Cela lui permet de flanquer le feu, de piller, de décapiter les statues et les citoyens. C'est la seule chance qu'ont de pauvres diables de jeter par les fenêtres des fauteuils dorés, de s'y prélasser un instant au bord du ruisseau, avant qu'arrive plus enragé qu'eux, qui achève de détruire ce mobilier éclopé ou le lance en haut d'une barricade. La sale besogne faite, les hommes politiques reparaissent, imposent l'ordre à nouveau et renvoient le peuple à sa niche. »

J'écoutais vaguement ce dialogue, engourdie par le bien-être, amusée du plaisir que prenaient les deux hommes à parler politique sans les précautions d'usage. Manet, l'oreille rouge, avait des mines de curé faisant mardi gras. L'œil de M. de Céré pétillait et il paraissait se divertir plus que se courroucer en dressant ce tableau des événements et des mœurs politiques du jour.

« Que vaut dans tout cela un prince de caractère médiocre et exalté, qui a dissipé sa fortune, dont la famille est exilée et honnie de toute l'Europe? soupira le docteur. Nous savons, hélas! que l'oncle ne renaîtra pas dans le neveu. Le génie ne se reproduit pas, il est condamné à rester sans descendance.

– Ma foi, qui veut tâter du pouvoir doit être capable de se vendre au poids, comme un quartier de bœuf. Si le prince ne trouve pas acquéreur, il continuera sans succès à jouer les conspirateurs et nous nous choisirons un autre héros, dit M. de Céré en riant, puisque nous sommes las des anciennes lignées. »

Le docteur hocha la tête.

« Nous ne voulons pas non plus de grands hommes. Il faudra nous contenter des dogues qui, seuls, approchent de la gamelle du pouvoir, et des roquets qui, sur le pavé, se disputent les bas morceaux. »

M. de Céré posa amicalement la main sur le bras de son voisin.

« Allons, docteur, ce serait faire injure à ce château-margaux que de nous laisser aller à la mélancolie quand il illumine nos verres. Son arôme seul rendrait vie à un moribond. Levons nos coupes à la santé de notre généreuse hôtesse! »

Cette proposition-là ne laissait jamais le docteur indifférent. Il obtempéra derechef, oubliant pour un soir l'austérité qu'exigeait ordinairement le soin de sa goutte.

« Notre Adeline est bien silencieuse, fit-il remarquer.

– Le vin m'endort, vous le savez », admis-je en souriant, sans chercher autrement à me défendre.

Edouard me regarda. Il avait trop d'éducation pour laisser paraître envers moi autre chose qu'une déférence à peine tempérée par l'humeur bon enfant qui régnait à Puynègre. Il me semblait toutefois qu'une mystérieuse chaleur circulait de lui à moi et tissait entre nous un lien plus puissant que bien des serments. Je baignais dans cette confuse atmosphère d'amour et ne me souciais pas de prendre part à la conversation.

Une ou deux fois, Manet releva vivement la tête, comme s'il sentait vibrer autour de lui une électricité dont il ne s'expliquait pas l'origine. Il me lança de brefs coups d'œil inquisiteurs, sans trouver sur mon visage l'expression qui l'aurait éclairé.

M. de Céré n'avait pu manquer de saisir cette mimique. Il n'en montra rien.

« Je me demande, dit-il en souriant, si la beauté sera un jour bannie de ce pays comme un signe de distinction haïssable, puisqu'il n'y a pas de symbole plus éclatant de l'inégalité. Nous avons vu détruire les monuments et les œuvres d'art. Un beau visage, une belle voix, un beau cheval, une fleur rare seront bientôt vus comme une insulte à ceux qui ne les possèdent pas. Seuls les déserts et les océans dans leur immensité échapperont peut-être au massacre.

– C'est oublier, monsieur, la vanité des Français, fit remarquer le docteur, en détachant le dernier brin de viande d'un petit os. Ils l'ont dans la moelle et elle aura toujours le pas sur l'égalité, même si celle-ci est inscrite dans les lois et au fronton des édifices. Celui qui s'enrichit se hâtera d'acheter ou de faire construire un palais et de le meubler superbement. La vanité nous sauvera de la médiocrité absolue!

– La vanité elle-même sera devenue médiocre. On ambitionnera des biens et des distinctions insignifiants et, croyant chercher le beau, on s'extasiera devant des imitations à la mesure de l'ignorance générale.

– Ma foi, tant pis pour ceux qui vivront en ce temps-là, dit paisiblement le docteur. Je serai mort et me moque que les générations futures vivent bien ou mal.

– Et M. de Céré se retirera sur une île ou dans un monastère », dis-je.

Il eut un sourire et ne répondit pas. Je fus saisie. Décidément, ce diable d'homme était capable de tout, même d'entrer en religion.

« Le monde ne sera jamais tout à fait odieux et dégradé tant que demeurera l'Italie, dit-il enfin. La beauté y est partout et, à moins de supprimer le pays de la carte, on ne saurait détruire tant de merveilles. »

Puis il ajouta, mi-sérieux mi-amusé :

« Voyez, docteur, combien les gens de mon espèce sont menacés et comme Mme Fabre nous domine de son autorité. Elle tient ce royaume où rien ne lui échappe, où l'on est heureux sous sa loi, où la nature est belle et la vie harmonieuse.

– ... Et l'humanité semblable à ce qu'elle fut toujours. Or ce sont les humains dont vous vous plaignez, n'est-ce pas, monsieur? »

Il en convint en riant.

Après le dîner, je fis servir une eau-de-vie de poire qui finit d'alanguir la conversation. Mais l'amour du jeu ne s'éteignait jamais complètement chez Manet et il proposa une partie d'échecs à M. de Céré.

J'étais assise à l'écart avec ma tapisserie. Le docteur, pesamment carré dans son fauteuil, son buste épais penché sur l'échiquier, avançait à intervalles sa main couverte de poils roux vers la pièce qu'il voulait déplacer.

D'Edouard, je ne voyais que le dos, un profil perdu et la main gauche posée sur la table, longue et nerveuse. Je sentais une volonté si ferme concentrée dans ce corps immobile, une attention si forte tournée tout entière vers les mouvements de son adversaire, qu'il me parut, comme cela lui arrivait parfois, retranché dans un univers dont rien ne pouvait le tirer.

Que l'on appelle comme on veut ce que nous ressentions. A mes yeux, ce n'était ni de l'amour ni de la passion. M. de Céré était revenu trop durement de l'un comme de l'autre pour y retomber. Quant à moi, j'avais aimé Fabre et j'en avais été aimée. Personne d'autre ne me mènerait aux extrêmes et ne susciterait chez moi une confiance et un attachement absolu. Ce chapitre de ma vie était clos.

Pour la passion, j'en suis incapable. A mon sens, pour en être la proie, il faut être hanté de rêves informulés et amené dans un paroxysme d'imagination, à poursuivre son double jusqu'à la mort ou la destruction. Or je n'ai jamais cherché à réprimer ni mes rêves ni ma folie. J'ai en moi des steppes assez vastes pour que ces noires cavales y galopent en liberté.

Manet ne se doutait pas, quand il m'avait fait lire, à l'âge de quinze ans, ses auteurs favoris parmi les Anciens et les Modernes, qu'il me donnait à jamais pour compagnons les spectres de tous les vivants qui nous ont précédés. A travers les livres, a déferlé en moi toute une humanité, grande ou misérable, vêtue de pourpre ou de haillons, visions radieuses ou fantômes échevelés, troupes éclatantes et bataillons sanglants. Ni l'horrible, ni le fantastique, ni la démesure ne me sont inconnus. Cléopâtre, Gengis Khan ou Méphisto pourraient franchir ce seuil sans que je m'en étonne. Comment le monde d'aujourd'hui pourrait-il m'effrayer quand celui d'hier ne m'a pas ébranlée, que celui des enfers et de l'Olympe m'est familier? Ils ne se sont jamais déchaînés contre moi, car ils me savent des leurs. Et je sais, moi, que sur un champ de décombres, la vie jaillit encore là où un humain pose le pied.

Pierre de Cahaut avait deviné le fond de ma

nature, sans avoir eu le temps ou les moyens de l'atteindre. Fabre me connaissait et avait été fou d'amour et d'orgueil, sachant qu'il était le seul à me posséder. Edouard, d'instinct, m'avait comprise dès notre première rencontre. Il s'acharnait maintenant à débusquer et faire éclater ma sauvagerie et s'exaspérait de ce que, lui appartenant pour ce qui, aux yeux du monde, est l'essentiel, je ne me livre pas jusque-là.

Je ressentis l'envie irrésistible de me lever et de m'approcher sans bruit de la table de jeu, de me tenir derrière lui, d'enlacer ses épaules, d'appuyer sa tête contre moi. Je voulais écarter ce sévère tissu noir, glisser ma main sur sa peau, sous sa chemise, lui insuffler ma force, mon absurde bonheur de vivre, le protéger de la laideur et de la bêtise qui lui étaient insupportables et qui n'avaient pas de prise sur moi, car je suis de ce bois dans lequel on taille les barbares.

Je ne voyais plus Manet, seule la silhouette de M. de Céré emplissait mon horizon. La lumière de la bougie mettait sur sa main et sa tempe un reflet d'ivoire. Mon obsession me parut si insensée que je faillis me lever et quitter la pièce.

C'est alors qu'on frappa. Malvina entra, jeta un regard hostile vers la table de jeu et vint à moi.

« Madame a ses étouffements », me dit-elle d'un ton dramatique.

Je me levai. Le docteur redressa la tête et parut se réveiller en voyant la mine sombre de Malvina. Je lui répétai ce qu'elle venait de me dire. Appuyé des deux mains sur la table, il repoussa son fauteuil et se leva avec précaution, pour ménager sa jambe.

« C'est bien, j'y vais », souffla-t-il pesamment.

Je demandai à M. de Céré de nous excuser. Au moment de sortir, je laissai Malvina me devancer et le docteur prendre dans le vestibule la trousse qui ne le quittait pas. Je revins en arrière.

Edouard était debout devant la cheminée. J'allai vers lui.

« Votre partie me semble déjà bien longue, lui dis-je en souriant.

– Je peux abréger. Ordonnez-moi de perdre! répondit-il tendrement.

– Non, ne hâtez rien. Je vous attendrai. »

Il baisa longuement la paume de ma main. Je m'appuyai à son épaule, puis je m'arrachai à ce vertige et montai en hâte jusqu'à la chambre de la tante Ponse où j'arrivai sur les talons de Manet.

La vieille dame était devenue récemment plus tyrannique et maugréeuse que jamais. J'avais pris soin de lui présenter M. de Céré. Elle ne comprenait guère qui il était ni ce qu'il faisait à Puynègre, mais elle avait subodoré qu'il retenait mon attention et s'était ingéniée, dès lors, à m'accaparer en suscitant tout au long de la journée mille petits tracas qui demandaient mon intervention.

De longue date, elle s'était fait un jeu de perdre la mémoire chaque fois que cela lui convenait et de la retrouver aussi soudainement. Elle honnissait les visiteurs et se plaignait amèrement quand ils ne venaient pas la saluer.

Malvina seule avait le droit d'effectuer des rangements dans la chambre de sa maîtresse et de veiller sur ses affaires. Soutenue par Pauline, je bataillais pour imposer un semblant de propreté, mais la tante Ponse ne se plaisait que dans ce capharnaüm et s'empressait de le recréer dès qu'un peu d'ordre avait été mis autour d'elle. Elle sombrait alors dans d'interminables bouderies, dont je n'avais cure. De là, sans doute, la méfiance mais aussi la crainte que je lui inspirais.

Je lui avais rendu visite avant son dîner, qu'elle prenait à cinq heures, à l'ancienne mode. En entrant dans sa chambre ce soir-là, je vis des croûtes de pain à demi rongées posées sur la table de nuit, des pralines à peine sucées et rejetées comme trop dures – c'était son habitude –, posées dans une coupe. Sa chatte, qu'elle appelait solennellement Mlle Puce, avait répandu sur le tapis les reliefs de son souper et traîné une pantoufle au milieu de la pièce.

La tante Ponse était enfoncée dans son lit, ses boucles grises aplaties sous un bonnet fripé – alors qu'elle en avait une demi-douzaine fraîchement lavés et repassés dans son armoire. La bouche grande ouverte sur ses dents jaunes, elle haletait, crispant sur les couvertures ses mains bosselées de veines saillantes et d'articulations déformées. Entre deux expectorations, il me sembla pourtant voir ses yeux de souris me surveiller.

Sa peau dégageait l'odeur de rance, de poudre et d'onguents des vieilles personnes qui s'enduisent de produits variés, tout en se lavant le plus rarement possible. S'y ajoutait un relent de fumigation et de cataplasme qui faisaient partie des médecines que Malvina devait lui appliquer été comme hiver.

« Que se passe-t-il, chère madame? demanda le docteur en s'approchant du lit. Je vous avais trouvée bien quand je suis venu vous voir tout à l'heure.

– J'avais la respiration embarrassée et vous ne l'avez pas remarqué! siffla Ponse.

– Voyons cela, dit laconiquement Manet, habitué aux humeurs de sa patiente. Adeline, voulez-vous m'aider à relever Mme de La Pautardie? Malvina, ouvrez cette fenêtre! A la tenir fermée, vous maintenez dans cette chambre une concentration de miasmes qui rendrait malade une personne bien portante.

– Je ne veux pas mourir de congestion! glapit la tante Ponse.

– Malgré le temps maussade, l'air est très doux, dit fermement le docteur.

– Je ne le supporte pas! »

La vieille dame tira aussitôt de sa gorge et de sa poitrine des sons râpeux qu'elle prolongea en raclements caverneux. Manet l'examina avec soin.

« Votre toux me semble due à des crises nerveuses, dit-il enfin.

– C'est que l'on me contrarie à chaque instant! triompha Ponse en se tournant ostensiblement vers moi.

– Il serait bon qu'avant votre dîner, chaque jour, Malvina vous fasse prendre un bain tiède.

– Jamais! L'eau me cause des spasmes!

– Je vais vous prescrire un médicament qui dénouera vos nerfs et vous guérira de vos étouffements.

– De quoi s'agit-il?

– D'une gomme-résine qui se trouve en Asie : l'*assa faetida* ou *stercus diaboli*. Les deux noms ont également cours. Elle se présente sous forme de pilules que vous avalerez dissoutes dans du jaune d'œuf. »

Ni Malvina, ni la tante Ponse, ni moi n'étions des latinistes averties, mais ce latin-là était transparent.

« Je ne veux rien d'autre que des sirops, déclara dignement la malade.

– Eh bien, vous ferez fondre ces pilules dans un sirop que je vais vous ordonner. Je vous le répète, chère madame, votre mode de vie est très malsain et il convient maintenant de prendre des moyens vigoureux pour que vous retrouviez la santé.

– Osez-vous dire que je suis en mauvaise santé? grinça la tante Ponse, en enfonçant un coude osseux dans ses oreillers.

– Sans doute. Notre Adeline me dit que vous êtes assaillie depuis quelques semaines de maux divers qui vous épuisent.

– Des maux qui m'épuisent? »

132

Ponse fulminait.

« Adeline me néglige entièrement. Seule Pauline se soucie de moi et je ne l'ai pas vue depuis trois jours. Personne ne sait comment je me porte. Ah! vous ignorez ce qui se passe dans cette maison! Un jour où nous serons seuls, il faudra que je vous parle!

– Je vous laisse vous entretenir avec le docteur. Bonsoir, ma tante », dis-je sans sourciller.

Je l'embrassai sur le front. Malvina, carrée comme la phalange macédonienne, s'était tenue au pied du lit pendant cet échange, suivant la mine et le ton des interlocuteurs plus que le détail de ce qui se disait.

Mlle Puce exerçait ses griffes sur la bordure d'un châle. D'un claquement de mains, je la persuadai de se consacrer à d'autres occupations.

Je redescendis dans le salon, où j'entrai sans bruit, entendant qu'Edouard était au piano. Je m'approchai et l'invitai du geste à ne pas s'interrompre. Puis, je m'assis dans la bergère, pris mon ouvrage sans y travailler et fermai les yeux, goûtant la musique.

Je l'avais rarement entendu jouer, sauf quand il accompagnait Pauline. Je fus saisie de la fougue avec laquelle il interprétait cette sonate de Chopin qui, sous ses doigts, prenait une résonance que je ne soupçonnais pas.

En public, il contrôlait si parfaitement l'urbanité dont il faisait preuve que personne, dans mon entourage, n'avait discerné les émotions fulgurantes et les contradictions dont il était pétri. Ne m'avait-il pas dit un jour, en éclatant de rire : « Faut-il être inconscient ou misérable pour vouloir être compris! »

Il tourna les pages du cahier de musique que Pauline avait laissé sur le pupitre et joua un autre morceau. J'avais perdu la notion du temps.

Il reconnut avant moi le pas lourd de Manet dans l'escalier et sans transition joua une valse à la mode cette saison-là. J'allai à la rencontre du docteur et, à la porte du salon, lui demandai sans circonlocutions de quoi se plaignait la tante Ponse. Il eut une grimace et un geste de dérision :

« Elle se plaint que vous deveniez frivole, que vous vous occupiez de mondanités et receviez n'importe qui, depuis la fin de votre deuil. De sa chambre, elle dit entendre sur la terrasse des voix inconnues.

— Est-ce tout?

— A peu près. J'ai remarqué que Malvina refusait de prononcer jusqu'au nom de M. de Céré. Ces deux vieilles femmes le détestent comme un intrus, mais ont la tête également dérangée et sont à cent lieues de concevoir la vérité. Je m'en réjouis pour vous, ma chère enfant.

— Vous avez l'air soucieux, cependant?

— C'est que vos gens ne sont pas aussi naïfs.

— Je ne me permets ni un mot ni une attitude qui puissent être surpris et interprétés par l'un d'eux. Ma vigilance ne sera pas prise en défaut.

— Ah! mon enfant, ne me faites pas dire de sottises, mais il est dans une chambre certains désordres qui ne trompent pas.

— Bertille ne parle pas.

— Si vous ne m'avez pas leurré, comment tromperez-vous les Maraval, votre famille, vos amis?

— En invitant M. de Céré les soirs où je vous recevais à Puynègre, j'ai accepté que, seul, vous voyiez clair là où les autres se laissent abuser. Les gens qui nous entourent conçoivent les manœuvres nées de l'intérêt, de la jalousie, de la convoitise, mais ils n'ont ni traversé la fange ni exploré le gouffre. M. de Céré leur est inaccessible. Que voient-ils en lui? Un homme de trente ans, mondain, séduisant, cynique. Qui suis-je? Une femme de quatre ans son aînée, qui se soucie peu de la mode et ne pratique aucune des ruses et des coquetteries habituelles. Quelle est leur conclusion? Que M. de Céré est bien malin et que je suis de bien bonne volonté puisque je lui offre de lire mes journaux, de manger mes pâtés et de boire mon vin. On vous jurera qu'il va ailleurs trousser le jupon. Que ce soit fable ou réalité, je veillerai à ce qu'on y croie aussi longtemps qu'il le faudra. Quant à Pauline et Julien, ils ont une trop haute idée de la famille et de la religion pour pénétrer mes actes et mes pensées.

— Dieu vous entende, bien que ma prière soit immorale! soupira Manet, et qu'il vous évite le brusque retour de Jérôme. D'un coup d'œil, il lirait en vous!

— En effet. S'il revenait, M. de Céré devrait partir.

— Je ne veux pas me mettre en colère, ne parlons plus de cela. »

Il s'avança vers le piano.

« Eh bien, monsieur, finissons-nous notre partie? »

Quand ils furent à nouveau installés à la table de jeu, je me sentis si lasse des efforts de dissimulation qu'avait exigés cette soirée que je me laissai aller dans la bergère, sans penser à rien. Bientôt, je me surpris à sommeiller. Je demandai aux deux hommes de m'excuser et je me retirai comme, à vrai dire, je le faisais chaque mardi soir, quand leurs parties se prolongeaient.

A peine couchée, je m'endormis. Quand Edouard me rejoignit, il me sembla qu'il me réveillait au milieu de la nuit.

« J'ai hésité à rester, vous voyant si profondément assoupie, murmura-t-il, la bouche contre mon oreille. Voulez-vous de moi, ma douce magicienne? »

*

Au petit matin, Edouard me quitta pour regagner sa chambre. Il s'était mis à pleuvoir et il pleuvait encore à sept heures quand on m'apporta mon chocolat.

Bertille prépara mon bain et, comme elle s'apprêtait à sortir, je lui demandai de retenir M. de Céré à déjeuner, s'il n'était pas encore parti. En général, par mauvais temps, Joseph et lui se retrouvaient moins tôt pour tirer l'épée. Quant au docteur Manet, il attendait invariablement que je me lève pour me dire adieu et repartir à Mauzens.

« M. le comte est en bas et il prend son thé en compagnie du docteur », précisa Bertille.

Les conquérants apportent toujours dans leurs bagages certaines habitudes de leur patrie. Edouard avait introduit le thé à Puynègre.

Dès que je fus prête, j'allai voir la tante Ponse, qui reconnut à contrecœur avoir passablement dormi. Elle se renfrogna quand elle comprit que ma visite serait courte. En effet, je la laissai bientôt aux mains de Malvina.

Je voulais que le docteur se laisse reconduire en voiture, mais il s'y refusa avec obstination. Il s'en alla sur sa grosse jument, enveloppé dans la houppelande informe qu'il tenait toujours roulée à l'arrière de sa selle. A ses côtés chevaucha jusqu'à la grille M. de Céré, que j'avais encouragé à passer la matinée à ses affaires, car je devais me rendre à Limeuil. Il retenait son alezan, qui bondissait d'impatience de devoir garder, ne serait-ce que quelques instants, ce pas de sénateur.

Je suivis des yeux, avec un attendrissement amusé, les silhouettes si dissemblables de ces hommes qui tous deux m'étaient chers et, curieusement, s'estimaient alors que tout paraissait les séparer.

Après le déjeuner, il pleuvait toujours. Une gouttière était bouchée au-dessus du salon et des cataractes tombaient directement sur la terrasse. Le petit palefrenier, plus leste que les autres hommes de la maison, parvint du grenier à atteindre les feuilles qui l'obstruaient.

J'invitai Edouard à rester jusqu'à ce que le temps s'éclaircisse, fis allumer du feu dans le salon pour sécher l'atmosphère et tout à coup, lui posai une question à laquelle je n'attendais pas de réponse.

« Pouvez-vous me dire comment, à Paris, se fabrique un dandy ?

– A l'origine, un dandy se fabriquait à Londres exclusivement et se réclamait du beau Brummell, le premier de tous. On se devait d'être, comme lui, suprêmement élégant, excentrique et vaniteux, impénétrable et cinglant, dévoré d'égoïsme et d'ennui.

« Quand les Français se mêlèrent de devenir anglomanes, après 1814, l'image du dandy traversa la Manche. Nos jeunes gens se réunirent dans des cercles et prétendirent s'enticher de chevaux et d'exercices physiques. Ils devinrent compassés. Il leur fallut ne tenir à rien, se laisser écorcher le cœur en soufflant d'un air impassible la fumée de leur cigare, lâcher des insolences du bout des lèvres et garder leur sang-froid au plus fort de l'ivresse. On devait avoir tout bu, tout fumé, tout goûté et en parler avec une moue de dédain. On fit cependant une concession à la légèreté française : ne pouvant renoncer à la raillerie, n'ayant pas l'esprit assez froid pour pratiquer l'humour anglais, les dandys s'obligèrent à se moquer de tout. Leurs actes, leurs paroles furent recouverts de ce glacis étincelant. Tout se figea sous cette carapace. »

M. de Céré était allongé dans son fauteuil, une jambe repliée sur l'autre. C'est avec un complet détachement qu'il se décrivait sans doute lui-même en évoquant ses amis.

« Seule une époque à bout de forces et d'imagination peut s'ébaubir devant ces inutiles prouesses. Les dandys ne sont, en somme, qu'une espèce monstrueuse et stérile née de l'union contre nature d'un sphinx et d'une chimère.

– Vous avez la réputation, cependant, d'être un des plus beaux fleurons de cette confrérie. »

Il sourit.

« Je parle comme un mondain repenti, alors que je ne renie pas cette vie. Elle me convient mieux que toute autre, même si, parfois, à l'égal des plus corrompus, je fais le rêve de me retirer dans un ermitage.

– Pour que vous acceptiez de vous tourner vers Dieu, il aurait fallu qu'il vous remette les Tables de la Loi, plutôt qu'à Moïse! »

M. de Céré me prit la main.

« Ma douce amie, vous connaissez mieux la nature humaine que bien des moralistes! Vous avez en partie raison, mais il y a plus. Je suis esclave de la beauté sous toutes ses formes. Je la poursuis dans l'art, dans les livres, dans la nature, et je ne puis me passer de celle, fugitive et vibrante, que l'on trouve dans les êtres. Caché sous ce costume de paillasse et sous ce masque d'ironie, parfois, traversant des salons, arpentant le faubourg du Temple, couchant dans une auberge infâme ou appuyé contre une colonne, dans un théâtre, je perçois en un éclair l'ombre de la beauté, qui glisse dans cet univers barbouillé de couleurs, où s'ébrèche le plâtre et s'écaillent les dorures. Je suis saisi par l'éclat d'une peau, la noblesse d'un port de tête, la douceur d'un profil, la caresse d'une voix. L'empreinte d'un pas sur le sable, le souffle d'une présence, tout ce qui palpite, traversé de beauté, claire ou sombre, m'enchaîne à cette vie errante. Je ne voyage pas par frivolité ou insatisfaction, mais par avidité, pour saisir la beauté sous les innombrables formes et couleurs qu'elle revêt. »

Il me regarda tranquillement.

« Un dandy n'avouerait jamais ce que je vous dis là. Ce serait reconnaître qu'il est un simple mortel. Il vous dirait moins encore combien sont enivrantes la vie et la chaleur qui émanent de vous, puissantes comme ces épices qui voyagent à travers le monde, enfermées dans des coffres, et font pâlir les souverains quand on les déverse à leurs pieds. L'histoire s'émerveille des parfums inouïs que la reine de Saba donna au roi Salomon, tels que Jérusalem n'en vit jamais. L'arôme d'une chair aimée nous enveloppe comme si nous portions une tunique imprégnée d'une touffeur d'amour plus pénétrante que l'ambre et le musc. C'est à faire tourner la plus forte tête. »

Je demeurai pétrifiée par l'impudeur et le baroque de cette déclaration chez un homme si peu habitué à dévoiler ses sentiments. Il ne me laissa pas le temps de reprendre mon calme.

« Oui, madame, c'est de vous et de moi que je parle. »

L'esprit en tumulte, je me tus.

« Je n'ai pas tout à fait répondu à votre question, n'est-ce pas ? Eh bien, je vais vous dire, madame, comment l'on fabrique un dandy, puisque votre salon a l'obscurité d'un confessionnal et que vous êtes silencieuse comme un ministre du culte. »

Il parlait d'un ton si calme que je m'avisai trop tard de sa détermination. Il ne se laissait pas aller par faiblesse. Il mesurait exactement ce qu'il allait me dire. Pourquoi avait-il décidé de me livrer ce que, soudain, je ne voulais pas entendre ? Où voulait-il en venir ? Je m'interrogeai encore confusément alors qu'il avait déjà commencé son récit.

« Mes parents n'avaient pas grand-chose en commun et se trouvèrent étrangers l'un à l'autre quand la tourmente révolutionnaire les força à l'exil. Ils s'installèrent à Londres. Mon père n'avait jamais écouté que sa fantaisie et répugnait au moindre effort. Joueur effréné, il eut l'idée, pour ne pas renoncer à son passe-temps favori, d'en faire une source de revenus. Il gagna sa vie... aux échecs. Il s'enrichit si bien qu'il tint, sous un nom d'emprunt, une maison qui, à en croire certains, offrait d'autres plaisirs que ceux du tapis vert. Ma mère, femme orgueilleuse, se sépara de lui et se replia sur des travaux d'aiguille qui lui permirent de subvenir chichement à ses besoins et à ceux de la fille qui leur était née avant la Révolution. Ils avaient eu un fils, mort en bas âge. Tardivement soucieux de s'assurer une descendance mâle, mon père se rapprocha de ma mère dans les dernières années de l'Empire, rapprochement sans lendemain, mais non sans conséquence, puisqu'il fut cause de ma venue au monde. Il fut convenu que je resterais avec ma mère jusqu'à l'âge de douze ans et que je serais alors rendu à mon père, qui se chargerait de mon éducation.

« Au retour des Bourbons, mes parents regagnèrent la France. Mon père ayant réglé ses affaires, réuni les lambeaux de sa fortune, retrouvé sa terre de Marsac, en Périgord, en partie préservée par un régisseur honnête, se souvint qu'il n'aimait pas la campagne. La Cour lui parut bigote et ennuyeuse. Il reprit donc à Paris sa vie de fantaisie. Une dame anglaise fort riche s'était entichée de lui, avec l'outrance que mettent à ces attachements les femmes qui n'ont pas eu l'occasion auparavant de mesurer le pouvoir des sens. Elle le suivit en France et il s'en accommoda car elle fit, je crois, les frais de son ménage.

« Après avoir mis ma sœur en pension à Bordeaux, ma mère se retira en Dordogne, où elle me garda auprès d'elle, étant donné mon jeune âge. Devenue sèche et austère, elle ne fréquentait personne. Elevée dans l'esprit de scepticisme élégant de la fin du XVIIIe siècle, elle était trop peu sensible à la religion pour y chercher un réconfort.

« Sa hauteur, son indifférence à mon égard me laissèrent livré à moi-même. C'est ainsi que je passai mon enfance avec les gamins les plus mal mouchés du village. N'ayant aucune docilité de caractère, je refusai d'apprendre et personne ne m'y contraignit. Le curé du lieu me montra tout juste à lire et à écrire et assez de catéchisme pour que je fasse ma première communion.

« Mince, presque fluet, je n'étais pas vilain et j'aurais pu être aimable, si j'avais été convenablement vêtu et soigné. Mais j'étais si négligé et mes habits en si piteux état que je me cachais quand arrivait un visiteur, fût-ce un colporteur.

« Sans direction, sans soutien ni modèle, je ne sus porter mes efforts que vers la plus facile des supériorités : je me voulus le plus fort, le plus adroit, le plus endurant. Je bravai pour y parvenir le froid, la nuit, le danger, le vertige. Rien ne me rebuta. A force de volonté et d'amour-propre, je réussis à être non seulement admiré mais craint. Je compris très tôt de quelle bassesse les hommes sont capables pour plaire à celui d'entre eux qui, par des moyens justes ou injustes, s'élève au-dessus de la condition commune. Tout alors lui cède.

« Une douceur éclaira cette vie rude : le curé m'apprit à jouer de l'orgue.

« Voilà ce que j'étais à douze ans, quand mon père m'appela auprès de lui. Quand il me vit, maigre, noiraud, brûlé de soleil, les mains rêches, l'œil farouche, il se tourna vers sa belle maîtresse qui assistait à l'entrevue et lui demanda avec désinvolture :

« – Que vous en semble, ma chère? Peut-on faire quelque chose de ce petit sauvage? »

« Elle me regarda comme un chat que l'on tire d'une bassine d'eau grasse.

« – Quand il sera lavé, peigné et habillé, nous « verrons.

« – Et que sait cet enfant? » me demanda mon père.

« Je restai muet.

« – La comtesse de Céré me dit qu'il ne sait rien, « poursuivit-il en jouant avec sa chaîne de montre. « Parlez-vous, au moins, mon jeune ami?

« – Oui, mon père, dis-je froidement.

« – Fort bien. Il ne doit donc pas être tout à fait « idiot, poursuivit-il en s'adressant à cette dame, « comme si j'étais sourd. Je lui trouverai un précep-« teur qui le formera. »

« On me fit tailler une modeste garde-robe, on m'acheta un peu de linge et on me logea chez une grand-tante, Mme de Ravil, en compagnie de M. Barbet, le précepteur retenu par mon père. Mme de Ravil habitait, dans le Faubourg Saint-Germain, l'aile décrépite d'un hôtel qui avait été beau un siècle plus tôt. Elle avait fermé sa porte au siècle nouveau et vivait comme si le roi Louis XVI était encore sur le trône. M. Barbet était minutieux et guindé. Ma tante, vive, sèche, poudrée, paraissait fragile comme une gaufrette, mais, ne s'occupant que d'elle-même, avait été préservée par son égoïsme comme, dans un air raréfié, certaines plantes gardent leur apparence, bien que mortes. Son seul plaisir, la galanterie étant exclue depuis longtemps, était de pratiquer avec quelques adeptes, débris de l'ancienne société, la doctrine du fameux Swedenborg.

« En quelques jours, elle avait converti le grave M. Barbet, chez qui les transports de l'esprit prirent la place occupée chez d'autres par ceux de la chair.

Chaque après-midi, un groupe d'antiques personnes se réunissait rue de Varenne autour de ma tante. Je fus taxé de scepticisme pour avoir dit à mon précepteur, qui me laissait un jour à mes leçons : « Allez, monsieur, invoquer les morts, ils sont plus « soumis que moi! »

« A nouveau, je me retrouvai seul, cette fois devant mes livres. J'étudiais dans une sorte de cabinet attenant à ma chambre, où pénétrait à peine de lumière. Ne connaissant que mon vieux principe, qui consistait à refuser toute éducation, je me consumais tout au long du jour. Les seules sorties ordonnées par mon père me menaient à l'église, au manège et chez un maître d'armes, où je me rendais accompagné d'un vieux domestique.

« Quand on vanta devant mon père mon audace et mon adresse, il montra quelque intérêt pour mon sort, puis se lassa vite de cet enfant qui ne parlait pas. Ma vie se poursuivit donc entre ce cabinet où je n'apprenais rien et les exercices du corps sur lesquels, une fois encore, je concentrais mon énergie. A la différence que je pouvais consacrer mes soins à un être vivant : mon cheval.

« Un jour, dans la salle d'armes que je fréquentais, je fus observé par un jeune homme d'une rare élégance. Fin, blond, délicat comme une jeune fille, il resta à quelque distance et me jaugea avec l'insolence que l'on connaissait aux mignons d'Henri III. Un peu plus tard, je devinai qu'il parlait de moi, à la manière dont il m'examinait.

« – Il est adroit et charmant, dit-il à haute voix à « un de ses compagnons. Malheureusement, on le « dit en toute autre chose d'une lamentable igno- « rance. »

« Et il me tourna le dos.

« Jusque-là, rien n'avait pu m'inciter à m'ins-truire. Le mépris de ma mère, les sarcasmes de mon père étaient restés sans effet. En un éclair, les mots de cet inconnu, fouettant mon orgueil, firent de moi un homme. Mon obstination me parut un enfantillage : plaire ou déplaire à mes parents devint sans importance, je les rejetai de ma vie.

« Je demandai à changer d'appartement. J'en avais exploré un qui jouxtait la partie abandonnée de l'hôtel et donnait sur un étroit jardin. La bibliothèque des anciens occupants des lieux, poussiéreuse mais intacte, ouvrait de l'autre côté de la galerie. Mon précepteur ne me suivit pas et s'inquiéta à peine de ce changement.

« Je retrouvai la volonté que j'avais exercée, enfant. Je vivais en reclus, à part la promenade quotidienne qui me menait à la salle d'armes, et mes chevauchées au Bois de grand matin. M. Barbet veillait à ce que je respecte les devoirs de la religion, je mettais un point d'honneur à n'y apporter qu'une dévotion de pure forme.

« Au cours de ces sorties, ni moi ni le vieux domestique qui me suivait n'adressions la parole à personne d'étranger. Mais j'étais maintenant impatient de rentrer et, dès que j'avais retrouvé ma chambre, rien ne me distrayait de l'étude. Ma tante ne savait rien de moi. Mon précepteur vit dans mon zèle un caprice d'enfant et continua tout d'abord à me seriner ses leçons pendant deux heures, chaque matin. Peu à peu, je l'orientai vers les domaines où j'avais besoin d'éclaircissements. Il se félicita de mes progrès dans la mesure où ils assuraient sa position : il ne risquait plus d'être renvoyé si un jour mon père s'avisait de me soumettre à un examen.

« Je lus une bonne partie de ce qu'offrait la bibliothèque d'un honnête homme du XVIIIᵉ siècle, d'abord sans comprendre, mais je m'acharnai. Je découvris que j'avais une mémoire d'une rare étendue. L'*Encyclopédie* et le *Dictionnaire philosophique*, de Voltaire, furent mes alphabets. Je fis acheter par

M. Barbet les dictionnaires et les grammaires qui me manquaient, car je ne me contentais pas d'apprendre le latin et le grec, dont il m'avait enseigné les rudiments, je voulus lire Dante en italien et Swift en anglais.

« Je ne parlais à personne de ma science, lentement et douloureusement acquise. Je n'avais confronté mon esprit à aucun autre. En fait de disputes, je ne connaissais que celles des théologiens, philosophes et savants des siècles passés. De mon époque, j'ignorais tout. Je n'avais jamais lu un journal. J'étais devenu prisonnier de ma méthode. Avec entêtement, je repoussais tout geste d'amitié ou de bonté. J'aurais pu en perdre le bon sens. Ce malheur me fut épargné.

« Un matin, on ouvrit toutes grandes les portes de l'hôtel, une élégante voiture s'engouffra dans la cour. En descendit le jeune homme blond qui m'avait traité de haut dans la salle d'armes, trois ans plus tôt. Il était entouré de domestiques et de personnages empressés. Le portier, après des années de somnolence, ne savait où donner de la tête. Le jeune homme examina l'ensemble de la façade, monta vivement le perron en jetant quelques ordres. Je perdis toute réserve et me précipitai à l'office, où je trouvai le vieux serviteur.

« – Que se passe-t-il ? demandai-je, hors d'haleine.

« – M. le marquis de Céré visite l'hôtel. Il désire « s'installer dans le corps de logis principal. Il est « fort riche et va tout refaire, à ce qu'on dit. »

« Le frère aîné de mon père, le marquis de Céré, demeurait en Normandie, dans sa terre de Senneville. Il avait vécu séparé de mon père par un de ces différends qui creusent au sein des familles d'infranchissables fossés. Je ne savais ni qu'il était mort, ni qu'il avait un fils, encore moins que cet hôtel lui appartenait. Je découvris avec stupéfaction que le jeune homme, dont quelques paroles avaient eu sur moi une influence décisive, était mon cousin.

« Je fus dans un état d'agitation effroyable. J'eus brutalement conscience que je ne pourrais plus me terrer dans ma retraite. Le monde extérieur entrait pour la première fois dans ma vie. J'avais seize ans. Je fus incapable d'étudier ce jour-là ni de dormir la nuit qui suivit.

« Dès le lendemain, une nuée d'ouvriers envahit l'hôtel. Ce ne fut plus qu'allées et venues, on dressa des échafaudages, on tendit des toiles, on déversa des charrois de pierres sous nos fenêtres. Ma chambre était à l'écart, mais les cris, les invectives, les coups sourds de murs que l'on abat me parvenaient, assourdis et menaçants.

« Je m'enhardis à questionner M. Barbet qui parla d'un ton respectueux.

« — M. le marquis de Céré veut s'installer ici dans
« trois mois. L'architecte a reçu des ordres for-
« mels. »

« Plus que tout, j'attendais le jour où je rencontrerais mon cousin. Il avait, dès son arrivée, rendu visite à ma tante mais, volontairement exclu du salon, fréquentant à peine le rez-de-chaussée, je n'en avais pas été averti. Enfin, à force de guetter les mouvements de la cour, je vis entrer sa voiture. Je m'élançai dans l'escalier et arrivai, le souffle court, dans le vestibule, alors qu'il y pénétrait. Ce jour-là, justement, il venait saluer Mme de Ravil.

« — Vous êtes mon cousin Edouard, n'est-ce pas? me demanda-t-il gracieusement.

« — Oui, monsieur.

« — Appelez-moi Aurélien, puisque nous sommes
« parents. D'ailleurs, nous serons amenés à nous
« voir souvent, quand je serai installé ici. »

« Je répondis probablement par quelque sottise, car j'étais maladroit dans toutes les circonstances de la vie mondaine.

« Le marquis de Céré fit refaire tout l'extérieur de l'hôtel, sur la cour et sur le jardin, cependant que ma tante refusait les aménagements proposés pour ses appartements. Elle craignait, je crois, qu'une nouvelle disposition des pièces et de l'ameublement n'effarouchât les esprits.

« Dans les délais annoncés, Aurélien s'installa rue de Varenne. Le portier fut doté d'une livrée galonnée. Les domestiques, les fournisseurs, tous les corps de métier qu'abrite Paris défilèrent. J'observais tout cela soit d'un angle de la galerie, soit de la bibliothèque qui, grâce à la beauté de ses boiseries, avait échappé à la rénovation. Mon cousin se réservait de l'explorer plus tard, m'apprit-on.

« Les nombreux visiteurs présentaient une particularité. Les hommes étaient ce que la société produit de plus distingué. Les femmes, par contre, avaient une apparence et des manières souvent surprenantes. Je ne savais dire en quoi elles m'étonnaient, car le plus souvent elles étaient admirablement mises et parées de tous les signes de l'opulence. La vivacité, la hardiesse de leur allure me causaient un émoi jamais ressenti auparavant et que, pauvre ignorant, je mis sur le compte de la nouveauté. Avalant ma fausse honte, je questionnai à nouveau notre vieux domestique.

« '– Ce sont des théâtreuses ou l'équivalent, me « répondit-il philosophiquement, en homme qui a « vu pire. Pour ces demoiselles, vivre des planches « ou de l'alcôve, cela se vaut. »

« Dans les premiers temps, je rencontrai rarement mon cousin, dont les heures étaient entièrement à rebours des miennes. J'étais pourtant résolu à forcer son attention et je réussis à éveiller son intérêt par des répliques qui lui firent deviner le désordre et la bigarrure de mes connaissances.

« Un matin, il me demanda de venir le voir au moment de son premier déjeuner. Je me présentai à onze heures, selon les indications de son valet de chambre. Aurélien venait de se lever et on ne m'introduisit pas avant un quart d'heure.

« J'attendais, pâle d'émotion, dans l'antichambre. La tête me tournait dans cet univers imprégné d'un admirable raffinement. Imaginez tout ce que l'art et le talent des meilleurs artisans et des maîtres dans chaque domaine peuvent faire d'une demeure : tapis, tentures, lustres, décoration, pendules, miroirs, candélabres...

« Quand j'entrai dans sa chambre, il était si profondément assis sur une ottomane qu'il paraissait à demi allongé. Vêtu d'une robe de chambre de cachemire, chaussé de pantoufles de cuir broché de fils d'or, il me parut digne d'un conte des *Mille et Une Nuits*. Il était attablé devant le plateau de son déjeuner, chargé d'une argenterie massive et chantournée. Je fus étonné de voir des objets d'un luxe si ostentatoire servir à un repas matinal pris sans autres témoins qu'un valet de chambre et un obscur petit cousin. Au-dessus de sa tête était suspendu un miroir de Venise, dont le cadre de cristal était orné d'ahurissantes flammèches.

« – Mon goût te surprend ? fit remarquer Auré-« lien sans aucune affectation. Je n'aime que la « perfection ou le bizarre, ce qui est ordinaire ne « m'intéresse pas. »

« Ce fut le début d'une longue série d'entretiens matinaux. Quand il ne rentrait pas ou qu'il séjournait à sa terre de Senneville, les journées me paraissaient mortelles. Chaque matin, à mon réveil, mon premier soin était de m'enquérir si ses chevaux et ses voitures étaient là, seul signe quasi certain de sa présence.

« Sa toilette prenait deux heures et il ne sortait jamais avant le milieu de l'après-midi.

« Sa conversation paraissait suivre un cours dicté par la fantaisie et la paresse. Pourtant, par ses boutades et ses réflexions jetées comme au hasard, il m'amena à poursuivre et étendre mes lectures.

« Par lui se firent en moi d'autres révolutions. Il devina mon amour de la musique et me donna un maître de piano auquel s'ajouta plus tard un maître de dessin. C'est involontairement qu'il me dispensa une autre leçon.

« Il recevait assez souvent à dîner, des hommes exclusivement. Les femmes, disait-il, ne savaient parler que d'elles-mêmes, c'est-à-dire de rien, et n'avaient pas leur place dans ce cénacle. Par contre, elles étaient invitées quand il offrait à souper, après le spectacle. Troublé, j'en déduisis que la conversation, alors, était sans importance.

« Un soir, je fus éveillé par des éclats de rire, de voix et de musique. Je me levai, me couvris les épaules d'un manteau et gagnai la galerie, cette frontière entre deux mondes, deux siècles, ceux de Mme de Ravil et du marquis de Céré. Occupant toute la largeur de l'hôtel, elle avait vue d'un côté sur la cour, de l'autre sur le jardin.

« Tout était illuminé. La cour était pleine de voitures et de cochers qui tapaient des pieds en ce froid début d'automne.

« L'entresol et l'étage ruisselaient de bruits et de lumières. En bas, on dansait. Les rideaux étaient clos, sauf à une fenêtre que l'on avait entrouverte. Derrière la vitre, une femme regardait dans la cour d'un air absent, en tenant son bouquet contre son visage. Elle était rencognée près du mur et le rideau la dissimulait en partie aux gens qui se pressaient dans le salon, alors qu'elle m'apparaissait de manière aussi éclatante qu'en plein jour. Je ne comprenais pas qu'une femme si belle, dont la gorge et les épaules jaillissaient fièrement d'une robe de satin cramoisi, fût ainsi délaissée. Elle avait un de ces visages qu'on imagine aux belles Romaines, plein et noblement structuré, des cheveux noirs entremêlés d'une guirlande de fleurs. Plus que par son visage, j'étais attiré par l'opulence d'une chair dans tout l'éclat et l'épanouissement de la jeunesse d'une femme de vingt ans à peine.

« Elle rêvait ou elle boudait. La silhouette d'un homme parut derrière elle. Sans se retourner, elle inclina la tête, montrant qu'elle avait reconnu sa présence. Il lui parlait bas, elle lui fit signe de se taire en donnant un petit coup de son éventail sur la main qui effleurait son bras. Elle parut absorbée par la composition de son bouquet qu'elle ne quittait pas des yeux.

« L'homme tira légèrement le rideau et, quand ils furent isolés du salon par ce rempart de satin, il passa un bras autour de la taille de la jeune femme. Elle fit une moue mais ne le repoussa pas. Il lui parlait – si on peut appeler cela parler – en promenant lentement ses lèvres sur le cou nu, jusqu'à la naissance des épaules. Le bras resserra son étreinte, la main remonta jusqu'au sein de la belle boudeuse, le pressa. Je sentis qu'elle ne se refusait pas. Il la força, alors qu'elle lui tournait toujours le dos, à s'appuyer contre lui. Chacun de leurs mouvements se prolongeait en moi par des vibrations inouïes. Submergé d'angoisse, de souffrance, d'un désir dont j'ignorais le nom, je vis se transformer le visage de cette femme. Sa tête se laissa aller sur l'épaule de l'homme. Je n'oublierai jamais ce regard voilé où se lisait l'abandon. J'eus un éblouissement, j'imaginai qu'elle m'avait vu et que, innocente et perverse à la fois, elle m'offrait sa défaite. Arquée en arrière, elle me présentait son visage aux yeux clos, lisse, fermé à la rumeur qui grondait tout autour, et son buste livré aux mains de cet homme.

« A un geste qu'il fit, je reconnus Aurélien. Déjà, il refermait les bras autour de la jeune femme et, à deux pouces de la vitre, devant moi, indifférent aux regards des domestiques, aux lumières de la cour qui les éclairaient, il l'embrassa.

« Fallait-il que je fusse ignorant et aveugle pour n'avoir jamais vu, jamais compris cette fatalité qui pousse une moitié de l'humanité vers l'autre et nous fait tournoyer, misérable grenaille, avant de succomber à l'aimant femelle.

« Je regardai ce baiser comme un enfant et comme un homme, meurtri par cette révélation, les genoux brisés, plié contre le bois du lambris. J'étais révolté, je haïssais Aurélien. Quant à elle, je lui en voulais moins, tant avaient déjà porté les leçons de mon cousin : ce n'était qu'une femme.

« Une valse faisait tourner les couples tout contre le rideau protecteur. Aurélien, le premier, se redressa. Il écarta les plis qui les protégeaient, frayant un chemin pour la femme. Je vis la robe écarlate traverser le salon et mon cousin guider sa compagne en la tenant légèrement par le coude. Il me sembla qu'au fond s'ouvrait la porte qui menait aux appartements d'Aurélien. Ce fut sans doute mon imagination.

« Je restai prostré un long moment dans la galerie. Ni l'un ni l'autre ne revinrent dans le salon. Brisé, pantelant de répulsion et de convoitise, je reculai pour ne pas être vu dressé à cette fenêtre et, ivre d'avoir respiré le flacon sans y toucher, je trébuchai, enjambant les chaises cassées et les fauteuils dépareillés qui encombraient le couloir menant à ma chambre. Là, je m'effondrai, le cœur traversé, les entrailles tordues par le souvenir d'un éclat de chair blonde, d'une femme pâmée et d'un homme qui s'emparait de ce corps offert.

« J'avais cru m'être endurci contre toutes les souffrances. Sot que j'étais! Je découvris cette nuit-là ce qu'est la douleur, fulgurante, quand elle possède chaque fibre d'un être et qu'on ne connaît aucun moyen de lui faire lâcher prise. Seul, désespéré, vaincu, sourd à la musique dont me parvenait le lointain écho, pour la première fois dans l'adversité je souhaitai mourir.

« Le lendemain, je prétendis être malade et on me crut sans peine, tant j'avais les yeux creux et le teint hâve. Je refusai de voir un médecin. Je voulais être seul et me repaître de mon accablement. J'invoquai une indigestion et on me laissa à la diète.

« Dans l'après-midi, j'entendis des pas et des voix dans le couloir et je vis entrer Aurélien, suivi du vieux domestique de ma tante chargé d'un plateau que mon cousin lui ordonna de déposer près de mon lit. Le vieil homme sortit sans que j'eusse prononcé un mot, tant j'étais étonné.

« – Voilà qui te remettra! déclara gaiement Auré-
« lien. Tout cela est parfaitement léger et facile à
« digérer. Mon cuisinier me l'a juré sur l'honneur
« de sa toque. A table, mon cousin! »

« Il ne jeta pas un regard au triste décor de ma chambre, s'assit dans un fauteuil qu'on lui avait avancé et croisa les jambes, levant à hauteur de mes yeux un de ses pieds chaussés de bottes idéalement fines et ajustées. Il plaisanta et m'encouragea si bien que je mangeai le déjeuner qu'il avait fait apporter. J'avais repris des couleurs et un peu de courage.

« Puis, il repoussa la table où gisaient les restes de mon repas.

« – Maintenant, me dit-il sans autre précaution
« oratoire, je suis chargé de te parler au nom d'une
« belle dame. »

« Je restai immobile comme un automate dont on a brisé le mouvement.

« – Je recevais hier soir et une dame m'a
« demandé quel était ce jeune garçon à l'air farou-
« che qui se tenait au premier étage, contre la
« fenêtre de la galerie. Je t'ai nommé, j'ai promis de

« te présenter. Viens chez moi demain matin, mon
« tailleur y sera et prendra tes mesures. Nous irons
« ensuite commander le reste. D'ici une semaine, tu
« auras une garde-robe complète. »

« La perspective de cette métamorphose m'épouvantait. Je me réfugiai derrière un obstacle qui me
parut insurmontable.

« – Mon père n'y consentira jamais.

« – Je viens de lui écrire, lui proposant de pren-
« dre soin de toi jusqu'à ce que tu atteignes dix-huit
« ans. A cet âge, il voudrait te rappeler auprès de
« lui, m'a-t-on dit, pour te mener dans le monde.
« Qu'à cela ne tienne, d'ici là je ferai venir le monde
« rue de Varenne. »

« Je me sentis humilié. Mon père n'aurait-il aucun sursaut d'amour-propre et accepterait-il que
mon cousin le décharge du devoir de m'entretenir ?
Je me tus, me souvenant d'avoir entendu plaisanter
sur la facilité avec laquelle il laissait sa maîtresse
subvenir aux frais de sa maison.

« – Ne te fais aucun souci, dit Aurélien. Ton père
« estime avoir été spolié par le mien d'une partie
« de ses biens. Il jugera que par cette démarche je
« me reconnais des torts à son égard et ne fais que
« lui restituer une mince portion des revenus qui
« devaient lui appartenir. »

« D'un geste affectueux, il me caressa la joue.

« – Le moment est venu de te faire sortir de ce
tombeau, mon petit Lazare ! »

« Il se leva et partit en me lançant d'un ton
enjoué qui ne souffrait pas de réplique :

« – Ainsi, à demain ! »

« Ma vie avait basculé du jour où Aurélien s'était
installé rue de Varenne. Très vite, je m'étais senti
sans forces pour résister à ses volontés. Tout se
passa donc comme il l'avait voulu.

« Par plaisanterie, le jour où l'on eut fini de me
livrer mes nouveaux vêtements et les accessoires

153

qui les accompagnaient, je me fis laver, peigner, parfumer par le vieux domestique de ma tante – j'aurais bien voulu pouvoir me raser, mais j'avais encore les joues désespérément lisses d'un adolescent. Je me vêtis avec le plus grand soin et, voulant caricaturer les manières d'un jeune mondain, je me présentai chez Aurélien à son lever, portant le menton haut, deux doigts dans les goussets de mon pantalon, poussant les portes avec insolence.

« J'entrai sans être annoncé. Assis à sa place habituelle, il commençait son déjeuner. En me reconnaissant, il devint livide, malgré la maîtrise qui ne l'avait, devant moi, jamais abandonné.

« – Mon Dieu! murmura-t-il en laissant tomber « ses mains sur le plateau. Approche », ajouta-t-il très bas.

« Etrangement, je ne me laissai pas désarçonner. J'avançai, le tenant sous mon regard et, froidement, me plantai devant la glace. Avec orgueil, je me découvrais une beauté sombre et hautaine. Sans hâte, je pivotai sur mes talons, puis me retrouvai face à Aurélien.

« Il s'était ressaisi. Seule une artère battant sur son cou le trahissait.

« – Te voilà prêt à subir le baptême du feu, dit-il « gaiement. Assieds-toi et laisse-moi t'admirer. »

« Dès lors, il me fit participer en tout à la vie qu'il menait à l'intérieur de l'hôtel. Il me prêta ses livres, me fit découvrir Chateaubriand, Goethe, Byron et le romantisme naissant. Il m'apprit mon siècle, me força à lire ses journaux, me dévoila les secrets de la politique et des intrigues qui gouvernaient Paris, me décrivit les hommes et les femmes qui composent cette galaxie. J'aiguisai mon regard, en suivant son conseil : « Ne te livre jamais, même à moi! » m'avait-il averti.

« On me remarquait quand je galopais au Bois sur un de ses chevaux, à l'heure de la promenade et

154

non plus à l'heure du laitier, et affranchi de l'escorte affectueuse mais désormais pesante du vieux domestique. Je saluais les personnes de ma connaissance sans m'arrêter pour leur parler. On me crut dédaigneux et on se plaignit à Aurélien de ma sauvagerie.

« – On se pique de te guérir de tes façons austè-« res! me dit-il un jour en riant.

« – On s'y piquera sans me guérir », répondis-je avec un aplomb fraîchement acquis.

« La première fois que je me présentai chez mon père depuis ma métamorphose, il m'observa d'un air d'autant plus approbateur que cette transformation ne lui avait rien coûté. Il fut aimable, parla de me verser une rente et s'en tint là.

« Sur un seul point, je désobéis à Aurélien : bizarrement, alors que j'acceptais tout de lui, ma fierté m'interdisait de jouer avec l'argent qu'il m'offrait. Je ne touchai donc ni aux cartes ni aux dés. Il n'insista pas.

« Il m'avait fait rencontrer la jeune femme qui m'avait remarqué. Angelina Rossi chantait les seconds rôles aux Italiens et rêvait d'être un jour appelée " la Rossi ". J'avais mis sa curiosité sur le compte d'un caprice et redoublé de froideur. L'idée qu'elle pourrait s'amuser de moi alors qu'elle appartenait à mon cousin me faisait horreur. Elle ne m'avait arraché que de rares paroles et j'imaginais qu'elle se dégoûterait du maigre résultat de ses efforts.

« Au lieu de cela, elle me prit pour confident, profitant des hasards d'une soirée chez Aurélien où je n'aurais pu, sans grossièreté, lui échapper.

« A la fin d'un souper qui se prolongeait en mots à double entente et en libertinage, elle sembla aussi éloignée que moi de cette humeur légère et m'invita à m'asseoir à l'écart avec elle. Aurélien, à l'autre bout de la table, participait à tout sans s'engager à rien. Mlle Rossi portait une autre robe que ce jour fatal où je l'avais aperçue pour la première fois, mais son admirable décolleté et sa peau de nacre étaient à deux doigts de mon épaule. Elle semblait mélancolique.

« – Seul de toute cette assemblée, vous ne rirez « pas de ce que je vais vous dire. Voyez-vous, M. le « marquis de Céré ne m'aime pas. Il ne m'a jamais « aimée. Je suis un bel objet sur lequel il est « heureux de poser les yeux, mais il m'admirerait « aussi volontiers s'il me voyait ici même dans les « bras d'un autre homme. »

« La pensée me vint qu'elle se jouait de moi, par dépit de se voir délaissée par Aurélien. Pourtant non, elle parlait de manière distraite, en un monologue où je ne comptais guère, d'une voix que son origine italienne me faisait trouver plus harmonieuse et chaude. Elle se laissa aller à ces petits gestes d'abandon que l'on a chez soi ou avec ses amis les plus intimes. Elle roula doucement sa tête sur le dos du fauteuil, balança son pied en faisant onduler le bord de sa robe. Elle était triste, mais avait appris qu'à Paris cela n'était pas de mise et, si elle avait le cœur navré, son visage ne montrait qu'une expression nostalgique et rêveuse.

« Je ne l'écoutais plus. Je guettais ce gonflement léger que cause la respiration à une gorge de femme dénudée, suivis le lent balancement de la jambe autour de laquelle ondulait la robe. Je sentais se décomposer ma froideur, s'effriter ma contenance, fondre ma volonté. Pourtant, je demeurais immobile dans ce fauteuil, attentif et respectueux, en apparence. Je ne me scandalisais pas d'entendre revenir dans sa confession le nom d'Aurélien. Une seule chose était claire : il ne l'aimait pas, elle pouvait être à moi.

« Ainsi se poursuivit cette étrange conversation amoureuse, où chacun s'adressait à un interlocuteur qui ne l'entendait pas : les paroles d'Angelina étaient destinées à Aurélien, alors qu'en silence je lui vouais, à elle, les pensées ardentes et furieuses qui me consumaient.

« La voix de mon cousin nous rappela à la réalité.

« – Ne nous chanteras-tu rien ce soir, mon ange? » demanda-t-il à la belle Angelina, de l'autre bout de la pièce.

« En un instant, elle fut soulevée d'espoir, oublieuse de ses plaintes. Il voulait l'entendre! Elle avait le pouvoir de le rendre heureux par son chant! Elle se leva avec une grâce si ondulante, si légère qu'elle semblait prête à marcher sur les flots. Elle eut un bref remords de se détourner de moi au premier mot de mon cousin. Pour se faire pardonner, charmeuse, elle me lança :

« – Que vous avez été bon de m'écouter! Cela « m'a fait un bien immense de vous parler. Venez « me voir un jour. J'ai ma leçon chaque matin, à « onze heures. Ensuite, je suis seule jusqu'à quatre « heures. »

« Elle chanta avec un sentiment à arracher des larmes.

« Aurélien ne me disait rien de ses liaisons, mais il fut clair qu'il s'était tourné vers d'autres amours. Par désespoir, pour tenter de le rendre jaloux, Angelina devint ma maîtresse. Elle ne m'aima jamais et je crus en perdre l'esprit.

« Hanté par elle, je croyais la reconnaître dans les déesses des tableaux et des tapisseries. Il m'arriva de rester en contemplation devant son chapeau jeté sur une chaise, passant de l'adoration à la fureur, voulant tour à tour me jeter à genoux devant ces rubans et cette paille tressée où je cherchais le parfum de ses cheveux, et les déchiqueter tant je m'exaspérais de les voir inertes. Si elle m'avait piétiné, je me serais laissé faire pour le plaisir de sentir ses petits pieds chaussés de satin rose m'écraser la poitrine, et j'aurais, comme un dévot à l'autel, baisé ses chevilles.

« Je m'épuisais à vouloir posséder ce qui, par nature, nous échappera toujours : un être qui aime ailleurs. Je découvris avec épouvante ce monde des femmes où se dissout notre force.

« Elle ne m'était pas infidèle, elle s'efforça même d'étancher la soif que j'avais d'elle. Je me cabrais devant ce qui me paraissait de la pitié.

« Elle s'effrayait de mon emportement et de l'excès avec lequel je l'aimais. Toute ma volonté ne me servit de rien, elle était annihilée. J'étais incapable de me montrer charmant et enjoué. Je fus sans doute le plus intolérable des amants et elle la plus patiente des maîtresses. Je ne m'en sentis pas moins plusieurs fois au bord du meurtre, sûr qu'elle ne me restait attachée que pour avoir accès à Aurélien.

« Mon cousin, si vigilant pour tout ce qui me concernait, me laissa pâlir, maigrir, il me vit ravagé sans tenter de me raisonner ou de me secourir. Il redoubla de tendresse, eut les délicatesses que je n'avais jamais connues chez ma mère, mit tout en œuvre pour me distraire, mais il fut clair qu'il refusait de m'entendre. Avec Angelina, il demeura bienveillant, par moments affectueux, de toute façon détaché.

« Un jour enfin, où nous dînions seuls, il me parla.

« – J'aurais pu empêcher Angelina de t'apparte-
« nir, me dit-il tranquillement. Cela n'aurait servi à
« rien. Qu'elle t'échappe, tu serais devenu la proie
« d'une autre. Aucun livre ne nous apprend à
« aimer, aucun conseil ne nous en détourne. Nous
« devons chacun à notre tour traverser cette lave
« en fusion. Tu comprendras aujourd'hui, si je te la
« donne, la première des règles à respecter : ne te
« laisse jamais dominer par une femme, elle s'em-

« presserait de te mépriser. Si tu aimes plus que tu
« n'es aimé, dissimule. Si tu dois pour cela te
« hacher le cœur, fais-le. Elles ne pardonnent pas à
« celui qui tombe dans leur dépendance.

« Puis il parla d'autre chose.

« Je trouvai mon salut dans un reste d'orgueil qui
me persuada de m'éloigner d'Angelina. Je vécus
cloîtré pendant une semaine. Comme je n'y tenais
plus et allais me précipiter chez elle, je tombai
malade. Pendant plusieurs semaines, saisi de violentes crises de fièvre que le médecin ne s'expliquait
pas, je ne quittai mon lit que pour me traîner, à
bout de forces, dans un fauteuil. Je me persuadai que
je ne tarderais pas à mourir et j'attendis avec une
sorte d'hébétude qu'arrive à son terme cette vie
dont je n'espérais plus rien.

« J'attendis un mot, une visite d'Angelina. Rien
ne vint. Je demandais chaque jour à Aurélien, qui
passait de longs moments à mon chevet, s'il l'avait
vue, s'il savait ce qu'elle faisait. Il m'apprit qu'elle
faisait prendre de mes nouvelles mais refusait de
me voir. Bientôt, la saison se termina, je savais que
son engagement au Théâtre-Italien prenait fin. Elle
quitta Paris pour Vienne.

« Je retombai dans un abattement dont Aurélien
s'acharna doucement à me tirer.

« Par une belle journée, à la fin du printemps, je
me trouvai rue de Varenne, en haut du perron. Mon
cousin voulait me mener au Bois dans un cabriolet
qu'il venait d'acheter et qu'il conduisait lui-même,
son groom étant perché à l'arrière. J'étais pâle, je ne
souffrais pas, mais il me semblait que je ne pourrais
plus ressentir ni joie ni douleur.

« Aurélien me prit affectueusement le bras.

« – Tu as dix-sept ans, tu es beau, élégant. Ton
« père vient de te faire une rente que j'ai décidé de
« doubler. Il serait indigne de toi de te laisser aller
« à la mélancolie. Aie le courage de faire bon

159

« visage, quoi que tu ressentes. C'est un devoir pour
« qui va dans le monde. Et cela au moins nous reste
« depuis que la Révolution et Bonaparte nous ont
« chassés du pouvoir. A moi au moins, ne veux-tu
« pas sourire ? »

« Il y avait de la tendresse dans sa voix.

« – A quoi bon ? dis-je avec amertume. Je n'aime-
« rai sans doute plus jamais.

« – Il te reste à aimer une femme du monde
« avant de savoir vraiment ce que sont les femmes.
« Cela viendra. Demain, tout à l'heure, peut-
« être. »

« Lentement, je descendis avec lui le perron. Les
reines, les monarques et les prélats descendent
superbement les escaliers, en portant les insignes
du pouvoir, temporel ou spirituel. Je descendais las,
vieilli, sans espérance.

« De ce jour, je fréquentai le monde, le plus
souvent avec Aurélien. On me vit partout où il
fallait être vu, on me jugea séduisant. Bientôt, on
redouta mon esprit.

« Un soir, au théâtre, un de nos fashionables me
dit gracieusement :

« – M. le marquis de Céré est bien habile. Après
« vous avoir jeté dans les bras de Mlle Rossi, il a su
« vous faire rompre le jour où il l'a voulu. »

« Le lendemain, nous nous battions. Je le blessai,
ce qui ajouta à ma réputation, car il n'était pas un
adversaire insignifiant.

« Quelques mois plus tard, j'atteignis mes dix-
huit ans et mon père, à ma demande, obtint qu'on
me nomme attaché auprès de notre ambassade à
Londres. Si Aurélien en fut affecté, il ne le montra
pas.

« Voilà, madame, la manière dont on peut d'un
jeune sauvage faire un dandy, conclut M. de Céré
d'une voix égale. Ne soyez pas émue pour l'enfant

ou pour le jeune homme, ils sont morts depuis longtemps. »

La pluie battait les vitres du salon, je me retrouvai à Puynègre, auprès de cet homme immobile qui achevait de tenir d'un air calme ces propos brûlants.

J'étais épuisée comme si j'avais vécu les événements qu'il venait de relater. La tête embrasée, je m'interrogeais confusément.

Pourquoi Edouard m'avait-il fait pénétrer de force dans sa vie? Avait-il deviné que ces faits peu communs éveilleraient en moi une sourde résonance? Avait-il risqué de se livrer pour mieux me posséder, sachant que la sincérité aurait sur moi un effet autrement puissant que les ruses habituelles de la séduction? Jusqu'où voulait-il m'entraîner? Devrais-je entendre un jour la suite de ce récit qu'une heure plus tôt je n'avais pas su repousser à temps? Oserait-il m'apprendre ce qu'était devenu son cousin Aurélien, le seul être auquel il ait paru tenir?

J'allai vers la porte-fenêtre que j'ouvris et m'avançai sur la terrasse. Je laissai la pluie frapper longuement mon visage et mes vêtements. Quand je rentrai enfin, trempée, M. de Céré n'avait pas bougé. J'allai devant le feu qui rougeoyait dans ses braises.

Il se leva.

« Vous ne pouvez pas garder ces chaussures mouillées », me dit-il doucement.

En effet, elles dégouttaient sur le parquet. Je m'assis dans la bergère et, les doigts gourds, entrepris de les défaire. Voyant ma maladresse, il s'agenouilla près de moi et me les ôta. Mes bas de coton étaient à tordre et en avaient perdu toute couleur. Je les quittai aussi.

Il me réchauffa les pieds dans ses mains.

Lentement le jour baissa, sans que nous échan-

gions d'autres paroles. Je lui appartins en cet instant plus que bien des femmes n'appartiennent
dans les étreintes les plus ardentes à l'homme
qu'elles croient aimer.

Ce soir-là encore, Edouard resta à Puynègre.

*

Le lendemain, le temps se rétablit. M. de Céré
rejoignit son logis au-dessus de Limeuil et disparut
à nouveau dans ses courses à travers le pays et à
Cadouin, à la recherche de saintes décapitées ou
d'un baptistère transformé en mangeoire.

Je mis à mes occupations une pesanteur inhabi-
tuelle, sans me permettre cependant aucune négligence ni aucune brusquerie. Puynègre demeura
aussi imperturbable que moi.

J'avais toujours intimidé les diseurs de ragots et
une fois de plus, même si l'envie de parler les
démangea, ils jugèrent prudent de se taire et ils
firent bien. On me respectait pour le bien que je
dispensais largement – alors qu'il ne s'agissait pour
moi que du devoir élémentaire de tout propriétaire
terrien –, et l'on me craignait, me sachant informée
de trop de choses pour s'aventurer à me déplaire.
En somme, ce qui aurait ruiné la réputation d'une
femme plus faible ou moins protégée laissa la
mienne intacte.

Un matin, alors que je finissais de voir avec
Tiénette les comptes de la maison, l'écho d'une
dispute nous parvint de la cour. De la fenêtre du
bureau, on voyait un homme gesticuler devant Faye
et le jeune Justin, qui tentaient de le calmer. Les
éclats de voix ne diminuant pas, je descendis dans
la cour, suivie de Tiénette.

L'intrus était grand et bien bâti, il avait d'étranges
yeux bleu clair avec quelque chose de fou dans leur
fixité.

162

« Si M. Joseph n'est pas là, je parlerai à Mme Joseph! » clamait-il.

Quand il m'aperçut, il ôta son chapeau.

« Je vous présente mes salutations, madame, me dit-il respectueusement. Eh! te voilà, la Tiénette! » aboya-t-il d'un ton rogue.

Je m'interposai, décidée à ne pas laisser un étranger nous dire des sottises sur mon territoire.

« Expliquez-vous, mon ami, lui dis-je fermement. De quoi s'agit-il? »

D'un moulinet de bras, il désigna Tiénette.

« Cette femme avait pris l'engagement de m'épouser. J'ai tiré un mauvais numéro et je suis parti faire la guerre d'Afrique pendant sept ans. Me voilà revenu. Jugez comme elle m'a attendu! »

Je me tournai vers Tiénette, attendant son explication.

« Je ne sais pas de quoi vous parlez, Garrissou, dit-elle froidement. J'étais aimable avec vous comme avec tous mes voisins. Cela n'engage à rien et ne vaut pas promesse.

— N'avez-vous pas accepté plusieurs fois les fleurs que je laissais sur votre fenêtre? écuma le Garrissou.

— Je n'ai jamais gardé de fleurs dont je ne savais d'où elles venaient.

— Vous les jetiez dans votre jardin, cela veut bien dire que vous les gardiez chez vous!

— Je n'allais pas les jeter dans la rue!

— Voyez, vous tous! Elle avoue! Elle gardait mes fleurs! Ce n'est pas un engagement cela? D'ailleurs, hurla-t-il, ce n'est plus à vous que j'en ai, c'est à votre M. Joseph. Où est-il? Qu'on me le dise! C'est lui qui s'est arrangé avec les commissaires pour que je tire un mauvais numéro. Il lui fallait le champ libre auprès de cette maudite Tiénette. J'ai une lame de dix pouces à lui enfoncer dans le corps, tout malin qu'il est! »

Faye et le palefrenier avaient pris le forcené chacun par un bras, mais je n'aimais pas l'idée de jeter sur la route un furieux de cette espèce, qui pouvait par vengeance mettre le feu à une grange ou faire avaler au bétail des raclures de fonte ou une poignée de clous plantés dans une pomme. Je voulais au moins tenter de le calmer.

« Ce n'est pas à Puynègre que j'en veux, madame, c'est à votre M. Joseph! cria-t-il.

– Pour moi, c'est tout un. Je réponds sans distinction de tous les habitants de Puynègre. Que me voulez-vous?

– Je veux réparation!

– Rien ne vous est dû. Tiénette est femme à savoir ce qu'elle veut. Si elle a épousé M. Joseph, c'est qu'elle l'avait choisi. Il faut vous résigner, trouver un travail et oublier cette histoire.

– Oublier, madame! Je n'ai pensé qu'à cette Tiénette pendant mes sept ans! »

Moins frénétique, il était loin pourtant de revenir à la raison. Cet homme avait l'esprit dérangé. Voyant que je n'avais rien à ajouter, Faye et Justin l'entraînèrent vers la métairie pour le faire sortir par le plus court chemin. Brusquement il se retourna, en vociférant :

« Je te maudis, la Tiénette, et ton M. Joseph avec toi! »

En trois enjambées je le rejoignis. Même si je l'avais rencontré en liberté, il n'était pas de taille à me faire trembler avec ses yeux fous qui sautaient dans son visage comme des bêtes captives.

« Retirez ce que vous venez de dire! grinçai-je d'un ton menaçant. Retirez-le ou, par saint Michel, vous vous en repentirez! »

Il écumait. Les deux hommes lui donnaient des bourrades sans réussir à le faire taire.

« Je ne retirerai rien! Malheur à elle et à son M. Joseph! »

Tiénette et moi nous tenions côte à côte, le regard fixé sur les trois hommes qui s'éloignaient. Si ce Garrissou avait su lire en nous, il aurait compris qu'il avait ligué contre lui des forces qu'il n'était pas de taille à combattre.

Ne faisions-nous pas partie de cette famille des femmes, liées aux forces les plus profondes de la terre, complices des sources, des grottes, du limon, de l'obscur et du ténébreux, là où gîtent les démons, nos alliés quand nous savons les évoquer? Que les hommes se vantent et plastronnent, qu'ils répandent fièrement leur virilité! C'est dans le ventre de la terre et dans celui des femmes que germe et lève la pâte humaine. Courez à vos affaires, messieurs! Pendant que vous parlez pouvoir et argent, nous tenons votre destin dans nos ventres.

« Tiénette, il faudra demander à Joseph d'avertir les gendarmes. Ce Garrissou pourrait être dangereux. Et gardez-vous bien, il ne faudrait pas qu'il arrive un malheur, dis-je tranquillement en retournant avec elle vers la maison.

— Nous saurons nous en garantir, madame, n'ayez crainte. Il ne nous menacera pas toujours si haut, croyez-moi, dit-elle d'une voix sombre.

— Ne commettez aucune imprudence, pas même pour le réduire au silence », recommandai-je.

Deux semaines plus tard, en rentrant à cheval d'une course au Bugue, je tombai sur un congrès féminin qui réunissait devant la cuisine Tiénette, Malvina et Antonia.

Je m'approchai. On se tut à mon arrivée.

« Que se passe-t-il, Antonia? demandai-je, respectant la hiérarchie de l'âge et de l'ancienneté dans la maison.

— Ce n'est rien, madame, répondit-elle d'une voix soucieuse.

— Sans doute. Vous parliez de quelque événement, pourtant?

– Il était question de ce Garrissou qui était venu l'autre jour.

– Qu'a-t-il fait?

– Il ne fera plus rien.

– Comment cela?

– Il est mort.

– Et de quoi?

– Il s'est noyé dans la Dordogne, au-dessus de Limeuil.

– Est-ce un accident, ou autre chose?

– S'il est mort, c'est que son heure était venue », conclut Antonia.

Je n'insistai pas. Le lendemain, je fis venir Tiénette dans le bureau et réitérai ma question de la veille. Elle tomba dans un profond embarras. Je lui expliquai alors mon sentiment :

« Si quelqu'un de Puynègre est lié, aussi peu que ce soit, à cette mort, vous devez m'en informer. Je n'aurai les moyens de vous défendre que si je connais toute l'affaire.

– Personne n'a rien fait de mal, madame », s'empressa-t-elle de répondre.

Le pire me parut écarté. Elles n'avaient chargé personne de le pousser à l'eau.

« Je vous crois. Quelque chose d'imprudent, peut-être? »

Un interminable silence suivit. Tiénette débattait ce qu'elle devait m'avouer et me cacher. Je ne voulais pas la bousculer, mais j'étais déterminée à ne pas la laisser sortir tant que je ne saurais pas l'essentiel de l'histoire. Il s'agissait d'une de ces affaires qui, si elles s'enveniment et dégénèrent, sont parfois impossibles à étouffer.

« Je comprends que vous hésitiez à compromettre quelqu'un de la maison, dis-je d'un ton conciliant. Laquelle de vous trois est mêlée à cette affaire? Antonia?

166

– Ah! non, madame! protesta Tiénette si vivement que le doute n'était plus permis.

– Bien. Alors qu'a fait Malvina?

– Ah! madame, je suis seule à blâmer.

– Je ne vous blâme pas, je cherche à vous aider.

– Eh bien, je m'inquiétais pour Joseph et j'ai parlé à Antonia et à Malvina.

– Cet homme était bizarre. Vous aviez raison de vous méfier et de demander conseil. »

Il apparut enfin que les trois femmes avaient tenu toute la maison, y compris Joseph, à l'écart de leurs conciliabules. Malvina avait décrété qu'elle invoquerait ce Garrissou et lui ferait dire ce qu'il voulait aux Joseph. Lors de cette confrontation, des émanations sataniques se dégagèrent de l'image du vagabond. Il fut convenu que notre prêtresse d'un nouveau genre serait le bras armé d'une justice supérieure et empêcherait Garrissou de nuire. Tiénette jura ne rien savoir du cérémonial utilisé ni des moyens mis en œuvre.

« Malvina a prédit qu'il périrait avant les vendanges, sous le pas d'un cheval. Ce qui me tourmente le plus, ajouta Tiénette finissant de vider son cœur, c'est qu'il va falloir le dire à confesse.

– Il est mort noyé et non sous le pas d'un cheval! Vous n'y êtes pour rien! Nous devons accepter les desseins de la Providence, qui sont impénétrables », déclarai-je sereinement.

Tiénette, me voyant si sûre de mon fait, ressentit un énorme soulagement. Sur-le-champ, elle redevint elle-même. En la laissant partir, je lui demandai de m'envoyer Malvina. Celle-ci arriva quelque temps plus tard, de son pas lourd qui ne se hâtait jamais. Je la fis asseoir.

« Eh bien, Malvina, que dois-je comprendre? Quelles méthodes employez-vous contre ceux que vous croyez vos ennemis?

– Nos ennemis, madame, rectifia-t-elle d'un ton prophétique. Quant à mes dévotions, madame les connaît, elles ne s'adressent qu'à la Vierge, aux archanges et aux saints. Dès que j'ai ordonné à l'esprit de ce Garrissou de comparaître devant l'image de Notre-Dame de Fontpeyrine, il s'est élevé devant moi une vapeur rousse!

– Votre chandelle fumait, sans doute.

– Que non pas, madame. Cela sentait le soufre.

– Vous avez alors fait appel à saint Michel? »

Elle me regarda, interdite.

« Madame saurait ces choses?

– Non, fis-je tranquillement. Mais saint Front, saint Michel et saint Georges ont tous les trois combattu des dragons. Ce sont de vigoureux protecteurs, capables d'écarter toutes les menaces.

– Oui, madame. J'ai vu saint Michel, avec son grand manteau, se dresser, la main levée, l'air terrible, devant Garrissou. Et savez-vous qui se tenait à ses côtés?

– Non.

– Le général! Notre général, monté sur ce cheval noir si méchant qu'il avait autrefois. Il portait un casque empanaché et une cuirasse toute reluisante! »

L'émotion me gagnait à la seule évocation de Fabre, mais je ne pus m'empêcher de sourire.

« Eh bien, conclut Malvina en martelant les syllabes, son cheval a piétiné le Garrissou, qui ne s'est pas relevé. Voilà, madame, ce que j'ai vu de ces yeux qui vous voient maintenant.

– Et pourquoi avez-vous dit que ce pauvre lunatique mourrait avant les vendanges?

– J'ai remarqué dans le fond que le coteau de Curbousil n'avait pas été vendangé. »

Que riposter devant ces évidences? Un appel à la sagesse s'imposait pourtant.

« Quand vous voudrez appeler sur nous la protection divine, il conviendra de vous limiter aux prières, plutôt que de vous engager dans des pratiques condamnables.

– Dois-je repousser des visions qui me sont envoyées par le ciel? protesta Malvina, indignée.

– Certainement pas, qu'il vous suffise de prier sans agir autrement.

– J'ai le devoir, madame, de soutenir saint Michel et notre général qui protègent Puynègre et ne permettront à personne de nous nuire. »

Je la congédiai en la remerciant, et restai étrangement remuée par cette conviction que Fabre veillait toujours sur sa terre et sur sa famille. Cette pensée m'était souvent venue. Son portrait dans le salon semblait me le confirmer. Je me troublais parfois en y cherchant maintenant un signe de désapprobation, mais l'homme de trente-cinq ans qui me fixait du haut de son cadre ovale n'était pas le Fabre grisonnant que j'avais connu.

Pourquoi alors fallait-il qu'à travers Malvina, peu embarrassée de psychologie et guère soucieuse de lire en moi, me soit rappelé ainsi, de loin en loin, que j'étais une épouse infidèle?

*

Ni Edouard ni moi n'étions revenus sur le récit qu'il m'avait fait de sa jeunesse. J'étais consciente que tout commentaire m'aurait entraînée trop loin. Lui, savait que certaines eaux creusent leur chemin en silence, par des voies souterraines, et il attendait le jour où elles viendraient sourdre à la surface, creusant des fondrières sous mon pas habituellement si sûr, me faisant trébucher et perdre mon bel aplomb.

Rapidement, je vis que le silence, au lieu de me protéger, nous enchaînait plus étroitement l'un à l'autre.

Préférant le grand air au huis clos, voulant croire qu'un éloignement progressif amènerait à une séparation sans douleur, je multipliai entre nous les obstacles. Je reçus plus souvent, réunissant des personnes de passage aux personnalités et aux érudits du département. Parmi ceux qui s'intéressaient à la conservation des monuments en Dordogne, j'invitai M. de Mourcin, le directeur du musée des Antiquités de Périgueux, l'architecte Catoire, qui avait rénové la ville, M. l'abbé Audierne et notre spirituel préfet, M. Romieu.

La science de M. de Céré étonna, sa gaieté élégante et nerveuse séduisit. Ces messieurs offrirent de lui exposer leurs travaux et de lui ouvrir leurs bibliothèques. Il recueillit grâce à eux des informations neuves et intéressantes et se divertit à ces allées et venues, constatant que derrière la bonhomie périgourdine ne manque jamais le sel, même si le poivre auquel sont habitués des palais blasés y fait quelque peu défaut.

Chacune de ses absences, chacun de ses retours à Puynègre nous liaient davantage. Sans nous surveiller ou nous concerter, nous nous devinions, ses gestes devançaient les miens, mes paroles rencontraient celles qu'il allait prononcer. Et puis, enfin, restait-il beaucoup de place pour le doute, quand il embrasait mes nuits et que je l'obsédais jusque dans ses rêves – il me l'avait reproché en riant?

La morale veut que, chez une femme, le corps ne chavire que lorsque le cœur abdique. Si cette donneuse de leçons se promenait parfois du côté des humains, elle serait moins péremptoire dans ses jugements.

Je ne suis pas de ces rêveuses qui ne voient que halo autour de la tête de leur amant et poussière dorée à ses semelles. J'avais le pouvoir d'attacher M. de Céré, non celui de changer sa nature profonde. Il m'aurait trompée, déchirée, m'aurait cent fois trahie pour me revenir cent fois. Je laisse ces amusements à celles qui n'ont pas d'autres sujets d'émoi.

L'alternance d'éloignement et de dépendance qui ponctua nos rapports en cette fin d'été, au lieu de me rendre fébrile, éveilla en moi une détermination renforcée par ce fond de sauvagerie que Fabre avait promptement domestiqué, tout en veillant à ne pas l'étouffer : s'il fallait m'arracher brutalement à M. de Céré, je le ferais.

J'en venais à imaginer froidement de quitter Puynègre, de me retrouver libre de toute entrave. Je ne craignais ni la faim, ni le dénuement, ni la fatigue, ni la solitude, ni la race humaine. Pour n'être pas dans le besoin, je pouvais vendre *La Meyrolie*, qui m'appartenait en propre et que j'avais agrandie au fil des années en rachetant des terres avoisinantes. Il me faudrait aller à l'étranger pour qu'on ne retrouve pas ma trace. J'aurais aimé tenir une auberge. Etre inconnue, vivre de mon travail me conviendrait. D'ailleurs, où que j'aille, j'étais sûre de m'enrichir rapidement.

Quand nous nous retrouvions seuls, d'un mot il balayait les prévisions, rendait vains les calculs dont je ne lui avais soufflé mot. En me retirant en moi-même, je n'avais fait qu'attiser sa passion. Tout était à recommencer.

Présent ou absent, je sentais sa pensée rôder autour de moi comme, dans le noir, nous enveloppe un voile flottant qui nous frôle à peine, dont on perçoit le frémissement sans pouvoir l'atteindre ou le repousser. Je ne suis pas faite pour lutter contre des ombres. Qu'elles m'accompagnent si tel est leur bon plaisir! Elles n'ont pas le pouvoir – même celle de M. de Céré – de me détourner de mon chemin.

On aurait pu nous croire tourmentés, épuisés par ce combat sans issue. Il n'en était rien. Nous ne faisions qu'y dépenser le trop-plein de nos forces. Car nous flambions comme des torches, sans nous consumer, régénérés l'un par l'autre.

*

Je me réjouis quand, au début du mois de septembre, Edouard nous informa qu'un jeune peintre de ses amis avait découvert sa retraite et lui avait écrit, car il souhaitait lui rendre visite au retour d'un voyage au Maroc.

« Arthur Jones est charmant et plein d'humour. Vous auriez plaisir à le connaître, je crois. Si vous acceptez que je vous le présente, je l'encouragerai à venir et lui retiendrai une chambre dans mon auberge.

– Pourquoi hésiterais-je à le recevoir? Apporte-t-il le scandale partout où il pose le pied?

– Pas du tout, mais dans certaines familles on considère encore qu'il est aussi dégradant de gagner sa vie en maniant le pinceau qu'en maniant la truelle.

– Ma foi, ces idées-là n'ont pas cours chez moi, où ces deux occupations sont également respectées. Chacun ici sera charmé de rencontrer M. Jones. Parle-t-il une langue que l'on comprenne?

– Ma foi, il s'adresse en anglais à son cheval et à son chien, en français à ses modèles. Dans le monde, il utilise l'un ou l'autre, c'est selon. Et comme nous tous, quand il est gris, il marmonne un charabia de sa composition.

– Je m'arrangerai de son français. Dites-moi, on vante le talent des Anglais dans l'aménagement des jardins. Ce monsieur, qui est un artiste, devrait y entendre quelque chose. Serait-il capable de nous aider, Jantou et moi, à redessiner le petit rond-point qui se trouve près de la volière? »

M. de Céré éclata de rire.

« Je vous reconnais là! Vous auriez pu demander : « Est-il joli garçon? grand ou petit, mince ou
« replet? A-t-il de beaux yeux, de belles dents, de
« nombreuses maîtresses? » Or, vous voulez savoir
s'il est bon jardinier!

— C'est que je n'aime pas les visiteurs oisifs, qui
prennent leurs hôtes pour des entrepreneurs de
spectacles et en attendent chaque jour des distractions nouvelles. »

Sans attendre d'invitation, M. Jones arriva en
Dordogne quelques jours plus tard. Edouard
l'amena à Puynègre, où il séduisit immédiatement
par une joyeuse disposition que je ne m'attendais
pas à trouver chez un Anglais.

Il me demanda la permission de porter le costume oriental auquel il avait pris goût lors de
précédents voyages en Orient. Ses pantalons bouffants, sa ceinture et son gilet brodé, son large
manteau blanc – authentiques ou de fantaisie –
suscitèrent sur les bords de la Vézère un étonnement qui éclipsa les excentricités maintenant connues de M. de Céré. De plus, M. Jones fumait gravement une longue pipe.

« Comment! m'écriai-je, la première fois que je le
vis dans cet attirail, ne devriez-vous pas porter à la
ceinture un cimeterre, un poignard et divers coute-
las?

— Hélas! madame, admit-il d'un ton que son
accent rendait encore plus comique, si mon ami
Edouard a transigé sur le costume, il n'a admis que
je l'accompagne d'aucun des accessoires habituels.
Seul mon chibouk a été épargné. De plus, il m'a
imposé de me plier pendant mon séjour en Dordogne, non seulement aux mœurs occidentales, mais
à une véritable austérité de quaker, sous peine
de... »

M. Jones se passa un revers de main en travers de
la gorge et précisa :

« La polygamie n'a pas cours ici, m'a-t-il dit d'un air sévère. On m'a admis à vous approcher, en m'interdisant de lever les yeux sur vous ou sur toute autre femme de votre entourage ou de votre connaissance. Ah! madame, vous êtes plus gardée qu'une sultane!

— Insinuez-vous que je suis l'eunuque ou le sultan de ce sérail? demanda Edouard, faussement nonchalant.

— Dieu m'en garde! Je vous croirais plutôt les talents qui font un grand vizir!

— Je vois que la prudence et la dissimulation orientales font merveille, alliées au laconisme britannique.

— Vous oubliez la patience et la ruse. J'attendrai que vous ayez le dos tourné pour faire la cour à Mme Fabre. »

Edouard haussa les sourcils.

« Si jeune, auriez-vous renoncé à revoir l'Angleterre?

— Ma foi, s'il le fallait, je me résignerais, dit flegmatiquement M. Jones. Le cimetière de Saint-Martin-de-Limeuil est charmant. »

Pauline arriva heureusement à point pour interrompre cette conversation. Elle était chargée de me révéler un complot ourdi entre Julien Maraval et ces messieurs.

M. Jones avait accepté de peindre en miniature les portraits de Pauline, de la petite Emilie, et le mien. Je m'apprêtais à refuser tout net, mais je fus ébranlée par la tendre insistance de Pauline et cédai sur un serrement de main de M. de Céré, qui me dit simplement : « Acceptez, je vous en prie. »

J'étais à l'avance impatientée par les heures qu'il me faudrait passer dans la même attitude, sur le même siège, devant les mêmes objets. M. Jones eut l'adresse de me laisser poser dans une robe fort peu apprêtée, que j'avais beaucoup mise cet été-là, et tenant un livre. Je choisis un des volumes de l'édition originale de La Fontaine que m'avait donnée Fabre.

M. Jones comprit que je ne tiendrais pas en place s'il ne me laissait pas lire dans les moments où il était absorbé par son travail et où il me permettait de bouger la tête, pendant qu'il dessinait ma robe ou mes mains. Je devins aussitôt d'une angélique patience et je me souviens encore avec plaisir de cette occasion que j'eus de relire les fables et les contes de La Fontaine.

Des invitations me parvenaient de toutes parts. Sauf exception, je n'acceptais que celles qui me conviaient à déjeuner ou dans l'après-midi. J'aime si peu sortir le soir que l'on ne se froissait plus de mes refus. Par contre, j'encourageai Edouard ou Arthur Jones à sortir sans moi. La plupart de nos amis, charmés depuis longtemps par le premier, enchantés de découvrir la belle humeur du second, ne se faisaient pas faute de les prier à leurs réceptions.

En dehors des séances de pose, qui se succédèrent pour nos trois portraits, de quelques paisibles fins de journée et de nos traditionnels dîners du mardi, j'étais trop occupée pour me consacrer aux deux amis et les laissais courir la prétentaine.

On me rapporta qu'ils se répandaient en folles courses à cheval, avaient plongé dans la Vézère, à la nuit tombante, à un endroit réputé dangereux, passé la nuit à jouer dans tel château ou à galoper jusqu'à Périgueux – probablement théâtre discret de quelques débordements – d'où ils n'étaient revenus qu'au jour.

Je découvrais avec intérêt quel personnage était M. de Céré aux yeux de ses amis. Animé d'une fièvre de plaisir, l'esprit caustique, le corps jamais en repos, il me parut soudain le type même de l'homme à bonnes fortunes, séduisant et redoutable. Il comprit que j'étudiais son comportement, sans rien rabattre de ce flamboiement et de cette superbe nouvellement retrouvés.

Un mardi soir, je montai, laissant le docteur Manet, M. de Céré et M. Jones attablés devant une partie de cartes, dont je savais par expérience qu'elle se prolongerait bien au-delà d'une heure raisonnable.

A une heure de la nuit que je ne pus déterminer, je fus réveillée par un éclat de rire qui fusa sous ma fenêtre et que l'on étouffa trop tard. Malgré des remontrances, où je reconnus la voix d'Edouard, quelqu'un d'autre contenait son hilarité à grand-peine.

Les chiens n'aboyaient pas, il ne pouvait donc s'agir que de familiers de la maison. Je me levai pour m'en assurer.

M. Jones, passablement ivre, était appuyé à une des corbeilles de fleurs de la terrasse et se perdait dans les méandres d'un discours qu'Edouard ne lui laissait pas achever. Ceci se passait en anglais et si quelques exclamations un peu vives parvinrent jusqu'à moi, je n'en compris pas le sens. Enfin, pour éviter de nous réveiller, je suppose, ils se décidèrent à poursuivre plus loin leur entretien. L'un titubant, l'autre plus stable en apparence, ils descendirent le pré en direction de la Vézère. La pleine lune brillait, je ne perdais pas un de leurs gestes.

Arrivés en bas, ils jetèrent leurs bottes et leurs vêtements. Puis ils disparurent derrière les arbustes de la rive. Un moment après, je les devinai au milieu de la rivière, s'interpellant et s'esclaffant. Je les suivis des yeux quelque temps, plongeant, riant, se poursuivant. Enfin, je fermai les rideaux et me recouchai.

Je fus réveillée par la tête d'Edouard, qui se frayait un chemin entre mes bras et dont les cheveux mouillés me firent bondir de saisissement. Il se réchauffa en m'enlaçant étroitement. Sans pitié il entortilla dans les miens ses pieds glacés. Il s'ébroua, grogna de plaisir, en se pelotonnant dans ce qu'il appelait mes splendeurs impériales. Sa peau, sa bouche étaient fraîches, sa langue brûlante, ses intentions sans équivoque. Comme je protestais, il resserra son étreinte et emprisonna ma tête en la serrant entre les deux bords de l'oreiller. Je l'avertis d'un ton plus traînant que batailleur que je n'étais pas Desdémone et ne me laisserais pas étouffer.

« Pourtant, belle dame, vous méritez châtiment. Vous passez vos journées à étudier mon caractère aussi froidement que si vous suiviez une leçon d'anatomie. Vous voulez vous persuader que je suis joueur, oublieux, infidèle, que vous vous débarrasserez de moi sans mal et que vous ne le regretterez pas. Par charité, je vous répète que vous n'êtes pas près de gagner cette partie-là!

– Propos de maraudeur! fis-je paresseusement.

– Ce soir, j'attends de vous un serment.

– Je ne jure jamais, marmonnai-je.

– Il vous faudra pourtant jurer que vous ne m'aimez pas.

– Ni cela ni autre chose.

– Si, cela justement.

– Je refuse.

– Je ne vous laisserai en repos qu'après vous avoir entendue prononcer distinctement ces mots-là. »

Ses jambes tenaient les miennes. Il était bien éveillé, je sortais à peine du sommeil. Non, vraiment, je n'avais pas la force de discuter. Il vit que l'inconfort de ma position ne m'empêcherait pas de me rendormir.

« Eh bien? demanda-t-il, me tenant enfermée dans l'oreiller, son visage tout près du mien.

– Je ne vous répondrai pas.

– Ainsi, mon tendre amour, vous refusez de jurer

que vous ne m'aimez pas? Vous, ma traîtresse, n'osez pas mentir à ce point? »

Il m'embrassa. Je demeurai inerte, savourant cette volupté sans faire l'effort d'y répondre. Décidément, il ne voulait pas jouer les maîtres d'esclaves et se satisfaire d'une victime passive et consentante.

Ponctuant de baisers la progression de son entreprise, il la poussa où je ne l'attendais pas, rejeta drap et couverture qui le gênaient, écarta ma chemise, effleura mes seins de ses cheveux mouillés, sa barbe m'irrita doucement, ses lèvres, sa langue s'insinuèrent dans les ombres chaudes de ma peau, se gonflèrent dans ses replis.

Il eut la gloire de me réveiller tout à fait, de me mener où il voulut, de m'arracher des cris, des aveux, des balbutiements qui auraient satisfait l'amant le plus épris et le plus vaniteux.

Enfin, pantelante, je m'abattis contre lui. Au bout d'un long moment, il m'embrassa doucement et relâcha un peu la pression de son bras autour de moi. Sa vie avait pénétré si avant dans la mienne que questions et réponses étaient devenues superflues.

*

Manet partit le lendemain matin et je retins les deux amis à déjeuner. Comme nous prenions le café, M. Jones demanda à Edouard s'il pouvait lui montrer à nouveau certains de ses dessins du cloître de Cadouin.

« Serai-je autorisée à les regarder? demandai-je.

— Comment! Vous ne les connaissez pas? s'étonna M. Jones.

— Je n'ai pas osé les demander, avouai-je.

— Dites plutôt que vous étiez crédule et doutiez

que j'aie même entamé le travail annoncé! » rétorqua M. de Céré, amusé.

Il alla chercher dans le portefeuille qui ne le quittait pas quatre ou cinq carnets reliés de toile grise. D'un geste rapide, il fit courir les pages de l'un d'eux.

« Ceci ne peut intéresser que les distingués messieurs de la Commission des monuments historiques, dit-il, se préparant à le mettre de côté.

– Mais non! sans cette introduction, le reste est obscur! » protesta M. Jones.

Il prit le carnet et le commenta à mon intention. Edouard ajoutait une explication de-ci, de-là. Des pages se succédaient, couvertes de plans, de mesures, de chiffres, de notes, tracés d'une plume fine et précise.

« Je ne vous savais pas architecte! m'étonnai-je.

– Moi non plus! L'audace et la désinvolture mènent à toutes les prétentions, y compris celle d'exercer un métier que l'on ne connaît pas. »

Je fus plus surprise encore en voyant les autres carnets. M. de Céré semblait avoir tout recensé du cloître : la disposition, les dimensions, l'espacement des galeries, des travées, des voûtes, des piliers, des portails, des arcades. Des esquisses indiquaient l'emplacement des groupes et des motifs. Sur deux gros carnets étaient dessinées, avec un luxe de détails et sous des angles divers, toutes les sculptures qui demeuraient en place. Les éléments dispersés avaient été réunis le long d'un mur. Pour chacun, étaient donnés l'endroit où il avait été retrouvé et celui auquel il était susceptible d'appartenir.

La beauté de ce monument délaissé me sauta aux yeux. J'étais frappée du réalisme et de la fermeté des sculptures : visages ingrats de paysans aux traits grossiers, visages ronds de moines, naïfs ou rusés, sourires imperceptibles sur des lèvres de femmes reléguées à l'arrière-plan, angelots, entrelacs de feuillages, animaux.

Les pages étaient tournées trop vite. M. Jones les connaissait, me signalait un détail, échangeait des remarques rapides avec M. de Céré, et poursuivait. J'étais si stupéfaite que je protestai à peine.

Ils s'en allèrent et me laissèrent à ma perplexité.

*

M. Jones acheva les trois portraits qui suscitèrent un concert de louanges. Je trouvais ceux de Pauline et de sa fille délicieux et d'une parfaite ressemblance. Le mien me parut idéalisé et je demeurai persuadée qu'Edouard avait recommandé à son ami de me peindre sous un angle flatteur, au lieu de s'en tenir à la simple réalité. Je me reconnaissais un port de tête hardi, un regard fier, de beaux cheveux noirs et de belles mains, mais je me trouvais des traits sans finesse. Or ce portrait me représentait avec un air de noblesse et un feu dans le regard qui n'auraient pas déparé une héroïne de tragédie. Je me plaignis :

« Je ne suis pas aussi belle, voyons!

— Vous pourriez répéter ce que dit l'actrice Marie Dorval : Je ne suis pas belle, je suis pire! » remarqua-t-il en souriant.

*

M. Jones était attendu à Paris et nous quitta peu après.

Je n'avais pas offert de grande réception depuis la fin de mon deuil. Je m'étais donc résignée, en accord avec les Maraval, à lancer des invitations pour un dîner qui réunirait à Puynègre, à la fin du mois de septembre, tout ce que le canton et le

180

département comptaient de distingué et de notable. Fidèle à la tradition de Fabre, j'avais convié des gens d'un niveau social et d'un milieu politique sensiblement différents et qui ne se retrouvaient habituellement pas dans le monde. Les châteaux acceptaient cette originalité, les uns avec bonhomie, les autres avec condescendance, mais enfin ils venaient.

Dès que la tante Ponse entendit parler de mondanités, elle se dressa sur son séant.

« Il faudra que je songe à ma toilette. Je n'ai que de vieux oripeaux. Vous ferez venir votre couturière, Adeline, voulez-vous! On me dit que les turqueries sont à la mode, je me ferai faire une robe à l'odalisque!

– Ma tante, à en croire M. Jones et nos peintres orientalistes modernes, les odalisques portent des robes fort transparentes ou pas de robes du tout.

– Qu'importe! s'obstina la vieille dame. Je veux de la mousseline, de l'ampleur, des broderies, un turban et un châle neufs! »

Pauline se chargea de cette négociation, et dut faire le voyage de Périgueux pour trouver la couleur tourterelle dont la tante Ponse exigeait d'être vêtue.

Le jour venu, je fus saisie en entrant dans sa chambre à quatre heures de l'après-midi de la trouver tout habillée. Ce squelette jauni et déjeté était posé dans un fauteuil, enveloppé de la tête aux pieds d'un nuage de tissu vaporeux.

« Pauline va venir mettre la dernière touche à ma toilette! » déclara Ponse.

Elle allait me renvoyer avec hauteur quand la curiosité eut le dessus.

« Avez-vous invité le colonel de La Bardèche ou est-il déjà mort? me demanda-t-elle de sa voix aiguë.

– Vous le verrez tout à l'heure, ma tante. A part de méchantes crises de gouttes, il se porte bien.

– Ah! cela est curieux! Je lui demanderai qui a répandu la nouvelle de sa mort. Et votre nièce Ysoline, a-t-elle trouvé preneur? La pauvre petite avait dans le corsage une maigreur qui n'encourage pas les prétendants. »

Je ne relevai pas qu'Ysoline était ma cousine et que la tante Ponse elle-même n'avait jamais été opulente.

« Vous savez qu'un mariage avait été envisagé mais n'a pas abouti, répondis-je patiemment.

– Et pourquoi cela? A cause du manque de gorge ou de l'absence de dot de cette enfant?

– Ni l'une, ni l'autre. Ma cousine n'a pu se résigner à quitter sa mère.

– Quelle sotte! Bah! elle a peut-être raison, d'ailleurs. Les hommes sont ridicules. Ce pauvre La Pautardie lui-même, si grave, se démenait comme un navire qui perd sa mâture chaque fois qu'il m'honorait de ses hommages. Que disiez-vous du mariage de votre nièce?

– Il vaut mieux de ne pas en parler, ma tante, tout comme je vous conseille de ne pas demander au colonel s'il est mort ou vivant.

– Ah! ah! il faut se taire? Eh bien, laissons cela, je m'informerai moi-même. »

Et elle me congédia.

Bertille me coiffa et m'aida à m'habiller. Je voulais être à mon aise car, en raison du beau temps, le dîner serait servi dans le jardin.

Encouragée par Pauline, je m'étais fait confectionner une robe dont le modèle m'avait paru raisonnable. Dès le premier essayage, elle se révéla plus hardie que je ne le pensais. On ne pouvait rien y changer, me déclara-t-on, sous peine de détruire tout l'équilibre de la toilette. Je renonçai à me battre. Voilà pourquoi je me trouvai ce jour-là avec un décolleté ouvert bien au-delà de ce à quoi j'étais habituée, bordé d'une dentelle qui le soulignait au lieu de l'atténuer.

Bertille poussa une série d'exclamations admiratives et me déclara belle comme une reine. Le compliment me toucha, sans m'empêcher de me draper dans mon châle. Je constatai qu'il était trop léger pour dissimuler l'ampleur dénudée de mes épaules et de ma gorge. Faisant contre mauvaise fortune bon cœur je décidai d'oublier ma tenue.

Je mis ma parure de perles, que l'on ne pouvait accuser d'être ostentatoire, au lieu des bijoux dont je ne me séparais pas en temps ordinaire : le médaillon qui contenait le portrait de Fabre, la montre suspendue à une châtelaine, premier cadeau qu'il m'avait fait, et la bague ornée d'une agate musquée qui me venait de ma grand-mère.

Je descendis à cinq heures m'assurer que tout était prêt. Dans le vestibule, Joseph m'attendait et me rendit compte des derniers préparatifs. Comme d'habitude, il avait veillé à tout. Il avait belle apparence, maigre, droit comme un *i*, avec son visage sévère et son strict habit noir. J'avais toujours un plaisir secret à constater que notre régisseur, l'ancien valet de chambre de Fabre, avait plus noble allure que la plupart de nos invités.

Il m'accompagna dans le jardin. Pour que chacun se sentît libre de ses mouvements, j'avais fait répartir les tables aussi largement que possible, au bord du pré, dans les allées, derrière les bosquets. Une tente avait été dressée entre la maison et la serre, pour abriter la table que je présiderais avec Julien Maraval, et où l'on assiérait les gens d'âge et de qualité.

Edouard, appuyé par Pauline, avait sollicité l'honneur de s'occuper de la musique et des éclairages. Je le lui avais accordé, sans y réfléchir. Je m'en étais souvenue le matin en voyant suspendre à travers tout le jardin des lanternes chinoises aux verres de couleur, dont je m'étonnais qu'il ait pu les obtenir, même à Périgueux, en telle quantité.

La première voiture amena Edouard avec les Maraval. Pauline monta chez la tante Ponse aussitôt après m'avoir embrassée. J'allai à la cuisine, laissant les deux hommes poursuivre une conversation sur le déficit inquiétant des finances publiques.

La guerre d'Afrique coûtait cher. Une semi-mobilisation venait d'être décrétée, M. Thiers se faisant fort d'entraîner le roi à déclarer la guerre à l'Angleterre à propos de la question d'Orient, ou de la faire reculer par ses préparatifs belliqueux.

Je revins au moment où la tante Ponse faisait son entrée, portée plus que soutenue par Miette et Bertille, précédée de Malvina chargée d'ouvrir les portes et d'écarter les obstacles. Pauline suivait, portant son éventail, sa cassolette et son mouchoir. Par un miracle de goût et de charité, elle avait réussi à donner figure humaine à la vieille dame. Enveloppée d'un châle de dentelle, enfoncée dans un fauteuil, ses pieds grêles ne touchant pas terre, elle ressemblait à une momie, réduite aux proportions d'un enfant et affichant le rictus d'un vieillard. Ses mains ridées, dont les os transparaissaient sous la peau piquetée de brun, s'agitaient faiblement sur les accoudoirs.

Les deux hommes s'avancèrent et présentèrent leurs hommages à la tante Ponse, Julien affectueusement, Edouard respectueusement. Elle leur fit signe de la main que cela suffisait et s'agita sur son siège.

« Qui a ouvert portes et fenêtres? Toute cette lumière est malsaine, elle attire la poussière et les mouches! Evente-moi, Malvina, et écarte-toi que je puisse voir entrer les gens! »

Je laissai ce fantôme figé sur son piédestal, comme ces chats aux yeux d'onyx que les Anciens érigeaient parfois dans une pose hiératique et que l'on retrouve des siècles plus tard, gardiens de quel tombeau vide ou de quel labyrinthe désert? Une heure plus tard, elle s'assoupit et quand on la réveilla elle exigea d'être remontée dans sa chambre.

Les gens arrivèrent en foule et remplirent bientôt le salon et la terrasse, se dispersèrent dans les allées. Au moment où on allait servir le dîner, le ciel bascula dans un orange balafré de pourpre. L'air était doux, les bruits suspendus, aucune brume ne montait de la rivière ou des prés. Le soir tomba, la plus claire des nuits enveloppa Puynègre.

C'est alors que, de proche en proche, s'allumèrent des dizaines de lanternes. Un serpent de feu oscilla, s'enfonça sous les arbres, anima les branches, le cœur des bosquets. Peut-être le monde fantasque des esprits, se voyant dérangé, décida-t-il de se venger et de hanter cette nuit-là chaque recoin de Puynègre.

Des exclamations admiratives s'élevèrent. Le premier étonnement passé, je vis avec quelle habileté avait été disposé cet éclairage. Les lanternes se balançaient doucement, leur flamme incertaine tremblait à l'abri des verres de couleur et jetait des lueurs étranges dans le frémissement des guirlandes qui les reliaient les unes aux autres.

J'eus beau rendre hautement hommage à Pauline pour les arrangements de fleurs exquis et à M. de Céré pour les éclairages, je vis à quelques airs entendus qu'on m'en croyait l'auteur. Certains me soupçonnèrent probablement de vouloir éblouir le département. On savait pourtant que je me contentais, lorsque je recevais, de règles simples qui valaient pour le décor comme pour la table. Je laissai ces bonnes gens à leurs élucubrations.

Le dîner se prolongea. Quand on commença à se disperser, Pauline vint vers moi.

« Ma chère mère, vous vous souvenez que vous aviez autorisé M. de Céré à s'occuper de la musique. Avec ma complicité, il a organisé un petit concert. Voulez-vous prendre place dans le salon? Je vais inviter chacun à nous suivre. »

Je n'avais pas vu Edouard depuis le début du dîner, ayant arrangé qu'il soit assis à la table présidée par Pauline et par mon cousin Antoine, plutôt qu'à la mienne.

Je pensais qu'il accompagnerait Pauline au piano et qu'elle aurait appris quelques nouvelles romances ou des airs encore inconnus sur les rives de la Vézère. Je ne m'étonnai donc pas de ce petit mystère et ne fis aucun commentaire quand il m'offrit son bras et m'accompagna dans le salon. Un vieil homme et une jeune fille d'une beauté délicieuse se tenaient près du piano. Ils nous saluèrent profondément.

Des chaises avaient été disposées dans toute la pièce. Les personnes plus âgées y prirent place, les plus jeunes s'accommodèrent comme ils purent sur la terrasse ou dans le jardin. La nuit était si douce qu'on avait laissé toutes les fenêtres ouvertes. Comme par enchantement, la rumeur s'était répandue que la jeune fille était d'une rare beauté et les hommes se pressèrent, debout, au fond du salon.

M. de Céré présenta brièvement M. Bianchi et sa fille. Il avait été en Italie le seul professeur de sa fille et il l'accompagnait aujourd'hui à Paris pour la présenter à son compatriote, le compositeur Donizetti.

La jeune fille chanta tout d'abord une exquise mélodie que je ne connaissais pas. Dès les premières notes, tout mouvement de chaise, tout murmure cessèrent. Se pouvait-il que cette voix féerique se cachât dans une enveloppe si jeune, si délicate qu'on l'aurait crue prête à se briser? Blonde, transparente de peau, les mains diaphanes, cette enfant avait la grâce d'un elfe et chantait comme si son cœur s'envolait par sa bouche et montait droit au paradis. La musique et le chant étaient fondus dans une harmonie absolue.

Suivirent le « Que Smania ? » de l'*Otello* de Rossini, puis la ballade et la prière de Desdémone. Enfin, elle s'élança dans l'air vertigineux du IIe acte d'*Armida*.

Une ferveur presque religieuse s'était emparée de l'assistance. On applaudissait, non avec la nervosité d'une foule qui s'engoue brusquement mais presque avec recueillement, comme on lance des fleurs sous les pieds d'une déesse.

Ses dons éclatants et l'étonnante technique dont elle disposait déjà ne pouvaient que promettre Mlle Bianchi à une grande carrière. L'innocence me touche rarement, mais je ne pouvais détacher mes yeux de cette blondeur pâle, où la nacre de la peau se fondait sous l'opale des cheveux. Là où s'incurve la nuque, là où retombent les boucles, une ombre soyeuse rappelait ces douceurs duvetées que l'on trouve chez les enfants. Sous la soie de la robe et de l'écharpe se dessinait le contour encore frêle des bras, des épaules et de la poitrine.

Il fallait du souffle pourtant, quand cette voix s'élançait dans d'invraisemblables trilles, planait, chatoyait, effilait des notes aériennes sans effort apparent, jusqu'à mourir dans un murmure.

Je flottais dans un autre monde. J'aurais désespérément souhaité en cet instant être seule avec Edouard pour n'avoir pas à cacher mon émotion. Cette musique, ce chant étaient d'une beauté si déchirante que j'en avais les larmes aux yeux, mais personne ne s'en aperçut.

Heureusement, quand s'acheva la première partie du concert, la marquise de Campagne, elle-même excellente musicienne, qui était assise à ma droite, se pencha et demanda à M. de Céré comment il avait découvert ce trésor.

« Au cours de mon dernier séjour à Naples, grâce à un de mes amis qui connaissait de longue date la famille Bianchi. Le père séquestre à peu près ses deux filles. Celle-ci est la cadette, vous verrez l'aînée tout à l'heure, quand elles chanteront en duo. Ce vieillard veut voir la plus jeune triompher à Paris. Il en attend la fortune et la gloire et pour cela le San Carlo ne lui suffit plus. Il estime qu'aujourd'hui Giacinta est prête à commencer sa carrière. Il jure que Donizetti composera pour elle un de ses prochains opéras et il n'a sans doute pas tort. Quand la voix aura pris de l'ampleur, qu'elle se sera étoffée, elle sera incomparable, supérieure peut-être à celle de la Sontag. »

On apporta des rafraîchissements. M. de Céré conduisit auprès de nous M. Bianchi et sa fille. Elle fut d'une aisance charmante et quand elle se leva, sur un signe de son père, pour rejoindre le piano, ceux qui l'avaient approchée étaient définitivement conquis. M. de Céré se pencha vers nous.

« Ce bonhomme lui a tout appris, même le monde, sans la laisser presque sortir de sa chambre ! » murmura-t-il.

On se pressait dans le salon et sur la terrasse quand Mlle Bianchi se remit à chanter. Se succédèrent le « Come per me sereno » et la cabalette de *La Somnambule*, puis le grand air de Palmira du *Siège de Corinthe*, qui ne sembla pas causer plus de difficultés à ce rossignol que la plus limpide des romances.

Après chaque air, tout le monde restait suspendu, immobile, sous le charme de cette voix magique, avant d'éclater en applaudissements. Ces gens, provinciaux en majorité, avaient l'impression grisante qu'ils venaient d'enlever à Paris la primeur d'un talent qui s'annonçait comme un des plus beaux de son époque.

Je m'aperçus à un moment qu'Edouard était sorti. Ne le voyant pas revenir, je regardai discrètement les rangées de chaises proches. Il n'y était pas. Enfin, par la fenêtre, je l'aperçus à l'extrémité la plus sombre de la terrasse, appuyé à la balustrade. Les yeux baissés, il semblait absorbé ou absent.

L'aînée des demoiselles Bianchi parut alors et chanta avec sa sœur le duo du IIe acte de *Moïse*. Elle avait un physique assez ordinaire, mais sa voix n'était pas indigne de l'autre, tout en montrant moins d'éclat. Les paroles s'envolaient, les voix frémissaient, l'une d'innocence qui se meurt, l'autre d'une ardeur qui ne se contient plus, elles se suivaient, se pressaient, se rejoignaient, s'enroulaient, s'étreignaient, jaillissaient, brûlaient.

L'irrésistible beauté de cette nuit me fit penser au bal que Fabre avait donné pour les seize ans de Pauline. La splendeur des étoiles, la langueur de l'air, le parfum des fleurs me firent monter dans l'âme une tristesse que je ne pus réprimer. J'eus tout à coup la certitude que cette soirée était un cadeau d'adieu que me faisait Edouard. Demain ou après-demain, il m'annoncerait son départ pour Paris. L'idée absurde s'imposa alors à mon esprit qu'il deviendrait le premier amant de Mlle Bianchi, et le doute me planta dans le cœur sa griffe de fer.

Moi qui, sauf à la mort de Fabre, avais de ma vie ignoré le désespoir, je me laissai submerger, suffoquant à la pensée de ces années de solitude qui s'étendaient devant moi. J'écoutai cette musique exquise, ne croyant à rien, n'espérant rien, ravagée.

Je me forçai à ne pas regarder par la fenêtre. Une fois pourtant, je cédai. M. de Céré se tenait légèrement à l'écart, il ne parlait à personne, ne semblait voir personne. Cette foule bienveillante, ma famille, nos amis, formaient autour de moi un formidable mur d'enceinte qui m'empêcherait toujours de le rejoindre.

Une tempête me dévasta le cœur, comme je regardais à la dérobée ce beau visage sombre que, déjà, j'imaginais s'éloignant de moi. Edouard reviendrait, je le savais. Quand ? Dans combien de mois ou d'années ? Que serais-je devenue alors ? Je n'avais pas peur de l'âge, mais le temps creuse des ravins que nous sommes impuissants à combler. De plus, Jérôme se dresserait toujours entre moi et quiconque je prétendrais aimer.

Le concert se termina par le duo des *Capuleti*. Les deux sœurs furent follement acclamées, on leur jeta à profusion les fleurs qui avaient orné les tables et qui formèrent un tapis sous leurs pieds, on les entoura de toutes parts, on félicita leur père. Comme il se doit, je fus la première à les remercier et à leur dire mon admiration. Heureusement, Pauline se proposa pour les guider vers la terrasse où un souper leur fut servi. Edouard avait disparu.

Des tables à jeu avaient été dressées dans la salle à manger et plusieurs enragés, médiocrement sensibles à la musique, dont le docteur Manet, s'y étaient installés dès le début du concert.

On passa des sorbets. Les gens se dispersèrent. Les douairières s'assirent en rond, les maris s'absorbèrent dans de graves conversations, les épouses dévidèrent leurs papotages, les jeunes gens s'échappèrent. On montra la volière à des demoiselles qui l'avaient vue dix fois, on voulut découvrir la vue que l'on avait du bout de l'allée de Madame, ou admirer le châtaignier tricentenaire qui se dressait du côté de l'ancienne avenue. M. de Céré avait eu la sagesse de ne mettre que de rares lanternes dans ces endroits reculés du jardin.

En bonne maîtresse de maison, je me promenais

de groupe en groupe, quand Pauline vint me trouver.

« Ne vous éloignez pas, ma chère mère, car voici la dernière surprise que vous a ménagée M. de Céré. Il n'a pas outrepassé ses droits : souvenez-vous que vous lui avez accordé de prendre soin des éclairages pour toute la soirée. Julien et Antoine s'occupent de prévenir vos invités, pour qu'ils se rassemblent autour de la terrasse et en haut du pré. »

Elle semblait si joyeuse que je ne montrai pas ma lassitude. Ce soir-là, je n'avais plus d'enthousiasme de reste et je ne souhaitais plus m'étonner de rien. Mais Joseph avait déjà fait tourner les sièges en direction de la Vézère.

C'est alors que les premières fusées d'un feu d'artifice partirent de l'autre côté de l'eau, puis au bord de l'île. D'habitude, on ménage l'admiration des spectateurs, là on leur jetait à la tête une orgie de crépitements et de lumières. Où que l'on se tourne, des fusées jaillissaient sur la rivière. Elles se rejoignaient dans le ciel, éclataient, bouleversaient la tête des peupliers, retombaient en cataractes, s'abîmaient dans l'eau en miroitements pâmés. Ce n'était pas un aimable divertissement, c'était un embrasement.

On ne savait où regarder, on criait au prodige, les paons lançaient des glapissements que couvraient les explosions. Les cuisines et les écuries furent abandonnées en un clin d'œil, on se bouscula aux abords du pré, on courut au bout des allées pour mieux voir.

Une sorte de palpitation nerveuse s'empara des femmes. Toutes ont rêvé, un jour ou l'autre, d'être éblouies. Cette nuit déchirée de lueurs extravagantes éveillait en leur mémoire engourdie des songes qu'elles y avaient enfouis.

A travers la brume de mes larmes, j'étais aveuglée

par ces gerbes phosphorescentes, ces panaches d'étincelles, plus encore accablée. A quoi bon tant de folies!

J'attendais que reviennent le silence et l'obscurité, mais rien n'indiquait la fin de cet incendie. Le ciel resplendissait, zébré de lumière, convulsé d'étoiles, transpercé de flammèches. Edouard perdait la tête! Il se croyait à Versailles!

Enfin, de manière inattendue, dans le noir brièvement revenu, des jets de lumière fulgurants montèrent à l'assaut du ciel, restèrent un instant suspendus au-dessus de la Vézère, s'épanouirent en d'énormes fleurs aux couleurs éclatantes, avant de retomber en une pluie, un déluge multicolore, qui enveloppa Puynègre tout entier.

Au bout d'un moment, les spectateurs firent entendre le faible « ah! » de ceux qui se retrouvent vivants après une commotion. On applaudit à tout rompre. Quant à moi, je n'en pouvais plus. Depuis le début du concert, je parlais et j'agissais sans savoir ce que je faisais, ayant trop conscience qu'Edouard m'adressait ce soir-là un adieu en même temps qu'un aveu.

On se précipita pour me féliciter. Là encore, j'eus beau renvoyer toute la gloire de cette soirée à M. de Céré et aux Maraval, rien n'y fit. On me crut la complice, ou mieux, l'inspiratrice de ce spectacle. Heureusement, Pauline se trouva entraînée plus loin. Il m'aurait été difficile de lui cacher ma tristesse.

Le docteur Manet me rejoignit. Il avait la mine soucieuse et me parla d'une voix sévère.

« Savez-vous, ma chère Adeline, ce que l'on va dire de ce feu d'artifice? Que vous cherchez à établir la supériorité de Puynègre sur les châteaux des environs, et vous ferez des envieux. Ou que vous prétendez forcer l'attention de M. de Céré, et on médira. Il se trouvera quelqu'un pour répéter de quelles folles démonstrations il a été l'objet de la part de femmes énamourées. On s'amusera à croire que vous rivalisez avec elles! Quoi que l'on dise, vous serez fâcheusement le centre des conversations. Cette fois, il vous faut renvoyer M. de Céré, sinon je m'en chargerai moi-même. »

Tout ému de sa propre brusquerie, il me serra fortement la main.

« Je vous aime trop, mon enfant, pour vous laisser courir à votre perte, et vous voir souffrir me fendrait le cœur.

— Rassurez-vous, docteur, dis-je tristement, je ne cours nulle part.

— Ah! j'aimerais en être sûr, mais cette gueuse de vie est une roue de charrette qui n'en finit pas de nous passer sur le corps! »

Plusieurs personnes s'approchaient et il repartit vers la salle à manger et sa partie de whist interrompue, non sans m'avoir dévisagée sombrement.

J'avais toute la soirée évité d'être seule avec Pierre de Cahaut. Tout à coup, il surgit devant moi sans que je l'aie vu venir.

« Faut-il que tes charmes aient échauffé ce cher comte pour qu'il te lance à la tête pareille déclaration! siffla-t-il entre ses dents. Il est vrai que la hardiesse de ta robe invite à toutes les indiscrétions! Les actrices et les dames du boulevard ne suffiront plus à M. de Céré quand il aura regagné Paris. »

Il me retint sous la lumière d'une lanterne pour voir si le coup avait porté. Je répondis en souriant :

« Il ne doit s'agir pour lui que d'un feu d'artifice ordinaire.

— Cela reste à voir », ricana-t-il.

Heureusement, notre tante Charlotte intervint, se jetant à mon cou et me bredouillant des félicitations essoufflées. Pierre s'éclipsa quand parut

Mme de Bonnefond. Elle venait me redire combien elle se réjouissait d'avoir vu son neveu, l'espace d'un été, revenir à une vie raisonnable, grâce à mon influence et à celle de Pauline. Elle me consulta gravement pour savoir ce que j'augurais de cette transformation.

« Ignorant tout de la vie que mène M. de Céré, je ne puis en juger », répondis-je honnêtement.

Sous prétexte de veiller à l'ordonnance des buffets, je me retrouvai seule quelques instants. J'avais demandé un grand verre d'eau et j'étais en train de le boire quand la voix d'Edouard me demanda doucement :

« M'en voulez-vous ? »

Je fus si heureuse de le voir à mes côtés que je plaisantai :

« Mon Dieu, vous m'avez inquiétée ! J'ai craint un moment que ne suivent des combats d'ours et de gladiateurs, une bataille nautique ou des courses de chars !

— Et que je jette aux lions vos invités, tous bons chrétiens !

— Que croire ! soupirai-je. Vous êtes si fou ! »

Il prit mon bras, me mena un peu plus loin. Par miracle, nous étions isolés, pourtant nous parlions bas, car nous pouvions être interrompus à tout instant. Il me baisa la main.

« Ainsi, vous me pardonnez ?

— Oui, mais je devine que vous allez partir.

— J'ai reçu hier des lettres qui me rappellent à Paris. Je dois régler plusieurs affaires qui ne peuvent attendre.

— Je savais que vous partiriez à la fin de l'été. Il y a quelques minutes, je cherchais à me convaincre que vous pourriez me mentir ce soir, me tromper demain, m'oublier après-demain. »

Sa main se crispa. Froidement, il me répondit :

« J'ai assez l'usage du monde pour éviter de dire

la vérité sans avoir à mentir. Je ne suis guère susceptible de me laisser abuser par ces soubre-sauts de la chair qu'on appelle amour à vingt ans, passade à trente, faiblesse à quarante, folie au-delà, et de les confondre avec ce que nous avons échangé. Enfin, je ne suis pas assez usé par la débauche pour avoir perdu la mémoire. »

J'étais émue par cet orgueil qui se cabrait.

« Comprenez-moi, je vous en prie. Ce soir, vous m'avez mis le cœur à rude épreuve, en le faisant passer de l'ivresse au désespoir. Il en titube encore et il faudra lui laisser le temps de retrouver son calme.

— Je ne me flatte pas d'atteindre un cœur si bien tenu en laisse, dit-il avec ironie.

— Ni moi de tirer le vôtre du royaume des morts », répondis-je en me dégageant brusque-ment.

Il reprit violemment mon bras.

« Nous voilà quittes! Je vous aime et renonce à vous le dire, vous m'aimez et ne me l'avouerez jamais, tant nous nous défions l'un de l'autre. »

L'affolement me gagna. Il était dans une de ces froides colères où je le devinais capable de toutes les imprudences. Pourquoi fallait-il qu'il me jette cet amour à la tête comme un défi, au moment où il me quittait, quand il me savait condamnée à rester à Puynègre!

« Au nom du Ciel, Edouard, ne me tenez pas si fort, quelqu'un pourrait venir!

— L'amour est par nature indécent. Tant pis pour ceux qui ne le savent pas! » répondit-il, sans relâ-cher son étreinte.

Il avait senti que je n'en pouvais plus de cette retenue, de cette dissimulation, et la pression de sa main s'adoucit.

« Partons, reprit-il, d'une voix redevenue calme. Je peux commander une voiture ce soir, demain, quand vous voudrez. Accompagnez-moi à Paris, nous irons ensuite vivre en Italie, loin des commérages imbéciles.

— Je ne peux pas, dis-je d'une voix blanche.

— Trouvez un prétexte, n'importe lequel, qui vous permette de partir dignement. Que votre ami Manet vous ordonne un séjour dans une ville d'eaux. »

La netteté de sa voix montrait sa détermination.

« C'est impossible. Je ne peux déshonorer le nom que je porte ou abandonner ce que le général Fabre m'a confié.

— Ce n'est pas une fugue que je vous propose, c'est une vie partagée. Nous sommes libres l'un et l'autre, épousez-moi. »

Le souffle court, je balbutiai :

« Sans Puynègre, je ne suis rien. Je ne saurais m'accommoder de l'oisiveté. Au bout d'une saison, vous seriez lassé de moi.

— Cette excuse valait tant que vous m'avez cru frivole, elle ne tient plus.

— Je ne peux pas dénouer ce qui me lie à ces gens et à cette terre. Je leur appartiens.

— Plus que le devoir, c'est le goût de la domination qui vous retient et la crainte de perdre ce pouvoir auquel vous tenez tant.

— Dans quelques jours j'aurai trente-cinq ans. Bientôt, la seule pensée d'aimer me paraîtra une aberration. »

Accablée, à bout d'arguments, je m'exclamai :

« Ah! je me serais facilement résignée à vous voir partir si je vous avais cru indifférent!

— Il me semble parfois que vous auriez préféré cela. Il n'est plus temps d'en débattre, vous voilà détrompée. Croyez-en un homme qui, en vous parlant, a brisé une règle par laquelle il s'est obligé, depuis l'âge de vingt ans, à ne rien avouer à personne. »

Il se tourna avec moi vers la maison et la foule qui allait et venait.

« Quant à ce troupeau humain que l'on appelle la société...

– Ces gens ne vont-ils pas s'en aller, à la fin! lançai-je avec découragement.

– ... où que vous alliez, vous les retrouverez, eux ou leurs semblables. Et c'est à leur loi que vous voulez vous soumettre? Observez-les bien. Pris un à un ou tous ensemble, leur reconnaissez-vous le droit de nous empêcher d'être heureux?

– Non. Nous serons heureux, chacun de notre côté, à cent cinquante lieues de distance, vous à Paris, moi ici, et personne n'y fera obstacle.

– Avez-vous déjà jeté votre dévolu sur quelque notable ayant un bel avenir politique? calculé un avenir douillet entre la dévotion de votre famille et de vos vassaux et le respect de vos concitoyens? choisi de vieillir puissante plutôt qu'aimée? rempli votre verre d'un vin éventé qui dormait au fond des outres plutôt que de celui, trop fort, qui vous serait monté à la tête? Est-ce là votre choix? »

Nous avions fait quelques pas au hasard, prétendant nous promener, pour que notre tête-à-tête attire moins l'attention. J'avais dépassé le découragement et la fatigue. Je pesais au bras d'Edouard, marchais à son pas, fermée à tout ce qui n'était pas sa présence, sa voix, la pression de ses doigts dans les miens.

« Qu'attendez-vous de moi que vous n'ayez déjà obtenu? » lui demandai-je enfin.

Il s'arrêta et, posément, me répondit :

« De vous, ma rouge grenade, je veux tout : la chair, le jus, la pulpe, le parfum, la saveur, et plus encore. Je ne me contenterai pas de défaire tout à l'heure – que vous m'y invitiez ou pas – cette robe à l'indiscrète dentelle où vous m'avez réduit toute la soirée à vous convoiter en me taisant, car un amant qui se dissimule n'est jamais beaucoup plus qu'un domestique. Il ne me suffira pas de dénouer vos cheveux et de faire chavirer vos yeux. Cela, ne vous en déplaise, n'est qu'une moitié de vous, mon tendre amour. Je veux l'autre moitié aussi, celle qui se cache derrière la fermeté de votre front et l'opiniâtreté de vos certitudes. Si je vous laisse votre passé, je veux que votre avenir soit inextricablement lié au mien. Cela ou rien. »

*

Trois jours plus tard, Faye conduisit M. de Céré à Périgueux, d'où il prit la malle-poste pour Paris.

Avant de partir, il me remit un écrin et un autre à Pauline. Tous deux contenaient des boîtes en or guilloché, exquises de proportions et de forme, d'un travail si raffiné qu'elles faisaient honneur à l'orfèvre en renom chez lequel elles avaient été commandées.

La première était bordée de guirlandes, avec un couvercle orné, sur fond d'émail bleu, en un ovale délicatement serti de perles, d'une miniature de la petite Emilie, copie de celle peinte par M. Jones. Ce geste et cette pensée émurent Pauline aux larmes.

La boîte que me remit Edouard était plus riche et décorée de scènes tirées de *La Jérusalem délivrée* du Tasse. Celle du couvercle, entourée d'émeraudes, représentait Renaud retenu dans les jardins enchantés, aux pieds d'Armide. On s'exclama sur l'élégance de ces peintures, sans que personne relève cette allusion transparente à la prétendue soumission de M. de Céré à mes volontés.

Quand il me quitta, je lus autre chose que de la tendresse dans son sourire, que je ne sus définir.

Je lui avais déclaré que je ne lui écrirais pas. Je ne voulais pas entretenir cette exaltation artificielle dont les amours illégitimes sont friandes. Et je me souvenais trop bien de ce que m'avait dit le colonel de La Bardèche sur les lettres de femmes reçues et jetées dans un tiroir sans avoir été ouvertes. Même si les miennes étaient traitées autrement, je refusais qu'un jour, par distraction, on leur fasse rejoindre cette collection.

2

LE départ de M. de Céré affecta toute la maisonnée. Les esprits avaient été frappés par sa libéralité de grand seigneur, peu commune dans nos régions pauvres, et par la parfaite aisance avec laquelle, en toute circonstance, il se montrait égal à son rang. Joseph, en particulier, savait qu'il ne retrouverait de longtemps un adversaire de pareille force à l'épée.

Ma vie reprit son cours ordinaire. Au début, je crus sentir encore sous mes pieds le roulis familier à ceux qui reviennent d'un long voyage en mer. Puis cette impression s'estompa et il me sembla presque avoir rêvé les événements de cet été finissant.

Peut-être suis-je dénuée d'entrailles et de sentiments, mais je ne me sentais pas abattue. Fabre se moquait de moi, en disant que je croyais pouvoir commander aux éléments. Il est vrai que je n'ai jamais douté de savoir, avec du temps et de la patience, dominer les forces qui m'étaient hostiles. Si on me jetait en enfer, je parie que le diable finirait par s'enfuir et demander asile au purgatoire.

Fidèle malgré moi à l'habitude que j'avais contractée dans d'autres moments de désarroi, je me lançai dans nombre d'occupations que j'avais négligées ces derniers mois.

Les mendiants qui visitaient Antonia chaque mercredi me virent avec philosophie manifester à nouveau de l'intérêt pour leur sort et ils reconnurent
que mon caractère n'avait rien perdu de sa vigueur.
Je tempêtai un jour contre l'un d'entre eux que je
surpris en train de manger la soupe des chiens,
alors qu'on venait de remplir son bissac de restes
généreux. Il se contenta de m'éviter pendant quelque temps. Cela ne l'empêcha pas, à une autre
occasion, en recevant des reliefs de poulet truffé, de
se plaindre qu'on lui ait donné du « poulet au
charbon ». Un autre commit l'imprudence de me
demander un petit emploi. Il se trouva derechef
plongé, sur mon ordre, dans un cuvier à lessive,
récuré, épouillé et mis au travail. Le procédé l'épou-
vanta si bien qu'il disparut sans attendre le retour
du printemps.

Pendant le mois de septembre, les journaux et les
salons avaient retenti du bruit fait autour du procès
de Marie Lafarge, qui se déroulait non loin de notre
région, à Tulle. Elle était accusée d'avoir empoi-
sonné son mari, mais les circonstances incertaines
de cette mort et la beauté de Mme Lafarge avaient
fait naître un parti qui la défendait farouchement.
Elle fut pourtant condamnée aux travaux forcés à
perpétuité. George Sand, Mme de Girardin et le
poète Henri Heine se déclarèrent persuadés de son
innocence et certains eurent le sentiment que
venait de se commettre une erreur judiciaire.

En octobre, la Chambre des pairs condamna le
prince Louis-Bonaparte à l'emprisonnement à vie.
Il fut incarcéré au fort de Ham.

Les vendanges furent tardives et médiocres, en
qualité comme en quantité, en raison du mauvais
temps dont nous avions souffert en août et pendant
une partie de septembre.

Un jour que l'on m'attendait à Fontbrune pour
déjeuner, je décidai d'y aller à pied. C'était une

marche de trois heures à peine et j'aime aller seule par les chemins, même sous la pluie fine qui tombait ce matin-là. Il avait été convenu que Faye viendrait me chercher en voiture à la fin de l'après-midi, pour m'éviter de rentrer à la nuit.

Je mis le mackintosh que Fabre m'avait fait venir d'Angleterre et qui m'enveloppait de la tête aux pieds, chaussai d'épais souliers, imperméables à force d'avoir été graissés, rabattis mon capuchon et me mis en route, canne ferrée à la main, suivie de Turc, un grand berger des Flandres noir et ébouriffé, qui faisait peur autant par sa taille que par son apparence.

Après avoir traversé le Bugue, je pris dans les bois la route de Savignac. Il pleuvait sans discontinuer et plus lourdement qu'à mon départ. J'avançai d'un pas lourd mais régulier. Certains passages étant déjà détrempés, l'eau stagnait dans les ornières et m'obligeait à faire un détour. Là où le chemin s'élargissait et où je n'étais plus protégée, je recevais tout droit la pluie, là où il se rétrécissait, les arbres dégouttaient leur eau sur ma tête. Chaque branche secouée déversait une rafale de gouttes sur mon visage et mon manteau. Je m'enfonçais, glissais, trébuchais sur des branches trop tard découvertes sous les feuilles. Ma canne m'aidait à retrouver l'équilibre. Turc, de plus en plus crotté, avançait bravement.

Je rencontrai deux ou trois personnes, avec qui j'échangeai de brèves salutations. Parfois, dans une trouée, j'apercevais le toit d'une métairie, l'étendue d'un pré. Je croisais des sentiers de charbonniers, des chemins qui menaient à des maisons écartées.

Je montais, descendais, tête baissée, fixant ma route. Enfin j'arrivai au-dessus de La Loulie et passai en haut de Grandfont. Je devinai la source et la grotte, enfoncées dans leur fouillis d'arbres et de plantes. Les branches du saule pleuraient jusque dans le lavoir, l'eau ruisselait en bas des talus. Les trous où se terrent les renards, à flanc de coteau, étaient creusés de rigoles qui ravinaient la terre et mettaient à nu les racines.

Je gravis lentement le pré qui montait jusqu'à Fontbrune, traversai le potager et me trouvai dans la cour. On s'exclama sur mon accoutrement et la bizarre idée que j'avais eue de venir à pied par un temps pareil.

Pichille m'aida à défaire mes vêtements dans le vestibule. En ôtant mes souliers, je vis que le bas de ma robe était couvert d'une épaisse couche de boue, à laquelle collaient des débris de feuilles, de fougères et d'écorce. Pour le reste, j'étais au sec.

Mon oncle, ma tante et mon cousin étaient à un enterrement. J'attendis leur retour en faisant sécher devant le feu mes pieds déchaussés et ma robe étalée, que l'on brosserait plus tard. Je goûtais la paix qui régnait dans cette demi-obscurité.

Turc avait été autorisé à se tenir près de la cheminée de la cuisine, privilège rarement accordé aux chiens de la maison.

A un moment, la porte de l'étude s'ouvrit et parut le petit clerc. La pluie l'empêchait de passer par l'extérieur et il se confondit en salutations et en excuses en traversant le salon pour aller chercher de la braise dans la cuisine. Il avait pour instructions d'allumer le feu à l'heure du déjeuner, afin d'adoucir la pièce.

Le poste de clerc à Fontbrune était convoité des meilleurs sujets de Mauzens. Pourtant, en prenant ses fonctions à l'âge de seize ans, celui-là même qui s'aventurait sur la pointe des pieds le long du tapis ne s'était pas douté qu'il risquait d'y perdre la vie.

Un mardi soir, mon oncle était arrivé, selon son habitude, déplorablement tard au Bugue pour déposer ses actes au bureau d'enregistrement. Par exception, le jeune Jeannot qui l'accompagnait fut chargé de cette importante mission, pendant que mon oncle Elie allait se restaurer chez ses cousins Labatut, qui lui offraient traditionnellement l'hospitalité ce jour-là.

Fut-ce contentement exagéré de soi, l'épaisseur du brouillard ou la vue d'un fantôme qui joua un tour au pauvre galapiat? Il quitta la route, tomba dans le ruisseau, se crut dans la Vézère, craignit d'avoir échappé[1] les actes et de compromettre ainsi sa carrière. Le sens du devoir et l'ambition l'inspirèrent, il se cramponna à une branche et se sortit de l'eau puis, claquant des dents, trouva son chemin jusque chez les Labatut.

Pendant que mon oncle Elie portait lui-même les actes, qui n'avaient pas souffert, protégés par un épais parchemin, le petit clerc se remit avec un grog brûlant, dans un lit réchauffé par un bon moine. Il en fut quitte pour recevoir un nouveau costume taillé dans un des vieux vêtements de mon oncle, le sien ayant par trop rétréci à la suite de ce plongeon.

Ce Jeannot était un sage. Il dissimula sa déconvenue et l'échec de son ambassade et, dès son retour à Mauzens, se vanta d'avoir été invité chez mon oncle et ma tante Labatut, d'avoir dégusté des liqueurs succulentes et dormi dans un lit à l'ange, garni de draps et d'un oreiller assortis.

Enfin, tout le monde revint de l'enterrement et on se mit à table. Mon oncle, qui était maire de Mauzens, m'exposa le conflit qui divisait le conseil municipal, à propos de l'achat d'une corde pour le fossoyeur. Il mangeait et racontait avec la même lenteur débonnaire.

Mon cousin, d'un aimable naturel, écouta sans s'impatienter l'histoire que chacun, sauf moi, avait

1. Laissé échapper.

déjà entendue. Ma tante, que la haute politique laissait indifférente, profita des pauses ménagées dans ce monologue pendant que mon oncle avait la bouche pleine pour me décrire par bribes les aigreurs d'estomac dont elle souffrait, les travers de la nouvelle servante du curé, et les tabliers neufs qu'elle faisait confectionner pour l'ensemble de la gent féminine de Fontbrune. Imperturbable, mon oncle poursuivait, ignorant ces interruptions et son récit occupa le repas entier.

Après le déjeuner, la pluie avait cessé et il me mena voir les jeunes chênes truffiers qu'il avait fait planter derrière la maison, en bordure du bois de Castel Donzel.

En revenant dans la cour, je découvris Henri, le valet, assis sur la marche de la cuisine. Sa grande carcasse penchée en avant, le pantalon relevé, il fixait d'un œil morne ses pieds qui disparaissaient dans un baquet fumant. Perplexe, je m'approchai. Très embarrassé de ne pouvoir se lever pour me saluer, il souleva et rabaissa trois ou quatre fois son chapeau.

« Eh bien, Henri, es-tu malade? demandai-je?

– Non pas, notre dame. »

Quatre mots étaient un discours pour ce taciturne. Pichille et ma tante Charlotte parurent en même temps et m'expliquèrent qu'il devait se rendre à l'ordination d'un de ses neveux, à Périgueux.

Je n'avais jamais imaginé qu'Henri pût avoir une famille. Efflanqué, hirsute, la compréhension lente et bornée, il ne paraissait avoir aucune vie en dehors de Fontbrune. Ses brusques disparitions tenaient du vagabondage et ne le menaient certes pas à des célébrations familiales. Ses efforts de toilette se bornaient à quelques opérations simples : changer de chapeau et de sabots et recouvrir ses vêtements habituels d'une blouse propre en été, d'une vieille houppelande ayant appartenu à mon oncle en hiver.

« Il lui faudra tremper encore une bonne heure, estima Pichille, évaluant la noirceur de l'eau et des pieds. Je lui nettoierai aussi le cou et les oreilles. Il ne s'est pas lavé depuis Pâques l'an dernier. Cette année, il a disparu dès le Jeudi saint. »

Puis elle se tourna vers Henri, qui s'était complètement désintéressé des explications ainsi données sur son compte.

« Et tu t'es bien confessé ce matin, avant l'enterrement, n'est-ce pas? »

Il acquiesça d'un hochement de tête.

Ma tante ne comprenait pas la curiosité avec laquelle j'observais cette scène. Elle m'entraîna dans le salon, où elle aborda un sujet qui la tourmentait.

« Antoine a maintenant trente-cinq ans et je m'inquiète de ne pas le voir marié. Toi qui connais beaucoup de monde en dehors de notre cercle habituel, ne pourrais-tu songer à une jeune personne qui lui convienne sous le rapport de l'éducation et de la fortune? Comprends-moi bien, je ne te demande pas de nous trouver une belle dot, mais une honnête famille à laquelle nous pourrions nous allier sans surprise. »

Voilà bien les mères! Quand mon cousin était âgé de vingt ans, ma tante s'était réjouie de son humeur sereine, de ses habitudes rangées et de l'amabilité qu'il avait envers les femmes, sans jamais paraître atteint par les tourments de la passion. Peu à peu, elle était devenue soucieuse, avait imaginé une liaison coupable, un attachement indigne de lui.

Je la rassurai, trouvant cent raisons propres à consoler un cœur naïf, vantant la stabilité des unions contractées dans l'âge mûr, citant des exemples. Enfin je fus éloquente et promis de déployer mes talents pour trouver l'oiseau rare. Je fis si bien que ma tante retrouva une humeur guillerette.

Pourtant, je me considère comme une mauvaise marieuse. Si les hommes sont relativement faciles à satisfaire, les femmes ont à leur égard autant d'exigences que l'Eglise quand elle envisage une canonisation et cela suffit généralement à me tenir éloignée de ces négociations.

J'allai ensuite aux Nouëlles, sans y trouver le docteur Manet, qui avait été appelé en consultation à Rouffignac.

Faye vint me chercher avant la tombée du jour. Sur le chemin du retour, il me déposa à ma métairie de *La Meyrolie*, située au bout du champ de foire de Mauzens. Je me contentai d'une brève visite, me réservant de revenir prochainement, accompagnée de Joseph, pour voir en détail avec lui les travaux qui seraient nécessaires au printemps. Il me tenait scrupuleusement informée des recettes et des dépenses concernant les récoltes et le bétail, mais j'avais toujours tenu à questionner les métayers et à me rendre compte par moi-même, afin de former ma propre opinion.

Manet avait peut-être raison quand il me disait : « Il vous est facile d'aimer ces pauvres coteaux. Vous n'en êtes pas prisonnière, vous y revenez à votre guise et vous n'en attendez pas votre subsistance. »

Bercée dans la voiture, alors que la nuit tombait, j'étais dans cet état d'heureuse fatigue où l'on ne pense à rien.

*

J'avais quelque peu négligé Jérôme au cours de l'été, tant j'avais eu l'esprit occupé de M. de Céré. Je lisais distraitement ses lettres et n'en découvrais certains passages qu'en entendant Pauline et Julien les lire à haute voix.

Pourtant – billets rapides ou longues missives –, il écrivait toujours de manière aussi charmante. Sur un ton allègre, il nous expliqua qu'il avait été invité par M. Beyle, consul de France à Civita-Vecchia, qui se désennuyait autant qu'il pouvait en chassant les alouettes et les antiquités dans la campagne environnante.

Je m'étonnai que pareil écrivain mène une vie aussi médiocre et que son talent demeure partiellement méconnu. *La Chartreuse de Parme,* publiée l'année précédente, m'était aussitôt apparue comme une des premières œuvres de notre temps. Si *Le Rouge et le Noir* m'avait laissée relativement froide, les *Chroniques italiennes,* relues pendant ces dernières semaines, s'étaient étrangement accordées au climat d'intensité dans lequel je vivais alors.

Jérôme nous contait que, grâce à M. Beyle, il était reçu dans les meilleures maisons et rencontrait tous les Français de conséquence qui voyageaient à cette époque en Italie. Il avait dîné chez M. Ingres, directeur de l'Académie de France, et décrivait avec enthousiasme l'atmosphère artistique et familiale qui régnait à la Villa Médicis.

Lors d'un récent séjour à Naples, le nom de Fabre lui avait ouvert les portes de l'ambassade de France, où le duc de Montebello, fils du maréchal Lannes, donnait de somptueuses réceptions.

Quand il évoquait les œuvres d'art des palais, des musées ou des églises, et les monuments qu'il visitait, se révélait entre les lignes une fièvre que j'aurais volontiers partagée si je n'avais craint qu'il se laisse entraîner à des achats inconsidérés d'objets anciens. Je finis par en parler ouvertement à Julien Maraval. Celui-ci sourit.

« Il est arrivé à Jérôme de me demander conseil pour l'achat de certaines pièces de fouilles. Je consultais alors M. de Céré, dont l'avis a toujours été d'une prudence extrême. »

Je bondis.

« Quoi! Tout cela se tramait dans mon dos? Non seulement M. Beyle a communiqué à Jérôme cette dangereuse manie de collectionner, mais M. de Céré a pu l'y encourager parce que vous vous prêtiez à ce manège!

– Nullement, ma chère mère, répondit Julien avec son imperturbable gravité. De cette manière, M. de Céré a pu recommander à Jérôme un marchand de sa connaissance et lui éviter de commettre des erreurs.

– Hé! repris-je avec emportement, tout ce qui est beau n'est pas bon à acheter pour un jeune homme qui dispose de revenus limités!

– Jérôme n'a jamais dépassé les limites du raisonnable, si l'on considère le montant de sa fortune. Et il me paraît sage de le laisser profiter de cette liberté qu'il n'a jamais pu exercer. Vouloir l'en priver – outre que cela n'est juridiquement pas possible, puisqu'il est majeur et maître de ses biens – pourrait le mener à des fantaisies ou des imprudences autrement coûteuses. »

Je dus me rendre à l'évidence. Mais ma méfiance se réveilla le jour où Julien m'annonça qu'allait nous parvenir un envoi fait par Jérôme au moment où il quittait Rome pour Florence et Venise. C'est ainsi qu'un roulier de Périgueux déchargea dans la cour de Puynègre trois caisses qu'il maniait avec des précautions infinies. Deux d'entre elles semblaient d'un poids considérable et la troisième plus légère devait être remplie d'objets plus petits et fragiles. On rangea le tout dans un coin de la remise libéré pour la circonstance.

Pauline me dispensa des apaisements qui ne me rassurèrent qu'à moitié : des marbres ou des sculptures pouvaient être lourds et nécessiter un emballage volumineux; rien n'annonçait qu'ils fussent en grand nombre.

Sous le coup de l'impatience, j'écrivis sans tarder à Jérôme une lettre assez vive, où je ne craignais pas de me laisser aller à l'exagération.

Mon cher Jérôme, commençai-je rageusement, *la maison Delmas, de Périgueux, a employé hier ses plus vigoureux chevaux et ses plus robustes commis pour faire transporter ici des caisses qui, d'après leur poids et leur taille, ainsi que le soin mis à les décharger, doivent contenir une partie des trésors du Vatican. Vous avez, j'espère, envisagé la nécessité où vous serez bientôt de rendre des comptes à la justice, de ce côté-ci ou de l'autre des Alpes. Je vous laisse également apprécier si les prisons sont plus confortables en France ou en Italie. Vous pourriez relire à ce propos les œuvres de votre ami M. Beyle.*

Car enfin, connaissant vos ressources, je ne peux croire que vous vous soyez procuré honnêtement des antiquités de cette importance. J'aimerais mieux que tout ceci ne soit de votre part qu'une plaisanterie et que vous ayez rempli ces caisses de cailloux, dans le seul but de mystifier votre famille. Avez-vous également songé aux frais exorbitants de transport que votre beau-frère a dû acquitter ?

Par ailleurs, vous ignorez sans doute au milieu de vos fêtes que la question d'Orient nous préoccupe fort et fait bruire les états-majors. Depuis la mi-juillet, la rente à 3 % est en folie : elle s'élevait alors à 86,50 francs, au début du mois d'août elle tombait à 78,75 francs, le 10 août remontait à 82,60 francs et le 15 septembre s'effondrait à 70,10 francs. Reprenez confiance, nous dit-on, elle va se redresser. Mais baste, allez convaincre les gens du sérieux de cette vieille dame, maintenant qu'elle s'est promenée tout l'été les jupes en l'air, à nous narguer! On dit que des fortunes se sont faites et défaites à ce jeu-là. Pour moi,

vous me connaissez, je n'ai acheté ni vendu, j'ai gardé
l'air niais de qui cache son or dans sa pantoufle et ne
le risque pas aux mains de ces bandits de grand chemin
qu'on appelle des financiers.

Cette diatribe m'ayant un peu calmée, je terminai
plus tendrement que je n'avais commencé.

J'ai interrompu cette lettre en entendant Bricaud
aboyer sous ma fenêtre comme un furieux. Je suis allée
voir ce qui suscitait un tel courroux : Mlle Puce, la
chatte de votre tante, minaudait sur le rebord d'une
fenêtre du premier étage, pourchassant un moucheron
invisible ou un rayon de soleil. Bricaud a dû croire
que ces avances lui étaient destinées, mais ses espé-
rances déçues l'ont jeté dans une fureur écumante. Il
faisait des bonds à ébranler le sol, vociférant à s'en
déchirer le gosier. Jantou est venu arracher notre
Roméo d'un nouveau genre à cette Juliette rebelle et
tout est rentré dans l'ordre, ce qui est l'ambition des
ménagères comme des ministres.
Depuis que vous êtes en voyage, le facteur du Bugue
a vu son travail doubler ou tripler avec ce commerce
de lettres incessant entre Puynègre et l'Italie. L'admi-
nistration n'ayant prévu aucun dédommagement pour
les cas de ce genre, je lui ai fait cadeau d'une paire de
souliers neufs.
Je vous embrasserais de tout mon cœur si vous
comptiez vous amender. Mais je ne nourris là-dessus
aucun espoir. Il faut toutefois que je vous exprime la
même affection qu'à l'ordinaire : le pays jaserait si l'on
me disait mécontente de vous.
Eh bien, embrassons-nous et souvenez-vous de mes
conseils, même si vous ne les suivez pas. A.

Je signe de ma seule initiale, quand j'écris à ma
famille. Alors même que je jouais les matrones

soupçonneuses, je n'étais pas assez fâchée pour signer de mon nom complet.

Non seulement il ne m'en voulut pas de cette mercuriale, mais il y répondit avec toute la rouerie et la malice dont il était capable, prétendant que je lui faisais une querelle de jalousie. Il m'en reparla en riant par la suite, quand il retrouva ma lettre en rangeant des papiers.

Peut-être une certaine complicité ne disparaîtrait-elle jamais tout à fait de nos rapports.

*

Louise de Cahaut, la femme de mon cousin Pierre, se plaignait de ne pas m'avoir vue depuis le dîner que j'avais offert à la fin du mois de septembre. Je décidai donc de passer une journée à Fumerolles.

Je trouvai Louise dans sa chambre, qu'elle ne quittait guère. Elle reposait dans la pénombre, les rideaux tirés, une lampe brûlant bas. La lumière fatiguait ses yeux, disait-elle, alors qu'elle les avait usés à force de vivre dans l'obscurité, tout comme elle avait ruiné sa santé à force de réclusion.

Pour m'embrasser, elle se haussa sur ses coussins, puis retomba en arrière en passant sa main sur son front comme si cet effort lui avait causé un étourdissement.

Elle n'avait pas pour moi d'affection particulière, mais seule de la famille je jouissais d'une prospérité sans laquelle, à ses yeux, la vie ne valait pas la peine d'être vécue. Quand elle eut fini de dépenser avec insouciance la fortune déjà ébranlée de son père, Pierre s'était occupé de manger lui-même le peu dont il disposait. Réduite à vivre petitement, Louise s'était cloîtrée.

Au début de leur mariage, elle avait toléré son rustaud de mari et s'était même flattée de réformer ses manières. Elle avait, à dessein, outré ses airs pâmés, sa délicatesse et sa religiosité, espérant intimider Pierre. Peut-être même avait-elle rêvé de le voir, penaud et repentant, solliciter son pardon et promettre de réformer sa conduite.

Mais Pierre avait depuis longtemps choisi d'ignorer ce qui le dérangeait. Sans s'interroger sur les soupirs et les réticences de sa femme, il l'avait abandonnée aux soins du médecin et du curé de Rouffignac et avait repris derechef sa vie de garçon. Quand elle avait compris l'inutilité de ses efforts, Louise, bien que révoltée par ce qu'elle appelait le penchant à la débauche de son époux, l'avait subi sur l'ordre formel de son confesseur. Après la naissance de leur troisième enfant, excédée, elle avait découragé ses rares tentatives de rapprochement.

C'est à cette époque que j'étais venue à Fumerolles pour m'occuper de leurs enfants. Pendant ces quelques mois, Pierre s'était emparé de moi avec une fougue qui m'avait fascinée et qu'il avait su me faire partager.

Ne restait plus aujourd'hui avec mes cousins, dans cette maison à l'abandon, qu'un vieux couple de domestiques. Les enfants s'étaient éloignés. L'un des fils avait rejoint l'armée d'Afrique, l'autre était clerc chez un notaire ami, à Limoges.

Emma, la dernière, qui ressemblait à son père et que Louise avait rejetée d'emblée, lui trouvant un « naturel ordinaire », avait épousé un marchand de drap de Périgueux. Pierre, embarrassé de déchoir, avait donné son consentement, car ce jeune homme industrieux acceptait sa fille sans dot, aubaine qui ne se représenterait pas. D'un commun accord, les Cahaut avaient renoncé à la voir en apprenant qu'elle aidait son mari, non seulement en tenant ses livres, mais surtout en servant la clientèle derrière le comptoir de sa boutique. Les questions de convenance étaient les seules sur lesquelles ils se rejoignaient encore.

En arrivant, j'avais demandé des nouvelles de mon cousin. Louise m'avait répondu en faisant un geste vague :

« Il va bien à ce que j'entends, rentre au milieu de la nuit ou ne rentre pas, fait coucher ses chiens dans sa chambre, prend ses repas à la cuisine et vient me saluer quand il est dégrisé. »

Je jouai les gazettes de village, à défaut de pouvoir faire la chronique mondaine et scandaleuse du département. Mais je crois que rien ne divertissait plus ma cousine. Ma présence et le son de ma voix suffisaient à meubler sa solitude pendant un moment, elle n'en espérait pas plus.

On nous servit à déjeuner dans sa chambre. Elle se contenta d'un bouillon, d'un blanc de poulet et d'une compote. Heureusement, on avait prévu pour moi des plats plus substantiels.

Peu après le déjeuner, une explosion de bruit monta du rez-de-chaussée. Des portes claquèrent, on piétina lourdement, des voix sonores – parmi lesquelles je reconnus celle de Pierre – tentèrent d'imposer silence aux chiens qui aboyaient. Puis le brouhaha se calma et j'en conclus que les visiteurs étaient entrés dans la salle à manger.

Louise eut un frisson douloureux. Le bruit lui était insupportable et le voisinage de Pierre amenait chez elle une crispation nerveuse qu'elle ne pouvait contrôler. Elle me demanda d'un air épuisé de remonter les oreillers qui garnissaient sa chaise longue.

« Pardonne-moi, dit-elle faiblement. Ma tête se brise quand j'entends ce vacarme.

– Veux-tu te reposer un moment? proposai-je, soulagée à la pensée de quitter l'air confiné de cette chambre de perpétuelle malade.

« – Ah! merci. Tu es bonne de me comprendre! Je vais essayer de me reposer un peu. »

A quarante-cinq ans, cette femme, autrefois si jolie, était devenue une vieillarde. Sur le palier, je respirai longuement. J'ai toujours aimé le contact du bois et la rampe de l'escalier, les marches, me parurent vivantes, élastiques.

Je sortis pour me promener, ne tenant pas à me mêler au repas dont me parvenaient les bruyants échos. Quand Pierre me vit traverser la cour, il parut sur le seuil et m'interpella.

« Eh bien, ma jolie, tu croyais m'échapper! C'est oublier que l'œil et le flair du chasseur ne dorment jamais! Viens te joindre à nous. Si tu as partagé le maigre déjeuner de Louise, tu dois être affamée. Nous ne sommes que Rapnouil et moi, qui régalons Pagès, après l'avoir mené tirer quelques palombes.

– Rassure-toi, Léa m'a largement servie. Et puis, je vous dérangerais, vous avez certainement des affaires à traiter.

– Viens donc! Nous ne parlons que de nos prouesses et de celles de nos chiens.

– Vraiment? Il te paraît donc normal que M. de Cahaut, hobereau en peine d'argent, mais qui a encore sa fierté, convie à une partie de chasse, avec son vieil ami et compagnon de ribote le comte de Rapnouil, le gros Pagès, paysan enrichi, dont le père n'osait pas entrer dans la cuisine du « château » de Fumerolles? »

Pierre éclata de rire.

« La chasse et le jeu abolissent les distances. Mais les femmes ne comprennent rien à ces choses. Allons, viens constater par toi-même que nous ne sommes que braves gens attablés sans façon. »

A vrai dire, je préférais les éclats de cette joyeuse tablée à l'atmosphère étouffante qui régnait autour de Louise.

Je connaissais les convives. M. de Rapnouil m'accueillit avec sa faconde un peu lourde, Pagès avec plus de sobriété. Pour me faire place, on dérangea les chiens étalés sous la table et on les renvoya de l'autre côté de la pièce, où ils se rendormirent, secoués par moments de soubresauts et de brefs jappements. Pierre et M. de Rapnouil s'amusaient parfois à les réveiller en leur envoyant un os ou un reste de viande.

Les propos prirent un tour légèrement contraint. Je dissipai cet embarras en me faisant raconter la chasse de la matinée. Aussitôt, les deux amis redevinrent volubiles, s'ébrouant, pérorant, rivalisant de bons mots et de fanfaronnades.

Seul Pagès restait sur la réserve. Se tenant coi, il plongea dans son assiette. L'oreille et la main cramoisies sous le poil, il engrangeait dans sa bouche, vaste comme un fourgon, viande, légumes, tout ce qui tenait planté ou hissé sur son couteau et sa fourchette. Ce qui débordait était enfourné de force, ce qui tombait était ramené entre ses mâchoires. Du chou qui garnissait les gencives, la sauce lui dégouttait des babines, d'un claquement de langue il rappelait un morceau de lard pris entre deux dents, l'ongle venant si nécessaire à la rescousse. Il renvoyait dans son gosier à grands coups de langue ce qui se répandait sur son menton. La vapeur des mets ou l'odeur des clous de girofle devaient lui piquer le nez, car il ponctuait chaque bouchée d'un reniflement. La serviette entre les cuisses, il donnait parfois une tape amicale à son chien, qu'il avait gardé à ses pieds et qui, la chasse terminée, ne frayait pas avec les chiens de ces messieurs.

Pierre ne tarda pas à se relâcher et à abandonner les précautions oratoires. Il ouvrit son habit, rit sans retenue, écarta sa chaise dont il fit craquer le dossier et les pieds en se balançant en arrière. Il jugea même d'une grande élégance la façon dont il cracha un petit os dans la cheminée en le faisant passer au ras de mon épaule. Rapnouil, que ma présence rendait prudent, resta plus mesuré. Pagès, impavide, ignorait ce tapage, écartait du doigt son col qui l'étranglait et se resservait de chaque plat à mesure qu'on les lui présentait. Il lança un ou deux coups d'œil perçants de l'autre côté de la table en direction de Pierre, et j'eus l'impression que le dindon de la farce n'était pas celui qu'on croyait.

Je contemplais ces seigneurs qui nous gouvernent et entre les mains de qui sont nos destinées. La ceinture défaite, le rot à peine réprimé, l'un ruiné, l'autre en passe de le devenir, ils avaient été jugés dignes par le code civil de participer à la marche du pays alors que, pauvres femmes, nous en étions écartées en raison de notre faible constitution et de notre tête dont on dit qu'elle vire à tous les vents.

Je prétextai une course à faire à Rouffignac pour les laisser finir leur déjeuner. Quand je revins après une grande heure, je les trouvai toujours à table, mais ils en étaient aux liqueurs. Depuis longtemps l'habitude s'était perdue de passer au salon, où d'ailleurs on n'aurait pas songé à inviter M. Pagès.

« Eh bien, monsieur Pagès, ferez-vous une partie de cartes? proposa M. de Rapnouil. Nous jouerons petit jeu.

– Je vous remercie, monsieur le comte, je joue seulement aux quilles, le dimanche. »

Il tournait son verre d'eau de prune dans ses gros doigts et regardait avec assurance les deux hommes qui lui faisaient face. Il était clair qu'il pensait : « Vous trouvez joli, messieurs, de plaisanter avec l'argent. Voyez où cela vous mène! » Mais la leçon aurait été perdue, tant Pierre et Rapnouil étaient sûrs de la supériorité que leur valaient la naissance et l'éducation.

« On dit que votre huile de noix est la meilleure du pays », dis-je aimablement à M. Pagès.

Il me regarda, soupçonneux, puis répondit en hochant la tête :

« Elle n'est pas mauvaise, les années où j'en ai.

— On pourrait vendre à meilleur prix si on trouvait moyen de la livrer à Bordeaux ou même à Paris sans frais de transport excessifs. »

C'était une banalité. Mais comme j'avais la réputation de ne pas parler au hasard, une lueur d'intérêt s'alluma dans les yeux de Pagès. Il s'imagina aussitôt que j'étais renseignée sur le marché de l'huile de noix, que j'avais mes entrées auprès de gros acheteurs ou que j'avais eu connaissance de débouchés nouvèaux. Peut-être même songea-t-il que j'envisageais de le mettre de moitié dans une affaire prometteuse et trop importante pour que Puynègre y suffise.

La vanité, la gourmandise, la ruse, l'impatience firent trembler la vaste chair molle de son visage et de son cou, un frémissement se répandit dans l'épaisseur de ses bajoues. Son regard, assoupi un moment auparavant sous ses paupières flétries, vibra d'une émotion qu'il ne put dissimuler tout à fait. Il humecta ses lèvres et me dit d'une voix caressante, presque amoureuse :

« Je suis très honoré que madame la baronne me fasse l'honneur de m'informer du développement possible d'un commerce bien précieux pour notre région. »

Je me hâtai de le détromper et de préciser que ma remarque était générale et ne reposait sur aucune base précise. Quand il le comprit, il revint à son verre d'eau de prune et à son ennui.

Son visage se contracta aussi vite qu'il s'était dilaté, des lignes se creusèrent à nouveau de chaque côté de sa bouche. Les sourcils, les yeux, la bouche s'affaissèrent, après s'être épanouis à la perspective d'une affaire intéressante. J'étais intriguée, car ce n'était pas pour le plaisir, j'en étais sûre, qu'il avait accepté de chasser et de déjeuner avec les deux larrons.

Estimant qu'il avait suffisamment perdu son temps, M. Pagès se leva, demanda à être excusé, et fit ses adieux. M. de Rapnouil, flairant une discussion familiale, ne s'attarda pas et le suivit bientôt.

Cette scène m'avait inquiétée. La situation financière des Cahaut était-elle pire que je ne l'imaginais? Pierre était-il en train de vendre ses dernières terres ou d'emprunter à un taux excessif?

Dès qu'il se vit seul avec moi, il donna un coup de menton vers le plafond et demanda froidement :

« Elle dort?

— Pas vraiment, elle se repose, je crois.

— Ou elle prie. Qu'importe! Elle vit depuis vingt ans dans l'antichambre de la mort, mais c'est un souper qui se fait attendre. Pauvre femme! Toute sa vie, elle a imploré le Ciel sans rien obtenir. Il est resté sourd à ses prières et la voilà maintenant avec cette crainte d'avoir sacrifié sa famille à un Dieu qui n'en demandait pas tant. Comble de l'humiliation, après m'avoir rejeté comme mari, elle est forcée de me subir comme témoin. Hein, quelle leçon! Dieu l'abandonne et je lui reste!

— Il est inutile de blasphémer! »

Les pieds sur les landiers, il railla :

« Je t'ai connue moins respectueuse des préceptes de notre sainte mère l'Eglise.

— Mais non, fis-je, conciliante, tu sais très bien que j'ai toujours eu le souci de maintenir les apparences. Par exemple, tu pourrais mener la vie qui te convient, mais faire entretenir tes vêtements, surveiller ton langage et te coiffer de temps en temps. »

Il ricana.

« Dans un homme, ce n'est pas le poil mais le

ventre qui compte, ma jolie! Chez moi, si le haut est décrépit, en dessous de la ligne de flottaison la carène est solide. Et crois-moi, cette artillerie-là fonctionne mieux que les mousquets enrubannés de tes hommes du monde! Quant à ma femme, elle est garnie de toiles d'araignée depuis longtemps et je ne souhaite même plus y ramoner. Je te choque? C'est bien, je me tais. Peux-tu me passer cette bouteille qui est sur le buffet? »

Dans les réunions de famille, il se contrôlait et s'arrangeait pour être présentable. Je n'avais donc pas vu jusqu'ici à quel état de dégradation il était parvenu.

« Ne crois-tu pas que tu as suffisamment bu? » demandai-je gentiment.

Ma remarque le fit tourner au pourpre. Il se dressa brusquement et s'avança vers moi, les poings levés au-dessus de sa tête. Il gronda du plus profond de l'abdomen, de cette voix de basse-taille qui était belle autrefois. Ses poings s'abattirent sur la table, les bouteilles vides et les verres s'entrechoquèrent, son chien se réveilla en sursaut et bondit en aboyant. Il se tenait devant moi, violet de rage, au bord de la congestion, et vociférait :

« En te mariant richement, tu n'es pas devenue une grande dame, mais une parvenue et une prêcheuse! L'hypocrisie du siècle a déteint sur toi! Tu t'offusques des beuglements d'un petit gentilhomme pris de vin, mais tu n'as pas eu de scrupules à prendre un amant à la barbe de tout le pays. Car tu ne me feras pas croire que M. de Céré s'est contenté d'étudier des ouvrages savants tirés de la bibliothèque de Puynègre. Je te connais trop et je soutiens qu'il a parcouru dans ton lit la carte du Tendre! »

Léa, la cuisinière, attirée par les hurlements, parut dans l'embrasure de la porte, honteuse du comportement de son maître, et amorça une phrase, pour faire diversion. Pierre bondit.

« Toi, la Léa, retourne à tes marmites! Tu vois bien que je suis en conversation de famille. »

La vieille tendresse que j'avais conservée pour lui m'empêcha de me lever et de sortir. Je craignais aussi que la fureur ne l'amène à clamer ce qu'il avait deviné des liens qui m'attachaient à Edouard. Brusquement, il s'affaissa sur une chaise et reprit son souffle.

« Je t'ai fait peur, hein? Tu as cru que j'étais ivre pour quelques malheureuses bouteilles? »

Il haussa les épaules.

« Que sais-tu de ta famille depuis que tu nous as quittés? Tu nous invites deux ou trois fois l'an, tu viens nous voir, refusant de passer la nuit hors de chez toi. Ne connaissant ni le doute ni la faiblesse, tu estimes que chacun est responsable de son sort et tu méprises les paresseux, les distraits, les indécis et les flâneurs. Tu ignores l'usure, la lassitude, le dégoût dont on est saisi quand les dés sont pipés et que l'on est condamné à perdre la partie. Tu me regardes avec pitié parce que je prends une bouteille par le col avec la tendresse que l'on devrait réserver à une femme. Sache, ma jolie, que j'ai plus d'affection et de reconnaissance à l'égard de ce petit vin que de n'importe quel humain, car il me donne l'oubli sans me demander de comptes. Ainsi, tu peux cesser tes patenôtres, dont je ne saurais ni ne voudrais profiter. »

Il avait raison. J'étais trop loin de lui pour l'aider. S'il avait été momentanément dans le besoin, je lui aurais prêté la somme qui l'aurait tiré d'affaire. Mais tout à Fumerolles sombrait sans remède. L'argent prêté ou donné aurait été englouti sans redresser la situation. Sans illusions, je fis une dernière tentative pour tâcher de savoir la vérité.

« Que voulais-tu obtenir de Pagès?

— Rien du tout, je t'en donne ma parole.

— Tu aurais donc déjà reçu de lui ce que tu en espérais?

— Un officier de police n'est pas plus habile dans ses déductions.

— Il t'a acheté des terres?

— Non!

— Alors, tu les as hypothéquées ou tu lui as emprunté de l'argent et Dieu sait à quelles conditions! »

Pierre éclata d'un rire où je retrouvais un reste de son ancienne gaieté, quand il était content de m'avoir bernée.

« Depuis quand, s'il te plaît, un homme confie-t-il ses affaires à une femme? Vous criez sur de simples soupçons, que serait-ce si l'on vous disait la vérité! Vous ameuteriez les démons par vos clameurs! »

Il se leva et me tapota le bras sans rancune.

« Tu devrais te mettre en route. Ton cheval, ton cocher et tes domestiques aiment que chacun soit rentré au logis avant le dîner. »

Je montai dire adieu à Louise; saluai la vieille Léa en lui laissant de l'argent qui suffirait à tenir la maison pendant quelques semaines. J'embrassai Pierre, qui avait repris son ton jovial. Mais c'est avec tristesse que je le vis rentrer dans la cuisine.

*

L'automne amena des inondations non seulement en Dordogne mais dans tout le sud de la France. Les parties basses de Limeuil et du Bugue en souffrirent. A Puynègre, où la rivière n'est bordée que de prés sur toute sa longueur, nous eûmes la chance de ne pas subir de dégâts.

En décembre, la frégate *La Belle Poule*, sous les ordres du prince de Joinville, ramena en France les restes de l'Empereur, qui furent transférés en grande pompe aux Invalides. Cette cérémonie émut considérablement les vieux soldats qui nous entouraient. Je surpris Faye, Jantou et Joseph en conversation avec le colonel de La Bardèche. Celui-ci essuyait sa moustache et Jantou se frottait l'œil avec une insistance que l'humidité et les brouillards de la saison ne suffisaient pas à expliquer.

Jérôme avait passé un mois à Florence, où il semblait s'être beaucoup amusé en compagnie de M. Alexandre Dumas, qui y résidait cette année-là, après son mariage avec une jeune actrice. Il s'était ensuite rendu à Venise et au début de 1841 avait pris un bateau pour la Grèce.

Si l'hiver ne fut pas très froid, il fut gris et maussade et me parut interminable. Je n'attendais pas de nouvelles de M. de Céré, puisque je lui avais formellement demandé de ne pas m'écrire. La rubrique mondaine des journaux le mentionnait rarement : à propos d'un bal aux Tuileries, d'une réception offerte à l'ambassade d'Autriche ou d'Angleterre. Je vis qu'il avait assisté à la première représentation de *La Favorite*, l'opéra de Donizetti.

Je n'avais jamais craint qu'il m'oublie, mais le confort des habitudes retrouvées agit sur la mémoire aussi puissamment que l'opium sur les nerfs, il engourdit la vivacité des souvenirs et adoucit la mélancolie. Insensiblement, les raisons de s'arracher à un univers familier paraissent plus vagues.

Edouard n'était pas suspect de faiblesse. Mais, si détaché qu'il fût, accordant peu d'importance aux aspects brillants de sa vie, ce mode d'existence était le seul qui pût satisfaire sa soif irrépressible d'élégance et de beauté. Je n'imaginais même pas qu'il fût capable de s'en éloigner. Je ne pouvais m'empêcher, cependant, d'attendre le jour où je le reverrais.

Par un jour d'avril, peu après Pâques, on m'apporta une enveloppe à en-tête du ministère de la Guerre. Elle contenait une lettre déférente et embarrassée d'un colonel qui avait connu Fabre et avait pris la liberté de me faire suivre un pli qui lui était adressé et qu'il joignait, n'ayant osé prendre sur lui de le détruire. En effet, ce pli fermé, aux cachets étrangers, portait la mention : « A remettre en mains propres. A détruire sans ouvrir en cas de décès du destinataire. »

J'hésitai. Je n'ai pas de penchant pour les énigmes. La lettre n'aurait pas dû me parvenir, mais puisqu'elle était là, je résolus de l'ouvrir, quitte à la brûler sans en souffler mot s'il s'agissait d'une affaire qui devait rester ignorée.

Monsieur, disait-on d'une écriture claire et ferme. C'est sur l'ordre d'une morte que je vous écris. Vous vous souviendrez sans doute de la campagne du Portugal et de la désastreuse retraite des troupes françaises, qui mena votre régiment à Salamanque au printemps de 1811.

La lettre se poursuivait, relatant avec exactitude les circonstances que m'avait rapportées Fabre dans un des rares instants où il s'était laissé aller aux confidences.

Une jeune Portugaise, que vous avez connue sous une identité d'emprunt, vous aima de toute son âme, du jour où elle vous vit jusqu'à son dernier souffle. Après votre brusque départ de Salamanque, elle découvrit qu'elle allait être mère. Elle s'interdit de vous rechercher et de vous faire part de sa détresse. Elle tut jusqu'à votre nom. Son confesseur lui-même respecta le scrupule de cette femme qui vécut saintement, expiant une faute dont elle voulut se punir, ne trouvant pas la force de s'en repentir.

A l'heure de sa mort, voici deux mois, elle me confia le nom de l'homme qui avait eu toute sa tendresse : le vôtre. Elle m'avoua en même temps que, jeune religieuse, elle avait enfreint ses vœux en s'éprenant de vous. Voilà pourquoi elle avait choisi de vivre dans l'obscurité, sans se faire reconnaître des siens et en gardant un silence absolu sur sa disgrâce. Elle subvint à ses besoins et aux miens en donnant des leçons de français et de musique.

Dieu ayant toujours conservé la première place en son âme, j'oserais dire qu'elle m'a aimé plus que tout au monde, si votre souvenir n'avait gardé sur son cœur une emprise toute-puissante.

Elle n'a vécu que pour prier le Ciel de lui pardonner et pour me transmettre les qualités qu'elle avait admirées en vous. J'appris votre langue avant même de savoir l'espagnol.

Si la cruauté du destin, la guerre, les divisions qui ont déchiré nos pays l'ont à jamais séparée de vous, elle n'eut à votre égard que paroles d'amour et me déclara solennellement que votre conduite envers elle avait été irréprochable. Elle se jugeait seule responsable et de son malheur et de votre éloignement.

Je ne prétends, monsieur, ni à votre affection ni à vos bienfaits. Je ne sollicite l'honneur de vous rencontrer que pour accomplir le vœu d'une mère que je vénérais. Elle souhaitait que vous me bénissiez.

Rien ne me retient en Espagne, rien ne m'appelle au Portugal, patrie d'une famille qui ignore mon existence. Je compte partir prochainement pour l'Amérique, où le courage permet à un homme de vivre la tête haute, sans avoir à rendre compte de ses antécédents et de ses infortunes.

Je serai à Paris jusqu'à la fin du mois d'avril, à l'hôtel de la Croix-d'Or, rue des Petits-Champs n° 17. Si ma lettre devait vous atteindre et vous trouver en bonne santé, si vous aviez la générosité de me faire tenir une réponse et de m'envoyer cette bénédiction *que sollicitait ma pauvre mère, je vous en serais, monsieur, à jamais reconnaissant.*

Je vous prie d'agréer, monsieur, l'assurance de mon profond respect et de mon dévouement. Pedro de Oliveira.

Je demeurai immobile dans mon fauteuil, assommée par cette révélation, fixant la lettre posée sur mes genoux. Les précisions qu'elle donnait coïncidaient exactement avec celles que je connaissais, la dignité et la réserve du jeune homme sonnaient vrai. A cette fierté qui allait jusqu'à la raideur, on le devinait ombrageux comme un Espagnol – ou comme Fabre lui-même!

Il m'avait avoué que le souvenir de cette jeune Portugaise l'avait tourmenté pendant de longues années. S'il avait su qu'elle attendait un enfant de lui, il l'aurait épousée, j'en étais certaine.

Je tentai de réfléchir, mais j'avais rarement connu pareille fébrilité et je ne parvins à mettre aucun ordre dans la confusion de mes pensées.

Que faire? Montrer cette lettre à Julien? Il aurait été de bon conseil, je ne pouvais pourtant lui demander de garder le secret vis-à-vis de Pauline qui aurait été bouleversée par cette histoire. Le docteur Manet était trop vieux et las, je ne pouvais ajouter le poids de cette confidence aux soucis que lui donnaient l'âge et une mauvaise santé. Joseph saurait se taire, mais je ne voulais rien lui dire tant que je n'aurais pas résolu de la conduite à tenir.

Je passai deux jours à remuer cette affaire dans ma tête. Une fois de plus, la blessure que m'avait causée la mort de Fabre se rouvrit cruellement. J'avais connu par lui les quinze plus belles années de ma vie, alors que cette malheureuse femme n'avait eu droit qu'à quelques semaines de bonheur et avait dû être déchirée de ne pouvoir assurer à son fils ni position ni avenir.

Peu à peu s'imposa une certitude. Fabre disparu, il était de mon devoir d'apporter quelques secours à ce jeune homme et de le rencontrer s'il en était encore temps. Je lui écrivis en termes simples et directs, lui présentant ma démarche comme une obligation à laquelle le général n'aurait pas voulu que je me dérobe et lui demandant de l'accepter en mémoire de sa mère. Son orgueil ni sa sensibilité ne devaient en être froissés, car nous obéissions tous deux à la volonté d'êtres qui nous avaient été chers par-dessus tout. J'annonçai que je pouvais me rendre à Paris avant la fin du mois et que je lui ferais savoir le moment de mon arrivée.

Six jours plus tard, je reçus une réponse de M. de Oliveira. Il cachait mal son émotion sous une attitude distante et respectueuse. Pour moi, j'avais désormais l'esprit en repos.

Avant de prendre les dispositions nécessaires à mon voyage, je dis la vérité aux Maraval, à Joseph et au docteur Manet. Leur stupeur et leur embarras cédèrent devant ma résolution. Il fut convenu que pas un mot de ceci ne devait transpirer tant que nous n'aurions pas jugé, à mon retour, ce qu'il convenait de faire.

La receveuse des postes et le facteur du Bugue avaient vu la lettre épaisse et lourdement cachetée à en-tête du ministère de la Guerre. Il était facile de dire que celui-ci m'informait d'une question concernant Fabre, que je ne pouvais traiter sans me rendre à Paris.

Certains auraient peut-être aimé croire que j'allais rejoindre M. de Céré. Mais il était notoire que je n'avais entretenu aucune correspondance avec lui. En outre, la froideur et la détermination dont je fis preuve n'avaient rien d'une ardeur amoureuse. Je songeai à peine à lui en ces journées où j'étais absorbée par les préparatifs de mon voyage. Je ne voulais pas l'avertir de ma venue tant que je n'aurais pas rencontré M. de Oliveira.

Il ne restait plus de place dans la malle-poste qui faisait le trajet en deux jours et Joseph m'en retint une dans la diligence qui, elle, en mettait trois.

J'écrivis à un hôtel dont Fabre m'avait donné le nom. Tenu par la veuve d'un capitaine qui avait servi sous ses ordres, il était commodément situé rue Saint-Honoré, à proximité de Saint-Roch. Je demandai également qu'on me retienne une femme de chambre de toute confiance, qui connaisse Paris et les meilleures boutiques, afin de m'accompagner dans mes courses. J'étais disposée à payer le prix qu'il fallait pour m'assurer les services d'une personne à la fois discrète et honnête.

Je partis sans attendre de réponse, car le temps pressait.

*

Un lundi après-midi, je me retrouvai à Périgueux, dans l'enceinte des établissements Dameron, cour des Princes, accompagnée de Joseph et de Faye.

En attendant le départ de la diligence prévu à trois heures et pour lequel nous étions largement en avance, ils veillèrent avec une attention sourcilleuse à l'embarquement de ma malle. Joseph exigea qu'elle fût mise sur la plate-forme, contre la rambarde, recouverte d'une bâche et fixée par une corde qui la garantisse des accidents de la route.

Au fur et à mesure que le temps passait, on hissa en un entassement invraisemblable bagages, paquets, ballots, paniers. Tout cela tanguait, prêt à chavirer, et fut arrimé sous une large toile cirée, enserrée de cordes. Il me parut que voiture, passagers et chargement resteraient en place ou basculeraient ensemble.

J'étais logée dans l'un des coins du coupé, où se

trouvent les trois meilleures places. Un peu plus tard arrivèrent mes compagnons de voyage. Une dame accompagnée d'un perroquet s'assit près de moi. L'autre coin fut pris par un personnage vêtu d'un macfarlane, coiffé d'une casquette, le teint rouge brique, la démarche raide. Joseph s'enquit de leur qualité. Il s'agissait de la femme d'un gros marchand de drap parisien et d'un Anglais, courtier en vins, qui regagnait Paris, puis Londres, après avoir fait ses affaires à Bordeaux et à Bergerac. La première était trop bavarde, le second muet comme la tombe.

Dans l'agitation générale, je ne prêtai pas attention aux personnes qui s'installèrent dans les autres parties de la voiture. Le postillon était fringant comme le voulait l'honneur de la profession, mais pendant qu'on le hissait sur son cheval, je remarquai ses bottes plus que sa figure. Joseph m'expliqua qu'elles étaient faites de sept épaisseurs de cuir, doublées de molleton, et cerclées de bois et de fer. Cet appareillage empêchait qu'il eût la jambe écrasée, du côté du timon. L'autre botte n'était de même poids que pour maintenir l'équilibre.

Le conducteur, personnage le plus important puisqu'il accompagnait la diligence d'un bout à l'autre du voyage, parut, tel un chef d'orchestre qui n'entre dans la fosse que quand musiciens et spectateurs l'attendent dans un silence respectueux. D'un coup d'œil, il s'assura que chacun était à sa place puis, malgré sa corpulence et son sac de cuir qui lui battait le ventre, grimpa lestement jusqu'à son siège par les crampons de fer placés au flanc de la voiture.

D'une voix claironnante, il indiqua au postillon que le moment était venu, cria un « Gare! » menaçant. Le postillon sortit son long fouet de sa botte et avec des « Yoh! yooooohhh! » allant crescendo, du grave à l'aigu, le fit claquer au-dessus des chevaux de tête. Chiens, parents, amis, curieux, passants, tout s'écrasa contre les murs. La voiture rasa la borne à la sortie de la cour, je lançai un dernier adieu à Faye et à Joseph, et nous nous élançâmes dans la cour des Princes, en direction de la route de Limoges,

J'étais prête à tout endurer. Chaudement vêtue, munie de provisions, j'avais même glissé dans le nécessaire qui ne me quitterait pas les petits pistolets achetés après la mort de Fabre, en prévision de mes courses solitaires.

Pendant les premières heures de voyage, je lus et j'observai le paysage alternativement. Je résistai aux tentatives de conversation de la dame. Elle en fut réduite à sortir des biscuits qu'elle mangea à moitié et dont elle émietta le reste dans la cage du perroquet, en lui susurrant des mièvreries. De petits hochements de tête secs et quelques cris stridents furent les seules réponses de son favori. L'Anglais demeura impassible. La nuit tombée, je grignotai des noix et bus du thé qui était encore chaud dans son flacon.

Enfin, vers onze heures du soir, par un froid piquant, une humanité lasse et grelottante dégringola dans une cour d'auberge, au milieu d'une boue à ravir des cochons.

Notre arrivée réveilla le patron. Il se souleva sans joie d'une chaise placée contre les chenets, devant un feu éteint. Nous étions en retard, nous annonça-t-il, sa servante était couchée, sa femme endormie, et il conclut : « Le repas coûte 4 francs. » On ne discuta ni du prix ni du menu. Nous étions entre ses mains, ornées d'un torchon poisseux. Des assiettes et des couverts furent jetés sur la table, où l'obscurité dissimulait en partie les débris d'épluchures et les reliefs d'anciens festins. On s'installa. Je distinguai trois jeunes gens dont les plaisanteries ne déridèrent personne, un couple de bourgeois vieil-

lissants qui se querellaient à mi-voix, un curé qui
dodelinait, accompagné d'un séminariste aux mains
rouges. Un militaire frisottait sa moustache et offrit
galamment un pan de son manteau à une demoiselle qui ressemblait à une femme de chambre
délurée et portait des vêtements trop minces de
citadine. J'eus le sentiment que ce partage préludait
à des échanges plus discrets. Un monsieur d'aspect
chagrin, aux airs d'employé subalterne – de ceux
qui n'ont jamais pu parvenir à l'aisance mais se
conduisent en public comme s'ils étaient habitués
au meilleur confort – grinça, méprisant : « Et quel
vin va-t-on nous servir! » L'Anglais se taisait. La
dame au perroquet parlait sans obtenir de réponse.
A l'écart, deux paysannes, leur cabas sur les genoux,
regardaient ces gens qui avaient quatre francs à
dépenser sans savoir ce qu'ils obtiendraient.

Le patron commença par réclamer son dû à
chacun. Puis il remua les cendres, attisa le feu
rebelle, provoqua une abondante fumée, avant de
disparaître dans la cuisine. Il en revint bientôt, avec
une miche de pain dur, puis un pot fumant d'où
pointait une louche. Une fois servi, chacun distingua
devant lui une eau grasse où flottaient du chou, des
pommes de terre et du pain réduit en bouillie. J'en
pris pour me réchauffer.

Ensuite, nous attendions n'importe quoi et on
nous le servit sous forme d'une pâtée baptisée
omelette, où je distinguai du cuit, du brûlé, du
gluant et un morceau de lard desséché, qui avait dû
rester accroché au poêlon depuis le passage de la
diligence précédente. L'appétit eut raison de nos
réticences. L'ensemble n'avait ni goût ni odeur, ce
qui me rassura.

Mes compagnons burent le liquide aigre qui
tenait lieu de vin. Pour ma part, je poursuivis le
patron jusqu'à ce qu'il m'eût tiré du puits un pichet
d'eau fraîche.

L'instant d'après, le conducteur arriva et clama bruyamment : « En route, mesdames et messieurs, en route! » Ceux qui n'avaient pas fini durent se lever aussi promptement que les autres.

On repartit. La nuit passa. Dans le gris de l'aube, on parvint à Limoges. Au fur et à mesure que la journée avançait, je ne sais où on relaya. Des visages défilaient dans les bourgs et les villes traversés. J'étais plongée dans une hébétude que je n'avais jamais ressentie.

A la fin de l'après-midi, au sortir d'un hameau, la diligence aborda trop vite un tournant, sortit de la route, s'affaissa à moitié dans un fossé, sans pourtant verser totalement.

Je fus précipitée sur la cage du perroquet. Cette perspective d'une étreinte brutale lui fit jeter des cris aigus. Sa maîtresse, sans se soucier des contusions dont je pouvais souffrir, dispensa à travers les barreaux baisers et paroles d'apaisement au dénommé Bibi, tout ébouriffé. L'Anglais se laissa aller à dire « Oh! ».

On sauta de voiture comme on put. Personne n'était blessé, mais nous étions tous sensiblement moins frais que la veille, sauf la femme de chambre, jolie comme un liseron. Le militaire redressa son shako en homme qui garde son sang-froid dans les pires dangers. Il aida les habitants du village, déjà accourus, à rattraper deux des chevaux, dont les harnais s'étaient rompus.

Le postillon, enfoncé jusqu'à mi-bottes dans l'eau du fossé, dégagea les autres chevaux, qui étaient sains et saufs, et examina l'étendue des dégâts. Il apparut qu'un essieu était cassé.

On parvint à redresser la voiture, mais il faudrait avoir recours pour les réparations à un bourrelier et à un charron de l'agglomération la plus proche. Le postillon enfourcha un des chevaux et piqua des deux vers La Châtre, distante d'une lieue.

En interrogeant les gens du lieu, j'appris que nous devions y relayer à l'auberge de la Cloche d'Or. Pendant que nos compagnons de voyage se dispersaient au bord du chemin ou se faisaient servir un repas frugal dans une des chaumières du hameau, j'allai vers l'Anglais qui se tenait à l'écart, morne et silencieux.

Je me présentai, en invoquant les circonstances de l'accident pour justifier ma démarche. Il me salua profondément et me déclara être Jeremy Astor Parker, représentant en vins à Londres.

« Il apparaît, monsieur, que trois ou quatre heures peuvent s'écouler avant que nous repartions. Accepteriez-vous de m'accompagner jusqu'à La Châtre, où nous pourrions parvenir à pied en moins d'une heure ? Ceci nous laisserait le temps de commander un honnête dîner ou de nous reposer plus commodément qu'ici. »

S'il jugea ma demande cavalière, il n'en montra rien. J'avais pris soin de parler le plus gravement possible, en personne qui se résigne à prendre un parti raisonnable et non qui médite une partie de plaisir. Il s'inclina plus pompeusement que la première fois et se déclara à mes ordres.

« Il est à peine sept heures, la nuit est claire, nous ne risquons pas grand-chose, je crois, lui dis-je. J'ai sur moi deux petits pistolets dont je me sers correctement. Etes-vous armé, monsieur ?

– J'ai ceci, madame », répondit-il en me montrant deux poings velus et osseux.

Je n'aurais pas aimé le rencontrer ivre ou en colère, mais sur une grand-route, il était le protecteur qu'il me fallait. Après avoir prévenu le conducteur de nos intentions, nous nous mîmes en route d'un bon pas. Je respirai enfin, après avoir été enfermée pendant près de trente heures. M. Parker semblait tout aussi satisfait de dégourdir ses longues jambes.

On ne rencontra que des paysans se hâtant vers leur logis, une belette ou un putois se coulant sous une haie, et notre passage ne suscita que quelques aboiements quand nous longions des fermes. Le paysage était noir, plat et fermé. La route se distinguait, un peu plus claire, au milieu des champs.

Nous restâmes quasiment muets pendant tout le trajet et arrivâmes aux premières maisons de La Châtre, satisfaits l'un de l'autre. Une large porte cochère, des fenêtres éclairées nous indiquèrent l'auberge de la Cloche d'Or. Heureusement, on avait déjà appris l'accident survenu à la diligence, ce qui diminua la méfiance ressentie à l'égard de deux inconnus arrivés à pied et sans bagages.

Cette auberge était un paradis. Le feu crépitait, prolongeant en ombres fantastiques les trophées de chasse qui ornaient les murs. Les dalles et les cuivres brillaient. On nous fit place à la table d'hôtes, où une pleine voiturée de voyageurs plaisantait haut, où le vin circulait librement et où le ragoût envoyait des volutes de fumée jusqu'au plafond.

J'avais un autre souci. Je partis à la recherche de l'hôtesse, que je trouvai, lardoire en main. Je voulais un grand baquet d'eau chaude pour me laver et la meilleure chambre de l'auberge, avec des draps propres et fraîchement repassés, afin de dormir jusqu'à l'arrivée de la diligence. Ses petits yeux ronds à fleur de tête m'observèrent sans cligner. En femme qui connaît son intérêt, elle comprit que j'étais prête, comme je le déclarais, à payer ce luxe un bon prix. Elle hocha du bonnet, essuya ses mains boursouflées, appela une des filles de cuisine. On me promit qu'un quart d'heure plus tard, j'aurais à ma disposition ce que j'avais demandé.

Je revins m'asseoir à la table d'hôtes à côté de mon Anglais, qui soupait comme s'il n'avait rien mangé depuis une semaine. J'avalai soupe, ragoût, légumes, me passai de dessert, car on vint m'annoncer que tout était prêt. J'expliquai à M. Parker que j'allais me reposer et lui demandai de me faire prévenir quand la diligence serait sur le point de repartir. Je fis la même recommandation à l'hôtesse, en la payant d'avance, et largement, de ses services. Je donnai vingt sous à la servante. Comme elle poussait la porte de ma chambre, j'entendis, à des raclements de pieds et à des hennissements assourdis, que nous étions au-dessus de l'écurie. Cela me convenait : il fait toujours chaud près des bêtes.

Je pris un bain dans le bac à lessive qu'on avait laissé au milieu de la pièce, me séchai avec un drap rêche comme un peigne et me jetai dans le lit qui craqua, pencha et que le mur seul arrêta dans son mouvement d'inclinaison. Je n'eus pas le temps de m'interroger plus avant sur les lois de la pesanteur, je dormais déjà.

Quand on cogna à ma porte, je me crus à peine au début de la nuit. Or, il était une heure du matin. Qu'importe, j'avais dormi d'un sommeil de plomb pendant cinq heures. Je fus prête en un tour de main.

En bas, je trouvai mes compagnons de voyage attablés devant une soupe et des restes de poulet froid. Bonnets penchés, joues grises, barbes hirsutes, yeux tombants, vêtements fripés, ils s'épongeaient avec leurs serviettes, mangeaient le menton dans l'assiette, les coudes collés à la table, toutes manières abolies. Seul le militaire n'avait pas entièrement abdiqué et relevait encore fièrement la tête. La dentellière – que j'avais prise pour une femme de chambre – se penchait d'un air dolent et oscillait contre l'épaulette rouge. Le séminariste avait les yeux bouffis, le curé mangeait à pleines cuillères, en homme qui sait tirer profit des occasions, fait bombance dans les châteaux et dort au prêche de monseigneur l'archevêque ou à la distribution des prix. La maîtresse du perroquet avait posé la cage sur ses genoux et soufflait dans le bec de l'animal avec l'espoir de le réchauffer, mais elle n'en obtenait que des croassements. Les trois jeunes gens de l'impériale frottaient leurs doigts et tiraient leur col par-dessus leurs oreilles sans parvenir à se réchauffer. L'employé avait renoncé à briller devant une assemblée aussi terne. Les deux paysannes, assises devant le feu qui s'éteignait, tranchaient du pain et du fromage qu'elles mâchaient en silence et buvaient à même un bouteillon dont on ne pouvait deviner le contenu.

Au bout de la table siégeait M. Parker, si raide que je le crus statufié. Pas un mot, pas un geste ne trahissaient la vie en lui. Quand on se leva pour se mettre en route, il ne bougea pas. Je commençai à m'inquiéter. Mais le patron revint avec le conducteur. Chacun le souleva d'un côté. On le hissa dans le coupé où il s'affaissa dans son coin, renversa la tête en arrière et s'endormit sans avoir repris conscience.

« C'est un drôle de client que vous avez là, dit l'aubergiste à notre conducteur en lui souhaitant bonne route. Il est resté assis à cette même place, à boire de l'eau-de-vie sans dire un mot depuis le début de la soirée. Il est fin soûl à l'heure qu'il est, croyez-moi. »

Et nous repartîmes dans la nuit.

J'avais demandé où se trouvait Nohant, la demeure de George Sand, que je savais proche de La Châtre. Nous étions passés devant sans le savoir, la veille, M. Parker et moi. Elle n'y était pas en cette saison, mais elle n'avait pas craint depuis deux ans d'y afficher tranquillement sa liaison avec Frédéric Chopin.

Quand le jour se leva, toute la diligence se réveilla comme si, de l'arche de Noé, nous avions aperçu la colombe revenant avec un rameau d'olivier dans son bec. Nous devions arriver à Paris le soir même, avec du retard mais avant la tombée de la nuit, espérait-on. Les contrôles de police se firent plus fréquents, comme on approchait de la capitale.

Enfin, on entra dans Paris et on s'engagea dans une rue interminable et malpropre – la rue Saint-Jacques, me dit-on. A huit heures passées, elle était encombrée d'une foule dont je ne comprenais pas quelles occupations la tenaient au-dehors. Je me décidai à interroger la propriétaire du perroquet.

« Où vont donc tous ces gens à pareille heure?

– A Paris, l'on peut se divertir, boire et manger à toute heure, répliqua fièrement cette sotte, qui me croyait admirative.

– Eh bien, on doit fameusement bâiller à l'ouvrage dans un endroit où l'on est si occupé à s'amuser », fis-je, scandalisée.

On atteignit la Seine qu'on longea. Puis on remonta vers des rues qui me semblèrent moins étroites et moins sombres que celles empruntées jusque-là. Enfin, dans un dernier cahot, la diligence entra dans la cour des Messageries, rue Notre-Dame-des-Champs. Aussitôt, les portes de l'établissement se fermèrent sur nous et ces messieurs de l'octroi se mirent en devoir d'inspecter nos passeports et nos bagages.

Je fus libérée de ces formalités en quelques minutes. Je dus cette considération au nom du général Fabre, opportunément prononcé par le domestique de l'hôtel d'Angleterre qui m'attendait, vieil homme à favoris en qui je devinais un ancien militaire.

Après un salut hâtif à mes compagnons de voyage et de nouveaux remerciements à M. Parker, je suivis mon cicérone. Un fiacre nous déposa bientôt à l'hôtel dont la propriétaire m'accueillit et me présenta la femme de chambre qu'elle avait retenue pour me servir.

Cette Rosalie était pimpante et bien tournée. Elle me parut apte à servir adroitement une grande dame soucieuse à la fois de ses plaisirs et de sa réputation, plutôt qu'à arpenter Paris à ma suite, mettant ses petits pas dans mes grands pas et veillant à ne me faire payer que le juste prix pour chacune de mes emplettes. D'apparence honnête et propre au demeurant, elle avait visiblement été choisie pour me conduire chez les meilleurs faiseurs et dans les meilleures maisons de nouveautés. Si ma lettre avait fait croire que j'effectuais ce voyage pour renouveler ma garde-robe, je me garderais de dissiper l'équivoque. Je paierais suffisamment Rosalie pour qu'elle se remette de sa déconvenue et qu'elle renonce à s'interroger sur la véritable raison de mon voyage.

L'appartement où l'on me conduisit était situé au premier étage. Il donnait sur la cour et on y entendait le bruit des cuisines et des écuries, qui ne me dérange pas. Simple et commode, il comprenait une chambre, un salon et un cabinet de toilette arrangés sobrement. Il y faisait très chaud. Un feu qui avait dû être attisé toute la journée brûlait dans les deux pièces.

Rosalie fut interloquée quand je lui fis ouvrir la fenêtre toute grande, pendant que je procédais aux premiers rangements. Cependant, mon dos, mes épaules, ma nuque étaient durs comme la pierre et mes gestes maladroits comme jamais. Je renonçai à défaire ma malle le soir même. Je me fis monter un bouillon, cette fille m'aida à me déshabiller et à me coiffer pour la nuit et je me contentai d'une toilette sommaire avant de me coucher.

Le lit était moelleux, les draps fins. En bas, l'office résonnait d'une querelle de marmitons, mais il en fallait plus pour me tenir éveillée.

Quand j'avais trouvé le loisir de réfléchir pendant ces trois derniers jours, dans l'abrutissement du voyage, je m'étais cent fois demandé, sans trouver de réponse, quels seraient l'aspect et le caractère de M. de Oliveira. Je craignais par-dessus tout qu'il ne ressemble à Fabre, ce qui m'aurait jetée dans un trouble affreux. J'étais donc décidée à m'attacher dès le premier instant aux différences qui le distinguaient du général.

Je n'avais pas songé à M. de Céré depuis que j'avais quitté Puynègre. Alors que je souhaitais ne penser à rien ni à personne et sombrer dans le sommeil, son image m'envahit, intense, vivante, souveraine. Son regard acéré, le dessin ferme de sa bouche, sa fausse nonchalance de fauve qui s'amuse avec un peloton de laine en attendant l'instant de sortir ses griffes, me revenaient en mémoire.

Plus je m'irritais contre moi-même, plus le souvenir me submergeait, fort et précis. Je revoyais certain gilet de piqué blanc dont la coupe avait suscité l'admiration, la cornaline gravée qui ornait son doigt, seul bijou toléré par ce dandy aux goûts austères, je sentais l'imperceptible odeur de la lotion dont il se parfumait les cheveux et la barbe.

Si j'étais émue en me représentant ses gestes les plus insignifiants – la manière dont il balançait sa canne entre deux doigts, la chiquenaude qu'il donnait à la cendre de son cigare pour la secouer dans la cheminée –, que dire de ceux, plus intimes, qui se pressaient avec insistance sous mes paupières closes?

Je me tournais, me retournais. Ne savais-je pas cet homme insaisissable? Il m'avait demandé de partir avec lui, car il était certain de mon refus. Autrement, il se serait tu. Maintenant sa vie devait à nouveau être partagée entre le théâtre, l'opéra, les parties de plaisir et les mondanités. Ma raison me disait de ne pas l'avertir de ma présence à Paris.

Au même moment, un instinct furieux exigeait en moi : je voulais le voir et je le verrais! Ce corps jusque-là si fidèle menaçait trahison. Cette fois, la bête m'échappait! Cet homme était là, devant mes yeux, chaud et fougueux, je sentais sa bouche, ses mains, ses genoux, son ventre. Je ne me débattais pas contre son ombre, mais contre lui. C'était sa chair, son odeur, sa force qui me fauchaient le souffle, me forçaient lentement à sombrer. Je le voulais, lui et personne d'autre, qui me ravage et me cloue.

Vaincue, en sueur, les cheveux collés aux tempes, la chemise réduite en chiffon, je m'écrasai dans mes oreillers. La chose était entendue, je le verrais.

*

Je ne sais pas dormir tard. Le lendemain matin, j'étais debout à huit heures. Rosalie m'apporta du chocolat et des petits pains, puis elle fit monter de l'eau chaude pour mon bain.

Aussitôt prête, je fis porter à M. de Oliveira un mot, le priant de venir dîner avec moi à l'hôtel d'Angleterre, en se présentant comme un neveu de Fabre. La présence d'un homme jeune dans mon appartement susciterait des questions que je voulais devancer.

Je consacrai le reste de la matinée à faire pour Pauline et pour moi des achats de gants et de bas, qui me permirent d'apprécier le goût fin et sûr de Rosalie. L'après-midi, elle me mena chez Victorine, la couturière qui avait l'honneur d'habiller la Cour. On me fit entrer dans un petit salon séparé du magasin. Les élégantes qui fréquentaient ce haut lieu de la mode n'auraient pas supporté qu'une rivale découvre le modèle qu'elles s'étaient réservé.

Je voulais deux robes d'après-midi, une robe de soirée, une redingote et un mantelet. Je désirais également que l'on me fasse une pelisse neuve en conservant la doublure de zibeline, demeurée en parfait état, d'une ancienne pelisse que m'avait donnée Fabre.

Une heure fut nécessaire au choix des tissus et des modèles. Rosalie et la jeune couturière qui me conseillait furent déçues de voir que, tout en tenant compte de leurs avis, je fixais mon choix rapidement et que j'admirais sans m'y attarder les merveilles de cette caverne d'Ali Baba. Un point restait délicat : j'étais pressée. Il fut enfin convenu que les premiers essayages se feraient deux jours plus tard et qu'on me livrerait une partie de ces vêtements dans un délai d'une semaine. Je ne discutai pas les prix qui me furent indiqués, ce qui me valut une considération que Rosalie ne m'avait guère accordée jusqu'alors.

Suivirent une visite chez Herbault, la célèbre modiste, qui se trouvait un peu plus haut dans la rue de Richelieu, puis chez un bottier. Là encore, j'obtins que l'essentiel de mes commandes soit prêt dans les huit jours.

Je n'écrirais à M. de Céré que lorsque je pourrais me présenter devant lui dans une toilette convenable.

Nous avions été en fiacre et avions à peine fait quelques pas en montant et en descendant de voiture, la tête me tournait pourtant. Cette foule pressée et volubile ne ressemblait en rien aux paisibles piétinements des foires du Bugue. Rosalie tenait beaucoup à me montrer les boulevards, les passages et les Tuileries, où se retrouvait tout ce que Paris compte d'élégant. Au risque de la décevoir, je lui déclarai que j'irais aux heures où l'on ne s'y bousculait pas. Je ne voulais pas risquer d'y rencontrer M. de Céré.

De retour à l'hôtel d'Angleterre, je me laissai tomber dans un fauteuil, demandai du thé, mis une tenue d'intérieur et m'apprêtai à jouir d'un calme complet jusqu'au moment où arriverait M. de Oliveira. J'étais si peu en état de réfléchir à ce que je lui dirais que je m'en remis à mon instinct.

J'avais fait établir une lettre de change de trois mille francs, pris sur mon argent personnel, que je comptais lui remettre pour aider à son établissement en Amérique. Je ne pouvais guère lui être d'un autre secours.

Quand Rosalie l'annonça, je me demandai quelle absurde fantaisie m'avait amenée à souhaiter cette rencontre. Il parut sur le seuil, fit deux pas dans la pièce, s'inclina. Je le regardai, incapable de faire un geste. Il était moins grand que Fabre, mais avait quelque chose de sa fierté dans la démarche. Fabre, toutefois, avait la raideur, et souvent la brusquerie, de ceux qui ont exercé pleinement leur autorité et n'ont pas l'habitude de la voir contestée. Le jeune homme était raide comme quelqu'un qui aurait réprimé, par orgueil et sensibilité blessée, les qualités qu'une position subalterne ne lui aurait pas permis d'exprimer.

« Asseyez-vous, monsieur, je vous en prie. Ne vous étonnez pas de mon silence. Laissez-moi le temps de me remettre. »

Je ne voulais pas le voir debout, comparer sa stature à celle de Fabre. J'avais trop aimé lever les yeux vers ce visage aux traits sévères et guetter la lueur de tendresse ou d'amusement que je savais y faire naître. J'avais trop mesuré mon pouvoir dans les yeux de Fabre et il avait trop usé de celui dont il jouissait sur moi pour que ce souvenir me revienne impunément. D'ailleurs, me dis-je farouchement, personne ne lui ressemble. Quand enfin je crus pouvoir contrôler ma voix, je relevai la tête.

« Parlez-moi de madame votre mère », demandai-je.

Il me sembla que j'avais la froideur d'un juge.
Mais je compris que je répondais mieux ainsi à
l'image austère qu'il s'était faite d'une veuve de
général.

« Me permettez-vous de vous montrer son portrait? » me demanda M. de Oliveira.

Il me fallut bien accepter. Ah! j'envie les femmes
qui ont le pouvoir de s'évanouir à volonté! Cela
m'aurait permis de fuir un récit, des explications
que tout en moi repoussait maintenant. Au lieu de
cela, je tendis la main et pris le médaillon qu'il avait
tiré de son portefeuille et ouvert. D'un côté s'enroulaient des cheveux noirs sous une fine lame de
verre, de l'autre était peint en miniature un visage
de femme, arrondi et sérieux, aux grands yeux
sombres.

« Ce portrait a été fait à l'époque où les troupes
françaises séjournaient à Salamanque, précisa le
jeune homme. Je l'ai mis dans ce médaillon que j'ai
toujours vu au cou de ma mère : il contenait cette
mèche de cheveux que lui avait donnée le général
Fabre. Elle avait aussi fait de lui une esquisse
qu'elle n'a pas terminée... le général ayant dû brusquement quitter l'Espagne... Désirez-vous la voir?

– Mais oui », dis-je, avec une appréhension qu'il
ne devina pas.

Je ne contemplai pas le dessin, j'en pris possession dès qu'il fut entre mes mains. Je reconnaissais
ce colonel Fabre de trente-quatre ans, que j'avais si
souvent imaginé et aimé en pensée. La bouche, le
menton, l'arcade sourcilière étaient les siens, mais
la campagne de Russie et l'effondrement de l'Empire n'étaient pas encore passés sur ces traits,
adoucis également par le tendre regard du peintre.

Je n'étais pas jalouse. Fabre était ma vie, il

m'appartenait, avais-je décidé depuis longtemps. La jeune Portugaise avait accepté d'être séparée de lui, sa première femme l'avait admiré sans le comprendre. Moi, j'aurais tué ou je me serais fait tuer plutôt que de renoncer à lui. Comme ces joueurs arrogants qui gagnent à la fin de la partie, j'avais ramassé toute la mise et j'étais partie sans rien remettre en jeu.

On s'étonnera de m'avoir vue, quelques heures plus tôt, me consumer pour M. de Céré, alors que je me penchais maintenant avec passion sur le portrait de Fabre. L'un représentait ce que j'étais fière d'être : riche et forte, honorée à Puynègre et à dix lieues à la ronde. Avec l'autre, je correspondais d'une manière que personne ne pouvait comprendre : je me sentais parfois sa sœur plus que sa maîtresse, tant je le rejoignais par ce fond inavouable de violence et d'excès qui dormait en moi.

M. de Oliveira respecta mon silence. Il devait penser que j'étais un ange, à l'image de sa mère, et me croire accablée de douleur, alors que j'étais d'humeur aussi batailleuse que si je devais en cet instant même disputer Fabre à toutes les femmes qu'il avait pu aimer. Je fus touchée, cependant, de voir avec quelle émotion le jeune homme me regardait, pensant que nous nous unissions dans une même résignation chrétienne.

Je le fis parler. Il me décrivit la vie de sa mère et la sienne, pieuse et retirée, au bord de la gêne, avec pour seul horizon un ou deux prêtres d'un esprit médiocre. A l'âge de dix-huit ans, il avait étudié le droit et, soucieux de gagner de l'argent le plus rapidement possible, avait trouvé une position d'employé dont il ne cachait pas qu'elle l'avait humilié.

Malgré sa retenue, je devinai qu'il avait doublement souffert : du destin de sa mère – qu'il évoquait avec vénération – et de la position obscure à laquelle il était condamné. Il avait dissimulé les blessures faites à sa délicatesse et à son amour-propre, pour ne pas accabler la pauvre femme.

On sentait que son intelligence n'avait pas trouvé à se déployer et qu'il brûlait de se distinguer. Cette vie étouffante ne l'avait pas rendu amer mais l'avait passionnément attaché aux préceptes que lui avait inculqués sa mère, voulant le rendre digne de Fabre.

Pedro de Oliveira se trouvait donc, à vingt-huit ans, avec une expérience très étroite de la vie et des hommes. Ses principes religieux, son sens moral ne devaient lui inspirer qu'éloignement et mépris pour les bassesses du commun, les faiblesses de la chair et les compromissions de toute sorte. En somme, avec un noble caractère, un sens élevé de l'honneur et une sensibilité ombrageuse, il réunissait tout ce qu'il faut pour attirer la souffrance.

Je m'étonnai qu'il ne soit pas entré dans les ordres. L'Eglise sait employer les hommes de cette trempe. En Amérique, son austérité pourrait s'accorder au puritanisme ambiant. Mais accepterait-il ce matérialisme brutal et ce souci de l'argent qui y dominent, dit-on, toutes les classes de la société?

Rosalie, entre-temps, avait servi le souper, que j'avais voulu délicat et accompagné d'excellents vins. M. de Oliveira se servit sobrement et ne montra aucune habitude des plaisirs de la table. Il me demanda enfin de lui parler de Fabre, en m'avouant qu'il craignait de voir ramenée à des dimensions humaines une image que sa mère avait trop idéalisée.

Je traçai du général un portrait que je jugeais mauvais, car trop austère. Mais le jeune homme buvait mes paroles et son regard s'illuminait au fur et à mesure que je décrivais la belle figure de son père. Il le découvrai laboureur autant que soldat, aimé et respecté dans cette carrière comme il l'avait été dans celle des armes. Je racontai la manière dont il avait acheté Puynègre en 1809, l'avait rénové et installé au moment de son premier mariage en 1813, les améliorations qu'il avait apportées aux méthodes de culture utilisées jusque-là. Je parlai de Jérôme et de Pauline, des anciens militaires entrés au service de Fabre après 1815 et qui, depuis, n'avaient pas quitté la propriété. Je dis l'énergie infatigable qu'il avait eue, son goût des chevaux et des armes.

Brusquement, je m'arrêtai. Je ne voulais pas partager Fabre. D'ailleurs, je ne pouvais rien dire de l'essentiel. Je proposai à M. de Oliveira de parler de son avenir. A brûle-pourpoint, je lui demandai :

« Estimez-vous avoir beaucoup d'illusions?

— Madame, répondit-il gravement, j'ai eu quelques démentis sur des points que je tenais pour des certitudes. Il me reste à démêler pour mon propre compte où sont le vrai et le faux dans la plupart des choses de ce monde.

— Permettez-moi de vous donner un simple conseil, qui pourrait vous venir du général Fabre. Au lieu de vous révolter contre le monde tel qu'il est, frottez-y votre esprit. Trempez-le en le confrontant à tout ce qui se présente. Ecoutez tout autant ce qui vous flatte et ce qui vous scandalise. Ne craignez jamais les contradicteurs. Ne vous rebellez ni contre ceux qui vous donnent tort ni contre ceux, plus subtils, qui ont vocation de semer le doute partout : ils vous rendent un service insigne en jetant une lumière brutale sur vos convictions les plus profondes. A cette école, vous apprendrez à tout évaluer par vous-même. Ceci acquis, agissez comme votre conscience et votre tempérament le dictent. Si nous ne remettons rien en cause de ce que nous avons appris, nous confortons les opinions que nous avons déjà et rejetons celles qui s'en éloignent. En ce cas, il ne faut pas sortir de chez soi. »

M. de Oliveira dissimula son étonnement, son silence révéla pourtant qu'il n'attendait pas ce genre de discours dans la bouche d'une femme. Il ne m'en voulut pas et notre conversation se poursuivit jusqu'à onze heures du soir.

« Je ne sais si vous êtes libre de votre temps, lui dis-je alors. Cependant, vous me rendriez service en m'accompagnant dans certaines des promenades que je compte faire. Mais ne poussez pas trop loin le dévouement et ne me sacrifiez pas le temps que vous devriez consacrer à vos affaires. Je vous avoue aussi que je suis infatigable et que je veux tout voir : les églises, les librairies, les cafés, la Madeleine, la Bourse, le Louvre, le musée du Luxembourg. J'aimerais aller au Théâtre-Français, à l'Opéra, aux Italiens, au Théâtre de la Porte-Saint-Martin. Demain, je dois encore faire des achats. Ensuite, je n'aurai plus d'obligations et je me consacrerai au plaisir de la découverte. Voulez-vous dîner encore avec moi demain et accepter à l'aveuglette de venir au théâtre, car je ne sais pas encore quels billets je pourrai obtenir ? »

A une hésitation de M. de Oliveira, je compris qu'il estimait ne pas avoir de tenue suffisamment élégante pour se montrer dans ces endroits où se pressait le Paris mondain.

« Rassurez-vous, j'éviterai de prendre des places en vue. C'est le spectacle qui m'intéresse et pas la salle. »

M. de Oliveira y vit une preuve de sérieux et sa considération pour moi en parut augmentée.

*

Le lendemain, je fis appeler le vieux domestique de l'hôtel et le chargeai de deux courses. Je l'envoyai d'abord chez la logeuse de M. de Oliveira pour régler le coût de la modeste chambre qu'il devait occuper jusqu'à son départ. Puis, je lui demandai de trouver un tailleur de sa connaissance qui se rende chez le jeune homme et lui confectionne sans retard certains vêtements dont il avait besoin pour son voyage en Amérique. J'insistai :

« Choisissez quelqu'un dont vous puissiez me garantir l'honnêteté. Je lui ouvrirai un crédit de deux mille francs, qui lui seront comptés dès que les vêtements auront été livrés à la satisfaction de M. de Oliveira. »

Le pourboire que je remis au vieux soldat parut le satisfaire pleinement.

Ainsi, après avoir fait des remontrances à Jérôme à propos des objets anciens qu'il avait achetés, je me trouvais en train de dépenser, moi aussi, plusieurs mois de revenus en trois semaines. Je tenais de Fabre ce goût d'acheter la meilleure qualité dans les affaires dont j'attendais un long usage, et je comptais bien faire durer dix ans les vêtements que j'avais commandés chez Mme Victorine. Pour faire plaisir à Tiénette et à ma couturière, je les laisserais changer la coupe des manches ou l'ampleur du col, mais il ne serait pas question de mettre au rebut des toilettes qui m'avaient coûté un prix pareil, tant que tissu et coutures tiendraient ensemble!

Le soir, j'étais excédée d'emballages, de déballages, de tissus, de linge, de broderies, de piétinements devant les comptoirs. Quel gaspillage dans cette ville! On usait de l'eau, du bois, de la chandelle comme s'il en tombait du ciel chaque jour de nouvelles provisions. Toute l'eau de la Seine n'y suffirait pas, ni la forêt de Saint-Germain. On se chauffait encore en plein mois d'avril! Partout, je manquais d'air, je suffoquais, alors que les dames s'abritaient frileusement de la moindre brise. Ces mimiques me paraissaient avoir pour premier but de susciter les hommages. On les croyait fragiles, effrayées du plus mince vent coulis. Aussitôt, on s'empressait, on fermait un rideau, on avançait un tabouret moelleusement rembourré.

J'allai voir à l'Opéra-Comique avec M. de Oliveira *Les Diamants de la couronne*, dernier succès de M. Auber, qui en fabrique lestement autant que les Parisiens veulent bien en applaudir, c'est-à-dire un par an. Il a raison, car on oublie ces pièces-là aussitôt après les avoir vues.

Je me souviens par contre qu'au moment de dîner, à six heures, j'avais demandé à Rosalie :

« Apportez-nous aussi de la soupe, cela nous requinquera.

— De la soupe, madame ?

— Eh bien, oui. Pourquoi pas ?

— Madame veut dire du consommé ?

— Mais non, une soupe ordinaire, avec des légumes et du lard.

— Je ne crois pas, madame, que cela se trouve dans les cuisines. Sauf peut-être...

— Oui ?

— La femme du portier en fait pour son mari, qui a gardé les habitudes de la campagne.

— Parfait. Dites-lui qu'elle m'obligerait beaucoup en me donnant deux assiettées de soupe, que mon neveu et moi serions bien heureux de manger. »

Rosalie se résigna à cette mission sans gloire. Elle revint avec un pot fumant, à l'instant où arrivait M. de Oliveira. Il m'avoua qu'il s'était fort ému de la visite du tailleur et n'avait accepté de laisser prendre ses mesures qu'en voyant le désarroi du bonhomme. Je ne montrai aucun embarras et lui déclarai que le général aurait trouvé mon geste parfaitement naturel. Je pris prétexte de ce que le temps pressait pour l'asseoir sans délai devant la soupe aux pois qui nous attendait. Elle était délicieuse et, en sortant, j'en fis grand éloge à la portière. Il fut dès lors convenu qu'elle en préparerait chaque jour assez pour me la faire partager.

Le jour suivant était un dimanche. Il me suffit de traverser la rue pour entendre la messe de huit heures à Saint-Roch. En attendant que M. de Oliveira vienne me chercher pour aller au musée du Louvre, je me plongeai dans *La Dame du Lac*, de Walter Scott. J'étais curieuse de redécouvrir ce texte que j'avais lu bien des années plus tôt et qui avait inspiré l'opéra de Donizetti, *Lucia di Lammermoor*, qui avait triomphé à Paris deux ans plus tôt et dont les airs étaient depuis chantés dans tous les salons.

Rosalie m'interrompit trop tôt à mon goût en m'apportant une lettre dont l'apparence m'étonna : le papier était raide, l'écriture anguleuse, le cachet inconnu. Je l'ouvris et regardai la signature : Jeremy Astor Parker – mon voisin dans la diligence! Que pouvait-il me vouloir? Il sollicitait l'honneur d'être reçu et de m'exposer une affaire délicate à propos de laquelle je pourrais, par mes conseils, lui rendre « un infini service ». Je restai perplexe. Je me méfie des solliciteurs et de l'infini.

« Attend-on une réponse? demandai-je à Rosalie.

– Ce monsieur a apporté la lettre lui-même et il attend en bas votre réponse. »

Je me résignai et demandai qu'on le fasse monter.

M. Parker se présenta devant moi, aussi rigide et empourpré que lors de notre voyage. Le grand air avait peut-être donné à son teint une nuance plus éclatante. Il parlait d'une voix hachée par l'embarras et me demanda au moins trois fois d'excuser sa venue intempestive à cette heure de la matinée. Il voulait être sûr de me trouver à mon hôtel.

Il tenait un paquet sous le bras et exprima le désir de l'ouvrir pour soutenir sa démonstration.

Comment refuser? Il mit donc à jour un énorme corset au dernier degré de l'usure. Des bourrelets de toile s'échappaient de lambeaux de caoutchouc et, aux endroits les plus usés, surgissait l'extrémité des baleines. Je contemplai cette harde qui avait dû enserrer les flancs d'une géante. Heureusement, M. Parker m'éclaira.

« Ce corset appartient à Mme Parker, déclara-t-il solennellement. Elle l'a acheté à Paris, il y a bien des années, et m'a chargé de lui commander le même chez la corsetière dont j'ai ici l'adresse (il me tendit une carte ornée d'un semis de fleurs un peu passé, où se lisait le nom de cette artiste, rue de Choiseul). Je comptais demander ce service à la principale femme de chambre de l'hôtel de Montmorency, rue de la Michodière, où je descends depuis quinze ans. Cette personne est anglaise, comme la patronne, toutes deux d'âge mûr et de sage conseil. Hélas! chose jamais vue, l'une est malade, l'autre a dû retourner dans sa famille pour y recueillir un héritage. Les seules femmes de chambre qui restent sont deux demoiselles françaises, gracieuses quand elles s'adressent à vous, impertinentes et effrontées dès que vous avez le dos tourné. Elles rient de tout. Je venais donc vous implorer de...

– Je comprends. Si cela vous tire d'embarras, Rosalie qui vous a fait entrer se chargera de cette course. Pour quand vous faut-il le corset de Mme Parker? »

Il s'inclina à angle droit, balayant de son toupet le bord de la table.

« Je quitte Paris dans trois jours. »

Puis il bégaya sa reconnaissance et tenta d'y ajouter une explication que sa confusion rendit incompréhensible. Il sortit alors de son portefeuille un papier qu'il me présenta. C'était la réservation d'une loge pour le lendemain, à l'Opéra.

« Madame, me feriez-vous la grâce... j'ai réservé une loge pour voir *La Favorite* de Donizetti, dont chacun parle comme de l'événement de la saison. J'avais pensé... je serais considérablement honoré si vous acceptiez de m'accompagner à ce spectacle.

– Je vous suis très reconnaissante de cette pensée, monsieur. Mais je dois refuser pour deux raisons : la première est que j'ai invité pour demain un de mes neveux. La seconde, que je n'ai pas de toilette suffisamment parisienne pour me permettre de me montrer à l'Opéra dans une loge. »

M. Parker s'exclama, bafouilla des protestations, comme si je l'avais pris en flagrant délit de proposition graveleuse. Voyant qu'il ne se faisait pas comprendre, il reprit son calme.

« Je serais trop heureux d'inviter également monsieur votre neveu. Voyez, cette loge est à quatre places. Et, si j'ose tenter de vous persuader, constatez vous-même, il s'agit d'une baignoire du rez-de-chaussée. L'obscurité vous garantira des regards indiscrets. Vous serez à l'abri des caquetages et des mondanités, s'ils vous déplaisent.

– Peut-être pourriez-vous me convaincre. J'attends mon neveu, avec qui je dois aller au Louvre. Si vous patientez quelques instants, vous ferez sa connaissance. Ce jeune homme est de passage à Paris avant de partir pour l'Amérique, où il veut s'installer. Il a toujours vécu très modestement et je ne peux vous garantir qu'il ait un habit de soirée. »

Les bras de M. Parker s'écartèrent de son corps et il inclina la tête en un geste qui s'apparentait à la soumission.

M. de Oliveira arriva peu après et me délivra d'une conversation dont je faisais tous les frais. Ces deux taciturnes – bien que de tempérament différent – échangèrent des saluts pleins de réserve. Entre-temps, je m'étais avisée que M. Parker pourrait être utile à mon « neveu » dans les débuts de sa nouvelle carrière et j'étais déterminée à accepter son invitation. Grâce à Dieu, M. de Oliveira aimait la musique et avait un habit de soirée. Nous étions sauvés.

M. Parker s'élança vers moi et marqua sa satisfaction en me secouant vigoureusement la main. Heureusement, il me la rendit avant d'avoir réussi à me déboîter l'épaule. M. de Oliveira reçut avec plus de fermeté cette manifestation de sympathie britannique. M. Parker, soucieux d'établir son programme dans tous les détails, nous invita également à souper avec lui le lendemain, après l'Opéra. Il proposa le restaurant Grignon, passage Vivienne, renommé – nous dit-il – pour la qualité de sa cuisine.

« Rassurez-vous, madame, s'empressa-t-il de préciser, c'est un endroit où une dame ne peut ressentir aucune gêne. La plus grande correction y règne. Vous me comprendrez si je vous dis que la clientèle y est presque exclusivement anglaise ou américaine. Les Français préfèrent les lieux où... les convenances sont moins respectées. »

Cela me suffisait : j'étais sûre de ne pas y rencontrer Edouard. J'acceptai et la satisfaction fit monter d'un degré la teinte du visage de M. Parker, qui tira sur le violine.

*

Nous passâmes plusieurs heures au Louvre. Ignorant les visiteurs, les artistes amateurs et les peintres qui avaient installé leurs chevalets et leurs cartons dans la Grande Galerie où ils copiaient des tableaux, je fus transportée de bonheur à la vue de tant de merveilles. J'allai jusqu'à oublier un peu la présence de M. de Oliveira, à qui j'évitai de faire des commentaires sur mes préférences, car il aurait pu s'en offusquer.

256

Je m'attardai devant les tableaux italiens, français et hollandais de la Renaissance et du XVIIᵉ siècle. Ah! que j'aime le robuste monde païen qui transparaît dans les œuvres de ces époques!

J'admirai ces saints noueux aux rudes sandales, ces soldats au casque empanaché ou au feutre emplumé, en cuirasse ou en pourpoint aux manches à crevés, ces reîtres avinés qui manient l'épée ou lancent les dés de leurs poings de boucher, ces musiciens aux robustes colorations, ces prophètes au regard qui darde et aux musculatures saillantes. Je n'avais pas besoin de lire les plaques dorées pour reconnaître Silène, Bacchus, Jupiter, Neptune, Hercule ou Narcisse qui se pâmait dans son propre reflet. Et l'on n'hésitait pas, en ce temps-là, à peindre les mendiants, les estropiés, les bourreaux, les convulsions de l'agonie, l'impudeur des courtisanes.

J'aime ces nymphes qui craignent si peu les satyres, ces déesses aux contours puissants qui dorment à l'ombre d'une draperie ou d'un arbre, bras relevés, jambes à peine voilées, si peu cachées, si peu craintives, pendant qu'un dieu, un berger ou un faune soulève ce léger pan de robe, ces créatures abondantes qui symbolisent la Victoire, la Force, la Paix ou la Fortune, largement découvertes dans l'envol de leurs manteaux rouges, bleus ou jaunes, ces Vénus qui accueillent sans effroi Mars, Mercure ou Vulcain, qui charment Adonis, caressent Cupidon, sortent du bain, jouent avec les bijoux qui débordent d'un coffret. Les Sabines, la nymphe Europe et Proserpine se laissent enlever sans trop de regret, les muses folâtrent dans des tuniques flottantes et même les filles de Loth se tiennent, toutes chairs répandues, devant leur père enivré.

Servantes, diseuses de bonne aventure, sirènes, bacchantes, toutes semblent participer au vaste commerce charnel, pourvoyeuses ou marchandises.

Certaines Madeleines, aux épaules nues, aux cheveux épars, à la nuque ployée, ont le repentir si ardent qu'on le confondrait avec le plaisir.

La hardiesse des femmes égale souvent celle des hommes. David brandit la tête de Goliath d'où pend un filet de sang. Judith transporte avec sa servante le panier où elle a jeté la tête d'Holopherne qu'elle vient de trancher, comme s'il s'agissait d'emporter sa lessive.

N'ai-je pas vu de sujets religieux? Des Saintes Familles, des Adorations des Bergers, des épisodes de la vie des martyrs? Oui, je les ai regardés avec les mêmes transports, j'y ai vu la rondeur d'un sein, le poli d'une épaule, la finesse d'un profil, l'éclat d'une soierie, les plis d'un drapé, la puissance d'un cou, d'un bras, d'une cuisse. Je suis coupable, je le reconnais. Je ne vois pas ce que je devrais voir. La maladie, la souffrance, la mort! s'écriera-t-on, ne vous aveuglent-elles pas? Non, je suis déjà aveuglée par le plaisir de vivre, je ne peux m'empêcher de sentir la vie sourdre partout, dans tout ce que je regarde.

Les natures mortes me fascinèrent. Je crus reconnaître tel entortillement luisant de poissons, telle table chargée de gibier au retour de la chasse, où un lièvre gisait, la tendre blancheur de son ventre exposée entre ses pattes raidies, entouré de perdrix, dont le roux et le gris sont marbrés de sang, et d'un faisan, la tête abandonnée au bord de la table, ses larges ailes renversées. La chaleur de la fourrure, des plumes, du duvet était presque palpable dans la douce lueur brune des intérieurs flamands. J'aime aussi ces dégorgements de fruits, la chair blonde et rose des pêches dont on devine le moelleux, la transparence lumineuse des raisins, dont on voit le jus affleurer sous la peau, comme j'aime les plis désordonnés d'une nappe, le reflet d'argent d'une coupe, la fragilité du cristal où luit un vin du Rhin et l'éclat d'un couteau où s'enroule l'écorce d'un citron.

Au bout de trois heures, bien que m'étant assise plusieurs fois sur la profonde banquette circulaire qui ornait le milieu de la Grande Galerie, j'étais recrue de fatigue et de splendeur. Cependant, le Louvre étant fermé durant la semaine – sauf aux artistes qui en avaient fait la demande et aux étrangers –, j'étais déjà impatiente d'y revenir le dimanche suivant pour voir la sculpture grecque et romaine et le Musée espagnol du roi inauguré deux ans plus tôt. Je voulais aussi m'attarder devant certains portraits qui m'avaient frappée.

Je proposai à M. de Oliveira de traverser le jardin des Tuileries, avant d'aller prendre une boisson fraîche dans l'un des cafés qui bordent la terrasse, du côté de la rue de Rivoli. Le dimanche était jour d'affluence et les élégants délaissaient les célèbres jardins pour les livrer aux gens de moindre qualité. Mais les deux sentinelles qui se tenaient à chaque porte ne laissaient entrer que ceux qui portaient une tenue convenable, la seule qui convienne à si peu de distance de la résidence royale, au milieu d'arbres taillés, d'allées ratissées et de massifs soigneusement entretenus.

Je préférais à un autre, plus gourmé, ce public où se côtoyaient enfants courant après leur ballon ou leur cerf-volant, employés, militaires et jeunes gens à l'affût de quelque rencontre. Près de nous marchait une demoiselle surveillée par madame sa mère, pendant que monsieur son père, honnête homme et pilier du régime sans aucun doute, contemplait avec mépris ces bons à rien que leurs poches vides n'empêchaient pas de faire des œillades. On sentait qu'il avait déjà choisi pour gendre son premier commis et que les rougeurs inconsidérées de sa fille n'y changeraient rien. Les vieux habitués guignaient ce va-et-vient et se réservaient peut-être, une fois le mariage fait au gré du vieux papa, de voir la jeune dame retrouver à l'ombre d'une statue ou d'un bosquet, à une heure discrète, un héritier, un artiste ou un poète à la jolie figure – quelqu'un enfin ayant assez de loisirs pour la complimenter sur son minois et ses beaux yeux.

M. de Oliveira avait respecté mon silence et répondu sobrement à mes rares réflexions. Je mis mon laconisme sur le compte de l'étourdissement causé par la quantité de tableaux que nous venions de voir. Comment aurait-il pu deviner où vagabondaient mes pensées? Tournant à nouveau vers lui mon attention, je lui demandai ses impressions sur cette journée et ses goûts en matière d'art.

A mon étonnement, il accordait le plus grand sérieux à mes questions et y répondait point par point. Je lui avais déjà conseillé de les éluder quand elles le gêneraient. Chaque fois il protestait de l'intérêt et de la nouveauté que présentaient pour lui nos conversations. Revenant sur ses réponses, je le poussais alors à expliquer plus avant sa pensée et prenais plaisir à voir que la réflexion avait chez lui dans une large mesure remplacé l'expérience. Il ne disait rien de sommaire ou de hâtif.

A ma demande, son hôtelier ne lui avait pas dit que sa chambre et ses autres frais avaient été payés pour la durée de son séjour, mais d'ici là il aurait compris que l'aider à ce tournant de son existence était pour moi une manière de lui faire confiance et non de l'humilier.

Nous trouvâmes une table sous l'auvent d'un des cafés où l'on se bousculait. Je m'enfonçai dans ma chaise de rotin, m'apprêtant à jouer le parfait badaud et invitai M. de Oliveira à en faire autant.

Le soir, il était occupé et je passai la soirée à l'hôtel d'Angleterre, où je m'assoupis à moitié devant la soupe de la portière, puis sur les pages de *La Dame du Lac.*

Le lundi, j'effectuai mes dernières courses, autant pour moi-même que pour les gens de ma famille et de Puynègre. Surtout, j'allai avec Rosalie commander le corset de Mme Parker, qu'on me promit pour le lendemain.

J'étais transportée de joie le soir en me rendant à l'Opéra avec Pedro de Oliveira et M. Parker. Nous arrivâmes en avance, alors qu'on venait d'allumer le gaz des lustres. Cela était du dernier bourgeois, paraît-il, ce dont je me moquais ainsi que mes compagnons, tout comme je me moquais des critiques pincées qui avaient accueilli *La Favorite*. A les lire, les décors étaient médiocres, la musique plate et Mme Stolz ne savait pas chanter.

Or, je vis une superbe Leonora brune, au jeu passionné. Je fis peu attention à Fernando, héros trop naïf à mon goût, mais avec la salle je m'enthousiasmai pour M. Barroilhet, superbe Alphonse de Castille.

Une partie de la salle semblait pourtant occupée de bien autre chose que de l'opéra. On arrivait en retard, les portes battaient, on se saluait d'une loge à l'autre. Les femmes calculaient l'instant de leur entrée de manière à ce que tous les regards et les lorgnettes convergent vers elles.

Le morceau attendu était le ballet. Carlotta Grisi, cousine de Giulia Grisi, la diva des Italiens, y avait fait ses débuts en février et, depuis lors, l'opéra qui languissait soulevait un intérêt furieux. Mme Stolz en étouffait de rage, disait-on. Mme Grisi était jolie et d'une légèreté à ravir, mais les entrechats m'ennuient.

Je ne suis pas sensible à ces ensembles de demoiselles qui sautillent à travers la scène, et encore moins aux pas de deux. Les femmes y sont affectées et les hommes ridicules, passant le plus clair de leur temps à se promener à pas langoureux autour de la dame qui les dédaigne, sauf quand elle doit accepter leurs services pour s'élever dans les airs. Je ne comprends pas qu'ils acceptent de jouer ainsi les utilités et d'être à peine mieux traités qu'un escabeau. Madame retombe sur le bout du pied sans leur adresser un regard. De temps à autre, elle autorise le malheureux jeune homme à trottiner à ses côtés, avant de le rejeter. A pas lents, l'air abattu – on le serait à moins –, il se traîne au fond du décor. Aussitôt rappelé, il accourt sans rancune, se présente à droite. Cela ne convient pas, on le repousse ou on le fuit. C'est à gauche qu'on le voulait. Il s'incline. Madame accepte avec mépris la main qu'il tend, pourvu qu'il garde un air soumis ou douloureux. Deux ou trois fois, il est autorisé à se consoler de quelques pirouettes ou jetés battus, dont la technique est peut-être admirable mais l'effet fugitif. Ah! vraiment, comment peut-on exercer un métier où l'on est si maltraité!

Pendant le ballet, je ne portai donc à la scène qu'une attention médiocre. Mon regard tomba sur M. Parker, assis à côté de moi sur le devant de la loge. Dans la pénombre, il me sembla avoir la respiration embarrassée. Je me tournai imperceptiblement vers lui. Il regardait fixement la scène et je crus que ces soupirs lui étaient arrachés par Mlle Grisi, sur laquelle étaient braquées les lorgnettes. Mais il ne suivait pas ses mouvements et son immobilité avait quelque chose de cataleptique. Il porta son mouchoir à ses tempes et y essuya de grosses gouttes de sueur. Je commençai à m'inquiéter. La chaleur était considérable et une attaque d'apoplexie pouvait le menacer. Intriguée, je lui lançai à nouveau un regard furtif. Son bras était appuyé contre la cloison de la loge voisine, sa main posée sur le rebord de velours, crispée convulsivement sur le gant blanc qu'elle étreignait. Je changeai légèrement de position et me plaçai un peu en biais. Dans la loge voisine, penché en avant pour mieux voir la scène, se tenait un adolescent de quinze ou seize ans tout au plus, qui semblait accompagné de sa mère et d'une sœur aînée. Il était beau comme un ange descendu d'un tableau, à la carnation si délicate, au cou si gracile, aux cheveux si fins, à la grâce si languissante que j'hésitai un instant à y reconnaître un jeune garçon. D'un geste insouciant, il effleurait de sa manche celle de M. Parker. Dans l'obscurité, ce rapprochement se distinguait à peine. Peut-être leurs bras étaient-ils tout juste assez proches pour que M. Parker en soit bouleversé tandis que l'enfant n'en avait pas pris conscience. J'en tirai cette conclusion en voyant le premier en proie à un trouble effroyable et le second garder son air rêveur et lointain.

Je crus être le jouet de mon imagination. Mais aucun doute n'était possible : l'angoisse défigurait M. Parker. A nouveau, il se tamponna le front de la main qui était proche de moi. En se reculant, son voisin, qui ne paraissait toujours pas faire attention à lui, chiffonna du coude l'extrémité du gant de M. Parker. S'en apercevant, il eut un geste d'excuse et M. Parker une grave inclination de tête, en signe de pardon. Il froissa son gant puis, comme pour réprimer une légère toux, le porta à sa bouche. Alors, d'un geste convulsif, presque désespéré, il ferma les yeux et resta les lèvres enfouies dans ce gant. A côté de moi, son autre main, large et velue, était restée immobile sur le rebord de la loge. Une moitié de lui-même conservait les apparences tandis que l'autre sombrait dans ce gouffre où se retrouvent toutes les misères condamnées au silence.

Le ballet s'acheva. Une rafale d'applaudissements

éclata, dominée par les cris d'enthousiasme des jeunes gens qui occupaient les avant-scènes. Penchés à mi-corps dans le vide, ils lançaient des fleurs et des baisers à Mlle Grisi, se réservant – à ce qu'on m'avait dit – d'offrir plus tard des félicitations particulières aux demoiselles du corps de ballet.

M. Parker avait repris sa pose rigide. Pas un moment il n'avait détourné la tête. M. de Oliveira, placé derrière nous, n'avait rien dû remarquer. Puis mon attention fut reprise par la musique et ne se relâcha plus.

Quand l'opéra fut achevé, un fiacre nous mena à l'entrée du passage Vivienne. En passant devant une porte, M. Parker nous dit d'un ton mystérieux : « C'est ici que loge l'ancien forçat Vidocq devenu commissaire de police. » Un escalier monumental s'ouvrait à côté. Au premier étage s'ouvrait le Grignon.

A l'hôtel d'Angleterre, j'avais pris tous mes repas dans ma chambre, étant suffisamment abasourdie de bruit et de mouvement pour ne pas souhaiter m'asseoir à la table d'hôte. Mais souper dans l'un des meilleurs restaurants de Paris n'était pas pour me déplaire.

L'endroit était impressionnant, avec l'enfilade de sa grande salle et les couloirs qui menaient aux salles à manger privées. Les appliques de bronze doré étaient éclairées au gaz. Les lourds rideaux, les tapis où s'étouffait le bruit des pas, les conversations tenues à voix feutrée, respiraient le bon ton et un certain ennui. L'endroit ne paraissait guère français, à en juger par le costume et l'apparence des convives et du personnel. Les garçons, silencieux et raides, passaient portant haut leurs plateaux d'argent, superbement chargés quand ils servaient, encombrés de restes éparpillés et de carafes vides quand ils desservaient.

Bien, me dis-je, ce n'est pas ici que nous nous

amuserons. Par conséquent, il faut se régaler tout en menant nos affaires. M. Parker avait certainement en Amérique des relations qui pourraient être utiles à notre austère Pedro.

Une heure plus tard, j'étais parvenue à mes fins, sans avoir dû déployer grand talent, je l'avoue. M. Parker avait proposé de confier à mon « neveu » une lettre pour son correspondant à Philadelphie, un négociant d'origine française qui ne manquerait pas de s'intéresser à un jeune homme de mérite, lui-même à demi français.

Aussi peu faits l'un que l'autre pour le piquant et la légèreté, les deux hommes trouvèrent un terrain d'entente en échangeant des considérations sur l'histoire, la géographie, le système politique et les habitudes commerciales de l'Amérique. Le pays était assez vaste et plein d'avenir pour entretenir la conversation jusqu'au dessert.

Le service était lent. Au fur et à mesure que défilaient les plats, le sommeil me gagnait. M. Parker buvait nettement plus que sa part des bouteilles de vin qu'il avait choisies avec un soin jaloux. Dans une auberge, on aurait laissé les bouteilles vides sur la table et leur nombre aurait fait honneur aux convives. Ici, on les enlevait, de sorte qu'aucun excès ne pouvait attirer l'attention. Notre hôte restait d'une impeccable correction.

Il commanda café et liqueurs, que je refusai comme M. de Oliveira. Un bon repas m'enchante, s'il est servi à une heure chrétienne, pas au milieu de la nuit. Derrière nous, une pendule au son cristallin sonna un coup. Dès lors, je ne tins plus en place. M. Parker ne paraissant pas s'en apercevoir, je demandai tout bonnement à être reconduite à mon hôtel. Je ne m'inquiétai pas de savoir s'il avait l'intention de poursuivre ses libations, avec ou sans mon « neveu ».

Je visitai avec M. de Oliveira l'Arc de l'Etoile, où avaient été gravés en 1836 les noms des généraux de l'Empire, et parmi eux celui de Fabre. Nous nous rendîmes également aux Invalides où, depuis le mois de décembre, reposaient les cendres de l'Empereur. Puis je prétextai un refroidissement pour ne pas m'attarder. Je n'en pouvais plus de ce pèlerinage. Je ne voulais plus parler de Fabre à ce jeune homme qui m'écoutait avec recueillement.

Une fois de plus, je ressentis l'emprise que les morts exercent sur les vivants et à laquelle nous essayons en vain d'échapper. Mais si le respect du souvenir est noble, je ressens la soumission au passé comme une infirmité. Cela, je ne pouvais le dire que devant le docteur Manet, qui observait tous les phénomènes en homme de science et d'un œil dénué de sentimentalisme.

Après le départ de M. de Oliveira pour Le Havre, d'où il devait s'embarquer, je respirai plus librement. De son côté, M. Parker avait quitté Paris, lesté du corset de sa femme. J'étais fatiguée de ces deux hommes, pour qui j'étais respectable dans la mesure où ils me considéraient comme une veuve exemplaire, ayant voué une fidélité exclusive au général Fabre. S'y ajoutait chez M. de Oliveira une reconnaissance disproportionnée pour ma générosité, qu'il jugea admirable.

Sans plus d'obligations, j'aurais voulu retourner le jour même à Puynègre. Malheureusement, on ne devait me livrer que le samedi les toilettes que j'avais commandées et ma place dans la malle-poste était retenue pour le mercredi suivant.

J'aurais dû rendre visite à de vieux amis de Fabre : le maréchal Macdonald, qui habitait aux environs de Paris, et surtout le général Neigre, qui, enfant de troupe à l'âge de six ans, aujourd'hui baron et pair de France, dirigeait le service des poudres et salpêtres à l'Arsenal. Mais je manquais de sérénité en ces journées où tout me rappelait Fabre et où tout m'attirait, sans que je l'admette, vers Edouard. Ces rencontres auraient contribué à jeter le trouble dans mon esprit et je ne pus me résoudre à les provoquer.

Je mis à profit ce temps de liberté pour me promener à loisir. Je passai de longs moments chez les marchands de la rue de Rivoli, où j'achetai plusieurs estampes. Je m'attardai également plusieurs fois rue du Pont-Royal, chez le libraire qui depuis 1815 envoyait régulièrement à Fabre, et maintenant à moi, les livres que nous lui commandions ou les nouveautés qu'il jugeait intéressantes. Je fus enchantée de la conversation de ce M. Germain tout clignotant de malice. Une partie de sa boutique servait de cabinet de lecture. Je n'en franchis pas la frontière, puisqu'il est entendu qu'une femme ne lit pas en public. Je n'avais jamais éprouvé l'envie d'avoir commerce avec les gens de lettres. Les plus grands m'intéressaient par leurs œuvres plus que par leur personne. Et il me semblait, à lire les journaux, qu'à Paris le voisinage du succès enrageait ceux qui n'y avaient pas part. Le génie méconnu s'y affichait avec une hauteur de menton, une raideur de col, une arrogance dans la pauvreté et dans l'échec dont je restais pantoise. Faut-il être virulent parce qu'on est condamné à écrire des chroniques à quatre sous la ligne, dans des journaux dont votre portier, l'hiver, doublera le fond de ses galoches! En province, au moins, les candidats à la gloire trouvent toujours une société de douairières, de chanoines et de notaires devant qui pérorer, pourvu qu'ils ne s'offusquent pas des somnolences de leur auditoire.

Par contre, je me divertis beaucoup à écouter le

267

libraire. Il était temps que je quitte Paris, car je lui avais déjà commandé de quoi remplir deux caisses de livres, qu'il s'engagea à me faire livrer à Puynègre avant la fin du mois. Je m'amusai aussi beaucoup avec les vendeurs dont les auvents s'ouvrent sur les quais. On trouve là des connaisseurs aux allures râpées qui font partager leur science sans y mettre d'emphase.

J'allai deux fois entendre Rachel au Théâtre-Français : dans la Camille de *Cinna* et dans l'adaptation de la *Marie Stuart* de Schiller. Le colonel de La Bardèche donnait M. de Céré pour l'un de ses premiers amants. « Mais elle est si légère, avait-il ajouté en riant, qu'en étant distingué par elle, un homme sait qu'un de ses amis l'a précédé la veille et qu'un autre lui succédera le lendemain ou au plus tard le surlendemain. Notre Edouard a été assez habile pour la quitter le premier et rester en excellents termes avec elle, avait conclu le colonel. On dit bien qu'elle est sage depuis qu'elle est aimée du prince de Joinville. Bah! il est de sang royal, donnons-lui un an! »

Elle n'était pas une de ces obscures théâtreuses dont M. de Céré était à la fois amateur et facilement rassasié. Quand elle parut, en simple tunique blanche, sans autre bijou qu'un bracelet, avec son teint pâle, ses yeux et ses cheveux noirs de jais, elle était saisissante et incarnait la passion même. Tout en elle étincelait, la voix, les accents, les gestes. Camille naissait sous nos yeux, telle que je ne l'avais jamais vue dans Corneille.

J'avais hésité à aller la voir dans *Marie Stuart*. Je ne la croyais pas faite pour jouer la reine vaincue, accablée par la grande Elizabeth. Avec une habileté consommée, elle se laissa au début dominer par Mlle Maxime, comédienne qui elle aussi alliait le talent à la beauté. Puis, au IIIe acte, elle se dressa en une superbe rébellion, farouche dans son costume de velours noir et son voile blanc. Elle balaya la scène des fureurs de sa voix rauque, se fit si indomptable dans sa fierté outragée que la reine, pantelante, vacilla et eut un geste de recul. Le public ne s'y trompa pas, ignora l'invraisemblance historique et fit un triomphe à Rachel.

Le samedi, je reçus mes vêtements. Au cours des essayages, j'avais eu la confirmation qu'ils étaient coupés à la perfection. Chaque détail annonçait la qualité du faiseur. Le dimanche, en revenant de la messe, je jetai quelques lignes sur un papier que je fis porter à M. de Céré par un commissionnaire.

Monsieur, il serait indigne de vous comme de moi de vous laisser ignorer que j'ai dû venir pour quelques jours à Paris. J'y ai été appelée de manière imprévue par une affaire qui est maintenant réglée. Je suis jusqu'à mercredi à l'hôtel d'Angleterre, rue Saint-Honoré. Je serais heureuse de vous voir, tout en sachant qu'un homme dans votre position ne peut toujours disposer de son temps.

Je signai de mes initiales.

Cette démarche, intervenant trois jours avant mon départ, ne pourrait l'embarrasser. Il lui serait facile de trouver une excuse s'il ne souhaitait pas me voir ou s'il était retenu ailleurs.

Peu avant dix heures je traversai les Tuileries pour me rendre au Louvre. Il faisait un pâle soleil et je portais l'une des robes qui m'avaient été livrées la veille. A en croire Rosalie, j'avais une tournure fort élégante. Mais en règle générale, je reçois des marques de respect des agents de la force publique, des mendiants et des chiens errants, connaisseurs par profession, qui savent qui ménager et où dispenser leurs égards. Je n'attendais pas de signes d'admiration de la population matinale du jardin ou du musée.

Je revins à l'hôtel faire une légère collation au milieu de la journée. Mon admiration pour les Grecs et les Romains m'avait empêchée d'aller jusqu'à la Galerie espagnole, où je comptais retourner l'après-midi. Je n'avais pas résisté à la beauté d'Alexandre le Grand, de Mithridate Eupator ou de Lucius Verus, aux corps vigoureux, nus ou drapés des dieux ou des athlètes. J'avais même ressenti une vive affection pour les immenses prisonniers barbares de porphyre et de marbre qui gardaient l'entrée de ces salles.

Comme je traversais le vestibule de l'hôtel d'Angleterre, le vieux valet de chambre à favoris vint au-devant de moi et m'annonça respectueusement qu'on avait monté une lettre dans mon appartement et qu'une voiture était à la porte, attendant ma réponse. Je le remerciai aimablement, sans montrer une hâte indue.

Dès que j'ouvris ma porte, Rosalie me tendit un billet où je reconnus l'écriture et le cachet d'Edouard. Je l'ouvris. Il était de quatre lignes :

Madame, je n'ai pas de position et je suis maître de mon temps. Ma voiture est devant votre hôtel. Je vous attends. C.

Je l'avais appelé « Monsieur », il me répondait « Madame »! Allons, il me fallait affronter cette rencontre, que j'avais repoussée à toute force, tant j'avais peur de découvrir qu'il était redevenu l'homme du monde inaccessible au sentiment. Cela aurait justifié mon silence. Mais si je le retrouvais tel que je l'avais connu, me pardonnerait-il? Toute excuse était misérable : j'avais craint de me montrer à lui dans mes vêtements de provinciale? Je devais mon temps à Pedro de Oliveira? Rien ne tenait. Allait-il me recevoir poliment, ce qui serait la pire des insultes?

Mon calme tenait de l'accablement. Rosalie fut déçue de constater que cette lettre si élégante m'apportait non des transports de joie mais des soucis. Elle me servit en silence un déjeuner que je touchai à peine. Aussitôt après, je lui rendis sa liberté pour le reste de la journée. Si je rentrais dans une heure, congédiée par la froideur de M. de Céré, je ne voulais pas que cette fille soit le témoin de mon retour.

« Et ce soir, Madame aura-t-elle besoin de moi ? me demanda-t-elle, dans l'espoir d'en apprendre plus long sur mes projets.

– Non, merci, répondis-je. Si je dois me faire servir à dîner, un des domestiques de l'hôtel s'en chargera. »

Je lançai au miroir un coup d'œil distrait, ce qui dut lui ôter de l'esprit toute supputation de rendez-vous galant.

Je compris mieux sa curiosité et celle du vieux valet de chambre quand on me désigna le coupé d'Edouard. Fabre m'avait appris à juger en la matière et je reconnus le goût d'un maître. Les chevaux étaient magnifiques et fins comme l'ambre. Tout était parfait : les lanternes, le dessin du blason sur les portières, le damas vieil or des coussins, la livrée des domestiques.

Malgré mon inquiétude, je m'amusai de constater que le cocher paraissait le frère de M. Parker et des Anglais qui composaient la clientèle du Grignon. Ils avaient en commun, face à une femme, l'impassibilité de la carpe couchée sur un lit de cresson. Le groom m'arrivait à l'épaule, mais, leste comme un valet de comédie, il ouvrit la portière, abaissa le marchepied de la voiture. Aux quelques mots de salutation qu'il avait prononcés, je vis qu'il était anglais lui aussi.

Le trajet ne fut pas long jusqu'à la rue Taitbout, où Edouard occupait le rez-de-chaussée d'un hôtel.

Le porche franchi, la voiture décrivit une courbe parfaite et me laissa au pied du perron. Un domestique parut en haut des marches, français celui-là : respectueux, incliné, mais vivant.

Il se tenait devant la porte du vestibule, que je ne pouvais franchir, à la manière dont il était placé. Des cris furieux parvinrent jusqu'à moi, provenant de ce qui devait être l'antichambre. Le malheureux valet de chambre gardait sa dignité mais son attitude annonçait sa détresse. Il finit par me guider dans le vestibule.

« Si Madame veut bien attendre quelques instants, je vais l'annoncer. »

Il semblait surtout pressé de courir à cette voix qui débordait comme du lait sur le feu. Heureusement, dans sa précipitation, il avait mal fermé la porte qui séparait les deux pièces, et elle s'entrebâilla suffisamment pour me permettre de suivre la scène.

Il tentait de faire sortir l'auteur des cris par un couloir qui s'ouvrait sur le côté de la boiserie. Mais la superbe créature à laquelle il s'adressait ne voulait rien entendre. Sanglée dans une robe lilas d'où jaillissait une peau blanche éclatante, elle marchait d'un pas vigoureux, élastique, de bel animal impatient d'être enfermé. Je la crus prête à planter ses griffes dans le mur. De son chapeau s'échappaient des mèches frisées d'un blond vénitien. Cette beauté ne devait rien à l'artifice et sa rage l'embellissait encore. Dans ses virevoltes, elle découvrait un mollet vigoureux. Ses manchettes de dentelle battaient l'air, ses volants balayaient le tapis, de ses gants elle frappait une console de marbre soutenue par des griffons de bronze.

Le domestique la guida à nouveau vers l'ouverture du couloir par où il espérait la faire disparaître, mais elle lui repoussa l'huis dans l'estomac.

« N'essayez pas de m'en conter! Je sais qu'il est

là! Je le sens! Ce billet ne veut rien dire! (Elle agitait une lettre devant les yeux du valet de chambre.) Ne pas venir à mon souper! Laissez-moi entrer, je saurai bien le faire changer d'avis!

– J'ai le regret de dire à Madame que M. le comte n'y est pas, répéta dignement le valet de chambre.

– Je ne suis pas de ces sottes qui croient pareilles excuses! »

Le pauvre homme avait un rôle difficile. Il cherchait à protéger une haute portière en tapisserie qui devait mener aux appartements de M. de Céré, à éloigner la dame de la porte du vestibule où je me tenais et à la convaincre de sortir par le couloir qu'il lui désignait en vain. S'il venait d'une bonne maison, il devait être peu préparé à faire face à un tel tourbillon. Et s'il voulait conserver sa dignité, il se ferait d'un moment à l'autre déborder sur l'un de ces fronts.

La dame continuait à flageller les rideaux, le dos des sièges, le marbre de la cheminée. Soudain, elle se dressa, les plumes de son chapeau se haussèrent jusqu'aux pieds des nymphes qui soutenaient le grand miroir dans lequel elle venait de m'apercevoir. Elle se retourna, comme piquée par un taon. Je ne paraissais pourtant pas lui disputer le terrain et j'attendais avec amusement qu'elle en ait fini.

« Ah! Monsieur le comte n'y est pas! lança-t-elle d'un air de triomphe. Est-ce également ce que vous avez ordre de dire à madame? »

Pour réparer la maladresse qui m'avait amenée à me montrer, je décidai de faire front.

« On n'a pas à me le dire, interrompis-je aimablement, je le sais déjà. C'est avec Monsieur que je dois conférer sur des questions d'ameublement. (D'un geste de tête, je désignai le valet de chambre.) Dès que votre entretien aura pris fin, je lui demanderai de m'écouter. »

Le brave homme reprit son assurance en voyant que je volais à son secours. La dame fronça les sourcils, flairant une manœuvre qui lui échappait. Je profitai de son silence.

« Voilà sans doute la tapisserie dont M. de Céré veut se défaire et qu'il m'a demandé de conserver pour lui en province. »

J'allai hardiment à la superbe verdure flamande qui ornait la porte menant à ses appartements.

« En a-t-on déjà pris les mesures? continuai-je. M. de Céré a choisi une autre tapisserie parmi celles qui lui appartiennent, mais je crains qu'elle ne soit trop large. »

Au cours de cet examen, je vis qu'un épais capiton doublait la porte. Voilà sans doute pourquoi les cris de sa belle visiteuse n'étaient pas parvenus au maître des lieux. Je me tournai gracieusement vers elle.

« Permettez-vous que je poursuive? »

Son instinct rebelle ne se résignait pas, mais je sentis qu'elle cédait. Elle racla du bout de sa bottine les fleurs du tapis, y enfonça rageusement la pointe de son ombrelle puis, sans un mot, dans un mouvement de reine qui fit onduler sur sa croupe la soie de sa robe, elle sortit.

Le valet de chambre la suivit précipitamment pour s'assurer qu'elle était bien partie et refermer les portes derrière elle. Quand il revint et s'inclina devant moi, il était livide comme un homme déshonoré.

« Je supplie Madame de bien vouloir excuser le désordre avec lequel elle a été reçue. Je vais annoncer Madame à M. le comte. »

Quelques instants plus tard, il me fit entrer dans un vaste salon, d'apparence somptueuse, au milieu duquel Edouard venait à ma rencontre. Il portait une redingote d'intérieur, en velours sombre, une cravate de mousseline légèrement nouée, une chemise de la plus fine batiste discrètement brodée, un gilet de cachemire, un pantalon collant, des bottes minces et souples comme des gants.

Elégant et affable, ne montrant aucun signe d'humeur ni d'émotion, il me guida jusqu'à une pièce plus petite, bibliothèque ou cabinet de travail, aux murs tapissés de livres, donnant sur le jardin. Quand il eut refermé la porte, il baisa mes deux mains l'une après l'autre, comme il le faisait souvent à Puynègre.

« Mon valet de chambre m'a dit la rencontre que vous aviez faite dans l'antichambre et la scène dont vous aviez été le témoin. Excusez-le, bien que sa négligence soit impardonnable.

– Ne lui en voulez pas, je vous en prie. J'ai fait preuve d'indiscrétion en m'avançant sur le seuil de la porte qu'il avait crue fermée et qui était restée entrouverte.

– Ce rusé Normand que vous avez vu à Puynègre et qui me servait jusqu'à mon retour à Paris, n'aurait jamais laissé entrer cette personne. Malheureusement, il vient de me quitter pour retourner se marier dans son village. »

Il sourit.

« Voilà la preuve de son habileté ! Il m'a suffisamment volé en deux ans pour s'établir et vivre en bourgeois !

– Ne regrettez rien. Je suis enchantée d'avoir rencontré cette dame. N'eût été votre présence et celle de votre valet de chambre trop stylé, j'aurais sympathisé avec elle, au lieu de la duper, pauvre créature ! »

M. de Céré parut amusé.

« Vous êtes décidément indulgente avec les natures intenses. Oublions cette dame qui, je vous l'assure, ne mérite pas votre pitié, car elle est dénuée de scrupules et écraserait sans vergogne sa meilleure amie pour lui prendre ses bijoux.

– Hé! je lui ai trouvé une vigueur et un emportement qu'envieraient bien des tragédiennes. Par contre, elle manque du vernis qu'acquièrent généralement les femmes de sa classe au contact des hommes du monde.

– Je ne pensais pas que cette demoiselle serait notre premier sujet de conversation, mais vos études de caractère m'intéressent toujours. Je vais même vous avouer que vous avez en partie raison : une sorte d'ascension sociale l'a menée jusqu'aux tréteaux d'un obscur théâtre du Faubourg du Temple.

– En effet, je ne l'imagine pas jouant Iphigénie ou Bérénice. »

Je regardais M. de Céré avec tant de curiosité, qu'il s'exclama :

« C'est une véritable étude de mœurs que vous voulez faire à propos de cette fille!

– N'est-elle pas la meilleure illustration du petit monde des théâtres populaires dont se moquent nos journaux? »

M. de Céré me lança un rapide coup d'œil et, jugeant que je ne poursuivais cette conversation ni par calcul ni pour l'embarrasser, il alla au-devant de mes questions avec une bonne grâce et un détachement qui montraient le peu de cas qu'il faisait de la dame. Pour moi, je redoutai un autre sujet bien plus que celui-là et me sentis soulagée de voir toute question détournée pour quelques instants.

« Je peux aussi vous décrire Flora – c'est son nom – par une anecdote qui la décrit mieux qu'un discours. A la suite d'un souper qui s'était prolongé jusqu'à l'aube et avait été fort arrosé de vin de Champagne, le fils du général Bertrand, un jeune fou bien connu du Paris qui s'amuse, paria qu'il traverserait la place Louis-XV au galop, debout sur la selle d'un cheval. Flora, dédaigneuse, fit la moue : « Vantardise d'ivrogne! » On s'échauffa, on fit grimper les enchères. Enfin, on s'entassa dans trois voitures, un des convives envoya chercher les deux chevaux les plus vifs de son écurie. Pourquoi deux? me direz-vous. Flora l'avait demandé, au cas où quelque téméraire voudrait relever le pari et se mesurer au jeune Bertrand. Sérieux comme des juges, les uns se postèrent près du pont tournant des Tuileries, les autres au bas de l'avenue des Champs-Elysées. « Combien donneriez-vous à quel-« qu'un qui battrait de vitesse votre ami Arthur? » jeta Flora. « Le double! » cria une voix. « A ce « prix-là, j'en suis! » dit-elle, rieuse, rejetant ses cheveux qui lui tombaient en travers de la figure. On s'empressa, on la supplia de ne pas aller à une mort certaine. Elle ne voulut rien entendre. Chacun espérait qu'elle ne tiendrait pas en selle et abandonnerait par force.

« Arthur Bertrand bondit avec légèreté sur la selle de son cheval. Soudain, Flora, jupes relevées dans la ceinture, s'élança, le pied sûr comme celui d'un chamois, s'écriant : « Eh bien, qu'on donne le « départ! » A un claquement de mains, tous deux enlevèrent leurs chevaux. Dressés sur leur selle, ils traversaient en trombe la place déserte. Les chevaux bondissaient, on s'attendait à chaque instant à voir l'un ou l'autre jeté à terre et se rompre le cou. Ceux qui les voyaient arriver étaient muets, même les plus cyniques, conscients soudain de la folie de ce jeu. Les cris et les rires qui avaient rempli les voitures un moment plus tôt s'étaient tus. Les femmes surtout, le vent frais du petit matin ayant secoué leur gaieté et leur audace, tremblaient, les épaules nues sous leurs mantes. Arthur Bertrand avait pris de l'avance, mais Flora volait, triomphante, droite comme si elle chevauchait dans une fresque le char de la Victoire, tenant les rênes d'une main et de l'autre la cravache à laquelle elle avait noué un flot de rubans qui claquaient autour d'elle.

Elle avait rattrapé Arthur, luttait de vitesse avec lui, encolures et crinières se touchant presque. Enfin, d'un dernier coup de cravache elle enleva son cheval et le dépassa d'une courte tête. Puis, s'arrêtant net, elle bondit en un saut périlleux avant de retomber avec une révérence aux pieds des spectateurs.

« Dans le brouhaha des embrassades et des applaudissements qui suivit, on apprit que Flora avait été l'élève des frères Franconi et une des meilleures écuyères du Cirque olympique. »

Je restai silencieuse, imaginant trop bien que M. de Céré avait été présent à cette arrivée et qu'il s'était dit : « J'aurai cette femme! »

C'était peut-être chose faite quelques heures plus tard.

Il savait parfaitement ce que devait évoquer en moi ce récit. Voulait-il me signifier qu'une femme comme moi n'avait pas à lever les yeux sur une fille comme Flora, si par hasard leurs chemins se croisaient? Ou bien avait-il cherché, en guise de revanche, la première occasion de me blesser?

Sans animosité, du ton dont on règle une affaire à laquelle il n'y a pas à revenir, il conclut :

« Quoi qu'il en soit, je ne reverrai plus Flora. Elle a cru bon de forcer ma porte, désormais elle lui sera interdite. »

Il aurait été malvenu de poursuivre sur ce sujet. Je me levai et m'approchai de la fenêtre.

« Puis-je voir votre jardin?

– Venez! »

Le soleil avait fini par briller. Les oiseaux et les fleurs s'épanouissaient dans ce coin de verdure comme à cent lieues des bruits et de l'asphalte du boulevard. Un rideau d'arbres ménageait des allées où le regard ne pouvait plonger des étages supérieurs de l'hôtel.

D'un côté, une charmille formait un domaine

secret. M. de Céré m'y conduisit. Près d'une rocaille, un amour de marbre blanc tenait sur son
épaule une urne d'où s'écoulait dans une conque un
mince filet d'eau dont il fallait s'approcher pour
entendre le chuintement.

« Vous avez un bien joli jardin pour quelqu'un
qui n'aime pas la nature, dis-je en souriant.

– Je n'y suis pour rien. Cet hôtel a été construit et
le jardin arrangé pour un banquier que l'Empire
avait rendu millionnaire. Il rêvait de vivre comme
un prince italien, entouré de statues et de fontaines,
et de ne jamais voir venir la vieillesse. Canova reçut
l'ordre de ne représenter ici que des enfants, des
adolescents ou de très jeunes filles. Voilà comment
je vis dans un univers de jeunesse et de candeur! »

En effet, la grâce des statues qui ornaient la
terrasse et le jardin était incomparable. Pourtant, si
l'innocence était ici à demeure, il devait également
être prévu d'y recevoir des visites moins chastes,
car j'avais remarqué derrière la rocaille une porte
basse, ouvrant sur la rue et masquée par des
plantes grimpantes.

M. de Céré me mena au bord de la pelouse.

« Venez voir ma petite Hébé, dit-il doucement.
Vous voyez Daphné, là-bas, et Hippolyte, et Gany-
mède, mais c'est elle que je préfère. N'est-elle pas
charmante? »

Les formes graciles de la statue étaient ravissan-
tes, en effet.

« Regardez ce genou. Pour l'avoir si tendre et si
rond, il faut être âgé de quinze ans au plus. Savez-
vous que Canova faisait tremper ses marbres dans
une eau ferrugineuse pour les débarrasser de leur
poli et les rendre doux et mats à l'œil comme au
toucher? »

Il ajusta sa paume sur le genou d'Hébé. Sa main

remonta vers la draperie que retenait la jeune déesse à hauteur de sa cuisse.

« Tout véritable artiste sait qu'une draperie est faite pour dévoiler et non pour cacher, pour glisser au-dessous de ce qu'elle doit dissimuler ou pour mieux le souligner. »

Il effleura le ventre de petite fille, à peine renflé.

« Je dois vieillir, car j'ai découvert dans ce jardin le charme troublant de l'extrême jeunesse. Rassurez-vous, ce n'est qu'un plaisir d'esthète, je n'ai aucune envie de mettre en pratique ce nouveau penchant. »

Il me parlait avec l'aisance légèrement distante d'un homme bien élevé qui reçoit une amie de sa mère. Je me demandai s'il convenait de rester ou de partir. Soudain, il se tourna vers moi.

« Et que pensez-vous de Paris? » me demanda-t-il à brûle-pourpoint.

La question était banale, mais son regard était fixé sur le mien avec une insistance presque blessante. Je fus interdite mais je n'ai pas besoin de réfléchir pour faire face.

« De quoi dois-je vous parler?

– Vous êtes libre de parler ou de vous taire. »

Cette fois, la froideur frôlait l'impolitesse.

« Dites-moi plutôt ce que vous savez de mes faits et gestes, cela m'évitera de mentir par omission. Vous avez pu m'apercevoir ou apprendre par accident ma présence à Paris. Or, j'y ai été appelée pour régler une affaire dont je ne pouvais faire part à personne.

– Le mystère s'impose, en effet, quand on va commander des robes chez Victorine et des chapeaux chez Herbault! »

Il m'arrêta d'un geste.

« Je n'ai pas besoin que l'on m'informe de ces choses. Il suffit de vous regarder. Vous êtes d'une élégance parfaite dans le moindre détail, de cette élégance discrète et chère qui ne se trouve que dans les meilleures maisons. La terrible Flora ne s'y est pas trompée, elle qui ne se laisse guère intimider. »

J'en avais assez entendu.

« Je suis sûre qu'il vous sera facile de vous raccommoder avec elle. D'ailleurs, elle vous attend à souper. Adieu, monsieur, vous avez été très aimable de me recevoir. »

J'amorçai une de ces grandes enjambées qui me sont familières et m'auraient en quatre pas menée jusqu'au perron.

Sans hésitation, M. de Céré me saisit le haut du bras, sous le pan ouvert de mon mantelet. A travers la minceur de ma robe, je sentais mon cœur lui cogner dans les doigts.

« Non, vous ne partirez pas ainsi. Je ne veux pas non plus de vos explications. Je préfère vous voir troublée plutôt que franche. J'aime l'inquiétude qui sourd dans vos yeux quand vous vous demandez si nous sommes devenus des étrangers. J'aime que vous hésitiez entre l'intuition et la raison, ne sachant si je suis ou non un grand seigneur méchant homme, que vous tentiez de gagner du temps et de repousser des éclaircissements que vous souhaitez et redoutez à la fois. J'aime aussi que vous soyez assez femme pour vous fâcher quand vous avez tort. »

Il tenait maintenant mon bras replié sous le sien et s'appuyait sur mon sein le plus naturellement du monde. Il est utile d'avoir des usages, cela permet de se conduire de manière éhontée sans montrer aucun embarras.

« Vous ne dites rien ?

– Comment avez-vous su que j'étais à Paris ?

– Je vous ai vue.

– Où cela ?

– A l'Opéra, le soir où vous êtes allée voir *La Favorite*.

– J'étais pourtant dans une baignoire du rez-de-chaussée, d'où l'on est presque entièrement dans l'ombre.

– J'ai d'ailleurs hésité à vous reconnaître au premier abord. Mais à l'entracte, quand on a rallumé les lumières, vous avez eu beau vous reculer et vous tourner vers l'intérieur de la loge, je vous ai reconnue.

– J'avais tout fait pour éviter cela.

– Rien n'échappe à un habitué de l'Opéra. C'est un endroit où l'on va un peu pour la musique, beaucoup pour le ballet, plus encore pour les danseuses et par-dessus tout pour voir et se faire voir. Rien n'a de secrets pour des lorgnettes qui grossissent trente-deux fois et épient la salle autant que la scène.

– Vous avez donc observé que j'étais accompagnée de deux messieurs d'allure très respectable.

– Il m'a suffi de constater que vous n'attachiez d'importance ni à l'un ni à l'autre.

– Etiez-vous placé loin de moi?

– J'étais dans l'avant-scène du duc d'Orléans. »

Au début du IIe acte s'était en effet produit dans une avant-scène un mouvement de plusieurs personnes, parmi lesquelles M. Parker m'avait désigné le prince. A l'entracte, il avait quitté la salle, suivi de son entourage et n'était pas revenu.

A entendre le colonel de La Bardèche, son neveu était rejeté de l'ancienne société et réduit à fréquenter les banquiers et hommes d'affaires enrichis depuis peu, les artistes, gens de lettres et journalistes peu regardants en fait de morale.

Est-on en disgrâce quand on accompagne l'héritier du trône lors d'une sortie amicale, impromptue peut-être! Et si le duc d'Orléans traitait M. de Céré comme un familier, les femmes de la Cour et de la ville devaient à nouveau se jeter à sa tête.

Que venais-je faire dans cette galère! Disputer cet homme à un prince du sang et à une demoiselle de théâtre? Je baissai le nez, souhaitant être à cent lieues de ces allées délicatement ratissées, de ce gazon à l'anglaise, de cette charmille, et n'entendre ni le murmure du jet d'eau, ni le piaillement des mésanges.

« Qu'avez-vous pensé en me reconnaissant? demandai-je enfin.

– Vous le demandez! s'exclama M. de Céré avec emportement. Je vous ai crue arrivée de la veille : vous portiez encore les vêtements que je vous connaissais. J'ai été imbécile au point d'imaginer que vous étiez venue à Paris pour me voir! Il vous aurait suffi de saisir le premier prétexte venu, de donner de l'importance à la plus mince affaire, pour présenter votre voyage comme nécessaire. Qui ne vous croirait quand vous avez décidé de convaincre! Vous pouvez vous flatter de m'avoir fait songer toute une nuit, alors que je savourais, en sortant de l'Opéra, le plus fin des soupers. J'ignore ce que j'ai dit ce soir-là et ce qu'on m'a répondu. Au petit matin, j'ai renvoyé ma voiture et je suis rentré chez moi, en me faisant balayer dans les jambes les ordures de la nuit, que les frotteurs jetaient au ruisseau. Dans ma rêverie, je m'en suis à peine aperçu.

« J'ai fermé ma porte, je me suis décommandé partout où l'on m'attendait. Un mot de vous ne pouvait manquer de venir. Mais non, rien. Je vous ai cherché des excuses : arrivée à Paris, vous auriez craint l'audace de votre démarche, commandé des robes pour être sûre de me plaire, puis redouté que je ne vous reçoive avec distraction. Vous deviez vaquer aux affaires que vous vous étiez inventées. Que m'importaient alors les comparses que vous

vous étiez donnés pour rendre votre machination vraisemblable et avec qui vous alliez au théâtre! Mais le temps passait et vous n'écriviez pas! Enfin, ce matin arrive votre mot, digne et composé, long de quatre lignes, m'offrant à peine de vous voir et annonçant que vous repartez mercredi. Et je devrais me déclarer content, alors que je vous attends depuis six mois et non six jours! »

Sous les pieds d'Edouard, le sol, enfoncé et bosselé, avait perdu son apparence soignée. Le talon d'une de ses bottes avait écrasé la bordure de myosotis, l'autre creusait dans le sable des sillons inégaux. Avec un petit rire, il conclut :

« Il est temps de me souvenir que vous êtes une femme raisonnable, qui ne se déplace pas sur un coup de tête ou de cœur. Il vous reste à me traiter de fat, puisque je n'ai plus l'âge d'être insensé. Mettez sur le compte de la vanité tout ce que j'ai imaginé à votre propos et n'en parlons plus! »

J'étais si désarçonnée que j'en bafouillai :

« Pardonnez-moi, je ne sais guère me conduire avec un homme de votre espèce.

— Au contraire, vous vous y prenez fort habilement.

— Non, je vous assure. Depuis que je suis à Paris, je me demande ce que je dois penser et comment je dois agir.

— Vous voilà éclairée. S'il est un peu tard pour agir, puisque vous repartez, vous saurez que penser, j'espère. »

Il brûlait de colère et d'orgueil outragé. A Puynègre, j'aurais balayé un tel malentendu en un instant. A Paris, après des mois de séparation, sur un terrain qui n'était pas le mien, j'hésitais. Je ne pus me taire, je ne supportais pas que ce genre d'incompréhension s'installe entre nous.

« Ne restons pas ici, où il est impossible de parler ouvertement, lui demandai-je.

– Vous n'avez pas à vous justifier, je ne vous accuse pas.

– C'est bien. Je vais donc m'installer sur le perron et déclamer ce que j'ai à vous dire, pour l'édification de vos voisins. »

Il s'inclina et me guida vers une véranda qui prolongeait l'aile gauche de la maison et où l'on ne voyait, de loin, qu'un fouillis de verdure.

Dès qu'il en ouvrit la porte, je fus suffoquée par l'atmosphère chaude et humide de cette petite jungle, qui dévorait tout l'espace et la lumière, car elle s'élevait avec une telle exubérance jusqu'au toit vitré qu'elle le recouvrait en partie et qu'on se trouvait dans une demi-pénombre.

La hauteur, la vigueur des plantes et des arbres, l'haleine puissante de la terre moite, son odeur doucement fade jetaient dans l'univers policé de la rue Taitbout le souffle d'une nature indomptable. Je restai sans voix parmi ces troncs écailleux, ces larges feuilles, les unes vernies et épaisses comme des boucliers, les autres terminées d'épines dures et acérées, d'autres encore aiguisées et luisantes. Le vert sombre était éclairé de quelques fleurs aux pétales déchiquetés, aux épais calices, aux pistils gonflés au bout de leurs longues tiges charnues, rigides ou contournées. Il se dégageait de cet univers gorgé d'eau une impression de voracité, une intensité secrète qui me transporta.

M. de Céré me fit avancer dans un chemin dallé qui serpentait au milieu de cette masse végétale qui se refermait au-dessus de nos têtes. Inébranlablement courtois, il écarta une tige velue qui s'accrochait à ma robe, une liane prise dans mes cheveux. Il posa la main sur ma taille pour me faire éviter une racine qui débordait de la terre humide, mais la retira une fois l'obstacle franchi.

Je levai la tête vers un coin qui paraissait dans une éclaircie du feuillage. Un rayon de soleil glissa sur mon visage, je fermai les yeux.

Une main défit le ruban de mon chapeau, qui glissa en arrière. Je restai sans mouvement.

« Folle qui refuse de comprendre! » gronda une voix tout près de mon visage, tandis qu'on me serrait les épaules à me faire crier.

Je me haussai vers cette bouche, que j'empêchai de poursuivre sa phrase. Les bras d'Edouard se refermèrent sur moi. Il me fit peur, tant il m'embrassa durement. Sans ménagements, ses dents choquèrent les miennes. Il meurtrissait ma bouche. Lui qui prenait toujours soin de ne pas m'irriter avec sa barbe la racla rudement contre ma peau pendant qu'il me labourait le visage et le cou de ses baisers. Ses mâchoires, ses mains bataillaient comme pour briser toute résistance, sa langue semblait traquer au fond de mon gosier les mots que je n'avais pas prononcés, vouloir me forcer à les dire.

« Vous me faites mal, criai-je, essayant de m'écarter.

– Je n'ai que trop tardé à y venir! répondit-il sombrement. C'est hélas! le seul langage dont certaines femmes se souviennent. »

Il s'adoucit en voyant mes yeux pleins de larmes, mes lèvres gonflées, mes cheveux en désordre, les plaques rouges laissées sur mes joues et mon menton par ses morsures et le frottement de sa barbe.

Il m'emmena dans sa chambre, m'aida à défaire cette robe trop neuve que je ne savais pas dégrafer. Enfin, je le sentis contre moi. Je faillis crier de bonheur quand il me prit. Je ne renoncerais pour rien au monde à la griserie d'être femme. Quand nous sommes aimées, ce n'est pas l'instant ou l'heure seuls qui en sont transfigurés. Illuminées, apaisées, il nous en reste pour de longs jours, des années parfois, cette sensation de charrier une parcelle de l'autre.

N'en pouvant plus, soudain, je lui lançai malgré moi la vérité, que j'avais refusé d'admettre : « Oui, je suis venue pour vous! pour vous seul! »

Le ciel s'ouvrit en deux et nous foudroya de plaisir.

Je le retins longuement contre moi. Lui, si impatient de toute contrainte, restait dans mes bras, esquissant à peine un mouvement pour me permettre de l'envelopper plus étroitement. Quand je me penchais sur lui, il me regardait, ébauchait un sourire et un baiser, levait la main dans un début de caresse et la laissait retomber le long de mon bras ou de mon dos.

Nous parlâmes en chuchotements, en phrases interrompues et en gestes paresseux. Je voulus lui expliquer pourquoi j'étais venue à Paris et pourquoi je ne lui avais pas écrit plus tôt. Il refusa de m'entendre, déclarant que ce qu'il avait deviné l'avait suffisamment éclairé.

Le temps passa. Sur la cheminée, une pendule sonna. Je sortis de ma torpeur.

« Quelle heure est-il? Je voulais visiter le musée du Luxembourg cet après-midi. »

Edouard se redressa avec le soupir d'un homme qu'on ramène malgré lui à la vie et au souci des choses matérielles.

« Il est quatre heures. Le musée vient de fermer.

— Mon Dieu! Je voulais tellement y aller, et je ne serai plus là dimanche prochain!

— Je vous y mènerai demain.

— Il n'ouvre pas en semaine!

— Nous le ferons ouvrir. »

Je restai un moment silencieuse, pendant qu'il me caressait distraitement les cheveux.

« Avez-vous remarqué la coiffure que m'avait

faite Rosalie? Cela s'appelle des bandeaux à l'infante.

— Hum... vous n'êtes pas très coiffée en ce moment, dit-il en passant sa main dans ma tête ébouriffée.

— Il faudra que vous me serviez de femme de chambre et m'aidiez à m'arranger. Regardez, il fait beau, ne restons pas enfermés, allons nous promener dans le jardin du Luxembourg, si le musée est fermé.

— A quoi bon sortir? Ce que vous avez de mieux ne peut guère être montré aux passants et vous n'avez pas cette maladie de vouloir à tout prix faire admirer vos toilettes.

— Je veux respirer l'air frais, marcher!

— Je vais y réfléchir.

— C'est tout réfléchi, sortons!

— Puisque vous me forcez à me prononcer bien malgré moi, je vais vous soumettre deux propositions »

Il me fit signe qu'il avait à me parler à l'oreille. Je l'écoutai et répondis avec détermination :

« Non.

— Je prétends que si.

— Je vous assure que non.

— Dites oui de bonne grâce!

— Certainement pas. Je rejette votre première proposition. Quelle est la seconde?

— Eh bien, la même que la première, mais cette fois la mesure est exécutoire aussitôt après avoir été signifiée, que vous consentiez ou pas.

— Quoi! » m'exclamai-je, outrée non de cette ruse mais de m'y être laissée prendre.

Pourtant, il me parut sage de négocier.

« Transigeons. Je vous accorderai ce que vous demandez dès que nous serons rentrés.

— Pardon, avant que nous sortions!

— Je vous poursuivrai en justice pour violences.

288

– Attendez que le forfait soit accompli. Mais songez qu'un procès vous coûtera cher et que vous n'aurez ni preuve ni témoins.

– Bien, trouvons un arrangement à l'amiable.

– Tout est négociable, sauf l'essentiel de ma proposition.

– Faites-moi plaisir, sortons! Je suis déjà toute chagrinée de n'avoir pas vu nos peintres orientalistes au musée du Luxembourg. Je rêvais de turbass, de cimeterres et de chevaux arabes. Je voulais des émotinns artistiques à défaillir!

– Nous voilà enfin d'accord! N'est-ce pas ce que je vous propose depuis cinq grandes minutes! »

*

Une heure plus tard, nous prenions une voiture au coin du boulevard. Edouard avait décidé de me conduire au bal de la Grande Chaumière, dans le quartier du Montparnasse. Pour s'y amuser, me dit-il, il ne fallait pas se distinguer par une toilette trop élégante ou une arrivée tapageuse, dans un bel équipage.

J'avais remplacé mon mantelet par un châle aux épaisses broderies que M. de Céré avait rapporté d'un voyage au Maroc et qu'il tira d'une armoire pour la circonstance. Quant à lui, sa tenue pouvait le faire prendre pour un artiste à succès : habit de velours, pantalon gris perle, cravate lâche. Il se trahissait pourtant par son linge immaculé et sa canne d'ébène au pommeau d'ivoire finement sculpté.

Le père Lahire, propriétaire des lieux, était à la porte. Cet ancien grenadier de la Garde était redouté pour sa force. Excédé des algarades qui éclataient régulièrement entre les jeunes gens qui fréquentaient son bal et les sergents de ville, il avait obtenu de faire seul la police dans son domaine. Depuis ce jour, l'ordre y régnait.

« Ni les fauteurs de troubles ni les familles ne viennent ici, m'apprit M. de Céré. Les premiers sont écartés avant même de payer le droit d'entrée d'un franc. Les secondes préfèrent se promener sagement dans les jardins publics ou pique-niquer dans un coin de pré pelé, au bord de la Marne, dans une clairière des bois de Romainville, de Vincennes ou d'Auteuil. »

L'établissement était composé d'une grande maison de deux étages encombrée de tables et bondée de clients et d'un vaste jardin, lui aussi livré à la cohue. On y dansait au son d'un orchestre perché sur une estrade. Plus loin, on se bousculait autour des marchands ambulants et on s'ébahissait devant les attractions et les fantaisies du décor artificiel, où abondaient fausses grottes, colonnades, ponts et ruisseaux.

Mon amour de la foule doit venir de la prédilection que j'ai pour le marché et les foires du Bugue. Aucune bousculade, aucune mauvaise odeur ne me rebutent. On peut me cogner les côtes, me marcher sur les pieds, me faire des remarques hardies, sans que je me fâche. Je réponds d'une plaisanterie et tout est dit.

A la Grande Chaumière, chacun était décidé à s'amuser. Les employés et les commis n'avaient pu abandonner tout à fait l'air de respectabilité qu'ils étaient obligés d'arborer toute la semaine. Les militaires attiraient le regard des femmes par leur plumet et leurs épaulettes si ce n'était par leur prestance. Des domestiques singeaient leurs maîtres en toute liberté. Des artistes promenaient avec une fausse insouciance leurs moustaches ostrogothes et leur tenue soigneusement dérangée.

Mais les héros du bal étaient les étudiants et les rapins, que le manque d'argent n'empêchait ni de rire ni de virevolter. Extravagances de la tenue et du propos, tout leur était bon pour attirer l'attention des ouvrières et des grisettes. Celles-ci sautaient d'un air vif, les cheveux ornés de fleurs ou couverts d'un chapeau dont flottaient les rubans. Boucles dans le cou, bras arrondis, manches flottantes, pimpantes et frisées, elles répondaient sans embarras aux plaisanteries et aux avances de ces jeunes gens.

Edouard les désigna du bout de sa canne.

« Ces demoiselles savent que, la première affection passée, nos joyeux danseurs les emploieront à tenir leur ménage et à repriser leur linge. L'été venu, beaucoup d'entre eux repartent dans leur province et elles n'en entendent plus parler. Mais elles refusent de s'en souvenir et reviennent à la Grande Chaumière rencontrer un autre jeune homme insouciant et désargenté qui, lui aussi, les fera rire et pleurer quelques semaines ou quelques mois. »

Comme tous les endroits où l'on s'amuse, celui-là rassemblait deux espèces contraires. On y trouvait ce lot d'hommes dont aucune femme ne veut et qui rôdent autour d'elles sans oser les aborder. Ces natures moroses ou craintives laissent des miettes de pain dormir au fond de leur poche, leurs cheveux pendre lamentablement, deviennent fiévreux dès qu'on les regarde, se croient victimes de la malchance et rentrent le soir, à heure fixe, pour prendre un repas de pain et de saucisses chez le gargotier du coin. Je voudrais parfois leur conseiller de devenir brigands. Alors, à coup sûr on les aimerait.

L'autre espèce est à l'affût de toute occasion, mais il lui faut agir avec discrétion pour éviter la poigne du père Lahire. Plastronnant pour dissimuler une médiocre chemise au col râpé, une cravate effilochée, des semelles percées, ils ont le regard aigu du renardeau prêt à bondir sur un oiseau tombé du nid. Ils se faufilent parmi les danseurs, guettent la demoiselle timide ou esseulée qui n'osera pas les rabrouer, le particulier négligent qui laissera tomber une pièce en sortant son mouchoir. Ils connaissent les imprévus de la récolte : une danse ou une claque, un souper gratis s'ils savent se joindre à une tablée, ou la participation à une bataille rangée, au sortir du bal, si des mots malheureux ont été échangés.

Les escarpolettes attiraient aussi un public que ni les coudoiements ni la pression de la foule ne faisaient bouger. Les pétarades du tir au pistolet et le fracas des montagnes russes se faisaient entendre dans l'intervalle qui séparait les danses.

« Entendez! me dit Edouard, voilà un quadrille qui devient un cancan. Ecartez-vous, c'est une danse qui ne respecte rien. »

En effet, une sorte de frénésie avait saisi les danseurs. Le rythme était si rapide et les battements de pieds si hardis que les robes volaient quasiment au-dessus des genoux des danseuses.

« C'est Charles de La Battut, dit Milord l'Arsouille, qui a transporté ici cette danse, ainsi que le chahut qu'il avait appris dans les bals de barrière. Le père Lahire les tolère, mais le scandale finira par éclater. On n'a jamais vu robes si haut retroussées en public », constata flegmatiquement Edouard, comme une jupe lui atteignait le coude.

Nous marchions à petits pas, laissant la foule nous rapprocher quand un grand jeune homme brun, de belle apparence, lui frappa sur l'épaule.

« Eugène! s'écria M. de Céré. Que fais-tu là? Je croyais que tu ne voulais plus voir que le bas peuple! C'est au bal de l'Ermitage ou de l'Elysée-Montparnasse que tu devrais être, avec les ouvriers et les rôdeurs!

— Tu te trompes, je veux étudier toutes les couches de la société. »

Edouard se tourna vers moi.

« Ma chère amie, vous avez devant vous un de nos dandys les plus recherchés...

– Ex-dandy! précisa le jeune homme, un doigt levé.

– ... un de ces lions qui lançaient la mode, qui avait deux grooms impeccablement anglais et deux négrillons attachés à sa seule personne, veillant sur ses chevaux, sa garde-robe, ses pipes et ses cannes. Les femmes se disputaient ce cœur tendre, car la seule faiblesse de notre ami Eugène Sue est son cœur tendre... »

J'avais toujours cru, du fond de mon Périgord, que les personnes célèbres ne se rencontraient pas. J'étais aussi étonnée de voir Eugène Sue que si, devant moi, une statue était descendue de son piédestal et s'était mise à marcher.

« J'ai lu presque tous vos romans, monsieur, dis-je, sans trouver d'autre compliment.

– Vous me faites un grand honneur, madame, répondit-il en s'inclinant. Si le noble Faubourg et la Chaussée d'Antin m'ont beaucoup lu voici quelques années, ils m'ignorent aujourd'hui et il m'a bien fallu en faire mon deuil. Que voulez-vous, je ne suis pas né, j'ai dissipé ma fortune et je n'en ai aucune de rechange.

– Pardon! Quel besoin avais-tu de braver l'honnêteté avec ta *Mathilde ou les mémoires d'une jeune femme*! Toutes ces dames, qui ta trouvaient charmant, ont été obligées de se déclarer offusquées. Et a-t-on idée aussi de se déguiser en cnmmis, de courir les cafés de barrière, les bouges de la Cité, les repaires du faubourg Saint-Marceau ou les carrières de Montmartre! Un jour, un voyou te donnera un coup de poinçon dans le ventre pour te voler tes souliers, et tu te videras de ton sang dans la boue du ruisseau en attendant que la Garde vienne constater ta mort.

– J'ai appris leur langage et je boxe plutôt bien.

– Je sais, mais tu ne joues pas du couteau assez facilement. Tes mains, ta démarche, ta voix révèlent ton éducation. Ce sont là détails qu'il ne faut jamais oublier.

– Tu es plus prudent que moi, admit M. Sue, je vois que tu es muni de ta canne-épée. »

M. de Céré ignora la remarque et poursuivit aimablement :

« Puisque tu as pris goût à la canaille, n'es-tu pas allé aujourd'hui voir les combats d'animaux à la barrière Saint-Louis? C'est un des spectacles où le public s'offre sous son jour le plus affreux. J'espère que tu as poussé ton enquête jusque-là?

– Faut-il vraiment évoquer ces horreurs devant madame? s'exclama M. Sue.

– Ma cousine tient à s'informer de ce qui est singulier à Paris. Mais tu as raison, laissons cela. Es-tu seul? Veux-tu que nous fassions une partie de tir, si ma cousine nous y autorise? »

Il se tourna vers moi pour quêter mon approbation, que je donnai d'un signe de tête et d'un sourire.

« Je suis passé chez toi tout à l'heure et on m'a dit que tu n'y étais pas, fit remarquer M. Sue.

– Mon valet de chambre est un homme de toute confiance. Il fallait le croire.

– Je t'ai laissé un mot.

– Je le lirai, sois-en sûr. »

M. Sue ne se formalisa pas de cette légèreté. Il semblait chercher quelqu'un autour de lui.

« Je suis venu avec Gavarni qui à son ordinaire m'a quitté pour le premier cotillon qui est passé devant ses yeux. Tu le vois qui danse là-bas, avec cette petite en rouge? »

Je regardai dans la direction qu'il indiquait. Gavarni était célèbre depuis plusieurs années pour ses dessins dans *Le Charivari* et je l'imaginais comme un homme d'âge mûr. Or je vis, en face d'une gracieuse demoiselle, un superbe homme blond d'une trentaine d'années. Je dis en riant à mes deux voisins :

« Ah! çà, faites-vous partie d'une confrérie qui réunisse les plus beaux hommes de la capitale et les plus en vue?

— Certainement, répondit M. de Céré sur le même ton. Ces messieurs sont athlétiques, élégants, spirituels, également vaniteux et tyranniques, s'autorisant de leur talent pour imposer leurs manies à tous ceux qu'ils daignent fréquenter... sauf Gavarni qui est trop paresseux pour atteindre ce bel idéal et notre ami Eugène, que son heureux naturel a préservé de toute perversité!

— Peut-être, mais il a précipité ma ruine, ce qui est pire », répondit philosophiquement M. Sue.

Pendant que les deux hommes faisaient leur partie de tir, j'observais la foule, de plus en plus bigarrée et exubérante alors que la journée avançait et que les boissons étaient généreusement versées. Le flux de la danse amena près de moi un grand gaillard aux moustaches conquérantes, au chapeau crânement penché sur l'oreille, au pantalon écossais, au gilet barré d'une chaîne de montre clinquante, à l'air à la fois brutal et sournois. Sa danseuse était très agile malgré l'opulence de sa taille. Soudain, en pirouettant, elle se trouva en face de moi. C'était Mlle Flora.

Elle s'arrêta net, et, dès qu'elle m'eut reconnue, chercha des yeux M. de Céré. Occupé à la baraque de tir quelques pas plus loin, il nous tournait le dos. Elle s'avança et posa brusquement la main sur sa hanche. Il baissa le fusil qu'il tenait épaulé et se retourna. En la voyant, il inclina courtoisement la tête, sans montrer de trouble.

Il pouvait me croire absorbée par le spectacle des danseurs et trop éloignée pour remarquer leur aparté. Mais j'ai l'ouïe fine et il était facile de deviner le peu de la conversation qui m'échappa.

« Ainsi, vous êtes retenu par des obligations impérieuses, qui vous empêchent de venir ce soir à mon souper? siffla Mlle Flora.

– Je vous en ai déjà exprimé le regret », répliqua aimablement M. de Céré.

Reste de crainte ou résultat de l'ascendant qu'il exerçait sur les gens, elle n'osait hausser la voix et prétendit ne pas m'avoir vue.

« Je vous ai cru obligé de quitter brusquement Paris!

– Je vous pardonne de vous être trompée.

– Avez-vous une meilleure explication à me donner maintenant?

– Ma foi, je n'en vois aucune autre qui puisse vous satisfaire, il faudra donc vous contenter de celle-là.

– Vous insistez?

– Nullement. Je vous laisse libre de penser ce que vous voudrez.

– Est-ce là tout ce que vous avez à me dire?

– Je vous croyais assez de bon sens pour le comprendre.

– Et vous m'interdisez votre porte? »

Elle lui parlait dans le visage, s'efforçant de contenir les palpitations qui lui gonflaient la gorge. M. de Céré jeta un rapide coup d'œil alentour pour s'assurer que je ne les observais pas.

« Vous ne manquerez pas de consolateurs. Il me semble d'ailleurs que vous en avez déjà trouvé un. »

Elle évita prudemment de répondre.

« Ah! vous ne me tutoyez plus, aujourd'hui! cracha-t-elle.

– Je ne tutoie aucune femme en public. »

Il ajouta quelques mots trop bas pour que je puisse les saisir. Elle devint cramoisie, eut un râle de honte ou de fureur qu'elle parvint à réprimer, n'osant créer un scandale public où il était clair qu'elle aurait le dessous.

« Vous aviez promis de me donner un bracelet avec une agrafe en turquoises!

— Mon valet de chambre vous en remettra le prix.

— Je dirai partout comment vous m'avez traitée! »

Il rit.

« Faites! On se divertira beaucoup à vos dépens! »

Il la salua. Je sentis qu'il vérifiait d'un regard si cet échange avait attiré mon attention. Assise sur un banc proche, je paraissais ne m'occuper que des danseurs. Edouard demanda à Eugène Sue d'excuser cette interruption et ils reprirent la partie. Il épaule, visa, tira.

« Huit partout, dit M. Sue. Diable, si nous nous obstinons à être aussi adroits l'un que l'autre, cette partie n'en finira jamais. »

Flora ne bougeait pas, partagée entre la crainte et la rage. Une lueur mauvaise parut dans les yeux de son cavalier, resté le poing sur la hanche, le pied appuyé sur la bordure d'un massif de fleurs, pendant cette conversation. Soudain, il s'avança vers moi, s'inclina, et d'une voix lente et gouailleuse, qu'il accentuait à plaisir, me demanda :

« Madame me fera-t-elle l'honneur de danser avec moi? »

Voulait-il exaspérer Flora ou défier M. de Céré? Les deux peut-être. Dans l'incertitude, je choisis de sourire aimablement.

« Je ne suis pas d'ici, monsieur, et je danse trop maladroitement pour me mesurer à des danseuses aussi habiles que madame... »

Et je désignai Mlle Flora d'un signe de tête. Un sourire retroussa les lèvres de l'homme, montrant des dents écartées.

« Si l'on vient ici, madame, c'est pour s'amuser comme tout le monde et pas pour observer en se moquant. »

Je le fixai droit dans ses yeux jaunes et répondis tranquillement :

« J'ignore, monsieur, ce qui se fait en ville. A la campagne, on peut danser ou regarder sans que personne y trouve à redire. »

Il grimaça :

« Nous sommes très honorés que madame daigne se distraire avec le peuple. »

A peine finissait-il sa phrase que son visage blanchit. Edouard venait de surgir à nos côtés, suivi d'Eugène Sue, et l'avait saisi au cou d'une tenaille si serrée que l'homme s'en étrangla.

« Déguerpissez ou je vous romps les côtes! dit M. de Céré entre ses dents. Et je vous engage à emmener madame, qui est près de se trouver mal. »

Flora, en effet, se soutenait à peine.

« Monsieur le comte n'a pas compris que je plaisantais, articula péniblement l'homme.

– D'où tenez-vous que je vous autorise à plaisanter avec les personnes qui m'accompagnent ? Partez et ne reparaissez plus devant moi! »

Jamais je n'avais vu M. de Céré hors de lui. Il tenait l'homme de si près qu'il le forçait à lever la tête pour respirer. Déjà, l'autre commençait à suffoquer. Il balbutia :

« Je serai trop heureux d'obéir à monsieur le comte. »

Edouard le relâcha, le repoussant si brutalement qu'il perdit l'équilibre et alla trébucher au bord d'une plate-bande. Il ramassa son chapeau qui avait roulé dans l'allée, l'épousseta. Il restait à demi courbé. Soudain, vif comme l'éclair, il se releva et se jeta sur M. de Céré qui réagit avec une rapidité qui m'effraya. Pendant que Mlle Flora gargouillait un cri qui tenait du gémissement et du sanglot, d'un coup de poing il envoya l'homme rouler au milieu du chemin, plié en deux, tenant sa mâchoire et sa lèvre sanguinolente, geignant sans y mettre de comédie, gris de douleur et de poussière.

Eugène Sue était resté à deux pas de nous, prêt à prêter main-forte à son ami si nécessaire. Il se baissa, examina rapidement le visage de l'homme.

« Ce n'est rien, dit-il à Edouard, il en sera quitte pour une dent cassée. »

Les gens s'étaient écartés. La scène s'était déroulée si rapidement et les paroles échangées avaient été si brèves qu'on ne s'était guère rendu compte de l'incident. Cependant, un gamin était allé chercher le père Lahire, qui présenta ses excuses à M. de Céré, releva l'homme sans ménagements et l'emmena vers la sortie. Flora lança à Edouard un de ces regards fulgurants de haine et de peur mêlées qu'ignorent les femmes du monde. Elle renifla, toute élégance oubliée, ajusta son châle et sa coiffure, ramassa le chapeau et la canne de son galant et suivit le père Lahire.

Je vis dans les yeux d'Edouard une lueur étrange. Il me sembla que la violence suscitait en lui une jubilation secrète, une exaltation profonde. Ce n'était pas uniquement par curiosité d'esprit qu'il fréquentait des milieux à l'opposé du sien ou qu'il voyageait dans des conditions parfois dangereuses, mais pour échapper au monde trop convenu auquel il appartenait et dont les cruautés soigneusement enrobées ne pouvaient satisfaire son goût de l'outré et du bizarre. Il voyait une beauté barbare et indomptée là où les gens policés ne distinguaient que du sordide.

Il avait repris son sang-froid et m'offrit son bras.

« Je m'en veux, ma chère Adeline, de vous avoir

laissée seule. Je n'avais pas supposé que vous répliqueriez si ce genre de personnage vous abordait.

— Mon habitude est de répondre quand on me parle et je me serais aisément débarrassée de ce gêneur si vous n'étiez pas intervenu.

— Je me suis donc mis dans mon tort en interrompant vos entretiens populaires! Je vous en demande humblement pardon! Heureusement, je n'ai pas fait grand mal à cet escogriffe, n'est-ce pas, docteur? »

Je me souvins avoir lu dans un journal qu'Eugène Sue avait étudié la médecine et abandonné cette profession dès qu'il avait reçu l'héritage paternel.

« Il en gardera les marques pendant une dizaine de jours, ce qui suffira à lui attirer les quolibets de ses compagnons. Fais attention, ces hommes sont vindicatifs. »

M. Sue examina la foule qui nous entourait pour voir si l'agresseur n'y avait pas laissé de partisans. Satisfait de son inspection, il semblait partagé entre la discrétion qui lui commandait de s'éclipser et la prudence qui lui conseillait de rester avec nous jusqu'à ce que nous ayons quitté le bal.

« Si ce saltimbanque était sage, il ne reparaîtrait jamais sur ma route, plaisanta Edouard, dont pourtant je sentais le bras contre le mien dur comme du fer. Ne t'inquiète pas, Eugène, lèvre fendue, nez aplati et menton bosselé sont monnaie courante chez ces gens-là et ils n'y font guère attention.

— Il aurait pu vous blesser », fis-je remarquer.

M. de Céré éclata de rire :

« Je veux bien recevoir une balle ou un coup d'épée, mais une de ces nasardes comme en échangent dans leurs rixes ivrognes et portefaix, ah! non, cela du moins j'aurais su l'empêcher! Allons, tout ceci m'a donné soif. Voulez-vous boire quelque chose, Adeline? Et toi, Eugène, viens-tu avec nous prendre un vin chaud? Tu parleras à ma cousine de ce roman pittoresque à l'usage des portières auquel tu travailles, paraît-il. Si ce nouveau public ne t'apporte pas la richesse, il te restera toujours la ressource de retourner à ton premier métier et de soulager l'humanité souffrante. Notre ami Sue, expliqua M. de Céré à mon intention, a cessé depuis peu de s'intéresser à l'amélioration de la race chevaline pour se consacrer au bonheur de la race humaine. Un vrai Vincent de Paul!

— Mon cher, protesta M. Sue, tu sais fort bien que le système de gouvernement actuel ne peut nous mener à rien de bon.

— Je te rappelle que tu étais fort satisfait de cette politique-là du temps où les riches et jolies femmes qui en sont l'ornement raffolaient de toi. Tu l'as méprisée du jour où elles t'ont boudé. Aujourd'hui, tu voudrais une république de chiffonniers. Tu es convaincu que le peuple a l'âme bonne et simple, pourvu qu'il ne meure pas de faim. Mais le peuple n'aura jamais que le souci de son ventre, sa seule ambition étant d'avoir du pain pour ses enfants, un carré de légumes derrière une palissade et du bois pour son feu. C'est avec cela que tu feras des députés? Bah! ils vaudraient peut-être les bourgeois en pantoufles qui siègent à la Chambre. »

Je n'étais pas mécontente que nous nous dirigions vers la maison pour nous y rafraîchir, car cette poussière m'avait séché la gorge. Les deux hommes, mi-badins, mi-sérieux, poursuivaient leur conversation.

« Sur le fond, je te donne raison, concéda Edouard, je suis inutile à la société. J'aurais pu faire carrière ou fortune dans une période troublée, si ne m'avait manqué le goût du sang et de l'argent. Hélas, le Juste Milieu et le train ordinaire des choses m'assomment. Etre fidèle à une cause, je le conçois, à un homme, peut-être, mais à un parti! Or rien de nos jours ne se passe en dehors des partis.

Je vois le temps où il faudra attendre que des as nées de dévotion aveugle et de silence complice soient récompensées par un fauteuil de pair ou de ministre. Merci bien! Un homme devra être usé, édenté, émasculé pour qu'on lui jette sa pitance et qu'on le hisse en haut des marches qu'il n'aura pas eu la force de gravir seul. Ma parole! c'est un doge ou un pape qu'ils veulent : un vieillard! croyant que s'il s'aventure à mordre, il ne mordra pas long-temps. Naïveté! rien de plus âpre qu'un homme qui a trop attendu le succès, il ira jusqu'à dévorer les siens pour se maintenir au pouvoir. Autrefois, du moins, on les assassinait. De nos jours, l'on est devenu si timide que l'on n'ose plus s'en débarras-ser. »

Nous avions trouvé à nous installer à une table pressée entre d'autres et les chaises de nos voisins heurtaient les nôtres. Edouard m'avait fait asseoir contre le mur pour m'éviter le gros de la cohue. Le punch déroulait devant nous ses flammes bleues.

C'est alors qu'au-dessus de nos têtes, le plancher s'ébranla sous le poids d'un galop. Il se déversa du haut de la maison, précédé de l'orchestre qui jouait avec frénésie, dévalant du deuxième étage où il avait joué depuis le début de l'après-midi. Ce fleuve humain s'enroula autour des tables, se grossit au passage de nouveaux affluents, trébucha contre les pieds des chaises. Il tourbillonna, mains crispées sur d'autres mains, bottines frappant le sol en cadence, bustes entraînés en avant, croupes saillant en arrière, cheveux répandus des femmes, cris aigus de bousculade où se perdaient les privautés et les maladresses – sein pressé ou orteil écrasé. La mêlée dégringola jusqu'au rez-de-chaussée, se répandit dans le jardin.

La nuit venait, on avait allumé les lampions. Les deux orchestres s'entassèrent sur l'estrade et jouèrent à l'unisson, attendant probablement l'épuisement des troupes – musiciens et danseurs.

J'étais heureusement près d'une fenêtre ouverte. Il régnait dans la pièce une chaleur suffocante, l'air était saturé de poussière, de fumée, d'une odeur de bière, de cuisine et de parfum bon marché. Dans une petite ville ou à la campagne, il y a toujours moyen de s'échapper dans un pré, un petit chemin ou une ruelle abandonnée, quand on est fatigué du bruit et du mouvement. A Paris, si les endroits encombrés sont assourdissants, les endroits déserts sont inquiétants. C'est un pays où l'on semble ne pas connaître de mesure.

Bientôt Eugène Sue nous pria de l'excuser et se leva, car il était attendu pour dîner.

« Soupez-vous demain soir à la Maison Dorée ? lui demanda Edouard, comme il était sur le point de nous quitter.

– Oui, et nous comptions sur toi. C'est ce que je te disais dans le billet que j'ai laissé chez toi.

– Cela me va, si vous m'autorisez à amener un convive qui ne déparera pas notre petit groupe et m'acceptez sur le coup de onze heures, car je compte aller aux Bouffes.

– Comme tu veux. »

M. Sue se tourna vers moi et me dit gaiement : « Nous sommes cinq ou six amis à nous réunir tous les mois en un dîner de garçons auquel il est de règle de ne pas manquer. Mais on joue le *Don Giovanni*, demain, aux Italiens, et jamais Edouard ne le manque. Nous le soupçonnons d'avoir une prédilection pour la dernière scène, celle du souper, et de prendre plaisir à voir représenter la mort qui l'attend.

– Crois-moi, dit M. de Céré, si le ciel sait se venger mieux que les hommes, il ne me fera pas mourir de la main du Commandeur, mais en me laissant devenir centenaire, catarrheux, sourd et aveugle. Il est vrai que je resterai toujours assez valide pour me tirer une balle dans la tête avant d'en arriver là! »

Nous suivîmes de près M. Sue. On trouva une voiture sur le boulevard. Je m'enfonçai avec soulagement dans les coussins. Il faisait nuit. Le fiacre tourna bientôt dans de petites rues où circulait peu de monde. A peine étions-nous éclairés furtivement par les lanternes des rares voitures que nous croisions et par la lueur des quelques réverbères qui se profilaient dans les rues plus fréquentées.

M. de Céré baissa les stores et m'attira à lui.

« Acceptez-vous que je vous invite à souper?

– Pour être honnête, je n'ai vraiment envie que d'un verre d'eau et d'un bon lit.

– Vous aurez cela dès que nous serons arrivés.

– Avez-vous donné l'adresse de l'hôtel d'Angleterre?

– Non, la mienne.

– Déposez-moi plutôt rue Saint-Honoré. J'ai trop sommeil pour vous tenir ce soir une brillante conversation.

– Dormez sur mon épaule. Je ne vous dirai plus un mot jusqu'à la rue Taitbout.

– Vous avez décidé de tout à ma place, en somme?

– En Dordogne, quand j'ai eu l'honneur d'être votre invité, je me suis plié à vos lois. Souffrez, mon tendre amour, qu'ici je vous dicte les miennes.

– En ce cas, je préfère demander au cocher de me ramener à Puynègre!

– Sa licence n'est valable que dans Paris. »

Il avait posé mon chapeau sur mes genoux et glissé son bras sous mon châle.

« L'envie ne me manque pas de vous embrasser, mais je sens affreusement le tabac et le rhum, me dit-il doucement.

– Fumeriez-vous de mauvais cigares?

– Tous les cigares de Paris sont détestables, sauf ceux de Lord Seymour et les miens. Mais le punch du père Lahire est médiocre.

– N'êtes-vous pas assez grand seigneur pour transformer en or tout ce que vous touchez?

– A vous d'en juger! »

Je trouvai son baiser délicieusement chaud, poivré et sucré à la fois. C'était un de ces baisers reçus entre des bras familiers où l'on a l'impression d'être chez soi, dans un confort moelleux et dénué de contraintes. Je trouve une volupté incomparable à prendre un bain ou à recevoir un baiser en toute quiétude, en me laissant bercer par la douceur de l'instant et des sensations. On se fatigue de la frénésie, rarement du bien-être, quand il atteint ce degré de douceur et de suavité.

Malheureusement, nous fûmes interrompus dans ce tendre voyage. La voiture eut une secousse et s'arrêta. M. de Céré leva le store et constata que nous étions arrivés. En homme avisé le cocher ne se retourna qu'après l'avoir entendu ouvrir la portière.

Edouard régla la course, me tendit la main pour m'aider à descendre. La porte de la rue s'ouvrit sans qu'il ait à sonner, son valet de chambre se tenait à l'entrée du vestibule comme nous arrivions en haut du perron. Il lui demanda de m'apporter une carafe d'eau, puis me fit traverser un petit salon qui communiquait avec l'exubérant jardin d'hiver, d'où je n'avais cependant guère eu le loisir de l'observer.

Cette décoration était la dernière que j'aurais attendue en pareil lieu. La pièce, des murs au plafond, était peinte comme une volière et recouverte d'oiseaux de paradis, de perruches et de colibris, voletant, posés sur des entrelacs de guirlandes, perchés sur d'arachnéennes balançoires ou buvant dans des vasques d'albâtre. Les moulures, aux teintes d'or et de vert d'eau, qui séparaient les panneaux, figuraient les barreaux et l'armature de la cage. Des fleurs et des feuillages tissaient autour du salon un réseau fin comme un voile, où s'affairaient des papillons et des amours.

Edouard eut un sourire.

« Vous attendiez-vous à pénétrer dans une pièce tendue de velours noir, éclairée de cent bougies, se reflétant dans des miroirs baroques, où des parfums troublants s'exhaleraient des cassolettes en argent et où un esclave maure vous servirait un repas d'anguilles sacrées et de canetons au miel? Vous voilà bien déçue!

– Ce décor est enchanteur!

– Charmant, en effet, il incline au repos et à l'insouciance plutôt qu'à la méditation. Cet appartement était habité par la maîtresse du banquier qui a fait construire l'hôtel où nous sommes. C'était une jeune créole que protégeait Joséphine de Beauharnais. Regrettant sa Martinique natale, elle a tenté de la faire renaître dans ce petit salon et dans sa salle de bain. J'ai trouvé amusant de conserver ces peintures, inspirées des grotesques d'Herculanum et de Pompéi et de la Domus Aurea de Néron. Les dessus-de-porte sont également imités de l'antique et représentent la naissance et les amours de Vénus. Dans cette maison, seuls m'appartiennent ma chambre, ma salle de bain, mon bureau et mon jardin. Vous êtes une des rares personnes à y avoir pénétré. Mon salon, ma salle à manger et ce petit salon ne valent guère mieux que des lieux publics. Y sont venus un jour ou l'autre le meilleur et le pire de ce qui compose la mode et la corruption parisiennes. J'y reçois également mes créanciers, mon homme d'affaires, ceux qui se croient mes amis et des femmes qui rêvent de connaître cet antre du diable. Je leur laisse imaginer que ce décor me ressemble. Les hommes en le découvrant me prennent pour un petit maître qui serait devenu un cynique malgré lui. Les femmes s'émeuvent en me supposant des sentiments délicats. Les uns et les autres sont certains de m'avoir percé à jour, tandis que je m'amuse à observer leurs mimiques. Je vous ai montré ces charmantes peintures, jugeant qu'elles vous divertiraient. Mais ne restons pas ici, on va nous servir à dîner dans ma chambre.

– Pourquoi? Cet endroit est si joli! »

M. de Céré avait beau railler, ce raffinement était trop subtilement agencé pour lui être vraiment étranger. Une profonde ottomane, des tentures de damas doublées de soie, un tapis de Perse aux soyeux ramages, un paravent en laque de Coromandel à fond d'or où se déployaient des phénix et des grappes de fleurs, un feu brûlant dans la cheminée, des flambeaux de vermeil allumés, évoquaient un souper fin du siècle dernier, le repos et l'intimité, après le tourbillon et le vacarme de la Grande Chaumière.

Je me sentais poussiéreuse, let doigts collants et la chevelure broussailleuse. Je demandai à me coiffer, me laver les mains et me rafraîchir. Edouard me conduisit à sa salle de bain, j'hésitai au moment d'y entrer, contemplant mes bottines jaunies par le sable.

« N'avez-vous pas une office où je pourrais ôter mes souliers sans scrupules? » demandai-je.

Il s'esclaffa, me souleva et me déposa dans un fauteuil capitonné. Je me résignai à poser mes chaussures sur un coin du parquet polhcomme un miroir. Les sièges, un épais tapis blanc, les appliques, des rideaux donnaient à la pièce l'apparence d'un boudoir, jumeau du petit salon. Les mêmes oiseaux le décoraient. La baignoire et les cuvettes étaient de marbre, les pots à eau en argent, les brosses d'ivoire à filet d'or, comme les savons, au chiffre du maître de maison.

« Ma robe aussi aurait besoin d'être brossée, fis-je remarquer.

– Vous pouvez confier vos affaires à Clément, mon valet de chambre. Il est discret et méticuleux à l'excès et vous les rendra tout à l'heure en parfait état.

– C'est que je n'ai pas l'habitude de dîner pieds nus et en chemise.

– Cherchons dans mes armoires de quoi vous vêtir. J'ai là toutes sortes de vêtements rapportés de mes voyages en Orient. Il en est que je porte souvent chez moi, quand je veux être à l'aise, d'autres que je n'ai jamais mis. Choisissez. »

Un pan d'armoire entier était consacré à d'amples robes, des pantalons bouffants, des gilets, des manteaux, des burnous, allant de la laine blanche la plus fine et sans ornement jusqu'à la soie et au brocart, chargés de broderies de couleur et de tresses d'or. J'admirai tout, mais j'avais choisi au premier coup d'œil. Je désignai un vaste manteau de soie d'un rose éteint, fermé d'une haute rangée de boutons de même tissu. Edouard me trouva des babouches joliment retroussées du bout et ornées d'arabesques de perles.

Je dus le laisser dégrafer ma robe, tout en contenant mal mon impatience. Il m'était égal que ses doigts, descendant de mon col à ma taille sans hésitation ni maladresse, trahissent une vieille habitude des traquenards du costume féminin. C'est contre la mode, ma vieille ennemie, que j'en avais.

« Savez-vous, m'exclamai-je, que tout l'attirail dont on nous a convaincues de nous affubler – souliers minces et étroits, robes serrées, corsets étouffants – a pour but de nous enfermer, plus encore que de nous embellir? Ils font de nous des invalides, nous empêchent de gravir un marchepied ou d'en descendre sans précautions, d'enjamber un ruisseau, d'avoir des mouvements vifs! Comment, je vous prie, avoir le pas sûr et garder son équilibre, avec des chapeaux qui jouent le rôle d'œillères, des jupes qui nous entravent, des bottines qui glissent, des bracelets qui s'accrochent à tout ce qu'on touche! Un homme peut se déshabiller seul. Cela est quasiment impossible à une femme élégante! Avez-vous réponse à cela, vous qui êtes un grand raisonneur?

– Je réponds que cela est fort bien ainsi. L'histoire, les lois, la religion, les mœurs confirment votre dépendance. Et si j'en avais le pouvoir, je ne ferais rien – vous m'entendez : rien! – pour que cela change. J'aime trop vos pépiements d'oiseaux pris dans la glu, vos cruautés, vos effrois, vos larmes, vraies ou fausses.

– C'est se donner bien du mal depuis des siècles pour enfermer une moitié de l'humanité, sans réussir jamais tout à fait, dis-je benoîtement. Se vanter de posséder une proie, quand on n'est jamais sûr de la retrouver le soir au logis dans l'état où on l'a quittée le matin, n'est-ce pas imprudent?

– Que les maris s'en arrangent! C'est à eux de tenir cette comptabilité, les amants se contentent modestement d'en recueillir les fruits. Cessez donc de trépigner, le cordon de votre corset est tenu par un nœud si serré que je n'en viens pas à bout.

– Qu'avez-vous besoin de défaire mon corset? Ne peut-on dîner chez vous que demi-nue? »

M. de Céré me lâcha et se redressa. Il était blême.

« En effet, dit-il lentement, il vaut mieux que nous allions dîner dans un restaurant. »

Il entreprit de reboutonner ma robe. Je me retournai d'une pièce, aussi rouge qu'il était pâle.

« A quoi imaginez-vous que j'aie voulu faire allusion? Ne comprenez-vous pas que je ne me soucie d'aucune femme que vous ayez pu aimer ou à qui vous plaisiez? Rien ne m'intimide, ni votre passé, ni votre mode de vie, ni vos actrices, ni vos amis, ni le Parlement, ni la Cour, ni le roi – ni votre petit salon, ni ce qu'il a vu! Je suis venue car je veux me déprendre de vous. Je refuse que vous me hantiez jusque dans mes rêves! »

Avec emportement, je me jetai contre lui. Ma robe finit de glisser jusqu'à mes pieds. Ma bouche dans sa bouche, je lui chuchotai :

« Détruisez mes rêves! Je veux guérir de vous! »

Il enleva les peignes et les épingles qui retenaient mes cheveux, enfouit sa tête dans cette masse chaude qui s'écroula sur mon cou. Il me porta sur un divan bas et sans un mot, sans transition, il m'aima.

Il frémissait, grondait sourdement, traversé de grands frissons qui lui crispaient le dos. Jamais je ne l'avais vu vivre le plaisir comme une agonie, contracté, défiguré, à nu, le visage creusé, parcouru d'ondes douloureuses, ravagé, arraché à lui-même, au-delà de l'impudeur, livré.

« Ah! pardonnez-moi! » me cria-t-il, en me serrant convulsivement contre lui.

Il fut soulevé par un spasme qui le raidit de la tête aux pieds, avant de s'affaisser. D'un geste confus, il étendit la main sur mes yeux pour m'empêcher de le regarder. Je repliai mes bras sur lui. Doucement, je finis par dissoudre ses tourments sous mes caresses.

Un long moment passa et je faillis m'endormir dans le confort de cette pièce trop chauffée, où un grand poêle de cuivre rouge était allumé, et tenait brûlante l'eau d'un réservoir qui le surmontait.

Edouard enroula une mèche de mes cheveux autour de son poignet, puis se renversa sur le dos et me sourit.

« A mon tour de ne vouloir ni bouger ni dîner,

alors que maintenant vous mourez de faim, je gage?

– Je commence en effet à me sentir de l'appétit. »

Un silence suivit. Alors Edouard se releva et décréta :

« C'est entendu : nous dînerons.

– Oui, mais quand?

– Tout de suite. »

Il ne fut pas long à finir de me déshabiller et de me mettre la robe de soie que j'avais choisie et à m'enfiler les babouches, qui me donnèrent un petit air exotique dont je ne fus pas mécontente en me regardant dans le miroir. Je voulus sortir quand il commença à se changer, il se moqua de moi.

« Ma tendre amie, est-il logique de me regarder bravement quand je me déshabille et de rougir quand je m'habille? »

Je restai. A mon étonnement, il changea chaque pièce de son habillement, pour se vêtir entièrement de frais, mais refusa de mettre l'un des costumes qui chatoyaient dans son armoire.

« Non, madame. Passer une soirée à lire, fumer, rêver, enveloppé de soie, allongé sur des coussins, en dégustant un punch à l'arôme divin ou un porto au gingembre, est un plaisir que je ne partage pas, même avec vous. »

Le domestique fut discret comme une ombre, apporta sur une table dans sa chambre un souper où rien ne manquait, un chauffe-plats où rougeoyaient des braises, et se retira, nous laissant nous servir.

Dès qu'il fut sorti, Edouard approcha sa chaise de la mienne, prit commodément mes pieds entre les siens – un peu plus que le pied, pour être exact, et même un peu plus que la jambe –, goûta dans mon assiette le potage à la tortue, pour s'assurer sans doute qu'il avait le même goût que dans la sienne,

311

me fit partager sa galantine de saumon, rit de ma perplexité devant des « mauviettes en caisse aux truffes », qui me parurent simplement des alouettes en croûte garnies d'un émincé de truffes. Il finit dans mon verre le madère qu'il m'avait servi trop largement, me fit goûter dans le sien le clos-du-roi, me versa malgré mes protestations plus de champagne que je n'en voulais.

Je me déclarai alanguie par ce repas trop savoureux, et c'est avec un soupir de félicité que je le complimentai sur le talent de son cuisinier.

« Je n'en ai pas! Tout me vient de la Maison Dorée, qui se trouve à quelques pas d'ici, sur le boulevard, et où j'ai mes habitudes. »

A la fin du repas, il écarta légèrement sa chaise de la mienne et rabattit ma robe, qu'il avait quelque peu relevée, avant de sonner pour demander le dessert. Son valet de chambre entra, portant une délicate merveille couronnée de fruits confits, flottant dans une crème onctueuse, entourée d'îlots neigeux, ornés eux aussi à profusion. On ne pouvait que se pâmer de convoitise devant ce miracle inspiré par l'amour de l'art autant que de la pâtisserie.

« J'ai fait préparer cette meringue à la Sardanapale, dit M. de Céré, en pensant que son nom vous plairait, puisque vous brûlez de voir au musée du Luxembourg le tableau d'Eugène Delacroix, *La Mort de Sardanapale*. Mais si vous êtes fatiguée, vous serez mieux installée sur les coussins de mon lit. Vous y dégusterez ce dessert tout à votre aise, maintenant ou plus tard. »

Il installa près de son lit un guéridon où reposait cette divine meringue, posa sur le tapis des assiettes, des cuillères, nos verres et un flacon de vin, s'allongea après avoir jeté une dizaine de coussins derrière sa tête et son dos, et me fit place à ses côtés. Mais je restai assise au bord du lit, car je

312

tenais à garder les pieds plantés au sol pour goûter la meringue sans en renverser la moitié.

Ah! ce n'était pas un de ces biscuits trop mous qui s'affaissent dans une crème liquide, en une débâcle de fonte des neiges! Elle était disposée sur un plat de Sèvres, digne et légère, empesée mais avec grâce, extravagante mais avec des langueurs de créole.

M. de Céré me servit et je m'approchai de cette merveille. A la première bouchée, la crème révéla qu'elle contenait mieux que du lait, du sucre, de la vanille et de la cannelle. Elle répandait un parfum d'une angélique douceur, enveloppait la langue d'une indicible suavité. Trop ferme, un gâteau éparpille ses miettes à tous vents lorsqu'on parvient à le briser. Cette meringue cédait, friable, craquant moelleusement, développant des douceurs inattendues au fur et à mesure qu'on la mangeait en la mêlant aux quartiers de fruits confits qu'elle avait entraînés dans sa chute. Orange, cédrat, reine-claude, mirabelle, abricot éclairaient de leurs teintes acides les derniers pans de cette fragile construction et, en tombant, faisaient briller leur glacis dans la pâleur odorante de la crème.

M. de Céré entendit les soupirs de contentement que j'exhalais.

« Je vois que vous vous livrez sans moi à des jouissances inouïes.

— Goûtez, vous comprendrez! offris-je, en lui tendant mon assiette.

— Merci, je connais. C'est par votre mine gourmande que je suis alléché et non par la meringue à la Sardanapale. »

Il m'attira en arrière et me ramena près de lui. J'étais revenue à mon dessert et à mes ronronnements. Doucement, il se mit à me caresser, promenant sa main le long de mes reins, de mes hanches, remontant le creux de mon échine. Son bras m'entoura la taille. Je me prêtai à son geste pour éviter qu'il ne bouscule mon assiette. Puis il m'embrassa à travers la soie de ma robe. La chaleur et la pression de ses lèvres, au lieu d'être atténuées par cet obstacle, en furent amplifiées et me diffusèrent dans le dos des ondes de plaisir contre lesquelles il devint difficile de me défendre. J'eus un mouvement de tangage et me plaignis d'une voix mal assurée :

« Edouard, finissez! Je veux terminer en paix!

– Qui vous parle de guerre? » dit-il, conciliant, en écartant mes cheveux pour m'embrasser la nuque. Ayant dépassé le rebord de ma robe et trouvé ma peau, il s'attarda.

« Vous m'empêchez de terminer!

– Moi? » s'informa-t-il poliment.

Le bras qui tenait ma taille se détacha, s'insinua dans la large manche de ma robe, remonta de mon coude à mon épaule et à mes seins, leur rendit hommage un moment. La robe était si ample que bientôt, satisfaite de son ascension, sa main commença à redescendre. Je m'insurgeai :

« Je vais tout renverser! »

Il se redressa, dégagea son autre main, prit mon assiette presque vide, la reposa sur le guéridon.

« Vous voilà rassurée. Voyons maintenant si seules les jouissances gastronomiques ont le pouvoir de vous faire vibrer. »

Brusquement, pour le surprendre, je me retournai. Il tomba en arrière, me faisant choir sur lui de tout mon long. L'étoffe gonfla et se déploya autour de nous, puis lentement se replia et nous ensevelit. Par jeu, je me penchai sur lui, enfermant sa tête avec la mienne dans la prison de mes cheveux épars.

« Vous voilà mon prisonnier », me vantai-je.

Il gisait, avec l'air d'un jeune mort, serein et

apaisé. Etonnée de son immobilité, je m'inquiétai :

« Vous ai-je fait mal? »

Il ouvrit les yeux, referma ses bras sur moi.

« Ne vous inquiétez pas, mon ange. Je suis heureux. »

A voix très basse, il ajouta : « Autant dire que je suis un homme perdu. » Mais jamais il ne s'attardait sur ce qu'il disait d'énigmatique. Souriant, il s'empara de ma tête et se mit à m'embrasser.

Bien plus tard, je lui demandai l'heure. Il se souleva sur un coude pour regarder la pendule.

« Presque minuit.

– Je dois rentrer à l'hôtel d'Angleterre. La propriétaire sait qui je suis. Je ne peux pas passer la nuit dehors. D'ailleurs, je me lève à huit heures et vous aimez lire jusqu'à l'aube, quand vous ne sortez pas, et vous lever à midi. Je vous gênerais. »

Edouard ne suppliait jamais. Il me dit simplement :

« Je vais vous reconduire. Je vous enverrai ma voiture demain à midi. Nous pourrons déjeuner ici avant d'aller au musée du Luxembourg. Le soir, je voudrais vous emmener aux Bouffes voir le *Don Giovanni*.

– Chacun sait que vous y allez toujours seul!

– Cela est vrai en temps ordinaire et pour les gens que je fréquente ordinairement. Mais je ne veux vous laisser découvrir Mozart avec personne d'autre que moi. »

*

Le lendemain, Edouard commença par me mener au Salon, après m'avoir annoncé :

« Parmi les peintres de notre temps, depuis que Géricault est mort, Delacroix seul est original. Pour savoir ce qui s'est peint cette année de beau et de

315

puissant, il vous suffira de voir les trois toiles qu'il expose : *La Prise de Constantinople par les Croisés*, le *Naufrage de Don Juan*, inspiré du poème de Lord Byron, et la *Noce juive dans le Maroc*. Vous verrez aussi, par Hippolyte Flandrin, le portrait de Mme Vinet, qui n'est ni jeune ni belle, mais représente ce que notre époque place au-dessus de tout : le convenable. Chez les femmes, on y ajoute une touche de rêverie quand elles sont jeunes, de mélancolie quand elles sont âgées. Chez les hommes, la gravité tient lieu de toutes les vertus. Il n'est pas convenable d'avoir du caractère et de le montrer. Le reste du Salon n'est que fatras de sujets dont vous trouverez cent exemples au musée du Luxembourg, où en une heure vous serez repue de Moyen Age, de scènes de batailles, d'une antiquité et d'un orientalisme de bazar. Mais je m'engage à ne souffler mot et à vous laisser juger vous-même. Par contre, je veux que vous passiez du temps à regarder *Le Radeau de la Méduse*. »

Je le laissai me guider comme il le jugea bon, restant sourde à ses avertissements à propos de l' « orientalisme de pacotille ».

« Ma tendre amie, me dit-il aimablement, vous verrez des héros plus ou moins nus, ce qui pourrait vous charmer. Vous noterez, malheureusement, qu'ils sont lisses comme des porcelaines, sans muscles, sans veines, malgré leurs yeux révulsés et leurs cris de désespoir. Beaucoup de ces peintres n'ont fréquenté dans ces pays que les quartiers réservés aux étrangers et se sont à peine écartés du Bosphore ou des Pyramides. A leur retour, ils barbouillent un peu de bistre sur le visage d'un modèle qui posait la veille en sainte Cécile ou en Junon, lui jettent sur les épaules une draperie à ramages ou un rideau bariolé, la chaussent de sandales et en font une servante de harem très présentable. Une esclave circassienne sera un peu plus déshabillée et on lui ajoutera des bijoux et une résille d'or dans les cheveux. N'importe quel brave garçon qui hante les ateliers d'artistes consentira, pour deux francs par jour, à relever les babines d'un air effrayant et à brandir un yatagan pour faire le janissaire ou le mamelouk. Un débardeur du quai Saint-Bernard aurait la physionomie terrible d'un guerrier de l'ancien temps, mais il manquerait d'élégance et déplairait aux belles dames et au jury.

« Si cela vous intéresse, je vous montrerai certains dessins de peintres modernes que je possède. Un artiste se révèle sans fard dans ses études et ses esquisses. On y voit à cru la puissance de l'inspiration et la sûreté de la technique. Delacroix, par exemple, s'y révèle un animalier digne des plus grands.

– En effet, M. Jones m'a parlé de votre collection.

– Tiens? Que vous en a-t-il dit?

– Que vous l'aviez composée avec un rare discernement et qu'elle contenait de très beaux dessins de la Renaissance italienne, du XVIIIe siècle français et de peintres contemporains. »

Edouard fit peu de remarques tout au long de l'après-midi, mais montra qu'il connaissait parfaitement même ce qu'il jugeait indigne d'être regardé.

A cinq heures, il me déposa à l'hôtel d'Angleterre, où je voulais revenir assez tôt pour m'habiller en toute tranquillité avant d'aller à l'Opéra. Rosalie fut aussi impressionnée par la tournure de ce « cousin » que je m'étais donné qu'elle l'avait été la veille par sa voiture. Pour plus de vraisemblance, j'avais inventé une vieille tante malade à laquelle je n'avais pu dissimuler ma présence à Paris et chez qui me conduisait M. de Céré. Que Rosalie crût ou non à mon histoire, elle reconnut en lui un de ces hommes qui ont le temps d'avoir des fantaisies et les moyens de les satisfaire, et son respect pour moi s'en accrut considérablement.

Dès qu'il fut sorti, je tombai dans un fauteuil.

« Ah! j'ai besoin de calme! dis-je sans mentir. Pouvez-vous me faire préparer un bain et une légère collation?

– A l'instant, madame, répondit-elle avec empressement. Il est vrai que les personnes d'âge sont souvent exigeantes et madame doit être éprouvée de ces longues heures de dévouement auxquelles elle se contraint. »

Je soupirai avec conviction :

« Ma tante est insomniaque et épuise son entourage, car elle exige qu'on lui tienne compagnie ou lui fasse la lecture la nuit presque autant que le jour. »

Il faut toujours assaisonner un mensonge d'une pincée de fantaisie, sinon il sonne trop sec et ne convainc pas.

J'inspectai la robe que je comptais mettre. Elle était de velours noir, modérément décolletée et ornée d'une simple tresse d'or. Lors des essayages, elle avait suscité des cris d'approbation dans l'atelier de Mme Victorine, mais dans ces endroits chacun, jusqu'au petit chien, est né flatteur. Je porterais ma parure de perles, n'ayant pas apporté d'autres bijoux. Le romantisme avait mis à la mode les créatures diaphanes à force d'être blanches. On les voulait frêles d'apparence, souveraines dans leur élégance et leur connaissance du monde, talents d'où elles tiraient leur pouvoir. Je n'avais aucune de ces qualités, mais trouvais commode qu'une certaine ampleur dans la taille et une certaine assurance dans le port de tête me permettent d'avancer hardiment dans n'importe quelle assemblée.

Rosalie avait tenu à parfumer mon bain et je l'avais laissée faire. Comme j'en sortais, elle me dit d'un air entendu :

« Madame, on vient de livrer de superbes marabouts blancs. »

Edouard pensait décidément à tout. Je n'avais aucun ornement à mettre dans mes cheveux et Rosalie n'avait pu y veiller, car je ne l'avais pas prévenue de l'emploi de ma soirée. Elle fut transportée de l'élégance de ces plumes, qui s'enroulaient sur elles-mêmes, aériennes et touffues, et dont elle prévoyait déjà le bel effet dans mes cheveux noirs.

Pour la première fois depuis mon arrivée, je lui paraissais mener la vie qui convenait à une femme de mon rang. Gaie comme une alouette, elle chantonnait, préparait mon linge, avec un pétillement dans l'œil, une vivacité dans la démarche que je ne lui avais vus que le premier jour de nos excursions dans les magasins.

Je mangeai peu, en prévision du souper qui nous attendait et pour laisser à l'impatiente Rosalie le temps de me coiffer. J'avais été inflexible sur l'essentiel : je voulais des bandeaux et un chignon sans frisure, orné des seuls marabouts.

Quand Edouard parut, il ne poussa pas d'exclamation. Je ne le gratifiai d'aucune roucoulade et le regardai assez froidement, pour être sûre qu'il ne déguiserait pas son impression. Il m'examina d'un de ces coups d'œil vifs qui balaient l'ensemble et les détails. Non seulement il parut satisfait de cette inspection, mais une lueur de gaieté éclaira son visage.

« Je savais que vous seriez superbe, vêtue tout entière de blanc ou de noir. Il y a en vous une beauté antique. Taillée dans le marbre ou coulée dans le bronze, vous seriez souveraine. »

Il m'enveloppa de ma pelisse et l'on partit.

Aux Italiens, le public était avant tout amoureux de musique. On était en place avant le lever du rideau et toute velléité d'entrée ou de sortie inopinée, de conversation ou de visite dans les loges en dehors des entractes était découragée. M. de Céré salua au passage quelques personnes de connaissance sans parler à aucune, et me mena directement à la loge qu'il avait réservée et où nous étions seuls. Elle était placée sur le devant et largement en vue.

A peine eut-il le temps de me dire quelques mots sur les chanteurs que le rideau se leva. Dès cet instant il fut transformé, n'écoutant que la musique. Je ne fis aucun geste, préférant qu'il oublie ma présence.

J'avais souvent entendu les airs les plus fameux de *Don Juan*. Mais je n'aime les extraits sous aucune forme, que ce soit en littérature ou en musique, et je ne comprends pas cette habitude que l'on a aujourd'hui de donner des représentations qui mêlent des actes tirés d'œuvres différentes. Pour goûter une grande œuvre, il faut suivre tout au long le chemin obscur et implacable par où nous mène l'auteur, respirer à ces instants de grâce où il nous laisse croire que le drame ne se nouera pas, enfin être repris de sa main inflexible et suivre jusqu'à la chute celui qui a défié le Ciel.

A la fin du Ier acte, quand le lustre se ralluma, je n'osai me tourner vers Edouard. C'est lui qui posa sa main sur la mienne.

« Regrettez-vous de m'avoir accompagné?

— Ce soir, je suis comblée, répondis-je simplement. Mais si vous avez des amis à rencontrer ou des visites à rendre, faites-le, je resterai seule sans aucun embarras.

— Je ne veux voir personne d'autre que vous.

— Me parlerez-vous de *Don Juan*?

— Plus tard. Il faut que vous l'entendiez d'abord tout entier. Mais voyez, la salle n'est pas pleine. Le sublime est démodé. Paris préfère courir à l'Opéra et applaudir Meyerbeer. Bientôt nous raffolerons d'opéras qui commencent comme des oratorios et finissent comme des chasses à courre. »

Un moment, nous parlâmes paisiblement. Son instinct de dandy ne pouvait cependant le déserter tout à fait.

« On vous a remarquée, me dit-il, amusé.

— Plusieurs femmes ont leurs lorgnettes tournées vers notre loge : c'est vous qu'elles regardent.

— Eh non, vous les intriguez, elles se demandent qui vous êtes.

— Quand on saura que vous avez brisé votre règle de venir seul aux Italiens en l'honneur d'une cousine de province, on prendra vos attentions pour une vieille affection inoffensive.

— Ces gens qui passent la moitié de leur vie à s'observer ne se laissent pas facilement abuser. Ils savent lire dans les gestes les plus furtifs et voient sur votre visage que vous êtes aimée. »

Il sourit :

« L'on doit imaginer quelque aventure romanesque, vous croire une étrangère...

— Pourquoi donc?

— Il est rare qu'une femme se mette en noir à l'opéra.

— Est-ce déplacé? Vous auriez dû me le dire.

— Non, vous me plaisez ainsi et j'aime que vous soyez différente de toutes les autres. Vos yeux et vos cheveux noirs vous font prendre sans doute pour une comtesse italienne voyageant incognito!

— Ou pour une aventurière espagnole! »

En même temps, nous nous prîmes à rire.

« Savez-vous pourquoi je ne crains rien des plus belles et des plus habiles de ces femmes? lui demandai-je soudain. Elles ont pour alliés l'argent, le pouvoir, l'intelligence, la subtilité et la science amoureuse. Moi, je viens d'un pays de grottes et de sorcières, où l'on apprend à se concilier le ciel, la terre, le feu et les ténèbres. Lequel de ces deux mondes est le plus fort, le leur ou le mien? »

Je chuchotai, comme si j'étais le messager des puissances de l'au-delà, je posai un doigt ganté de satin sur la manche d'Edouard :

« Croyez-vous que ce soit un hasard si je suis vêtue de noir? Je pensais, monsieur, que vous aviez appris à mieux vous garder du danger. »

J'avais le sentiment de plaisanter en commençant ma phrase, mais en la finissant je le regardais droit au fond de ses yeux sombres. Il n'y paraissait ni crainte ni faiblesse, mais je le sentais pris de ce vertige qui jette hors de lui un joueur à l'instant où il s'assied à la table de jeu. Je poursuivis :

« Vous aimez le défi et par-dessus tout l'impossible. Vous auriez voulu être aimé comme jamais humain ne l'a été. Cela ne sera pas. Inutile de vous vendre au diable. Son seul artifice est de laisser espérer, il ne donne jamais un liard. Aucun de nous ne sera parfaitement aimé, cela n'existe pas. Ce qui est parfait fascine, mais n'ensorcelle pas. L'imperfection, elle, amène le doute et met en transe l'imagination. Vous la méprisez et pourtant elle vous traînera, malgré vous, les fers aux pieds, jusqu'au firmament. Des mains, vous cognerez les étoiles et vous ne retomberez pas en cendres, mais sur terre, où vous maudirez vos songes et vos transports et notre pauvre condition de bipèdes. Moi, je n'ai besoin d'aucune illusion. Je sais reconnaître l'or et l'amour, sans me soucier de leur gangue et de leurs scories. Là où la plupart des femmes usent leurs veilles et leurs larmes, je ne jette pas un regard et poursuis mon chemin. »

Edouard demeura un moment silencieux, puis me dit rêveusement :

« Je ne sais quelle sphère vous envoie. Ni au théâtre ni dans la vie, je n'ai entendu sibylle aussi convaincante. »

Je repris ma voix normale et plaisantai :

« Qui aurait cru que je finirais par ressembler à Malvina! »

Il tenait sa lorgnette posée sur le rebord de velours et jetait sur la salle un regard distrait. Une fois de plus, je remarquai la beauté de ses mains, sur lesquelles se détachait, seule, la cornaline gravée qu'il portait à l'annulaire.

Un abîme d'un demi-pouce séparait nos deux chaises. Les plis de velours de ma jupe comblaient une partie de cet espace, s'étalaient près de sa jambe.

La lumière baissa. Il se pencha, écarta ma robe, rapprocha sa chaise, emmêla ses doigts aux miens et posa sur sa cuisse nos deux mains liées. La musique s'éleva. Plus tard, je voulus retirer ma main. Il la retint impérieusement sous la sienne.

Quand la lumière revint, il s'éloigna légèrement. Cette fois, il ignora la salle. Nous parlâmes doucement. Je lui racontai ma rencontre avec M. Parker dans la diligence, les circonstances comiques qui l'avaient amené à me revoir, la représentation de *La Favorite*, à laquelle il m'avait invitée. Je mentionnai le bouleversement qu'il n'avait pu dissimuler en côtoyant le jeune homme de la loge voisine.

« Rien de plus naturel que de convoiter cette soie vivante qu'est une peau de quinze ans, dit paisiblement M. de Céré. Notre siècle est bien sot d'en faire une telle affaire. Quand je suis témoin ou confident de ce genre d'émois, je conseille au pauvre honteux de boire, de rire, de se croire en Orient, d'aimer comme il l'entend et de ne pas nous rebattre les oreilles de ses angoisses. Il sera rejeté, aimé, trahi ou ridiculisé ni plus ni moins que par une femme. Il n'y a rien là de nouveau. »

Une autre pensée me traversa alors l'esprit.

« Je n'ai pas vu sur les affiches le nom de la jeune chanteuse que vous aviez fait venir pour la soirée de Puynègre et dont le talent nous avait éblouis. Qu'est-elle devenue?

– L'histoire est édifiante. Un soir que cette enfant chantait dans un salon de la Chaussée d'Antin, un richissime banquier espagnol la remarqua et, avec le sang-froid qui caractérise les hommes d'argent, demanda le soir même sa main à son père. Le pauvre homme avait rêvé pour sa fille d'une carrière glorieuse, qui lui vaudrait la richesse et un brillant mariage. Ce succès trop brutal le remplit d'effroi. Il demanda à réfléchir. Le lendemain, le banquier faisait enlever la demoiselle. Le malheureux père dut consentir au mariage et accepter, le cœur brisé, de voir emmener sa perle, son joyau, dans un palais au-delà des Pyrénées, où elle ne chante plus que pour son mari. Ses espoirs détruits par cette écrasante fortune, M. Bianchi est reparti en Italie avec son autre fille, maudissant le destin. »

A la fin du *Don Juan*, quand on ralluma les lumières, nous quittâmes la salle sans que M. de Céré levât les yeux sur quiconque autrement que d'un air distant. Il suffisait de traverser le boulevard pour rejoindre la Maison Dorée.

« Devons-nous aller à ce souper? lui demandai-je. Ces messieurs m'en voudront de déranger leurs propos de garçons.

– Ma tendre amie, journalistes avant tout, et parmi les meilleurs, ils sont curieux par métier et passeront leur soirée à tenter de démêler qui vous êtes et ce que vous m'êtes. Ils vous amuseront, car rien ne se fait à Paris qu'ils ne le sachent et qu'ils n'en plaisantent, et ils ne se contraignent guère dans ce restaurant qui est leur lieu de rencontre habituel. Ils se vantent que l'établissement leur doit son renom, car les premiers ils y sont accourus quand on l'a bâti, voici un an, à la place de l'ancien café Hardy tout juste démoli. Les fils de famille et les riches étrangers n'ont fait que les imiter. L'un de nos amis décrit cet endroit comme une maison en or avec quelques ornements de pierre, dont les fenêtres sont formées d'une seule glace enchâssée dans un cadre d'or et décorées de larges balcons dorés. Voyez aussi, sur toute la façade, ces frises représentant des bêtes fauves courant dans les taillis. »

J'étais passée en voiture dans cette partie du boulevard mais n'avais pas regardé attentivement cette extravagante décoration.

Le dedans scintillait autant que le dehors. Edouard me fit traverser la grande salle qui longeait le boulevard et où, me glissa-t-il, on recevait les clients de passage ou de peu d'importance. Une aile en retour était réservée aux habitués et aux personnalités. Dans une longue pièce embuée par la fumée et la vapeur des plats, était attablée une société fort gaie d'artistes, de mondains, de feuilletonistes, de filles, d'actrices et de grisettes. Des têtes dodelinantes et des regards curieux se tournèrent vers nous. M. de Céré rendit deux ou trois saluts.

On nous ouvrit la porte d'un petit salon privé. Aussitôt disparut l'élégant laisser-aller que j'avais pu deviner en un éclair. Le coude sur lequel s'appuyait une tête languissante quitta la table, une jambe étalée sur un siège retrouva sa position verticale, un bras jeté en travers du dossier d'une chaise balancée sur un seul pied rejoignit le flanc de son propriétaire.

Les quatre hommes qui se levèrent pour nous accueillir paraissaient âgés de trente à quarante ans. Je reconnaissais Eugène Sue et Gavarni. Edouard me présenta les deux autres : le monsieur à lorgnon et à l'air sardonique était Nestor Roqueplan, le quatrième, à la carrure d'athlète, Alphonse Karr.

« Mes amis, dit gaiement M. de Céré, je ne vous

ai pas trahis en introduisant une femme parmi vous. Madame est une de mes cousines, dont vous m'autoriserez à taire le nom, et qui s'intéresse à ce que la capitale produit de pittoresque. J'ai pensé que vous faisiez partie de ces curiosités-là.

— Tu oublies de dire que tu as ta place derrière ce grillage, parmi tes compères les singes!

— Ma cousine sait que je suis des vôtres, que je partage votre vermine et vos grimaces et elle ne s'en effraie pas. »

Chacun se rassit. J'étais entre Edouard et Nestor Roqueplan qui, petit, sanglé dans un habit irréprochable, promenant sur tout un air d'autorité, jouait les maîtres de maison.

« Ma chère Adeline, reprit M. de Céré, je dois vous dire ce qui, hormis le talent, a rendu célèbre chacun de nos amis.

— Voilà une cousine que l'on vouvoie, chuchota Gavarni suffisamment haut pour être entendu. Qu'en penses-tu, Eugène?

— Je ne tutoie que mes chevaux, coupa M. de Céré sans s'émouvoir, et certains de mes vieux compagnons d'estaminet.

— Merci de nous admettre au rang de tes chevaux, dit courtoisement Roqueplan. Je ne nous croyais pas si haut placés dans tes affections.

— Nous autres viveurs avons de ces complaisances entre nous. »

La liberté de ces propos me fit venir une pensée à l'esprit. J'avais à peine ouvert la bouche, mon nom n'avait pas été prononcé, on savait que M. de Céré se refusait à fréquenter intimement aucune femme de la bonne société – qu'il aurait d'ailleurs été impensable d'introduire dans ce genre de dîner. Etait-il possible qu'on m'ait prise pour une lorette de haute volée ou une dame étrangère avide de s'encanailler? Certaines filles richement entretenues s'habillaient chez les meilleurs faiseurs et avaient une superbe allure. Edouard était trop fin et trop averti des choses du monde pour ignorer l'ambiguïté qu'il ferait naître en me demandant de l'accompagner à ce dîner.

Pourquoi ne m'avait-il pas avertie du rôle que j'aurais à jouer? Pensait-il me désarçonner? Brûlait-il, au contraire, de me voir triompher de cette bizarre épreuve? Sans doute, car il semblait aussi sûr de moi que de lui. Quoi qu'il en soit, j'étais décidée à ignorer les obscures complications qui se logeaient dans les cervelles de ces messieurs, la sienne comprise. Je me bornerais à observer. Il serait temps de parler ensuite. Devant l'inconnu, je redeviens paysanne.

« Nestor Roqueplan, poursuivit M. de Céré en désignant son voisin, est le plus froid jouisseur de notre petite troupe. Il se vante de n'avoir jamais été asservi et proclame que l'ingratitude est l'indépendance du cœur. Après avoir été pendant des années l'un des plus prestigieux rédacteurs du *Figaro*, il vient de quitter le métier de journaliste dont les exigences contrecarraient ses plaisirs. Il est maintenant directeur du Théâtre des Variétés.

– Etre journaliste par les temps qui courent n'est pas un métier, fit remarquer Roqueplan, c'est un sacerdoce. On est tous les jours menacé de procès, de prison, de duels. Pour dîner en paix, il faut se cacher au fond d'un cabinet. Heureux encore si la police et la censure ne viennent pas nous y traquer. D'ailleurs, en France, ni le pouvoir ni le public ne demandent aux journalistes de rapporter ce qu'ils ont vu et entendu, comme cela se pratique en Angleterre. Une nouvelle n'intéresse que par le piquant, la fantaisie, le sentiment qu'on y ajoute jusqu'à ce qu'il reste le moins de vérité possible.

– Hé! oui, compatit M. de Céré, vous rêvez d'écrire de grandes œuvres, de passer à la postérité, vous voulez la gloire, cette déesse, et l'on vous offre la renommée, cette catin! »

Des protestations diverses accueillirent la formule.

« C'est ce que dit Théophile Gautier, précisa Gavarni. Vous autres journalistes et les filles exercez le même négoce. Vous vivez du public, cherchez à capter sa faveur, à l'attirer dans votre lupanar, à lui pomper son argent.

– Nous changeons parfois de branche mais pas d'emploi, fit paisiblement remarquer Alphonse Karr.

– Buvons donc à la médiocrité de notre sort! » s'exclama Roqueplan en laissant tomber son lorgnon et en faisant signe au garçon de renouveler les bouteilles du souper qui s'achevait.

J'étais occupée à écouter et à regarder plus qu'à manger et Edouard n'avait guère touché à ce qui garnissait son assiette.

« Médiocrité! releva-t-il. C'est te calomnier, Nestor. Tu t'offres le luxe d'être l'homme le plus intransigeant dans ses élégances, ses habitudes et ses fréquentations. Tu changes de linge cinq fois par jour...

– Pardon, quatre.

– Fais attention, tu te négliges. Enfin, contemplez, ma chère cousine, cet homme qui envoie son domestique faire à sa place la cure qu'on lui a ordonnée, tant il a horreur de quitter Paris, qui refuse un dîner de plus de cinq plats – entreprise de goinfrerie, dit-il – et de plus de cinq convives – ce qui ferait une cohue. »

Il posa vivement sa main sur la mienne.

« Ne vous sentez pas offensée de porter ce soir notre nombre à six. Pour Nestor, les femmes sont des fleurs ou des oiseaux des îles, et ne font pas tout à fait partie de l'espèce humaine. »

Il se tourna vers sa droite.

328

« Voici Alphonse Karr, dont les chroniques théâtrales et politiques font rire et trembler toute la ville. Or, ce géant est un flegmatique et un doux. Sa vaillance lui a valu trois médailles de sauvetage : il a tiré de l'eau trois personnes, dont un cuirassier de cent quatre-vingts livres, qui a failli l'étrangler en se pendant à son cou. Et il y a dix ans, il battait régulièrement à la course l'omnibus de Clichy à Saint-Ouen, pourtant attelé de chevaux vigoureux. C'est un sage aussi, qui a fait installer chez lui un cabinet de travail très confortable, où il se retire quand il veut ne rien faire sans être dérangé.

– Pardon! tu oublies l'essentiel, protesta l'intéressé. Je pourrais me passer des hommes, mais je suis un ami des plantes et des bêtes.

– Il est vrai, tu n'aimes que ton jardin et ton chien.

– Hélas! il m'a encore mordu et je vais être obligé de m'en défaire. Je ne puis garder un chien qui aime son maître comme on aime un bifteck.

– Au bout de la table, continua M. de Céré, cette noble tête d'artiste appartient à Gavarni, qui donne ce soir des signes d'assoupissement, mais n'a pas besoin d'éloquence. Il lui suffit de paraître dans un bal ou un café pour que sa belle prestance et son œil ardent exercent des ravages dans les cœurs...

– Cœurs..., dit quelqu'un, la métaphore est charmante.

– Si je ne me trompe, il a dansé tout hier, bu toute la nuit et travaillé tout aujourd'hui à ses vignettes, à des lithographies ou à des costumes de théâtre. Il ne se donne de mal que pour son art, pour le reste c'est un fieffé paresseux. Il a mis au point un système qui lui permet d'ouvrir la porte de sa chambre sans sortir de son lit et de fermer ses persiennes sans ouvrir la fenêtre!

– Et dis-moi, mon cher, demanda Karr, est-il vrai que pour dessiner tes fameuses séries *Fourberies de femmes* et *La Boîte aux lettres*, tu t'es inspiré de lettres d'amour achetées au poids chez ton épicier?

– Qu'importe d'où vient l'inspiration, pourvu que, chaque matin, son portier se jette hors de sa loge à la première heure, en bonnet de coton et en pantoufles, pour aller voir chez le limonadier du coin le numéro du *Charivari*, qui offre en couverture le dernier dessin de son locataire. Modeste, notre ami n'ajoutera pas que tout Paris et maintenant la province partagent la frénésie de ce bonhomme. »

Gavarni remercia Sue de ce compliment d'un petit geste distrait des doigts par-dessus son cigare. On m'avait demandé la permission de fumer et je l'avais volontier accordée, bien que toutes les pièces à Paris me donnent une sensation d'étouffement, tant on s'y calfeutre.

« Enfin, conclut Edouard, vous connaissez déjà, pour l'avoir rencontré dimanche à la Grande Chaumière, le moins mauvais sujet d'entre nous, le plus bienveillant, Eugène Sue : larges épaules, yeux bleus, barbe et cheveux noirs, dents éclatantes...

– Et malheureusement, nez canaille, précisa Sue.

– Il faut bien avoir quelque chose à se faire pardonner auprès des femmes, si on veut les attendrir.

– Si tu dois tes succès à ton nez, mon cher, le complimenta Roqueplan, tu devrais lui élever un monument.

– Voilà, vous nous connaissez tous, conclut M. de Céré.

– Pas encore, objecta Gavarni. Tu t'es permis de disserter librement à notre sujet, mais aucun de nous n'a fait ton portrait.

– Il ne saurait être assez méchant pour intéresser ma cousine. »

Alphonse Karr, qui avait paru distrait, montra

qu'il n'avait rien perdu de ces échanges et eut le mot de la fin :

« Nous autres hommes essayons d'habitude deux ou trois caractères avant de nous fixer sur un, quoique d'ordinaire on en garde trois toute sa vie : un que l'on montre, un que l'on croit avoir et un que l'on a réellement. Que vous en semble, madame, après que notre ami Edouard nous a aligné cette galerie de portraits ?

– J'ai le sentiment que vous ressemblez au paon, oiseau de soleil et de feu, favori de Junon, qui oublie la roue éclatante de son plumage et jette, assure-t-on, un cri de douleur chaque fois qu'il regarde ses pieds, par où il s'apparente au canard. »

J'avais dit sans intention de briller la première chose qui m'était venue à l'esprit, elle parut divertir ces messieurs. Des questions me furent adressées, modérées d'abord, puis plus vives quand on remarqua que je n'étais pas dépaysée et que je répondais tranquillement, ne cherchant ni à déguiser ma pensée ni à me poser en rivale des bas-bleus. Si on ne brava pas ouvertement l'honnêteté, le voile qui recouvrit certains propos était bien mince. Fabre et le docteur Manet m'ayant habituée à une langue drue et à une vivacité de repartie peu communes, je ne trouvais rien de déroutant à ce que j'entendais.

Les convives, empanachés de fumée, alanguis par les volutes du bol de punch à la cannelle qui couronnait le repas et auquel ils puisaient largement, se piquèrent au jeu. Dans le feu du débat, ils parlèrent tous à la fois, on balança les chaises sur leurs pieds arrière, on sifflota un air en battant la mesure de l'ongle sur le bord d'un verre, on fredonna un couplet en ayant soin d'en rendre les paroles inaudibles. Je n'étais pas le centre d'attention, on me faisait le grand honneur de m'admettre comme un gentilhomme.

Beaucoup des flèches décochées se référaient à des événements parisiens que j'ignorais, mais la lecture des journaux m'avait appris bien des choses sur le petit monde littéraire. Je n'y avais guère prêté attention, sauf pour m'en amuser et les oublier, mais ces vagues réminiscences me permirent de deviner au vol des bribes de ce qui se disait. Au hasard, j'interprétais ou imaginais le reste. J'ai le pied sûr et ne suis pas sujette au vertige, j'avançai donc sans timidité et ne me sentis pas dépaysée dans cette mêlée.

Une heure du matin sonna à une pendule. Je redevins la matrone de village rappelée à ses devoirs un lendemain de carnaval. Je me levai sans même consulter Edouard. Il repoussa sa chaise et se leva à son tour sans marquer d'étonnement.

En me voyant partir, on me flatta, on l'implora de dévoiler mon nom, on souhaita me revoir.

« Non, messieurs, c'est un adieu que nous nous disons. L'effet de surprise est passé. Une nouveauté vieille de deux jours vous ennuierait. »

Edouard était peu intervenu dans ce brouhaha et son regard n'avait pas trahi ce qui nous liait. Il n'était pourtant besoin ni de paroles ni de signes pour savoir qu'il m'était acquis. Si je représentais pour lui un de ces attachements sur lesquels on ne revient pas, le risque était grand de le voir un jour comparer la simple mortelle que j'étais avec une image idéale qu'il se serait tracée de moi. Ma nature n'étant pas de me tourmenter, j'avais admis cette possibilité et l'envisageais assez souvent. Il me semblait alors que je serais la dernière illusion qu'il nourrirait sur cette terre. Quand il en reviendrait – et il était trop lucide pour s'abuser longtemps –, il ne lui resterait qu'à se retirer du monde.

En sortant de la Maison Dorée, je surpris sur son visage une expression fugace qui ressemblait à de la satisfaction.

Il salua un jeune homme à l'élégance recherchée, aux yeux ardents et tristes, qui marchait à grands pas tourmentés, enveloppé dans une cape noire.

« Vous venez de voir M. Barbey d'Aurevilly, m'expliqua-t-il. Il écrit, comme tout jeune homme qui se respecte. Il s'est jeté à corps perdu dans le dandysme, à défaut de croire suffisamment pour se jeter au pied des autels et il souffrira, car il a trop peu de fortune pour soutenir ses ambitions, qui sont élevées. »

Le groom tenait ouverte la porte de sa voiture.

« Resterez-vous avec moi ce soir ? me demanda Edouard, avant de s'en approcher.

– Oui, mais il faudra que je regagne l'hôtel d'Angleterre avant le jour. »

Il ne supportait que personne passe la nuit chez lui, m'avait également appris le colonel de La Bardèche. Qu'il brise pour moi ses règles de conduite – ce que je n'avais pu observer à Puynègre où mes habitudes prévalaient et non les siennes – me renforça dans le sentiment qu'il cherchait à dépasser les limites d'un univers depuis trop longtemps exploré. Pour cela, il était prêt à détruire les fondements mêmes de son ancienne vie. Que ferait-il quand il s'apercevrait que le monde matériel n'avait rien d'autre à offrir que ce qu'il avait déjà connu jusqu'à la satiété ? Et pourquoi m'avait-il choisie pour l'accompagner dans cette quête, moi que l'instinct de vie enchaînait à cette terre et qui jamais ne me laisserais entraîner dans les profondeurs de l'absolu qui le fascinaient ?

Avant de s'endormir, il railla doucement :

« Vous faites plus pour un homme que la médecine, les prières ou la magie. Vous le rendez neuf, rajeuni, vidé de sa substance et de son passé. Je me sens innocent en sortant de vos bras. »

Puis il musa, se moquant de lui-même :

« Nous nous exagérons toujours l'importance de notre passé. Si tous nos forfaits et nos traîtrises nous remontaient à la gorge, la plupart d'entre nous mourraient étouffés. »

*

Je me souciai fort peu de la vraisemblance de mon récit en décrivant à Rosalie la soudaine aggravation de l'état de ma tante, qui expliquait ma rentrée matinale. Mais elle me crut si bien que je m'émerveillai une fois de plus de mon art de convaincre et de la crédulité générale.

J'avais dormi quelques heures et passé peu de temps à faire mes bagages. Rosalie se désola en silence de me voir, une fois de plus, traiter de manière expéditive les occupations auxquelles les femmes consacrent habituellement des soins interminables.

J'avais accepté de passer cette dernière journée et la soirée chez Edouard et cela m'importait autrement que l'ordre dans lequel mes emplettes trouvaient place dans mes deux malles.

« Nous resterons chez moi, sans sortir, je vous en avertis honnêtement! avait-il raillé avec tendresse. Vous y engagez-vous?

– Ah! mais nous sortirons dans le jardin!

– C'est à voir, mon ange. »

Ce furent des moments d'oisiveté et de douceur, où son valet de chambre eut ordre de ne paraître ni dans les appartements ni dans le jardin, à moins d'y être expressément convoqué.

Nous mélangeâmes les baisers et les discours, les caresses et la littérature. On parla des croyances en l'immortalité de l'âme, des mendiants de Naples, du

Dictionnaire philosophique de Voltaire, de l'élevage des chiens courants et de bien d'autres choses. Une querelle naquit à propos d'un mauvais roman de Paul de Kock que nous n'avions lu ni l'un ni l'autre. Je parlai avec tant de conviction de M. de Balzac que j'en laissai refroidir mon thé. Il soutint avec ferveur le choix de M. Beyle, pour qui les trois grands étaient Cimarosa, Mozart et Shakespeare. J'en profitai pour finir un mignon compotier de fruits secs et de pâte d'amandes.

Je restai suspendue à ses paroles quand il évoqua le *Don Juan*. Je compris alors que ce personnage de légende, cette musique, le hantaient, qu'il n'avait jamais trouvé de réponse satisfaisante à l'interrogation passionnée que suscitait en lui ce mythe.

« Croyez-vous lui ressembler ? ne pus-je m'empêcher de lui demander.

— Non, me dit-il, je ne suis pas un Don Juan. Il court à la mort avec un appétit dévorant pour les fruits de la vie, et c'est par dérision que j'ai goûté de tout avec excès. Il est ivre du plaisir de la conquête et elle ne me suffit pas, malgré les apparences. Je ne suis pas non plus un Valmont, car je ne m'abaisserais pas à corrompre. Pour moi, la séduction et la possession ne sont que des formalités. Abandonner son corps est un geste simple, dont les femmes font une cérémonie, en y jouant le rôle de victime et en nous attribuant celui de grand prêtre. Or, il me semble qu'on ne devrait livrer son être et ses pensées qu'avec une réserve infinie et les défendre avec mille fois plus de hauteur et d'exigence que tout le reste de sa personne. Cependant, dès qu'on a vu à nu leurs jambes et leur gorge, dès qu'elles ont poussé dans nos bras l'ultime soupir, les femmes se ruent dans les confidences, se roulent dans les aveux, nous laissent tout deviner de leur ménage, nous font lire les lettres de leur petite sœur et les comptes de leur modiste. Ah! ce ton familier et convenu me ferait fuir la plus délicieuse d'entre elles! Et puis, elles ne savent tout simplement pas réprimer ces menus gestes qui trahissent notre dépendance et leur pouvoir : chasser un brin de tabac de notre revers, suivre d'un œil langoureux notre entrée dans un salon, faire une remarque sur nos gants ou notre cravate. L'une dissimulera mieux que l'autre, se contiendra devant des témoins. Mais toutes procèdent de la même manière, dans un but de domestication. Or, je ne me sens aucune vocation pour ce sacrifice-là! »

Il rit pour dissiper la gravité avec laquelle je l'écoutais.

« La plupart des gens s'obstinent à chercher l'amour, dans l'espoir d'être compris. Quant à moi, je ne souffrirais pas que mes contemporains percent mes mobiles et mes intentions. Dieu merci, aucun d'entre eux ne me voit tel que je suis! »

Le soleil était doux au-dessus de nos têtes, dans les allées où nous nous promenions lentement. A la fin du jour, quand tomba la fraîcheur, nous rentrâmes en traversant la serre, dont la suffocante exubérance me saisit une fois de plus.

Edouard m'emmena dans son bureau, où se trouvait une carte du vieux Paris que j'avais demandé à voir. J'avais été frappée, en effet, en traversant la capitale, par les bouleversements qui y semblaient en cours : on démolissait des maisons, on éventrait des rues, on faisait des trottoirs, on pavait les rues et les boulevards, on élevait des maisons et des fontaines, on entourait Paris de ces fortifications qui avaient suscité tant de débats.

Pendant qu'il sortait un parchemin du tiroir de son bureau, je remarquai au mur le petit portrait d'un jeune homme âgé de vingt-cinq ans tout au plus. Surprenant mon regard, il ne dit rien dans l'instant, déroula la carte et me montra la structure de l'ancien Paris. A nouveau, quand il rangea le plan, j'observai rapidement le portrait. Il est rare que des traits juvéniles soient à ce point dénués d'innocence et que le modèle fixe le peintre avec un détachement si froidement teinté d'arrogance.

Quand nous fûmes rentrés dans sa chambre, il alluma le feu qui était prêt et resta debout, tandis que je m'asseyais devant la cheminée, sur une causeuse basse.

« Le portrait que vous regardiez est celui de mon cousin Aurélien de Céré, dit-il d'une voix égale.

– On y lit un désenchantement bien profond chez un homme aussi jeune et d'une aussi jolie figure.

– Quand je l'ai connu, il avait quelques années de plus et avait appris à voiler cette expression sous un air de désinvolture amusée. »

En silence, nous écoutions craquer le feu qui gagnait les premières brindilles.

« Vous avez dû vous demander ce qu'il était devenu, reprit M. de Céré. Voici. Je vous ai dit qu'à dix-huit ans, j'avais été nommé attaché auprès de notre ambassade à Londres. J'en revins à vingt et un ans, pour recueillir la succession de ma mère, qui venait de mourir. Je demeurai en France en attendant que soient réglées les affaires pour lesquelles ma présence était nécessaire. A Paris, je logeais dans l'hôtel de la rue de Varenne et redevins tout naturellement le compagnon habituel d'Aurélien.

« Un jour que nous chassions, dans sa terre de Senneville, suivis de son garde et d'un seul domestique, à peine avions-nous atteint l'orée d'un bois proche du château que je le vis épauler. Une bécasse passait en flèche au-dessus de nos têtes. Il tira. Comme le coup partait, le fusil explosa : était-il trop chargé ? Un défaut de fabrication était invraisemblable : ses armes étaient parmi les plus belles que l'on vît alors. Y avait-il accident ou crime ? Mon cousin était si secret, si cinglant dans son ironie qu'il avait pu susciter chez l'un ou l'autre de ses gens une haine qui ne se serait jamais exprimée et aurait trouvé cet atroce moyen de s'assouvir.

« Il resta debout, statue aveuglée de sang, les mains et le visage arrachés. Je me jetai sur lui, le garde se précipita pour chercher du secours. Je parlai à Aurélien qui chancelait, je le fis asseoir contre le tronc d'un arbre. Pleurant sans même m'en apercevoir, je passai de mortels instants auprès de cet homme que je chérissais, devenu un monstre que je n'osais regarder.

« Enfin, on accourut avec un brancard de fortune. Je marchais à ses côtés, ne cessant de lui parler. Il n'avait pas perdu connaissance; sa respiration saccadée, étranglée par le sang, était pire à entendre que toutes les plaintes.

« Le docteur du village arriva en courant. Des grognements étouffés furent les seuls signes de souffrance que donna Aurélien pendant qu'on le pansait. Plus tard, il manifesta une agitation qu'on attribua à la fièvre. Il me sembla pourtant, obscurément, qu'il voulait nous dire quelque chose.

« Le docteur ordonna une forte dose d'opium. J'en conclus qu'il cherchait à atténuer ses souffrances en attendant une mort qui était une question d'heures, de jours tout au plus.

« Je me fis dresser un lit de camp dans la chambre d'Aurélien. Dans les jours qui suivirent, je ne le quittai que pour de brèves promenades à cheval, où j'errais au hasard dans la campagne, sans trouver ni détente ni repos.

« Son valet de chambre, qui lui était très dévoué, s'installa dans un cabinet attenant à la chambre et n'en bougea ni jour ni nuit.

« A la fin de la semaine, contrairement à toute attente, Aurélien était toujours en vie. On avait tenté de l'alimenter. Soit impossibilité, soit refus de sa part, on ne parvint à lui faire avaler que du

bouillon, aucune nourriture solide. L'angoisse me prenait en contemplant cet homme sans visage, dont la tête et les bras étaient recouverts de pansements. Comme j'interrogeais une fois de plus le docteur, sans en attendre de nouvelle réponse :
« Le malheureux jeune homme ne recouvrera « l'usage ni de ses yeux ni de ses mains, me dit-il, « mais il est sauvé. »

« Je restai pétrifié.

« – Comment! Il vivra? Dans cet état?

« – Il est d'une constitution robuste. Aucun « organe vital n'a été touché. Ses jours ne sont « plus en danger.

« – Défiguré! Infirme! C'est impossible!

« – Dieu en a décidé ainsi, monsieur », me dit sévèrement ce brave homme.

« Il survivrait! C'était la seule issue que j'avais refusé d'envisager. Je restai longuement dans la galerie, le front appuyé à une fenêtre. Le valet de chambre d'Aurélien, qui avait tout deviné, vint me demander, d'une voix toute brouillée de larmes, à quelle heure je voulais dîner. Je contins mon désespoir, pensant que mon cousin n'aurait pas voulu me voir pleurer devant quiconque.

« Enfin, je rentrai dans la chambre. Comme les jours précédents, je lui parlai. Il indiquait par de légers hochements de tête qu'il m'avait entendu. Son esprit devait n'avoir rien perdu de son acuité.

« Je lui fis la lecture et il dut sentir l'altération de ma voix. Je fis l'effort de reprendre un accent plus ferme. Combien de temps serais-je encore capable de dissimuler? Qu'adviendrait-il le jour où on enlèverait les bandages?

« Le lendemain, Aurélien me fit signe de m'éloigner et indiqua au docteur qu'il voulait lui parler. Celui-ci se pencha, pendant qu'Aurélien dans un souffle prononçait quelques syllabes. Je sortis, m'étonnant de n'être pas rappelé au bout de quelques instants. Enfin, le docteur reparut, la tête baissée.

« – Monsieur le marquis vous demande », me dit-il sombrement, avant de s'éloigner dans la galerie de son gros pas de paysan.

« Je m'approchai. L'effort de parler avait épuisé Aurélien.

« – Tu me parleras demain », dis-je, tâchant de dissimuler mon émotion.

« Il eut un geste impérieux pour me retenir. Je m'approchai. Il devait faire un effort inouï pour parler, les mots sortaient hachés de cet amoncellement de linges blancs.

« – Apporte-moi les pistolets qui sont sur mon « bureau », me dit-il.

« Il ne pouvait rien en faire avec ses mains bandées, mais je ne les lui apportai pas sans appréhension. Il voulut à nouveau me parler. Cette fois, il parla très lentement et distinctement.

« – Je t'ordonne de me tuer, ajouta-t-il alors.

« – Je ne peux pas », dis-je enfin.

« Parler l'avait épuisé. Il reposait contre le dossier du fauteuil. Il se redressa légèrement. Je compris avec effroi ce qu'il tentait de me faire comprendre.

« – Le docteur m'a donné sa parole qu'il ne « révélerait rien. »

« Je suppliai.

« – Je t'en prie, laisse-moi quelques jours.

« – Si tu n'es pas un lâche, tu me tueras. »

« A genoux près de lui, je regardais les pistolets, sans me résoudre à les emporter. Je trouvai enfin le courage de me relever. J'étais brisé.

« – Fais-moi grâce jusqu'à demain », implorai-je.

« Il inclina la tête. Jamais je n'ai ressenti, ni avant ni après ce jour, l'horreur de ne pouvoir parler à ce qui nous est le plus cher. Aurélien savait ce que j'avais à dire, il ne voulait pas m'entendre.

« Dans un souffle, il parvint à me faire comprendre qu'il désirait que je lui lise les *Pensées*, de Marc Aurèle. Toute la soirée, en lisant ce texte haut et grave, je me débattis contre l'inéluctable. Il me fallait tuer le seul être au monde dont je fusse proche. Il n'y avait pas d'alternative. Je ne pouvais laisser vivre Aurélien, sans visage et sans mains, rejeté de la société.

« Assez tard, il me fit signe d'arrêter ma lecture. Je me couchai sans trouver le sommeil. Je me souvins que la veille il était resté seul avec le prêtre du village, qui lui rendait régulièrement visite. Je ne doutai plus que sa résolution fût irrévocable.

« Quand le valet de chambre vint au matin ouvrir les rideaux, je m'approchai de mon cousin, il me dit un seul mot :

« – Aujourd'hui ! »

« Après le déjeuner, le docteur vint comme chaque jour. Je tâchai de retenir le plus longtemps possible cet homme simple et peu disert qu'il fallut bien laisser partir.

« A Paris, quand quelqu'un meurt de manière suspecte, on fait venir des experts, des médecins légistes, on en appelle à la justice. En province, on plie mieux devant la fatalité. Le destin parle, Dieu se tait, on enterre les morts.

« Dès que le docteur fut sorti, Aurélien me désigna la table où étaient posés les pistolets. Je les contemplai sans parvenir à avancer la main vers eux. D'un geste impatient, il m'enjoignit d'en finir. Je pris une des armes, la chargeai, mis l'amorce. Il fit un signe d'assentiment. Comme j'hésitais un ultime instant, il me murmura dans un souffle :

« – Tu as su me torturer, il faudra bien que tu « saches me tuer. »

« Je m'assis sur le bord du lit, posai la main sur

son genou. Il la recouvrit maladroitement de la masse blanche de sa main bandée. Je tirai. Sa tête pencha sur son épaule. Après un moment, un filet de sang traversa le pansement à hauteur de la tempe.

« Le docteur était encore dans la cour. En entendant la détonation, il revint en courant sur ses pas.

« On expliqua qu'Aurélien avait voulu me donner ses pistolets et que, d'un geste involontaire, pendant que je les examinais, il m'avait bousculé. A mon insu, un des pistolets était chargé. Le coup était parti. »

Edouard s'était tu. Du bout du pied, il renvoya dans la cheminée un brandon qui était tombé sur le rebord de pierre. Il me sembla que le silence durait une éternité.

On nous servit à dîner. La soirée s'écoula doucement. La conversation alla comme elle voulut et l'amour nous réunit.

Le temps de nous quitter vint pourtant. Je me récriai soudain :

« Nous avons oublié de regarder votre collection de dessins!

– Je vous les montrerai la prochaine fois que vous viendrez à Paris. »

Je retins la réponse qui me monta spontanément aux lèvres. « Je ne reviendrai pas! » avais-je failli m'exclamer. Au lieu de cela, je demandai avec une certaine appréhension :

« Viendrez-vous en Dordogne cet été?

– Non, mon tendre amour, me répondit-il calmement. Je ne reviendrai pas en un lieu où je dois entrer et sortir de votre chambre sur la pointe des pieds, de crainte d'être surpris par vos domestiques.

– La situation est-elle bien différente quand je

342

suis, moi, vue dans votre chambre par vos domestiques?

– Peut-être pas. Vous ne me ferez cependant pas changer sur ce point. »

Notre opiniâtreté nous avait fait perdre des mois. Cette fois, je préférais m'attirer une réponse blessante plutôt que de laisser notre maudit orgueil nous replonger dans une complète incertitude vis-à-vis l'un de l'autre.

« Quand donc vous reverrai-je?

– C'est à vous d'en décider. Au premier signe que vous me ferez, je suis prêt à vous retrouver où vous voulez – sauf à Puynègre – et devant un prêtre, le jour où vous y consentirez. »

Je fus ébranlée par la fermeté de sa voix et de son expression. Ainsi, il me fallait prendre au sérieux cette invraisemblable proposition qu'il avait faite de m'épouser. Je l'avais rejetée de ma pensée, considérant qu'il l'avait formulée à Puynègre dans un moment d'exaltation et qu'elle ne tirait pas à conséquence. Mais voilà qu'il me la répétait le plus tranquillement du monde, sans attendre de réponse de ma part, sachant qu'une acceptation était exclue et que les protestations d'amour n'étaient pas dans ma manière.

Il se leva, prit dans son secrétaire un objet qu'il me tendit. C'était une précieuse boîte d'écaille, où se dessinait mon chiffre en lettres d'or et dont le fermoir figurait un minuscule griffon du même métal.

« Ce cadeau est modeste, dit M. de Céré, mais il s'y attache une exigence à laquelle vous ne pourrez vous soustraire. »

J'hésitai à ouvrir la boîte.

« Que craignez-vous? railla-t-il tendrement. Ou plutôt me niez-vous le droit d'avoir des exigences envers vous? »

Je n'osai répondre que là était bien mon inquiétude. Je poussai le fermoir, levai le couvercle. La boîte contenait deux peignes d'écaille blonde incrustés de fines arabesques d'or, du goût le plus raffiné.

« Je veux que vous portiez ces peignes jusqu'au jour où vous me reverrez et qu'ils mordent vos cheveux tant que je ne serai pas auprès de vous pour le faire moi-même.

– Je les porterai », dis-je d'une voix incertaine.

Je ne m'inquiétais pas de cette promesse, mais le calme d'Edouard annonçait qu'il avait un plan, entendait le mener à bien et que mes refus ne seraient pas un obstacle à son accomplissement.

Une dernière fois, avant de monter avec moi dans sa voiture, il m'étreignit, en y mettant cette gravité passionnée qui me bouleversait plus que toutes les déclarations.

*

Le lendemain, je repris la diligence de Bordeaux, qui passe par Limoges et Périgueux. J'avais laissé une large gratification à Rosalie. Cette fille avait un aimable naturel et m'avait bien servie. Contrairement à mon habitude, j'étais toutefois restée distante avec elle, car, si je la sentais accoutumée à recevoir les confidences de ses maîtresses, je ne voulais rien dire ni de M. de Oliveira ni de M. de Céré. Je fus également généreuse avec le reste du personnel et avec la portière, dont j'avais loué une fois encore les admirables soupes.

Je regardai à peine mes compagnons de voyage. Relais, auberges, retards, incidents, inconfort, rien ne m'atteignit.

3

J'eus un élancement au cœur en retrouvant Joseph et Faye qui m'attendaient à Périgueux. Je leur pressai les mains, les bousculai de questions, m'assurai que tout Puynègre et les Maraval étaient en bonne santé, que Jérôme avait envoyé de ses nouvelles. Je répétai les mêmes interrogations pour le plaisir de m'entendre répondre une fois encore que tout allait bien et que l'on m'attendait avec impatience.

Joseph s'assit en face de moi, raide et respectueux, sur le siège avant dur et étroit, pendant que je m'enfonçais dans les coussins sur le siège du fond. Il m'aida à étendre une couverture sur mes jambes, car avec la nuit tombait un petit air frais. Je l'avais respiré délicieusement et n'avais relevé la vitre qu'à moitié, tant j'étais avide de goûter les senteurs de la campagne.

Antonia avait préparé un souper froid qui gonflait les poches aménagées dans les portières de la calèche, Miette prévu une chaufferette que Faye venait de remplir de braises à l'hôtel des Messageries. Ah! qu'il est doux de se retrouver chez soi!

Je me jetai sur ce souper, qui combinait mes plats favoris et les nouveautés de la saison.

Méthodiquement, Joseph m'informa de tout pendant que je dînais, me confirma qu'on avait semé le blé d'Espagne, greffé les cerisiers, arrangé le toit de la bergerie aux Peyrières, vendu les dindons du Coderc. J'aimais sa manière de me rendre compte, nette et précise. Ce n'était pas lui qui m'apprendrait les anecdotes dont on jasait au Bugue ou à Limeuil, sauf si elles devaient avoir une influence sur nos affaires.

C'est au moment où je me rencognai dans la voiture, qu'après avoir rangé les restes du souper Joseph me dit sobrement :

« Il est pourtant arrivé un accident, madame. »

Ayant été rassurée sur les membres de la famille et de la maison, je ne m'inquiétai pas outre mesure.

« A qui? demandai-je.

– A Justin. »

Le jeune palefrenier avait une passion pour les chevaux et les montait chaque fois qu'il en avait l'occasion. Une chute était possible.

« Que lui est-il arrivé?

– Samedi dernier, à la foire de la Saint-Marc, au Bugue, il s'est laissé entraîner à boire et s'est battu avec un forain.

– Est-il blessé?

– Non, mais il a sorti son couteau et le lui a planté dans le ventre. L'homme en est mort. Personne n'a su dire lequel des deux s'était jeté sur l'autre. Justin s'est sauvé et on ne l'a pas revu depuis. Les gendarmes sont venus à Puynègre et ont interrogé tout le monde.

– D'où était ce forain?

– De Limoges.

– J'aime mieux cela », dis-je avec soulagement.

Avec Joseph, je n'avais pas à dissimuler. Dans de telles circonstances, chez lui comme chez moi, un sens pratique étroitement matérialiste prenait le pas sur toute considération d'ordre moral. Ainsi, mieux vaut tuer un étranger qu'un voisin.

« Le connaissait-on ? demandai-je.

— Il avait la réputation d'être querelleur.

— Que risque Justin si on le prend ?

— On ne pourra pas lui éviter le bagne. Il est quelque part dans les bois dont il faudra pourtant qu'il sorte un jour ou l'autre.

— Il fait bien son service et a toujours été sérieux, mais il parle peu. Que vaut-il dans le fond ?

— Il est acharné à ce qu'il veut, en bien comme en mal, mauvaise tête quand on le contrarie, ne rechignant pas à la peine. Et puis, il a avec les animaux un sens que les autres n'ont pas, surtout avec les chevaux.

— Il restera par ici, dans les bois qu'il connaît et ne songera pas à s'éloigner, n'est-ce pas ? Et puis, il ne sait pas le français.

— Il le comprend, mais ne parle que le patois. »

Les chances qu'il disparaisse et trouve refuge dans une autre région étaient minces.

Je soupirai.

« Comment peut-on savoir où il se cache ?

— Son cousin Jeannot, de Bigaroque, doit avoir une idée là-dessus.

— J'irai demain à Limeuil voir les parents de Justin. Il faudrait le retrouver avant que les gendarmes le découvrent. »

Joseph ne chercha pas à commenter plus longuement cette affaire, sachant que, devant une difficulté, je n'éprouvais pas le besoin de parler d'abondance mais de retourner tranquillement les faits dans ma tête avant de me former une opinion claire. On attendait les Maraval et le docteur Manet à déjeuner pour le lendemain et dans un cas aussi grave je ne voulais avancer aucun avis avant d'avoir entendu le leur.

On arriva à Puynègre à onze heures passées. La maison au complet était restée debout pour m'accueillir. Tout en serrant les mains des hommes et en embrassant les femmes avec effusion, je grondai allégrement chacun pour ce bouleversement d'horaires, puis envoyai tout le monde se coucher, remettant les discours au lendemain.

Avec joie, je m'enfouis dans mon lit, dans mes draps, dans le silence de ma chambre, après avoir ouvert toute grande ma fenêtre à la lumière de la lune qui nappait d'argent la Vézère.

*

Je dormis si profondément que Miette me réveilla le lendemain, à neuf heures, en m'apportant mon chocolat et deux petits pains tout chauds. En me levant, je ne ressentais déjà plus la fatigue du voyage.

Avant de prendre mon bain, j'allai saluer la tante Ponse.

« Ah! vous voilà! me dit-elle de sa voix pointue. J'ai cru que vous ne reviendriez pas.

– J'avais annoncé le jour et l'heure de mon retour et je m'y suis tenue. Comment vous portez-vous, ma tante?

– Mal. J'ai souffert de courbatures. Votre docteur Manet m'a prescrit une embrocation qui sentait le camphre à une lieue et m'a donné des maux de tête. Vous n'avez écrit qu'une misérable petite lettre à Pauline, dans laquelle vous vous inquiétiez à peine de ma santé. Par contre, j'ai reçu une longue lettre très affectueuse de Jérôme, qui ne m'oublie pas, lui, le cher enfant. Il était à Missolonghi.

– Pauline est venue vous voir tous les jours, n'est-ce pas, ma tante?

– Naturellement, puisque vous courez les chemins sans vous soucier de moi. »

Je lui remis le carton que j'avais rapporté pour elle. Elle le fit ouvrir par Malvina.

« Ce ruban de taffetas a une vilaine couleur,

fit-elle remarquer, en clignant les yeux pour mieux le regarder.

– Il vient du Palais des Nouveautés, où se fournit la duchesse d'Orléans.

– Rien ne m'étonne de la famille d'Orléans, déclara la tante Ponse, péremptoire.

– Tiens, je croyais qu'elle avait pris dans votre cœur la place de la famille Bonaparte, dis-je suavement.

– J'ai toujours été légitimiste! » décréta la vieille dame, que j'avais pourtant quittée orléaniste trois semaines plus tôt.

Malvina découvrit au fond du carton un châle de mousseline des Indes qu'elle déploya avec admiration au-dessus du lit de la tante Ponse.

« Cela était à la mode voici deux ans, déclara celle-ci dédaigneusement. Pauline m'a montré des illustrations qui lui sont arrivées de Paris ces jours-ci et j'ai constaté que ce genre de châles ne se faisait plus du tout.

– Fort bien. Je le garde et le porterai avec grand plaisir.

– Que vous êtes susceptible! Montrez-le-moi, tout de même. On peut le draper en ceinture ou en turban. Malvina, froisse-le un peu, que cela enlève l'apprêt et le fasse tomber avec un peu de naturel. »

Le bonnet penché sur ses boucles jaunes, elle tapotait de ses mains sèches, aux tendons saillants, l'étoffe que Malvina disposait selon ses instructions. Malgré le dédain affiché pour mon présent, elle était si absorbée par cette contemplation qu'elle salua distraitement ma sortie quand Miette vint m'annoncer que mon bain était prêt.

La matinée se passa à voir un à un les gens de la maison, à leur remettre les présents que je leur avais rapportés et à conférer avec eux. A peine en avais-je fini qu'arriva l'heure du déjeuner. Je remis au soir la lecture de mon courrier et au lendemain la révision des comptes de Joseph et de Tiénette.

Je fus touchée de la joie avec laquelle me retrouvèrent le docteur et les Maraval, et un peu honteuse de n'avoir écrit qu'une courte lettre destinée à les rassurer sur mon sort. Ils furent assez généreux pour ne pas s'en plaindre et pour se récrier d'admiration devant les cadeaux dont, il est vrai, j'avais fait pour eux ample moisson.

La plus gâtée fut Pauline, qui reçut des bas, des gants, une ombrelle et un éventail. Je donnai à Julien une canne à pommeau d'argent, au docteur une gourde en cristal habillée de vannerie et d'argent guilloché, destinée à remplacer celle qu'il portait toujours dans la poche de son manteau et dont le cuir tombait en lambeaux. La petite Emilie reçut des pantins et des marionnettes.

Après le déjeuner, je parlai de M. de Oliveira. Aucun doute n'était possible, affirmai-je, il était bien le fils du général.

Le cœur tendre de Pauline fut ému par la solitude du jeune homme. Je lui fis remarquer cependant qu'elle lui permettait de courir le monde et de tenter sa chance en Amérique. Il aurait bien plus cruellement souffert, insistai-je, s'il avait dû poursuivre la vie obscure qu'il menait à Salamanque. Les trois mille francs que je lui avais remis le mettraient à l'abri du besoin, à son arrivée. J'avais la conviction que son courage et sa droiture, soutenus par la lettre de recommandation adressée par M. Parker à son correspondant à Philadelphie, lui vaudraient de s'établir rapidement de manière honorable, puis de prospérer. Lui-même était déterminé à faire son chemin dans ce pays neuf et avait fermement annoncé qu'il me rembourserait cet argent et ne l'acceptait qu'à titre de prêt.

Le docteur Manet était au bord de l'assoupissement. L'âge venant, il avait pris l'habitude de faire un somme après le déjeuner. En notre compagnie, il ne se contraignait pas et, sa dernière goutte de café bue, commençait à dodeliner.

Il se réveilla quand j'en vins à ce qui me préoccupait vraiment : l'affaire de Justin.

Pour Julien, la loi devait suivre son cours. Il y avait eu crime, il devait y avoir châtiment. Pauline, qui avait eu Justin pour élève et lui avait appris des rudiments de lecture et de catéchisme, ne se résignait pas à croire que la justice des hommes ne connaissait ni le pardon ni l'absolution dès lors qu'une faute était avérée.

« Il n'y a pas eu préméditation, insistait-elle doucement. Justin n'avait jamais vu cet homme, il n'avait aucune raison de lui en vouloir et je suis sûre qu'il s'est aussitôt repenti de son geste. Ne lui accordera-t-on pas de circonstances atténuantes? Un avocat ne pourra-t-il montrer l'œuvre de la fatalité dans cette rencontre?

– Là du moins nous pouvons, en effet, aider Justin. »

Il se tourna vers moi.

« Si vous y consentez, ma mère, j'écrirai à maître Fontalirant pour lui demander de le défendre. Pourtant, ma chère amie, dit-il doucement en se tournant vers sa femme, le mieux que nous puissions espérer est qu'il sauve la tête du pauvre garçon, car il ne pourra lui éviter le bagne.

– Il est robuste, il s'en sortira », soupira le docteur en ouvrant un œil, car il avait grand mal à rester éveillé.

Je me redressai, impatientée de cette résignation.

« Que voulez-vous dire? Qu'il s'évadera et ira se cacher quelque part sous un faux nom, ou qu'il finira par être libéré et reviendra ici, sa peine accomplie? Mais à quel âge et dans quel état! »

Le docteur était déjà retombé dans le coin du canapé et ne nous écoutait plus.

Aucun de ces commentaires ne me satisfaisait. Ceux des gens de Puynègre étaient aussi sombres. Antonia, à qui j'en parlais le matin dans la cuisine car j'avais confiance en sa vieille et rude sagesse, m'avait répondu qu'elle priait pour Justin. J'avais été glacée en comprenant qu'elle invoquait le Ciel pour son salut éternel et non dans l'espoir qu'il échappe à une condamnation.

Comment aurait agi Fabre? Il attendait de ceux qui le servaient un dévouement absolu et, en échange, sa protection leur était acquise. Il estimait pourtant que son rôle s'arrêtait là où intervenait la loi. Avec son sens rigoureux du devoir et de la règle, il aurait laissé la justice suivre son cours, tout en assurant à Justin la meilleure défense possible.

Je suis d'une autre nature. Je viens des coteaux où, raillait-il souvent, nous sommes de vingt ans en retard sur la vallée. Il est vrai que, dans mes raisonnements, je demeure souvent primitive.

Tout en respectant le Code civil, j'estimais que mon premier devoir était, si je le pouvais, de soustraire Justin aux gendarmes. Cette pensée s'était imposée à moi dès l'instant où Joseph m'avait raconté l'accident, en rentrant de Périgueux. L'idée du bagne comme de l'échafaud me causait une insurmontable répulsion.

Seuls le docteur Manet et Joseph ne se seraient pas scandalisés si je leur avais ouvert mon cœur là-dessus – et, étrangement, Pauline aussi m'aurait comprise. Mais le docteur était trop vieux et fataliste pour m'approuver ou m'aider dans une telle entreprise. Restait Joseph, froid et inventif, aussi sûr dans la conception d'un plan que dans son exécution.

A la fin de l'après-midi, après le départ des Maraval et du docteur, je me rendis à Limeuil chez les parents de Justin. Le mari était dans les terres. La femme me reçut, le visage déformé par les larmes, gonflé, marbré de plaques rouges. Elle m'avança une chaise puis s'effondra sur un tabouret.

Je lui promis d'obtenir que maître Fontalirant lui-même plaide pour son fils, que j'userais de toute mon influence pour obtenir la clémence du tribunal. Elle hochait la tête à petits coups, répétant : « Je vous remercie bien, notre dame. » Enfin, à mon grand embarras, elle se jeta à genoux devant moi, les mains jointes :

« Sauvez le petit, notre dame, sauvez-le! J'irai dimanche prier la Vierge de Fontpeyrine, mais aidez-nous! »

En rentrant à Puynègre, je pris enfin le temps de rester seule un moment sur la terrasse. Les moutons paissaient dans le pré qui descendait en pente abrupte vers la Vézère. Une brume légère commençait à tomber. Sur la rive opposée, des bœufs tiraient une gabare qui remontait de Limeuil au Bugue.

*

Le lendemain, Joseph m'accompagna dans les terres. Je m'occupais par obligation des choses de la maison, seules les cultures m'intéressaient vraiment.

Plus que tout, j'aime la terre. A contempler les labours, les mottes chavirées par la charrue, le pan lisse tranché par le soc, l'épaisseur vivante et broyée qui retombe de l'autre côté du sillon, je me sens au cœur un remuement obscur, aussi trouble et puissant que l'amour.

Par temps humide, quand je traverse un champ, je ne me plains pas que la terre me colle aux talons, aux semelles, qu'elle m'englue. Il m'est arrivé de rester immobile, enfoncée jusqu'aux chevilles, pour le seul plaisir de croire que j'y prenais racine. Je l'aime sous toutes ses formes, dépouillée, caillouteuse, aride, à Fontbrune, au flanc des coteaux, ou grasse, détrempée, au fond des combes où elle nourrit le blé et les noyers.

Nous avions semé plus de betteraves que les autres années, car une sucrerie venait de s'ouvrir à Bergerac et promettait des débouchés intéressants à nos récoltes. Les moyens de communication s'étaient améliorés depuis le début du siècle, mais les nouvelles routes étaient encore trop peu nombreuses pour permettre des services de roulage rapides et réguliers. Par chance, nous pouvions écouler nos marchandises en direction de Bergerac, Lalinde et Bordeaux, en les embarquant à Limeuil, d'où la Dordogne était navigable sur le reste de son cours.

Je n'avais guère innové depuis la mort de Fabre et c'est encore à lui que nous devions notre plus récent succès : la culture des truffes.

En 1835, le préfet Romieu avait cherché à en encourager la production. Le général croyait ce légume peu susceptible d'être cultivé systématiquement, mais, curieux de tout nouveau procédé, il avait fait semer des graines de truffes et quelques glands de chênes truffiers dans le petit bois situé en bordure de l'ancienne allée menant de la route à la maison. A mon grand étonnement, on avait récolté deux ou trois tubercules dès l'hiver de 1840. Si cet espoir se confirmait, on pouvait en attendre un beau profit.

Joseph me parla de l'exposition de produits de l'industrie et des arts qui se tenait à Bordeaux jusqu'à la fin du mois de juin. On y voyait en particulier des étuves où l'on pouvait faire sécher le blé avant de le mettre en sac, ce qui l'empêchait de se gâter. On y présentait aussi une charrue à vapeur inventée par les Anglais.

Je ne suivais les progrès de l'industrie et du commerce que dans la mesure où ils étaient utiles à l'agriculture. Quelques mois plus tôt, j'avais accueilli avec autant de scepticisme que le docteur Manet l'annonce que la compagnie chargée de construire un chemin de fer d'Orléans à Vierzon souhaitait ouvrir à Périgueux un bureau de souscription où des actions seraient mises en vente. Le conseil municipal nous avait paru prudent en ne donnant pas suite à cette demande. Je ne savais pas alors que deux ans plus tard il se déclarerait prêt à garantir un emprunt d'un million de francs aux hommes d'affaires qui voudraient exécuter un chemin de fer de Paris à Périgueux.

Par contre, j'avais rendu deux fois visite à la ferme expérimentale installée l'année précédente par la Société d'agriculture du département sur les cinq cents hectares du domaine de Salegourde, aux environs de Périgueux.

En rentrant à Puynègre, je demandai à Joseph de me suivre dans le bureau. Quand nous fûmes assis l'un en face de l'autre, j'allai droit à la question qui me préoccupait.

« Joseph, quelles sont nos chances de sauver Justin ?

– Cela dépend, madame, des moyens que vous voulez y mettre.

– Pouvons-nous lui faire quitter le pays ?

– Cela se peut toujours, mais où irait-il ?

– Vous savez que le général Bugeaud a été nommé, au mois de décembre dernier, gouverneur général de l'Algérie. Il a entrepris de grands travaux, des routes, des ponts. Il dispose de soldats et d'ouvriers, a-t-il écrit, mais il manque de paysans. Il se plaint que lui arrivent de France des condamnés de droit commun, des affairistes et des hommes politiquement indésirables : ce n'est pas avec cela que l'on exploite de grandes surfaces incultes. Si je lui envoie Justin, il devinera ce qui motive cet exil et saura l'employer sans poser trop de questions. L'administration et la police françaises n'ont pas encore eu le temps de mettre leur nez là-bas, j'espère. »

Joseph m'avait écoutée, le visage tendu par l'intérêt et non par la crainte, l'œil plissé par la réflexion, soupesant la difficulté.

« Il faudrait mener Justin à Marseille, d'où il s'embarquerait.

– C'est le point le plus délicat. Comment faire traverser tout le sud de la France à ce garçon qui n'est jamais sorti du canton?

– Madame m'a entendu parler de Monteil, cet ancien sergent qui est roulier à Bergerac? »

J'acquiesçai.

« Il a un frère, qui a mieux prospéré que lui et possède une petite entreprise de roulage à Montpellier. Il leur arrive, en faisant chacun la moitié du chemin, de transporter de Bergerac à Marseille des vins que le général Bugeaud se fait envoyer en Algérie.

– Cela ferait deux personnes à mettre dans la confidence. Est-ce raisonnable?

– Rien n'est tout à fait raisonnable dans une affaire de ce genre. Mais ce Monteil a toujours pensé que les pauvres gens devaient s'entraider et je crois qu'il serait prêt à rendre service sans demander d'explications.

– Devra-t-on faire établir de faux papiers à Justin?

– S'il était pris, on aurait la preuve qu'il n'a pas agi seul.

– Donc, pas de papiers. Maintenant, à supposer que cela s'arrange, il faudrait qu'il se tienne caché le mieux possible en attendant que nous lui donnions des instructions. Surtout, qu'il reste dans les bois et n'aille chez personne de connaissance.

— Je le lui ferai dire par son cousin Jeannot. J'irai également demain à Bergerac, pour voir si je trouve Monteil.

— Bien entendu, je le dédommagerai largement.

— Ce ne serait pas prudent, madame. Il devinerait d'où vient l'argent et il faut qu'à aucun moment votre nom ne soit prononcé. Je présenterai la chose comme venant de moi. »

Jusqu'ici, je n'avais eu aucun doute sur l'issue de l'entreprise. Maintenant, je comprenais que Joseph en supporterait tout le poids, alors que je ne risquerais rien, protégée par son silence. Avais-je le droit de le compromettre à ma place? Il perçut l'incertitude qui me gagnait.

« Ne craignez rien, madame. Monteil est comme moi : il connaît les gendarmes et leurs habitudes. Il saura leur échapper.

— Je veux votre parole que vous penserez d'abord à la sécurité de tous dans cette affaire et que vous renoncerez à pousser vos démarches si elles s'annonçaient plus risquées que prévu. »

Mais Joseph avait son regard luisant de loup à l'affût dans les broussailles. Il posa sur le bord du bureau une main sèche et vigoureuse.

« Ce qu'il y a à faire sera fait, madame, je m'y engage. »

Je restai seule, les jambes flageolantes, pendant que Joseph sortait, la démarche assurée, un demi-sourire aux lèvres. Ces jours déjà lointains me revinrent en mémoire où je me sentais exclue quand Fabre s'entretenait avec lui. Le jeu, le danger, la violence avaient tenu une place trop considérable dans leur vie pour avoir entièrement perdu leur fascination. Autant je me serais sentie capable de n'importe quelle action, en cas de nécessité, si l'exécution en reposait sur moi, autant je détestais l'idée de m'en remettre à trois ou quatre intermédiaires, malgré l'absolue confiance que j'avais en Joseph.

*

Je passai la journée du lendemain dans les transes. Je n'avais la tête à rien, ni à sortir, ni à m'activer, ni à songer, ni à lire. Les travaux d'aiguille ont ceci de commode qu'on peut y travailler de façon machinale. Je pris ma tapisserie, dont le décor de feuillages n'avait guère avancé dans les dernières semaines, et me penchai sur ses diverses nuances de vert.

Ah! il n'était pas besoin de tragédie pour me séparer d'Edouard! La vie quotidienne s'en chargeait avec son impitoyable routine. Depuis trois jours, pas un moment je n'avais eu l'esprit libre. Les amours contrariées décuplent l'ardeur des amants, dit-on. Quant à moi, voler une rencontre, en compter les minutes et en effacer tous les signes m'exaspère.

Le brigadier Pichon vint me voir. L'honneur de la gendarmerie du Bugue était en jeu. Il y avait eu mort d'homme sur son territoire et selon toute vraisemblance le coupable s'y cachait encore. Ce vieux soldat était fort malheureux. Le devoir lui commandait de retrouver Justin, mais il lui semblait porter ainsi atteinte à la fidélité qu'il avait toujours manifestée à l'égard de Fabre et de Puynègre. J'étais presque aussi chagrinée de lui mentir.

Il m'interrogea, sans espoir de rien obtenir. Je lui confirmai mon autorisation de faire toutes les recherches qu'il jugerait nécessaires dans la maison, les dépendances et les métairies qui faisaient partie de Puynègre. Cela avait déjà été fait et n'avait donné aucun résultat. On savait Justin capable de vivre dans les bois à la belle saison pendant plusieurs semaines sans en sortir. Pichon faisait surveiller les alentours du Bugue et de Limeuil et semblait résigné à attendre la première imprudence du garçon pour le prendre.

J'avais fait porter des vivres à ses parents, mais comment me faire grief de soutenir une famille dans le malheur? Je ne m'en étais pas cachée et je le faisais trop couramment pour qu'on puisse s'en étonner.

Le soir, en rentrant, Joseph me dit simplement qu'il était passé à Bigaroque, avait parlé au cousin de Justin et qu'à Bergerac il avait rencontré Monteil. Celui-ci lui ferait savoir le jour où il aurait un transport vers Agen et Toulouse, villes également fréquentées par son frère.

J'avais naïvement cru que tout serait décidé le soir même. Mais je me sentis rassurée, préférant une longue attente à une précipitation inconsidérée. Au fil des jours, l'idée de transgresser la loi finit par ne plus me troubler que médiocrement et la gravité de ma tentative s'estompa à mes yeux jusqu'à ne plus me paraître qu'une de ces multiples manœuvres que s'autorise le citoyen quand il s'estime victime d'une injustice ou d'un abus de pouvoir.

A peine eus-je le temps de retrouver ma quiétude qu'elle fut à nouveau secouée. Joseph m'avertit que Monteil avait à transporter des vins de Monbazillac. Son frère le retrouverait à Agen et se chargerait de convoyer les barriques, par le fleuve ou par la route, jusqu'à Marseille, d'où elles seraient envoyées au général Bugeaud.

Sans faire plus de discours que s'il s'agissait de mener une paire de bœufs à la foire, le bonhomme avait annoncé qu'il attendrait son passager trois jours plus tard, à l'aube, à la sortie de Bergerac. Tout faillit manquer, car Joseph exigea de voir Justin seul à seul pour lui donner les explications nécessaires, alors que Jeannot refusait obstinément de le conduire à l'endroit où se cachait son cousin. Tout s'arrangea, mais une journée entière avait été perdue en méfiance et en dérobades.

Il fut convenu que Justin se rendrait à pied, de nuit, au lieu du rendez-vous. Tant qu'il était dans le département, il ne risquait pas de se perdre. Son instinct d'homme des bois le préserverait et le mènerait plus sûrement à bon port qu'une carte ou une boussole.

Quand Joseph me rendit compte de sa mission, il était trop tard pour reculer. D'ailleurs, il me décrivit si bien la placidité de Monteil et se montra lui-même si assuré du succès qu'une fois de plus je repris confiance.

La première partie de l'expédition se déroula comme prévu. Ma sérénité s'en trouva affermie, alors que le brigadier Pichon s'assombrissait. J'avais beau lui dire que le garçon avait dû suivre un marchand ambulant ou monter clandestinement sur une gabare qui l'avait conduit à Bordeaux où il pourrait s'embarquer, il demeurait convaincu que rien n'avait pu se faire sans ma complicité tacite ou avouée.

Peu à peu, les semaines passant, on accorda foi à mon explication et on se persuada que des renseignements m'étaient parvenus sur le sort de Justin. Le fatalisme s'en mêlant, on estima que le ciel avait tranché à la place des hommes et puni le meurtrier en le transformant en éternel errant.

Justin avait pour consigne de se présenter au général Bugeaud dès son arrivée en Algérie, en lui disant qu'il venait de ma part. J'avais préféré ne pas lui écrire, afin de ne laisser aucune trace écrite du rôle que j'avais joué dans cette aventure.

Jeannot lui-même ne savait pas où avait disparu son cousin. La pauvre mère eut la consolation de savoir que son fils avait échappé au bagne mais resta brisée à la pensée qu'elle ne le reverrait pas. D'un commun accord, Joseph et moi avions estimé qu'il convenait d'attendre que l'affaire se sache par le général Bugeaud ou quelqu'un qui reviendrait d'Algérie.

Je ne devais apprendre qu'au mois de juillet l'heureux dénouement de cette aventure, par une lettre enjouée où le général se déclarait enchanté des produits de Puynègre dont j'avais eu la générosité de lui faire l'envoi.

Quand la vie reprit pour moi son train normal, je dus admettre que je n'étais faite ni pour les remous de la passion ni pour les périls d'une vie de contrebandier.

Par caractère, en somme, je me satisfaisais de surveiller la tonte des moutons, les lessives d'automne et le transport des lauriers-roses dans la serre avant les premières gelées, mais renâclais chaque fois que le destin m'offrait une occasion de faire preuve d'audace.

Pourtant, les deux peignes que m'avait donnés Edouard, plantés dans mes cheveux, me semblaient parfois aussi vivants que ses mains et, en me coiffant, il m'arrivait de me troubler, me demandant s'il n'avait pas trouvé ce moyen magique de pénétrer mes pensées.

*

Le mois de juin arriva. Les journaux rendirent compte avec satisfaction de la crise qui, en Angleterre, venait de causer la chute du cabinet Melbourne et de ramener aux affaires les tories. Le docteur Manet se réjouit de voir tomber Lord Palmerston, qui avait si constamment œuvré contre la France dans la question d'Orient. Malgré cela, la saison à Londres battait son plein et je me souciais moins de connaître la composition du nouveau gouvernement que de voir M. de Céré cité dans la chronique mondaine parmi les personnes de distinction remarquées au bal offert par Lord Aberdeen, nouveau ministre des Affaires étrangères.

Je savais qu'il se tiendrait à sa décision de ne pas venir en Dordogne cet été. Les chasses n'étaient pas assez belles pour l'attirer à l'automne dans la région et la saison froide lui paraissait insupportable à la campagne. Tout semblait confirmer que je ne le verrais pas avant des mois. Quand je l'avais quitté, rien pourtant dans son attitude n'annonçait la mélancolie qui préside aux longues séparations. L'âpre volonté qui l'animait donnait l'impression qu'il savait où il se dirigeait et ce qu'il avait choisi, sans pourtant me tranquilliser, car je le savais capable des extrêmes.

En mai, nous avions reçu une lettre de Jérôme, qui résidait chez le consul de France à Salonique et ne manifestait aucune intention de rentrer prochainement.

Un matin, alors que je me rendais à pied à Limeuil, j'aperçus Jantou dans le verger et je m'approchai pour voir à quoi il était occupé. J'aimais cet homme qui ne se mettait en frais pour personne. Une fois ôté son chapeau et prononcées les salutations rituelles, il retournait à son ouvrage. Cette fois pourtant, il avait une remarque à me faire.

« Cette année, madame, il me faudra bien tailler le chèvrefeuille. Il est devenu si épais qu'il risque d'arracher le crépi du mur. »

Le chèvrefeuille qui poussait sous la fenêtre du bureau était un de nos rares sujets de désaccord. Je raffolais de son odeur, tandis que Jantou méprisait la masse de lianes mortes qui s'épaississait à chaque saison sous les grappes de fleurs.

« Le chèvrefeuille est un capricieux, dit-il sévèrement. Madame a-t-elle remarqué qu'il est le seul, parmi les plantes d'agrément, à s'enrouler de droite à gauche? Observez la glycine, le volubilis : ils s'enroulent de gauche à droite. Si je pouvais donner mon avis, je conseillerais de ne jamais laisser un chèvrefeuille en faire à sa tête. Il ignore la reconnaissance! Dès qu'on est indulgent avec lui, il s'étale et fait le fier. »

Je me résignai.

« Eh bien, nous le taillerons l'hiver prochain. Que regardez-vous là, Jantou?

– Ce petit cognassier est trop fougueux et menace de venir tout en branches et en feuilles. Je vais le greffer à l'écusson. Il fait doux et humide depuis le début de la semaine, c'est le temps qui convient. »

Il tapotait affectueusement l'arbre, comme s'il s'agissait de calmer un chien un peu fou.

Soudain, une voix joyeuse retentit derrière nous :

« Jantou, inutile de te cacher dans l'arbre, je t'ai reconnu! »

Le vieil homme assura sa prise sur l'escabeau avant de se retourner.

« Hé! vous voilà, notre monsieur », dit-il sans plus de hâte que s'il avait vu la veille le nouvel arrivant.

Enchanté de nous avoir surpris, Jérôme éclata de rire. Il prit dans les siennes la main de Jantou, si vigoureusement que celui-ci s'en inquiéta un moment pour son équilibre et descendit d'une marche.

Jérôme alors se tourna vers moi, me prit à pleins bras, me serra à m'enfoncer la cage thoracique, m'embrassa, me lâcha, me tint à bout de bras, me reprit contre lui.

« Jérôme! au nom du Ciel, arrêtez! criai-je, abasourdie de ce débordement d'affection. Vous m'étouffez!

– C'est la fin que vous méritez! s'exclama-t-il avec

la joyeuse insolence dont j'avais perdu l'habitude. Vous êtes une indigne marâtre et ne m'avez pas écrit depuis des semaines.

– Vous voguiez d'île en île, disiez-vous! Sur quel rocher fallait-il vous adresser des lettres? De plus, vous viviez en bohémien, dormant dans de mauvaises auberges ou dans des monastères. Etes-vous sûr de n'avoir pas attrapé la peste ou le choléra?

– En ce cas, je le partagerai généreusement avec tout Puynègre.

– Tant que nous ne serons pas éclaircis là-dessus, ne vous approchez pas du Coderc, je vous prie! Les lapins y ont déjà eu le gros ventre la semaine dernière, je ne veux pas que vous leur communiquiez vos maladies. »

Il se mit à rire encore plus fort.

« Ah! je reconnais là notre Adeline qui s'inquiète de la santé de ses lapins plutôt que de la mienne! »

Je protestai :

« De nos lapins! »

Folâtrant, Jérôme raconta force sottises à Jantou, qui se contenta de sourire béatement en voyant que l'enfant de la maison était rentré sain et sauf et semblable à lui-même.

Je revins avec lui vers la maison.

« Fallait-il vraiment que vous alliez en Grèce, où je gage que vous avez fini de vous ruiner, soupirai-je.

– Nullement, je vous assure, me répondit Jérôme suavement. Je l'étais déjà en arrivant là-bas...

– Je m'y attendais! m'exclamai-je avec une fausse sévérité. Il va vous falloir des années d'austérité pour compenser un an de folies!

– Prévoyez-vous de me mettre au pain noir et au cachot? »

Si j'avais cru que nos rapports seraient désormais raisonnables, l'illusion n'avait pas duré longtemps.

Déjà, il avait repris cet air de gaieté complice qui me désarmait et auquel il parvenait toujours à me faire répondre sur le même ton.

Il fit le tour de la maison, embrassa les unes, serra les mains des autres, fut charmant et malicieux. J'avais craint qu'il ne revienne avec réticence à ce qui lui paraîtrait une vie étriquée, or il avait tout du voyageur qui redécouvre avec transport les lieux aimés.

Comme je l'accompagnais chez la tante Ponse, Malvina parut en haut de l'escalier. Le reconnaissant, elle s'étouffa d'émotion et de surprise, avant de s'écrier :

« Jésus, vous avez la couleur d'un païen !

— Tu n'y connais rien ! J'ai un teint d'ambre et de miel ! Cela plaît beaucoup au beau sexe depuis que Lord Byron l'a mis à la mode.

— Eh bien, je peux vous dire que cela ne me plaît pas et ne plaira pas à madame. »

Quand elle me vit entrer, la tante Ponse se renfrogna, mais en apercevant Jérôme, elle se dressa sur son séant, battit l'air de ses mains sèches, tira sur son bonnet et, comme il se penchait de bonne grâce pour l'embrasser, elle l'attira sur la ruine étriquée qui avait été sa poitrine.

« Mon enfant ! mon cher enfant ! Que tu portes un drôle de costume !

— C'est un costume de voyage, ma tante, et à la dernière mode, notez-le !

— Ce genre de tenue ne se porte pas dans les pays civilisés. Où l'as-tu commandée ?

— A Rome, chez le tailleur du prince C.

— Bah ! c'est une ville où l'on s'y connaît en ornements sacerdotaux, mais où l'on ignore tout de la vie mondaine.

— Ma tante, il y existe une société fort élégante !

— Allons donc ! A Naples, il y a une cour, à Rome il n'y a que le Vatican. Rien n'y compte que le pape, et

Sa Sainteté ne porte pas de costume de voyage, voilà tout. »

D'un revers de main, elle balaya toute objection et demanda d'un ton qui se croyait celui de la confidence, mais qui perçait les oreilles :

« As-tu reçu mes lettres?

– Oui, ma tante, et je vous en remercie. Elles m'ont beaucoup diverti, comme je vous le disais dans mes réponses. »

Mme de La Pautardie lui coupa la parole avec impatience.

« Tu me comprends, voyons! Je te parle de mes deux lettres, celles où je t'avertissais de... enfin, où je te parlais des choses étranges qui se passaient ici en ton absence. »

Intriguée, je regardai la tante Ponse, qui fit mine d'avoir oublié ma présence. Qu'avait-elle pu raconter à Jérôme? Quels événements imaginaires ou anodins avaient été déformés ou amplifiés par sa tête malade? Quelles fables avait-elle inventées – sur mon compte peut-être? Etant la première en butte à ses tracasseries et y répondant parfois sans ménagements, j'étais plus que quiconque l'objet de ses plaintes.

Jérôme se pencha et lui chuchota sur le ton du mystère :

« Je crois que nous vivons sous l'influence d'une comète, ces temps-ci, car j'ai observé moi aussi des phénomènes bizarres.

– Adeline! voilà encore une chose que vous m'aviez cachée! Et que disait-on en Italie de cette comète?

– Dernièrement, j'étais en Grèce, ma tante. En Italie, on parlait plutôt d'art, de musique et, sous le manteau, de politique.

– Il est vrai que les Italiens n'entendent rien à la science, depuis qu'ils ont condamné ce pauvre Galilée. »

Puis, se détournant abruptement de cette conversation, elle s'écria :

« Tu es noir comme un Sarrasin, tu devrais te laver, mon enfant.

– J'y vais de ce pas, ma tante. Je doute pourtant que le savon suffise à faire disparaître cette couleur que vous n'aimez pas. C'est le soleil qui me l'a donnée.

– Le soleil, quelle horreur! T'es-tu promené sans chapeau?

– Il m'est arrivé de me baigner et de me sécher au soleil, sans gants ni chapeau...

– Malvina va préparer un lait de fraises dont tu pourras te frictionner.

– Je vous remercie, mais je reprendrai bientôt ma couleur naturelle en pâlissant sur les dossiers de maître Fontalirant. »

Comme il se levait pour aller prendre le bain qu'on lui avait préparé, la tante Ponse lui demanda encore :

« As-tu dit bonjour à Mlle Puce?

– Elle me boude, je crois, car elle est restée tapie sous ce fauteuil depuis que je suis entré.

– Que veux-tu, je lui ai lu tes lettres et elle a vu que pas une fois tu ne t'étais inquiété d'elle!

– Je ferai amende honorable en lui apportant les restes de mon déjeuner. »

Après que Jérôme fut sorti, je restai avec la tante Ponse pour tâcher de comprendre ce qu'elle lui avait dit à mots couverts.

« Ainsi, vous avez écrit à Jérôme qu'il se passait des choses étranges à Puynègre? demandai-je d'un air engageant.

– Il était de mon devoir de l'avertir que vous me délaissiez pour vous occuper de M. de Céré », dit-elle en tapotant la dentelle de son oreiller.

Sa seule distraction consistait à provoquer par ses incongruités des réactions agacées ou furieuses

dans son entourage. Elle ne paraissait pas consciente de l'agitation toute particulière dans laquelle
me jetait cette fantaisie-là. Je me dominai cependant, et répondis aimablement, car il me fallait à
tout prix savoir ce qu'elle avait dit dans ces lettres.

« Il est venu beaucoup de monde à Puynègre l'été
dernier, mais vous n'avez pas été négligée un seul
jour.

– Pardon! J'ai remarqué l'attention que vous portait ce monsieur. Et vous étiez éblouie par ses
cannes, ses cravates et le pli de sa chevelure. Je ne
lui reconnais que deux qualités : ses manières sont
parfaites et son linge est digne d'un prince. J'ai
rarement vu plus belles chemises, même au général.
Mais, entre nous, ma chère enfant, bien que vous
ayez largement passé l'âge de ces frivolités, je suis
sûre qu'il vous troussait le madrigal et qu'on en
trouverait trace dans votre boîte à couture ou sous
votre oreiller. »

Je croyais m'être prémunie contre toutes les
aberrations de la tante Ponse, mais ce coup était si
imprévu qu'il m'atteignit de plein fouet.

« Avez-vous raconté à Jérôme pareilles extravagances? demandai-je posément.

– Bien entendu. Votre M. de Céré m'avait tout
l'air d'un de ces poètes romantiques qui écrivent les
sottises les plus échevelées. Je parie qu'il vous a
écrit des vers, qu'il les publiera et que vous serez
déshonorée! »

Comment cette vieillarde qui sortait à peine de sa
chambre, n'avait rencontré Edouard que trois ou
quatre fois, avait-elle pu toucher juste en devinant
faux? Dans son récit, Jérôme n'avait sans doute pas
perdu de temps à faire rimer « trousser » avec
« oreiller », en négligeant le « madrigal » et la
« boîte à couture ».

Ponse se rengorgea et poursuivit :

« Ensuite, je lui ai écrit que vous étiez allée à Paris rejoindre ce monsieur. »

Je me penchai vers elle, mue par un instinct meurtrier.

« Ne savez-vous pas que j'avais de graves affaires à régler au ministère de la Guerre?

– Tatata..., votre prétexte était cousu de fil blanc. »

Un ultime espoir me restait. Cette dernière lettre avait pu s'égarer ou parvenir en Grèce quand Jérôme en était déjà parti. Et puis, la vieille dame était si versatile que le nom d'Edouard pourrait être écarté de son esprit si d'autres images la frappaient, en relation avec mon voyage à Paris.

Je pris l'air outragé et entrepris de la convaincre que je n'avais pas délaissé Puynègre pour mon plaisir.

« J'ai dormi dans des auberges inconfortables, où l'on servait avec désinvolture une soupe claire et du pain moisi, couru Paris dans la boue et les mauvaises odeurs, patienté devant des employés de magasin affairés, attendu dans les antichambres du ministère (je me souvins à point du motif officiel de mon voyage), été assourdie des va-et-vient dont résonnait l'hôtel jusqu'au milieu de la nuit. Je me suis vu réclamer par des cochers de fiacre le double de ce que valait leur course et j'ai eu la tête cassée, comme tout honnête badaud, par l'insolence des saute-ruisseau, la morgue des puissants qui ne daignent même pas regarder ce qu'écrasent leurs bottes, et par la prétention des gens de rien qui hantent les cafés et les théâtres, et prennent l'air glorieux simplement parce qu'ils ont l'honneur de vivre à Paris! Et vous répandez le bruit que j'ai fait ce voyage pour mon plaisir!

– Vous êtes allée dans des cafés? demanda la tante Ponse avec intérêt.

– J'ai pris une glace dans un de ceux qui bordent

le jardin des Tuileries, un dimanche matin, après avoir visité le musée du Louvre. »

Elle rentra le cou et, se désintéressant de Paris, revint aux sujets de mécontentement qu'elle n'avait pas encore eu le temps de m'exposer tout au long.

« Pauline ne venait qu'une fois par jour. J'ai à peine vu monsieur le curé. Vos chambrières n'ont montré aucune sollicitude à mon égard et ont évoqué cent travaux dont vous les aviez chargées et qui les empêchaient de me servir. Malvina a dû descendre et monter les escaliers à longueur de journée. Elle était très fatiguée. Et l'on m'a servi du riz au lait deux fois dans la même semaine! »

Mais, déjà distraite, elle retournait son drap et ses oreillers à la recherche de quelque chose.

« Qu'a-t-on fait de ma boîte de cachous? Adeline, mon enfant, pouvez-vous chercher sous le lit et voir si cette sotte de Malvina l'a fait tomber. »

Je retrouvai la boîte dans une des pantoufles de la tante Ponse.

Je profitai de cette accalmie pour quitter la vieille dame et me réfugier dans le bureau, seul endroit où j'étais libre de réfléchir calmement.

Rien n'avait indiqué de méfiance ou de réprobation dans l'attitude de Jérôme à mon égard. Mais, au cours de l'été précédent, il avait appris par nos lettres la présence quotidienne de M. de Céré à Puynègre et, s'il m'interrogeait, il devinerait peut-être, malgré mes précautions, le sentiment que je lui portais. Il me semblait fatal qu'ils se rencontrent un jour et je craignais que Jérôme, par un reste de jalousie ou une brusque autorité de propriétaire que l'on a tenté de spolier en son absence, ne mette entre Edouard et moi des obstacles insurmontables et me force à un choix que je rejetais de toutes mes forces.

Il m'aurait bien fallu admettre alors qu'ébranlée

par l'étendue de ma victoire, épouvantée par cet attachement qui bravait toute logique, je n'osais suivre cet homme de feu et préférais m'acheminer lentement vers une vieillesse honorable et médiocre.

Rien ne fut dit pendant le déjeuner. Aussitôt le café pris, Jérôme fit seller son cheval et s'engouffra dans l'allée au grand galop, pour aller voir sa sœur au Bugue.

Les Maraval dînèrent avec nous, pour fêter le retour de l'enfant prodigue. On parla de M. de Oliveira et de la triste aventure de Justin puis Jérôme écarta ces graves sujets. Il rit, folâtra et sema du récit de ses mésaventures une conversation qui s'ébattit tout au long de la soirée dans un joyeux désordre.

Si explications il devait y avoir, elles étaient remises à un autre jour.

*

Le lendemain, fatigue du voyage ou retour à ses chères habitudes, Jérôme se leva juste à temps pour achever sa toilette et me rejoindre comme je passais à table.

Après le déjeuner, nous nous assîmes sur la terrasse où le soleil se montrait par éclipses dans un ciel maussade. En bas du pré, la Vézère paraissait immobile là où ses eaux étaient profondes, froncée de rides au-dessus des bas-fonds, à la hauteur de l'île. Autour de la maison, le catalpa, le magnolia, le grand pin bleu dominaient noblement la scène.

« Que comptez-vous faire ? » demandai-je à Jérôme.

Il s'étira, prit un air de béatitude et dit en souriant :

« Rien. La vie est trop douce quand on rentre

chez soi. On a envie de contempler et de se taire. »

Il me lança un regard malin.

« J'attends que vous me grondiez!

— Je laisse ce soin à Pauline, qui sait vous attendrir, et à Julien, dont la sagesse vous en impose.

— Autant dire que me voici livré à moi-même!

— Il en est temps!

— Pas du tout. Grondez, je vous écoute. »

Il allongea ses jambes devant lui et s'étendit de tout son long dans le fauteuil de paille qu'il faisait craquer en y prenant ses aises.

« Avez-vous prévu d'aller voir vos métayers et tous les gens qui dépendent de Puynègre?

— Je compte y passer l'après-midi. Quoi encore?

— C'est tout.

— Vous n'avez pas d'autres ordres à me donner? Je suis sûr que si. Nous y reviendrons. Maintenant passons aux conseils.

— Partirez-vous bientôt pour Périgueux? Maître Fontalirant pourrait s'impatienter s'il vous savait de retour et si vous ne montriez aucun empressement à paraître chez lui. Il a eu la bonté de s'accommoder de votre longue absence et il convient de le ménager. »

Jérôme s'était renversé contre le dossier de son fauteuil, les yeux clos, dans le rayon de soleil qui filtrait entre deux nuages. Il entrouvrit un œil.

« Je lui ai écrit. Il m'attend dans deux jours. Et maintenant que vous connaissez mes projets et m'avez appris l'essentiel de ce qui est survenu ces derniers mois à Puynègre, m'expliquerez-vous qui est M. de Céré? »

Il avait à nouveau fermé les yeux, mais les nuances de ma voix suffiraient à le renseigner sur mon degré de sang-froid. Je commençai par le plus facile et décrivis en plaisantant par quels traits Malvina

374

avait décelé en lui une nature diabolique. Jérôme ne broncha pas. Je m'étonnai.

« L'entêtement de Malvina ne vous semble-t-il pas comique?

– Personne n'en rirait, à Naples ou en Sicile. »

S'il ne souriait pas des craintes de Malvina, il s'amuserait peut-être des remous causés dans notre province par ce visiteur insolite. Je décrivis la représentation d'*Othello*, au château de Campagne, et le pique-nique au cours duquel il avait fait si forte impression sur tous et en particulier sur ma cousine Ermondine.

« Ne cherchez pas à m'égarer, dit Jérôme paisiblement. Cet homme sort par trop de l'ordinaire pour que l'on tourne ses succès en dérision. »

Par son attention, il manifesta qu'il voulait en savoir plus. Je fus tentée de m'interrompre ou de détourner la conversation, mais je craignis de manquer d'habileté, de montrer de l'humeur ou de l'émotion sur ce sujet qui me touchait trop vivement.

Avec modération, je parlai de l'intérêt de M. de Céré pour le cloître de Cadouin, des recherches effectuées sur son histoire dans la bibliothèque de Puynègre, des dessins dont il avait rempli plusieurs carnets.

Jérôme me posa des questions précises, m'amena à évoquer ses connaissances en archéologie, son habitude des fouilles. Il insista :

« Un connaisseur de cette qualité collectionne certainement les objets anciens?

– Il n'en a rien dit, bien qu'un peintre anglais de ses amis, M. Arthur Jones, qui lui a rendu visite, nous ait vanté sa collection de dessins anciens et modernes.

– Ah! vraiment! Je me demande quelles époques et quelles écoles y sont réunies... », dit Jérôme, si spontanément que je me sentis presque hors de danger.

Qu'avais-je été imaginer! L'homme l'intriguait, suscitait peut-être son admiration!

Le soleil était revenu. Jérôme prit son chapeau sur la table, s'en coiffa, l'inclina sur son nez et me lança sous le rebord de paille un de ses sourires d'adolescent facétieux, qui finit de me rassurer. Je me détendis dans mon fauteuil, sous le parasol dont le volant découpait l'horizon en festons bleus et blancs.

Puis, sans hausser le ton, il résuma :

« Voilà un homme qui allie des talents exceptionnels et une réputation à faire frémir. A peine est-il arrivé en Dordogne que vous l'invitez à venir à Puynègre chaque jour ou presque, il tire l'épée avec Joseph, chante avec Pauline, joue aux échecs avec le docteur Manet, converse avec vous de politique et de littérature, éblouit le voisinage de concerts et de feux d'artifice offerts chez vous, comme s'il était le maître des lieux. Vous jugez nécessaire d'aller à Paris compléter l'étude de ce brillant caractère. Et vous espérez me convaincre que vous avez offert une banale hospitalité à un homme de bonne compagnie. »

Je mentis avec l'aplomb que donne le sentiment du péril.

« Ma foi, oui! Et personne n'a trouvé à y redire! L'été, quel château n'abrite des hôtes de passage, avec lesquels on est moins sévère puisqu'ils s'envolent, la belle saison passée? Et tout au plus l'ai-je averti de ma présence à Paris trois jours avant mon départ. Il m'a invitée aux Bouffes, m'a accompagnée au Salon et au musée du Luxembourg. Son équipage a ébloui le personnel de l'hôtel d'Angleterre, où je logeais. Et voilà tout!

— Ah! je vous reconnais là! Vous n'êtes pas de ces provinciales qui arrivent au débotté, empoussiérées, chapeautées de rubans démodés, les doigts tremblants dans leurs mitaines de fil et se pendent à la sonnette du jeune homme qui a causé leur perte, frémissantes de convoitise et de remords. Vous avez attendu, pour paraître dans une de vos toilettes neuves – on me les a décrites –, vous avez su lui tenir tête, vous avez cinglé son amour-propre et réveillé peut-être cette inguérissable nostalgie qui dort chez le plus froid des blasés et lui avez fait croire qu'il peut encore être étonné.

– Vous ignorez sans doute que ces jeunes lions sont sans pitié avec les femmes et qu'au-delà de trente ans, elles sont considérées comme n'appartenant à aucun sexe. Et puis – je lui posai affectueusement la main sur le bras –, je ne ferai rien délibérément qui puisse vous blesser, Pauline et vous. L'amour que je vous porte n'est pas de ceux que l'on jette par-dessus bord. »

Un duvet de chardon flottait au-dessus de la table et finit par se poser sur la manche de Jérôme, qui, ayant à nouveau fermé les yeux, ne s'en aperçut pas. Je repris :

« Savez-vous quelle a été ma plus grande crainte en attendant votre retour ? Que vous ayez envie de vivre à Paris, après vous être frotté en Italie à une société raffinée qui vous avait réservé bon accueil. Je m'en suis voulu mais rien n'y a fait.

– Cette pensée m'est venue, à moi aussi. Mais suis-je fait pour cette lutte constante, cette course aux places et aux honneurs ? L'on m'aiderait, parce que je suis aimable, mais je décevrais vite mes protecteurs, car je ne suis pas complaisant. De plus, j'ai eu sans doute la vie trop facile. Je ne suis pas de ces jeunes gens qui, dédaignés dans leur province, rêvent de revanche et transportent dans la capitale leur orgueil à vif et leur appétit de conquête. A ceux qui ont reçu en naissant tout ce qui permet de se distinguer dans leur pays natal, il est doux de se conformer, de recueillir les fruits du labeur de ceux qui les ont précédés, de reprendre leurs fonctions, de bénéficier d'appuis que la politique du jour ne remettra pas en cause et de se reposer sur des affections qui, quoi qu'il arrive, ne nous feront pas défaut. »

Il avait saisi la graine de chardon entre deux doigts. Soufflant dessus, il la renvoya à sa promenade hésitante.

« Et, conclut-il, rien ne me fera préférer les allées du bois de Boulogne à la terrasse de Puynègre, où je peux m'étaler en prince et jouir de la douceur de l'air et de la lumière.

– Sans oublier le bonheur d'être aimé et obéi ! »

Il pouffa, mais eut garde de me démentir.

« Ainsi, je ne quitterai pas le Périgord. Loyal sujet de maître Fontalirant, j'irai dans deux jours lui présenter mes compliments et me mettre à son service. »

Je ris.

« Peut-être dans quelque temps aurai-je même la surprise de vous découvrir calculateur!

– Cela demande bien des efforts... », dit-il avec un soupir.

L'alerte était passée. Il ne fut plus question d'Edouard ce jour-là.

*

Le lendemain, Pauline et moi nous retrouvâmes assises au même endroit, sous le parasol de la terrasse.

Jérôme avait décidé d'ouvrir les caisses qui lui avaient été expédiées d'Italie. Il avait exigé que la petite Emilie soit écartée de cette délicate opération et nous avions reçu pour instructions de n'avancer le pied en aucun cas sur la toile qui avait été étendue sur toute la largeur de la terrasse où il déposerait ses trésors.

Il guida les mouvements des journaliers pendant qu'ils transportaient et déclouaient les caisses, tressaillant à chaque mouvement brusque de l'un ou de l'autre. Dès que le couvercle céda, il les renvoya et resta seul agenouillé sur la toile.

De la première caisse, en écartant la paille avec d'infinies précautions, il tira des amas de chiffons qui ne paraissaient pas d'un intérêt historique. Enfin, il dégagea de petits paquets enrobés de papier de soie et les ouvrit un à un, avec plus de soin qu'on ne met à démailloter un nouveau-né.

Tour à tour, il contempla avec amour et offrit à notre admiration divers morceaux de bronze à demi rongés et des céramiques mutilées, dont il nous expliquait l'intérêt et l'origine. Là où il manquait les pattes et la moitié de la tête, les oreilles ou la queue, je ne distinguais pas trop s'il s'agissait d'un chien ou d'un léopard, d'une chèvre ou d'un griffon. Il avait apparemment commencé à nous dévoiler les objets les plus modestes.

Je suis de ces ignorants qui aiment les choses en bon état ou de belle apparence. Les débris d'antiquité me touchent modérément. Les silex, outils, os taillés et cailloux polis que l'on trouve en abondance dans la vallée de la Vézère et que le docteur Manet recueillait avec soin, me laissaient froide.

Une deuxième caisse révéla des figures plus intéressantes, en bronze, en terre cuite ou en pâte de verre. Jérôme les tenait précieusement entre le pouce et l'index, nous en faisant remarquer les détails avant de les poser sur la toile, dans un ordre compris de lui seul, et de repartir à la pêche au fond de la caisse. Il y avait là, en particulier, des têtes et des masques singulièrement expressifs malgré leur petite taille. Les objets utilitaires et deux ou trois statuettes votives mal équarries ne retinrent pas beaucoup mon attention. Plus délicate, Pauline trouva quelque chose à louer en chaque pièce.

Une troisième caisse s'ouvrit sur des objets de plus grande taille. Jérôme remarqua mon intérêt naissant.

« Voyez, dit-il, en me tendant une main d'albâtre d'un dessin et d'une forme admirables, la finesse des doigts, l'attache du poignet! »

Puis il sortit un petit panneau de mosaïque représentant une jeune mère occupée à baigner son enfant, avec l'aide d'une servante.

« Voici pour Pauline. Je ne vous cacherai pas que j'ai eu du mal à dénicher une œuvre pleine de modestie et de décence. Les marchands qui voient arriver un jeune voyageur lui proposent aussitôt tout ce que l'art présente de scènes libertines. Cette mosaïque d'inspiration byzantine est un peu tardive. Elle date du VIe siècle, je l'ai trouvée à Ravenne. »

Pauline s'empara de ce petit tableau d'intimité familiale et remercia son frère avec transport, sans oser toutefois lui sauter au cou car il se tenait sur la précieuse toile, entouré d'objets éparpillés.

Il dégagea ensuite amoureusement deux ou trois sculptures de petites dimensions, presque intactes. Je n'y tins plus :

« Jérôme! Comment avez-vous obtenu toutes ces œuvres? Les avez-vous volées, sorties d'Italie en fraude? Je ne peux pas croire que vous les ayez achetées et payées au juste prix!

– Payer? Rien de plus bourgeois! Pour être considéré par les gens de conséquence, il faut savoir s'endetter. »

Plus il plaisantait, plus je m'impatientais, plus en retour il évitait de me répondre. Pauline ramena la paix en forçant son frère à cesser son manège. Il consentit alors à nous expliquer où et de quelle manière il était entré en possession de tout ce qui était étendu sur la terrasse. Je ne le crus qu'à moitié, le soupçonnant d'être expert autant que moi dans le domaine du mensonge par omission.

Peinant pour attraper un objet au fond de la caisse, il me demanda :

« Vous souvenez-vous de ce que vous m'avez demandé, notre Adeline ?

– Je ne voulais rien du tout, dis-je fermement.

– Pardon ! Vous avez déclaré que vous accepteriez un pirate ou un tombeau. J'ai pris vos exigences au sérieux et choisi ce qui s'en rapprochait le mieux. »

Il finit d'extraire de la caisse ce qui ressemblait à une dalle, protégée par un linge. Puis il alla prendre au dos du banc où nous étions assises un cadre de bois que je n'avais pas remarqué. Il posa les deux objets côte à côte sur la toile, puis les dégageant, les désigna d'un geste de prestidigitateur.

« Choisissez ! me proposa-t-il. Ici, vous avez une stèle funéraire représentant un jeune athlète qui tient sa couronne de laurier. Un enfant, son serviteur, pleure à ses pieds. Il s'agit de la copie romaine d'un original grec attribué par certains au grand Scopas. Voyez l'élégance du mouvement, la fermeté du modelé. Même vous, qui méprisez les jeunes gens, devriez être sensible à tant de beauté. Là – et il redressa le tableau –, vous avez un pirate barbaresque peint par Horace Vernet, lorsqu'il séjourna à Rome, à son retour d'Orient. On ne voit que son turban, ses terribles moustaches, ses yeux farouches. Sa ceinture contient plus d'armes que je n'ai pu en dénombrer. Alors, lequel de ces messieurs préférez-vous ?

– Je serai plus à l'aise avec le pirate, répondis-je sans hésitation. Mais laissez-moi admirer d'abord ! »

En regardant la stèle et les sculptures qui l'entouraient, comment ne pas penser à Edouard ? Il avait fait peu de remarques sur les œuvres que nous avions vues ensemble, mais ses rares observations le montraient éperdument à la recherche du beau, heurté jusqu'à la souffrance par ce qui était laid. Comment ne pas le croire, quand il avouait s'adonner à la beauté comme à une drogue dont il était l'esclave, sans laquelle le monde lui paraissait froid et muet? Elle a quelque chose de si troublant – je commençais maintenant à le concevoir –, s'insinue avec tant de force dans notre être, qu'elle peut susciter un irrésistible besoin de toucher, d'étreindre, de posséder. J'avais vu peu de sculptures. J'aime la pierre et le marbre, je ne soupçonnais pas qu'un jour ils auraient le pouvoir de me subjuguer. Je comprenais soudain le vertige qui peut s'emparer des amateurs d'art, le tremblement qui les saisit devant un objet convoité.

Jérôme attendait, sans solliciter mon verdict. A lui, j'aurais pu exprimer ce que je ressentais, car il le partageait. Mais ç'aurait été admettre combien j'étais liée à Edouard et l'influence qu'il avait en si peu de temps acquise sur moi.

J'avais refusé la stèle, sentant que Jérôme y tenait, aussi parce qu'à travers la sereine beauté du jeune athlète et de son petit serviteur je pressentais qu'une contagion imprévue pourrait me gagner, et me venir le besoin de contempler, alors qu'à ce jour je ne connaissais que celui d'agir et de sentir.

« Je conserve le pirate, dis-je en souriant, car il me semble que nous sommes un peu de la même famille, lui et moi. Vous avez gagné : certaines de ces pièces sont si émouvantes que je renonce à vous sermonner.

– J'avoue que M. Beyle a été mon professeur et mon guide. Il m'a permis plusieurs fois de l'accompagner dans la campagne romaine, où il participait à des fouilles. »

Je me réservai de poser plus tard à Jérôme des questions sur M. Beyle. A l'exception de *La Char-*

treuse de Parme, ses œuvres modernes me paraissaient froides, mais je brûlais de savoir quelles terribles histoires de l'ancien temps lui avaient inspiré ses *Chroniques italiennes*, que j'avais lues avec fièvre, au fur et à mesure de leur parution dans *La Revue des Deux-Mondes*.

« Vous voilà réconciliés! s'exclama Pauline, qui se désolait chaque fois que j'étais d'humeur grondeuse avec son frère.

– C'est ainsi que les familles marquent leur tyrannie! se plaignit Jérôme. Rien de plus sain qu'un peu de fâcherie. Mais les mères et les sœurs n'ont de cesse qu'elles n'aient raccommodé les plaignants. »

Il me parut utile de revenir aux choses pratiques.

« Où allez-vous mettre tout cela? » demandai-je.

Il avait prévu un emplacement pour chacun des objets de grande taille et comptait faire dessiner une vitrine où il regrouperait les plus petites pièces.

Le lendemain, il reprit le chemin de Périgueux.

*

Pendant le mois de juin se succédèrent la procession de la Fête-Dieu, les feux de la Saint-Jean, la cueillette des premiers fruits, les confitures et gelées, les conserves d'asperges, les foins, sans compter les invitations reçues et lancées. Je n'eus pas une minute à moi.

Je vis à plusieurs reprises notre aimable préfet, M. Romieu, sans pouvoir lui révéler que j'avais passé une très divertissante soirée auprès de ses compagnons de jeunesse, Eugène Sue et Nestor Roqueplan. Puisque Edouard n'avait pas prononcé mon nom, il fallait me taire jusqu'au bout.

Cet été devait être fertile en événements familiaux.

Mon cousin Antoine se fiança avec la fille du juge de paix du Bugue. Aussi joyeuse et étourdie qu'il était paisible et méticuleux, elle amena à Fontbrune une atmosphère de fraîcheur et de légèreté qui fit grand bien à la vieille maison.

Joseph m'annonça que Tiénette attendait un enfant. J'en fus sincèrement heureuse : les enfants sont la vie d'une maison. D'un premier mariage, sa femme avait une fillette, âgée alors de huit ans, si peu turbulente qu'on ne l'entendait guère. Elle ne manifestait une affection débordante qu'à l'égard d'Emilie, la fille de Pauline, qu'elle faisait jouer des heures sans se lasser.

Il était clair que Joseph songerait maintenant à établir son futur héritier, garçon ou fille. Cette question me tracassait, car j'étais sûre qu'il avait accumulé assez d'argent pour acheter sa propre affaire et par conséquent quitter Puynègre s'il le voulait, malgré l'attachement qu'il nous portait.

J'en parlai à Jérôme et à Julien. Ils furent d'avis que Joseph continuerait à faire prospérer sa fortune personnelle, sans renoncer à la position privilégiée dont il jouissait à Puynègre et au poids que ce rôle lui donnait dans la région, et ils me conseillèrent de ne pas intervenir.

Mais je m'étais toujours bien trouvée de la franchise parfois abrupte qui régnait dans mes rapports avec Joseph. Par nature, je préfère devancer les difficultés plutôt que d'ajuster hâtivement mes plans sous le coup de la surprise. A la première occasion, j'abordai la question.

« On dit que M. Maleprade, de Sainte-Alvère, cherche à vendre son commerce de bois.

– En effet, et il ne pourra en demander cher, car les bâtiments et les installations ont vieilli. Il faudrait rénover l'ensemble et acheter de nouvelles machines.

– Il n'a pourtant pas perdu sa clientèle.

– Elle pourrait doubler, comme la production.

– Il faudrait qu'un homme énergique y consacre son temps.

– Ou qu'il trouve un bon gérant. »

Je n'allai pas jusqu'à proposer ce jour-là mon aide à Joseph pour acheter l'affaire, si elle l'intéressait. Mais il dut me comprendre car il revint de lui-même à la question peu après. Nous eûmes alors une longue conversation sur l'avenir de Puynègre et le sien. Il ne manifesta aucune intention de nous quitter et se montra décidé à acheter la scierie. Je le poussai dans la voie de l'enrichissement, lui représentant qu'il était dans la force de l'âge, que mon soutien lui était acquis et qu'il saurait mieux que quiconque prendre des risques raisonnables et rendre l'affaire florissante. Je plaisantai sur la prudence excessive qui m'amenait à ne choisir que des placements aux revenus assurés et nous nous séparâmes, pleinement satisfaits l'un de l'autre.

J'avais évoqué les dispositions concernant la gestion et la transmission d'une fortune sans me sentir concernée dans l'avenir immédiat.

Pourtant, le mercredi suivant, où j'étais allée au marché de Périgueux, alors que je déjeunais avec Jérôme à l'auberge du Chêne Vert, il me demanda d'inviter à Puynègre, un prochain dimanche, maître Fontalirant et sa fille.

« Qui dois-je inviter, en plus des Maraval ? Nos amis Linarès et Carbonnières ?

– Ne conviez que Pauline et Julien, dit-il légèrement. Ce sera un repas de famille. Vous n'avez rencontré maître Fontalirant et sa fille Marguerite que dans des réceptions où se pressait la foule, à Périgueux ou à Puynègre. Il serait bon que vous fassiez plus ample connaissance. »

Sous l'urbanité du propos, je sentis poindre une autre intention dans l'esprit de Jérôme.

« Comment est Mlle Fontalirant? demandai-je, en portant mon attention sur les miettes que je rassemblais à côté de mon assiette.

– Elle a été élevée sans mère, vous le savez, par un père et un grand-père qui raffolent d'elle. Un peu plus que les jeunes filles ordinaires, elle est faite de fantaisies et d'humeurs, ignorante, tyrannique, mais blonde, jolie, désarmante, enchanteresse à ses heures. Elle a le cœur tendre, pourvu qu'on cède à ses caprices. Elle est touchante, en somme, et insignifiante comme toutes ses pareilles.

– Quel portrait cruel vous faites de cette enfant que vous avez à peine eu le temps de juger.

– Que peut-on attendre de mieux d'une petite personne de province qui n'a jamais aimé qu'elle-même? Mais je la trouve charmante. Elle ne manque pas d'aimables dispositions et, quand je suis parti, il y a un an, elle montrait déjà pour moi cette sorte d'admiration et de crainte que ressent un bambin devant un chien ou un perroquet inconnu qui pourrait le mordre.

– De quel ton vous le dites!

– Vous devriez vous réjouir de me voir enfin raisonnable. Si j'avais eu l'ambition de réussir à Paris, j'aurais jeté mon dévolu sur l'héritière d'une de nos vieilles familles périgourdines. Mais je ne veux pas d'une femme qui me jette à la tête ma roture et ses quartiers de noblesse le jour où, par mégarde, je m'oublierai jusqu'à bâiller devant elle. Je préfère une petite fille gâtée, qui pose sur moi un œil mouillé d'admiration.

– Mon Dieu, en êtes-vous là! Vous épouseriez une jeune fille dont vous n'êtes pas épris?

– Et qui donc devrais-je épouser? Une de mes anciennes maîtresses? Elles sont mariées ou de condition trop modeste pour que vous les acceptiez comme belle-fille. »

Il n'y avait dans sa voix aucune acrimonie, mais je reconnus ce ton de badinage nuancé de tristesse avec lequel il m'avait dit autrefois que je le faisais souffrir. Je voulais à toute force empêcher la conversation de glisser sur ce terrain, j'avais pour lui trop de tendresse et il savait trop bien m'émouvoir pour que je joue un simple rôle de conseillère avisée.

« J'aimerais tant vous empêcher de faire un mariage malheureux! » dis-je désemparée.

Il sourit.

« Vous aviez un moyen très sûr de m'en détourner. »

Je hochai tristement la tête.

« Vraiment non, je vous assure. Si j'avais accepté votre tendresse, je vous aurais maintenu dans une vie de cachotteries et de mensonge, écarté des jeunes gens de votre âge et peut-être durablement éloigné d'une vie de famille normale.

— Qui vous dit que le secret et la contrainte auprès de vous ne m'auraient pas transporté de bonheur?

— Je vous en supplie, Jérôme, ne nous déchirons pas! Je ne supporte pas de vous voir souffrir.

— Que si! Avec vous, j'ai appris depuis longtemps à déguiser ma mélancolie sous un voile de grâce et d'esprit. »

Je pris mon châle sur le dos de ma chaise. Il me vit prête à me lever et à quitter la salle plutôt que de poursuivre ce dialogue.

« N'en parlons plus, dit-il doucement, en m'ôtant mon châle des mains et en le reposant à la même place. Revenons à Mlle Fontalirant, qui ne fera pas une mauvaise épouse. »

Il sourit, comme si nous n'avions parlé que de choses aimables depuis le début du repas.

« Un point devrait vous satisfaire : elle aura deux cent mille francs de dot. »

Malgré moi, je fus impressionnée par le chiffre.

« En êtes-vous sûr?

– Parfaitement. Reconnaissez que j'ai suivi vos leçons mieux que vous ne le pensiez, que je suis capable d'envisager calmement l'avenir et de voir où est mon intérêt. »

Il reprit son air de petit garçon malicieux pour me dire :

« Je sais même à quoi j'emploierai une partie de cette somme. Je ferai transformer Puynègre en château à l'italienne. »

Je me dressai, tout à fait revenue de mon attendrissement.

« Comment!

– Ces grandes pièces aux murs épais restent froides et sombres, même par les grandes chaleurs.

– Précisément! Il s'y maintient toute l'année une température agréable.

– Nous ouvrirons des fenêtres, ferons un balcon au premier étage... »

Je l'interrompis :

« Pas de mon vivant!

– Mieux : sous votre direction. »

Je me laissai retomber sur ma chaise. J'aurais voulu me persuader qu'il plaisantait, mais la simplicité avec laquelle il s'était exprimé était de mauvais augure. Quand il s'amusait à me mettre en colère, les arguments propres à m'agacer lui venaient en foule. Ici, après avoir lancé une première sonde, il semblait ne pas vouloir insister et écoutait le garçon lui réciter la liste des desserts.

Jérôme était chez lui à Puynègre, dont je ne possédais qu'une part d'usufruit. S'il était décidé à entreprendre des travaux de cette importance et avait les moyens de les payer, je ne tenterais pas de l'en dissuader. Mais ce coup était si imprévu que j'en restais hébétée.

Mon appétit s'était envolé. Je me contentai de fruits. Il commanda une charlotte à la crème. Une demi-heure plus tôt, la pensée m'avait tout juste effleurée, sans que je la prenne au sérieux, que je devrais un jour partager avec une nouvelle venue – sa femme – la souveraineté dont je disposais à Puynègre. Mais si la maison était transformée, je m'en sentirais exclue.

« Votre futur est donc tracé, dis-je lourdement.

– Sachez avant tout, déclara Jérôme en me serrant la main d'un geste rassurant, que je n'entreprendrai pas de travaux si je dois arracher votre accord. Aussi longtemps que vous ne serez pas sincèrement acquise à ce projet, j'y renoncerai. En ce qui concerne mon mariage, c'est maître Fontalirant lui-même qui l'a souhaité. Il m'en avait parlé avant mon départ pour l'Italie. »

Un obstacle demeurait, m'expliqua-t-il. Mlle Fontalirant ne pouvait se marier sans le consentement de son grand-père maternel, d'où lui viendrait la majeure partie de sa fortune. Or, ce M. Lacoste, enrichi par la Révolution pendant laquelle il avait été un des plus gros acquéreurs de biens du clergé dans le département, ne voulait pour elle que d'un mariage aristocratique et n'en démordait pas. Il rêvait de voir avant de mourir sa petite-fille porter un bon vieux titre de comtesse ou de marquise, datant de l'Ancien Régime, et faire enfin la nique à cette noblesse qui l'avait tant méprisé.

« Comment espérez-vous le convaincre de vous accepter pour gendre ?

– En lui envoyant le plus formidable des ambassadeurs : vous !

– Il ne me reste donc qu'à apprendre mon rôle, bien que je doute du succès de l'entreprise. Quand l'entrevue aura-t-elle lieu ?

– Maître Fontalirant pourrait venir à Puynègre ce dimanche avec Mlle Marguerite, si vous y consentez. Nous conviendrons alors du jour où vous irez officiellement lui demander pour moi la main de sa fille. Je vais écrire aux Maraval, pour leur faire part de ce projet, mais pourrez-vous leur en parler tout d'abord? Je ne voudrais pas qu'ils se trouvent mêlés dimanche à des préparatifs d'accordailles sans en avoir été avisés? »

Les choses étaient tellement avancées qu'il n'y avait qu'à se conformer au mouvement. Je me réconfortai en pensant que la pudeur seule avait conduit Jérôme à parler de sa future femme avec cette désinvolture.

Il m'invita à l'accompagner chez maître Fontalirant, mais je n'avais envie ce jour-là de saluer ni le père ni la fille. Ils seraient le sujet de mes réflexions pour les jours à venir. C'était assez d'intimité avec des gens que, la veille encore, je connaissais à peine.

*

Pauline comprit aussitôt le désir qu'avait son frère de se marier. Je m'étais moi-même assez vite habituée à cette idée. Une petite ville est morose pour un jeune homme, après deux ou trois ans de célibat, et il est rare qu'au bout de ce temps-là quelque famille ne lui ait pas mis la main dessus. Le mariage n'est souvent alors qu'un moindre mal. Si Paris satisfait les deux extrêmes – la tête et le sexe –, la province gonfle les joues, dilate les poitrines, ravit les estomacs, et il n'y a rien de déshonorant à préférer ces satisfactions-là.

Julien était notaire. Une alliance entre deux jeunes gens dont les familles et les fortunes étaient assorties ne pouvait que le satisfaire, si de plus les caractères semblaient en harmonie.

Le déjeuner eut lieu comme prévu, le dimanche suivant.

En arrivant au bras de son père, la jeune fille se força à marcher gravement et à porter haut sa petite tête blonde. Elle était jolie et mise de façon ravissante, dans un ton de bleu assorti à ses yeux.

A dix-sept ans, elle n'avait connu autour d'elle d'autre compagnie féminine que celle des domestiques et d'une institutrice et ses roueries sentaient encore l'enfance. Mais je préférais cela à l'habitude précoce des mines et des ruses que les demoiselles acquièrent souvent dans les pensions ou auprès de sœurs et de cousines plus âgées.

Selon l'instant, elle était timide ou audacieuse, vive ou embarrassée. Elle s'efforça louablement de ne pas porter ses regards en direction de Jérôme, mais s'y appliqua avec tant de maladresse que je fus fixée sur ses sentiments. Tout disait l'adoration éperdue qu'elle lui portait. Ses boucles effleuraient son cou mince, sa bouche s'entrouvrait, confuse, elle balbutiait quand on la surprenait en flagrant délit de distraction.

Après le déjeuner, comme on se promenait, je la fis bavarder un moment. Il se confirma qu'elle était pétulante et ingénue, sans l'ombre d'une mauvaise intention et ignorante à peu près dans tous les domaines.

Jérôme fut charmeur comme il savait l'être, lui donna des gages de son affection par quelques sourires et des attentions discrètes, mais rien de tout cela ne sentait la dépendance ou la soumission.

Par contre, malgré son autorité et sa prestance, M. Fontalirant se montrait coiffé de sa fille et elle devait le mener à sa guise. L'estomac poussant le gilet et la ceinture, la démarche ronde, le geste généreux, modulant sa belle voix grave, célèbre au barreau de Périgueux, il avait l'aisance de ces Gascons qui jouent de leur faconde à volonté. Il amusa par des histoires pittoresques, complimenta les uns et les autres d'un air paterne, et fut assez malin pour m'exprimer son respect, tout en me laissant entendre, d'un air gourmand, qu'il se laisserait volontiers aller à me faire la cour.

Chacun tint parfaitement sa place dans ce concert familial. Vers la fin de la journée pourtant me vint une impression fugace. Je me sentis engluée dans une vie à laquelle j'étais attachée par toutes mes fibres mais n'étais plus certaine d'appartenir. Je me sentis liée par un instinct plus fort et plus ancien à un univers que j'aurais non ignoré mais oublié, et qu'Edouard m'aurait fait reconnaître.

Cela ne ressemblait ni à une fascination de l'esprit, ni à ce vieux rêve qu'ont les amoureux de se confondre, et par lequel l'un des deux a toujours tendance à délaisser sa propre vie pour se couler dans celle de l'autre. Il me sembla que de lointains souvenirs s'imposaient à moi, me revenaient par lambeaux, d'un monde qui lui était familier et dont j'avais redécouvert auprès de lui – et surtout chez lui, à Paris – les sons, les formes, les odeurs. Ce sceptique l'avait admis d'emblée, alors que je m'essoufflais encore à le nier.

Personne ne s'aperçut de ma distraction. L'après-midi tirait à sa fin. Maître Fontalirant m'invita à déjeuner pour le mercredi suivant et il fut convenu que je présenterais alors la demande de Jérôme. Puis sa fille et lui prirent congé.

Jérôme resta avec nous jusqu'au soir. Il préférait partir après le dîner et rentrer à Périgueux au milieu de la nuit, plutôt que de faire cette course le lendemain matin, en se levant à l'aube.

« Je plains cette enfant d'avoir été orpheline si jeune. Elle a dû manquer d'affection, car elle n'a pas eu une deuxième mère aussi tendre que vous l'avez été avec nous me dit Pauline.

– Tendre! s'exclama Jérôme. Je me souviens surtout d'avoir été rabroué, entraîné dans des marches forcées jusqu'aux extrémités du canton et d'avoir vu chaque jeu transformé en leçon de choses.

– Si je vous avais laissé livré à votre paresse, vous seriez resté un petit paysan inculte.

– Fallait-il tenir d'une poigne de fer deux enfants aussi aimables que nous! Tenez, Pauline souhaitait par-dessus tout avoir une amie. Or, nous ne fréquentions pas d'autres enfants. »

Je me tournai vers sa sœur, remuée par ce reproche – qui contenait certainement une part de vérité. Elle vola à mon secours. Jérôme trouva alors dans sa mémoire d'innombrables exemples de mon excès d'autorité. Heureusement, je surpris dans son œil un clignotement qui m'alerta et que Pauline, dans sa hâte à me défendre, n'avait pas observé.

« Mon amie, l'avertit Julien charitablement, Jérôme se moque de toi. »

Elle s'indigna.

« Comment peux-tu plaisanter avec le sentiment maternel?

– Je ne parle pas du sentiment maternel mais de l'absence de sentiments! »

On fit taire les combattants. Un traité d'amitié fut scellé par des embrassades. Cette journée pourtant m'avait paru éprouvante.

*

Maître Fontalirant et son beau-père habitaient deux maisons jumelles, de ces belles demeures blanches bâties au début du siècle dans le quartier où s'était construit depuis le nouveau palais de justice.

Chez elle, Marguerite ne put dissimuler qu'elle usait avec tous d'une autorité capricieuse, en personne dont les volontés n'avaient jamais été contrecarrées. Pourtant, elle s'adressait à Jérôme avec un mélange de douceur et de crainte et quêtait à chaque instant son approbation, de la parole ou du regard. Une fois marié, me dis-je, s'il ne savait pas faire respecter ses décisions, c'en était fini de lui, il n'aurait plus qu'à ramper sous la chaîne, comme le reste de la maisonnée.

Après le café, maître Fontalirant m'accompagna chez le redoutable M. Lacoste. Irascible, ignorant le monde, celui-ci ne quittait pas le rez-de-chaussée de son hôtel. On y accédait en traversant les deux jardins, séparés par une grille.

L'avocat serra mon bras d'un peu près et me dit d'un air bon enfant :

« Ne vous inquiétez pas des bizarreries du bonhomme. On ne sait jamais s'il vous entend ou pas. Selon son humeur, il parle ou se tait. Poursuivez comme si de rien n'était. S'il s'obstine à ne pas vouloir du baron Fabre pour petit-fils, tant pis, nous en serons quittes pour maintenir les fiançailles secrètes le temps qu'il faudra. »

Il avait le ton allègre de quelqu'un qui se trouve en bonne santé et voit l'adversaire décliner rapidement.

« M. Lacoste est-il averti de ma démarche?

— Je lui ai annoncé votre visite et son motif. Il a fait semblant de ne pas m'entendre. »

Je connaissais bien ces manières-là, qui étaient à peu près celles de la tante Ponse. Mais, pour être honnête, je devais admettre que je ne l'avais jamais fait changer d'avis en rien.

On pénétra dans un salon entièrement fermé, où l'on suffoquait derrière les épais rideaux tirés. On s'avança vers un fauteuil et je dus naviguer à tâtons entre les meubles que l'on distinguait à peine, venant de l'extérieur où brillait un grand soleil.

Au fond d'un fauteuil à oreillettes, une tête coiffée

d'un madras émergeait d'un amas de couvertures. Des yeux clignotants me fixèrent.

« Mon père, cria M. Fontalirant – qui m'avait averti de hausser la voix –, Mme la baronne Fabre nous a fait l'honneur de venir déjeuner avec nous et a la bonté de venir vous saluer. »

Le petit vieillard tordit son cou rouge et grumeleux, parsemé de poils follets, comme celui d'un poulet mal flambé. Le menton s'agita, une voix cassée me souhaita la bienvenue et me pria de m'asseoir.

« Laissez-nous, mon gendre, je vous prie », dit impérieusement M. Lacoste, en sortant une main de sous les couvertures et en indiquant la porte d'un geste sans équivoque.

Maître Fontalirant sortit, après m'avoir adressé un signe d'encouragement.

Le silence retomba. Soudain, un soufflet de forge parut embraser le thorax du vieillard. Il ouvrit et ferma la bouche, à la recherche de l'air qui lui manquait, un raclement lui monta des bronches jusqu'au fond de la gorge, l'étouffa, le fit virer au pourpre, puis au violet. Courbé, cramponné aux bras de son fauteuil, il toussa, réussit à extraire un mouchoir de son habit, enfin dans une expectoration rejeta l'air et les matières qui l'encombraient. Je m'étais levée pour sonner ou chercher du secours, il m'avait par sa gesticulation enjoint de me rasseoir. Je m'attendais à le voir mourir, mais la suffocation se ralentit, il se redressa et me pria de lui verser un verre d'eau. M'étant accoutumée à l'obscurité, je trouvai la carafe et lui tendis le verre qu'il demandait.

Il avait été redouté en son temps. Son gendre continuait à le ménager en raison de la fortune qu'il détenait. Un mouvement de mauvaise humeur pouvait l'amener à donner de son vivant une partie de ses richesses à des œuvres charitables, ou, pire, à des tiers.

Je crus bon de briser le silence revenu en parlant des mérites de maître Fontalirant. Le sujet ne pouvait prêter à controverse, pensai-je.

« Mon gendre est un affaireux qui se prend pour un fin politique, répondit sèchement M. Lacoste.

– Bien des députés aimeraient avoir son talent d'orateur, sa connaissance des hommes et des affaires. »

Je pensais avec amusement à ce qu'avait déclaré M. Fontalirant, au cours du déjeuner, en se resservant de pintade en croûte : « Dans ce pays, pour réussir, il faut être rond. Malheur aux maigres! Et être mince ne vaut pas mieux. Jérôme, mon ami, vous voyez quel chemin vous reste à parcourir! »

M. Lacoste avait fermé les yeux et semblait replongé dans le sommeil d'où l'avait tiré notre arrivée. J'en pris mon parti et attendis qu'il daigne se réveiller. Enfin, il s'ébroua et se tourna vers moi, ayant peut-être noté que je l'observais sans perdre mon calme.

« On dit, madame, que vous venez solliciter la main de ma petite-fille pour M. le baron Fabre. Vous perdez votre temps. Je ne donnerai mon consentement sous aucun prétexte, elle est trop jeune. »

Pour venir à bout des certitudes du vieillard, j'étais capable d'employer tous les arguments et d'y ajouter toutes les exagérations, allant jusqu'à présenter Périgueux comme une Babylone moderne, où la vertu de sa petite-fille était menacée.

« Précisément, répondis-je avec conviction, n'est-il pas léger de laisser sans direction à un âge si tendre une enfant qui n'a pas été élevée par sa mère et n'est pas avertie des pièges que lui tendra la société? Un père et un grand-père sont les meilleurs soutiens d'une jeune fille, mais savent-ils la protéger contre les dangers qui la guettent dans le monde? Ne devinez-vous pas les manœuvres auxquelles bien des jeunes gens seront prêts à se livrer pour obtenir sa main, quand sera connu le montant de sa dot? Quels moyens n'emploieront-ils pas pour tromper sa confiance et tenter de se faire aimer d'elle?

– Et M. Fabre ne s'intéresse pas à mon argent? ricana M. Lacoste.

– Le sien lui suffit, monsieur. Il vous est facile de vous en assurer. Sa fortune est une des mieux établies de la Dordogne. M. Maraval, le père, notaire au Bugue, gère ses biens, j'administre ses terres, et le revenu qu'il en obtient est parmi les plus élevés et les plus stables qui se trouvent dans le département.

– Ne m'a-t-on pas dit qu'il venait de passer toute une année en Italie, sans se consacrer à aucun commerce ou aucune industrie? Il a dû y manger de l'argent plutôt que d'en gagner.

– Il s'est informé des mœurs et des coutumes dans le domaine des affaires comme dans d'autres. Un homme qui a vu le monde est mieux préparé aux difficultés de la vie. Il sait juger froidement des nouveautés et connaît la valeur des traditions, sans lesquelles il n'est rien de solide.

– Que peut savoir ce jeune homme des anciennes traditions!... grommela M. Lacoste.

– Vous n'ignorez ni la réputation irréprochable du général Fabre ni la rigueur avec laquelle il a élevé ses enfants. Si le bonheur de Mlle Fontalirant vous importait autant que sa position dans le monde, je vous ferais valoir que cette union lui garantirait une vie entourée de dignité et d'affection. Mais si vous estimez négligeables l'amour et l'estime que se portent deux jeunes gens et l'assurance qu'une telle alliance serait heureuse pour eux et pour leurs familles, je n'ajoute rien. »

Le petit vieillard sursauta.

« Une jeune fille ne doit d'amour qu'à ses parents!

– Bien. N'en parlons plus. »

M. Lacoste restait enfoncé sous ses couvertures comme un hibou dans ses plumes. Comme il ne me congédiait pas, je repassai à l'attaque.

« On dit que vous n'accepteriez de marier votre petite-fille que dans une famille de l'aristocratie? »

Il me fixa de ses petits yeux dépourvus de cils.

« Et si cela était?

– Eh bien, il faudrait choisir. Vous ne voudriez pas d'un de ces hobereaux ou cadets sans le sou, qui ne posséderait que deux métairies et un carré de châtaigniers. Vous vous tournerez donc du côté des familles de bonne souche, qui ont su préserver leur rang et maintenir un certain train de maison, et pourraient se soucier de redorer leur blason. Vous découvrirez alors que ces familles-là sont aussi farouchement opposées à toute mésalliance que les familles régnantes et que leur orgueil de caste est d'autant plus grand qu'elles ont moins le sens des affaires. Elles ne possèdent que des biens fonciers, ambitionnent que leur fils devienne évêque ou général, jamais capitaine d'industrie. On vous regardera comme un roi nègre ou un pacha à trois queues, dont l'opulence fait sourire. Un homme riche et bien né saura apprécier l'argent à sa juste valeur. Mais il se mariera dans sa propre sphère, ou plus haut s'il le peut, et s'il a des ambitions politiques ou est à la recherche de gros moyens, il épousera la fille d'un banquier parisien, car enfin il viendrait à bout en cinq ans d'une fortune comme la vôtre. Pourtant, vous avez raison, les jeunes gens qui aspirent à la main de Mlle Fontalirant afflueront. Lesquels? Ceux qui sont ruinés ou en passe de l'être. S'ils aspiraient à se ranger, passe encore. Mais c'est à Paris qu'ils ont mangé leur bien et qu'ils voudront manger le vôtre. Dissimulant sous des dehors charmants l'intérêt qui les pousse, ils se montreront dévoués, respectueux, assidus. Vous distinguerez l'un d'eux qui saura vous flatter et toucher votre petite-fille. Le mariage aura lieu. Mais savez-vous, monsieur, comment vivent ces jeunes gens? Ils ont des duels, s'endettent, négligent leur femme pour entretenir des demoiselles d'opéra, passent l'hiver à Paris, l'été à la campagne. Dès le mois de juin, le jeune couple s'installera chez vous, dans votre propriété de Boulazac. Ce monsieur la trouvera mesquine, y fera faire des travaux – que vous paierez, naturellement –, puis quand tout sera rebâti et remeublé à sa convenance, invitera ses amis, donnera des fêtes, vous dépensera vingt mille livres en l'espace de quatre mois et partira, l'automne venu, laissant les tiroirs pleins de factures impayées. Vous vous consolerez en pensant au bonheur et à la fierté de votre petite-fille devenue Mme la comtesse de R. ou Mme la marquise de S. Mais elle n'aura rien à dire, monsieur. C'est une grâce que nous font ces familles quand elles s'allient à nous et dépensent notre bien. Il vous restera l'orgueil de penser que vos arrière-petits-fils descendront, non d'un général baron d'Empire au tortil trop récent, mais d'un maréchal de France, d'un commandeur de l'ordre du Saint-Esprit ou d'un bâtard royal. A votre place, je n'en jurerais pas trop vite, car est-on sûr d'être père quand on a couru les coulisses des théâtres, fréquenté les filles et les mauvais lieux? La débauche laisse des traces. »

Je frémis de m'entendre vertement contredire. M. Lacoste aurait pu arguer que ces jeunes gens menant la vie à grandes guides n'existaient guère en Dordogne et que la dot de sa petite-fille trouverait preneur sans courir tant de risques et rencontrer tant de mépris. Mais il demeura tassé dans son fauteuil, sans piper mot. Ma harangue aurait-elle eu de l'effet? A tout hasard, je décidai de porter le coup d'estoc, de l'air le plus aimable.

« Nous ne ferons rien, monsieur, pour forcer votre avis. Si vous préférez vous jeter dans la dangereuse spéculation qui consiste à espérer un mariage aristocratique pour Mlle Fontalirant, je me garderai d'insister. Libre à vous de convertir votre rente à 3 % en brevet d'exploration pour des mines d'or au fond des Amériques. Il n'est pas d'âge pour l'aventure. Permettez-moi de me retirer, monsieur. »

Je le saluai et sortis, sans lui laisser le temps de me répondre. Il demeura interloqué, je crois, mais je n'étais qu'à moitié convaincue du succès de ma mission.

Maître Fontalirant faisait les cent pas dans une allée en m'attendant.

« Comment votre entretien s'est-il passé?

— Fort bien. C'est-à-dire mal en apparence, je m'y attendais. Mais peut-être ai-je semé le doute dans l'esprit de M. Lacoste. Attendons quelques jours. L'inquiétude fera son chemin et, si je ne me trompe, il vous reparlera lui-même de cette affaire. N'en soufflez pas un mot et laissez-le y venir à sa guise. »

M. Fontalirant rit en se frottant les mains et me considéra de l'air qu'on a sur un marché en rencontrant un vendeur aussi madré que soi. Je lui résumai la demi-heure qui venait de s'écouler et conclus :

« Le seul mot d' « amour » l'a rendu furibond. Ce n'est pas par là que nous le gagnerons. Il est trop tôt pour que votre fille l'attendrisse en lui parlant de ses sentiments. Elle ne pourra y venir que quand le consentement de M. Lacoste nous sera acquis, cela finira de le convaincre, rien de plus. »

On revint dans l'autre maison. Jérôme était reparti dans les bureaux, qui occupaient une partie du rez-de-chaussée et Marguerite nous attendait, seule, dans le salon, blême d'émotion. Son père lui tapota la joue :

« Eh bien, petite, est-il honnête de te tourmenter quand ton papa te l'a interdit? »

Elle se jeta à son cou, mourant d'envie de le questionner, mais n'osant le faire en ma présence. Notre mine sereine pouvait déjà l'instruire en partie du résultat de cette entrevue. Son œil bleu sécha par miracle. Au moment de m'en aller, je l'aurais volontiers embrassée, quand elle me fit sa petite révérence de pensionnaire, mais ce n'était pas à moi de lui donner un espoir décisif et je me bornai à lui sourire.

On fit appeler Jérôme, que M. Fontalirant eut la discrétion de laisser me raccompagner jusqu'à ma voiture. Je lui répétai mon récit.

« Je me serais divertie, si j'avais trouvé en face de moi un adversaire coriace, ajoutai-je. Mais c'est une triste besogne que de manipuler un petit vieillard devenu inoffensif.

– Il a en son temps tyrannisé sa femme et sa fille de la pire façon et trompé tant de gens qu'il ne saurait même en dresser la liste. Il est de bonne guerre aujourd'hui de lui faire perdre l'ambition de toute une vie.

– Je n'ai pas fait de grands efforts, je vous assure. Je lui ai servi une marinade bien ordinaire à laquelle, sans doute, son vieux cuir ne sera pas insensible. Dans une semaine, il demandera l'état de vos biens, première étape de la capitulation. Mais qu'importe cette peu glorieuse négociation, si vous m'assurez que ce mariage vous rendra heureux.

– Etre aimé aveuglément par une très jolie petite fille qui n'a jamais aimé jusque-là est un sentiment délicieux, pourquoi s'en défendre? C'est une garantie de bonheur qui en vaut bien d'autres. »

Je restai silencieuse.

« Trouvez-vous que je ne mérite pas tant de dévotion? demanda Jérôme avec amusement.

– Si fait, mais il n'est pas toujours facile d'être idolâtré.

– Maintenant que nous voilà seuls, donnez-moi sans ménagements votre avis sur ce mariage.

– Vous avez toujours répandu autour de vous une atmosphère de charme à laquelle personne ne résiste. C'est un don précieux, qui vous permet partout où vous allez d'effacer les aspérités de la vie.

– Ceci vaut pour les relations de famille ou d'amitié, mais ne suffit pas entre époux.

– Que vous dire qui ne soit borné par la lourdeur du bon sens ou faussé par mon caractère, trop différent du vôtre? Il me semble que, dans les débuts de votre mariage, votre égalité d'humeur, la constance de votre tendresse et la délicatesse de vos procédés persuaderont votre femme que vous êtes un ange. Assez vite, elle verra que, pour vous retenir, il faut vous offrir des plaisirs vifs et variés, amuser votre imagination, vous surprendre, au besoin vous inquiéter, que vous êtes attiré par la mobilité, vous attachant plus à ce qui vous fuit qu'à ce qui vous est acquis. Une nonchalance innée et un goût profond de l'harmonie vous interdisent les éclats et vous font respecter les liens établis. Mais quelle sera la réaction d'une jeune femme qui vous est passionnément attachée, quand elle s'apercevra que vous êtes insaisissable, que vous usez de votre plus grande expérience et de votre autorité de mari pour marquer clairement le domaine qu'il lui sera permis de partager avec vous et la limite au-delà de laquelle vous entendez rester seul maître de vos songes et de vos vagabondages? Son orgueil et son amour n'en seront-ils pas blessés? Acceptera-t-elle d'être une charmante compagne de votre vie familiale et sociale, sans avoir accès à votre âme? »

402

Je m'arrêtai brusquement, consciente de m'être laissée entraîner à dire ce que je n'avais jamais même clairement formulé à propos de Jérôme. Il me regarda tranquillement.

« Quand cela serait, mieux que personne vous seriez en mesure de lui en expliquer la cause. »

Puis, à mon grand soulagement, il choisit de revenir à la légèreté et se pencha vers moi, câlin et rieur.

« Si d'aventure le besoin de m'échapper me pousse sur un sentier de traverse et que j'éprouve un irrésistible besoin d'en faire l'aveu, je viendrai vous faire mes confidences et vous me conseillerez!

— Le seul conseiller que je vous recommande est votre sœur. Elle a autant de cœur et de sagesse que de discrétion.

— Elle pourrait se choquer de mes confessions...

— Tenez-vous-en aux péchés véniels, voilà tout. Pour les gens sans véritable religion comme vous ou moi, il n'est qu'un remède aux fautes graves : le silence. Personne ne peut nous aider à les porter. »

Nous étions restés à quelque distance de la voiture, qui s'était avancée au coin de la rue pour dégager le passage. Jérôme m'accompagna jusquelà, bavarda avec Faye, et, en me disant adieu, m'embrassa avec une tendresse qui me remplit d'une sorte de chagrin doux amer.

*

Les événements se précipitèrent au cours de cet été, ou du moins c'est ainsi que je le perçus. Un monde ancien marcha vers son déclin, de vieux attachements furent supplantés par des affections vives et neuves, ce que j'avais l'habitude de voir réuni autour de moi se trouva dispersé.

Fontbrune préparait le mariage de mon cousin Antoine. Je faisais moins appel à Tiénette, que sa grossesse éprouvait. Joseph était pris par les travaux des champs et par l'achat de son commerce de bois. Le docteur Manet avait vieilli et somnolait plus souvent qu'il ne retrouvait son acuité d'esprit. Les Maraval même, qui avaient toujours vécu comme les pigeons de la fable, me parurent venir moins souvent.

M. de Céré était parti en voyage en Orient. « Ce cher enfant est fou! s'était exclamée Mme de Bonnefond en me l'apprenant. Il prétend ne pas craindre la chaleur, mais dans ces pays le climat et les maladies peuvent détruire l'homme le plus robuste. »

Je perçus tout à coup que la vieillesse n'est pas seulement un tassement du corps et de l'esprit, mais ce sentiment que tout ce qui nous environne ne marche plus à notre rythme, et nous dépasse ou s'engage dans des raccourcis que nous ignorons. J'allais avoir trente-six ans et je me dis avec une satisfaction lasse que j'avais eu raison de ne pas suivre M. de Céré. Si les dernières impatiences de la jeunesse me tenaillaient, ce ne serait sans doute plus pour longtemps.

Jérôme était moins pris qu'aux périodes où siégeait le tribunal, mais passait presque tout le temps dont il disposait dans la propriété de Boulazac, auprès de Marguerite.

Enfin, de manière imprévue, M. Lacoste céda. Il n'avait rien dit après ma visite et ne semblait pas disposé à revenir sur ce sujet. Mais au début du mois d'août, il eut un malaise. Tourmenté par la crainte de mourir, il fit venir successivement son médecin, son notaire et le curé de sa paroisse. Pour un homme qui méprisait les représentants de ces trois corporations, c'était une révolution.

Ensuite, il convoqua son gendre, pour lequel il

n'avait pas plus d'estime, et lui déclara tout de go qu'il autorisait le mariage de sa petite-fille avec le jeune baron Fabre. Il prendrait les dispositions nécessaires regardant la dot, signerait le contrat s'il était encore en vie au moment du mariage, mais ne voulait ni rencontrer le prétendu ni être informé de rien. Ordre fut donné à ceux qui l'approchaient, y compris à l'infortunée Marguerite, de ne lui souffler mot de ces épousailles.

Il n'eut même pas la consolation de savoir que la tante Ponse, en apprenant la nouvelle, fut aussi mécontente que lui et n'en fit pas mystère.

« Encore une mésalliance! dit-elle dédaigneusement. Ma nièce avait épousé le général Fabre, fils de palefrenier. Mon petit-neveu s'allie à une descendante de ce Lacoste qui ne valait autrefois guère mieux qu'un sans-culotte. Que ne ferait-on pour de l'argent! A la génération suivante, une fille ne rougira pas de convoler avec un bandit de grand chemin! »

Je ne lui répondis pas que cet argent lui avait valu une vieillesse heureuse et confortable qu'elle n'avait jamais refusée au nom de la morale.

Le mariage devait avoir lieu au printemps suivant. Je prévoyais déjà que, cette première étape franchie, la seconde – celle des travaux d'aménagement de Puynègre « à l'italienne » – ne tarderait pas à être évoquée. Marguerite, cela était sûr, s'y rallierait avec enthousiasme.

Aussi longtemps que possible, je refuserais de donner mon accord. Souhaitais-je pourtant mener des années durant une guerre d'usure, alors que je n'avais pas d'enfants moi-même et ne pouvais égoïstement faire dominer mon goût en la matière? Je me voyais déjà, poussée dans mes derniers retranchements, exiger que le bureau, la chambre de Fabre et la mienne ne subissent aucun changement.

Je sentais que, tôt ou tard, la maison serait rebâtie de fond en comble.

Les fiançailles furent célébrées à Puynègre le 25 août, jour de la Saint-Louis. On prit prétexte des craintes que causait la santé de M. Lacoste pour réduire cette fête à l'étroit cercle familial.

J'appris par Jérôme que Marguerite ne parvenait pas à surmonter la crainte que je lui inspirais. J'en ris sous cape et décidai de ne pas abattre inconsidérément ce rempart, qui me protégerait sans doute de certaines fantaisies qui ne manqueraient pas de venir à la fillette et que je désapprouverais.

Ainsi, ayant toujours montré une admiration débordante pour la volière, elle battit des mains avec ivresse quand Jérôme lui promit d'y faire venir un perroquet du Brésil et voulut aussitôt savoir s'il serait de telle variété rare dont elle avait entendu parler. Dès qu'elle sera moins timide, pensai-je, elle demandera qu'on creuse une pièce d'eau et qu'on la peuple de cygnes noirs. Dieu sait si elle n'exigera pas ensuite une licorne et un hippocampe!

Maître Fontalirant et Marguerite ne repartant que le lendemain, nous fûmes à nouveau tous réunis à Puynègre pour le dîner. Le soir, dans le salon, Jérôme me demanda gaiement :

« Vous formaliserez-vous si, au lieu de vous appeler « notre Adeline », ce petit nom affectueux datant de notre enfance, je vous appelais « ma mère », comme le fait Pauline depuis qu'elle est mariée ?

– Vous avez raison, dis-je en souriant, si cet enfantillage était charmant, il est temps d'y mettre un terme. Il ne siérait pas à une grand-mère! »

Je n'avais pas accusé le coup, mais j'en vacillai de surprise et de douleur. Ainsi, même pour lui, j'étais devenue une femme d'âge mûr. Je n'aurais pas cru que je ressentirais si durement la rupture du dernier lien de complicité qui nous liait. Par une étourderie, Marguerite révéla ensuite qu'elle avait exigé ce sacrifice de Jérôme. Je ne pus la blâmer d'avoir confusément pris ombrage du dernier vestige d'une intimité à laquelle le temps était venu de mettre un terme.

Cette époque était la dernière où je demeurais entièrement maîtresse de Puynègre. Jérôme m'avait conjuré de ne rien changer à la manière dont j'administrais le domaine. Il ne tenait nullement à cette charge, disait-il, et cela était sans doute vrai dans l'immédiat. Mais peu à peu sa femme et lui y résideraient plus souvent, surtout pendant les mois d'été, quand le voisinage de la rivière et sa fraîcheur en font un séjour délicieux. Ils y apporteraient d'autres goûts, d'autres habitudes et ma vie en serait modifiée, tout au moins durant une partie de l'année.

*

J'avais décidé de passer un hiver de lecture et de solitude. Dès que les vendanges furent achevées, le calme retomba et je m'en trouvai étrangement bien. J'y regagnai mon énergie, ma joyeuse humeur et ma mauvaise tête.

Je m'étonnai de m'être laissée assombrir par la perspective de changements qui me parurent, à tête reposée, susceptibles d'être repoussés aux calendes grecques : Jérôme ne s'entêterait pas à vouloir démolir et reconstruire Puynègre s'il m'y savait opposée et si Marguerite ne l'y poussait pas.

Qu'à cela ne tienne! Je mènerais cette jolie petite ignorante dans quelques vieux châteaux du voisinage. Elle serait flattée d'y être reçue, impressionnée par le prestige des vieilles pierres et de leur histoire – j'y veillerais. Naïve, elle n'y verrait peut-être que du pittoresque, mais qu'importe, pourvu qu'elle s'ôte de l'esprit qu'un château neuf valait mieux qu'un vieux château!

Et puis, dès l'été suivant, Jérôme et elle courraient le pays, seraient invités partout où l'on fait de la musique, joue la comédie, chante et danse. Je recevrais à mon tour sans lésiner. Ce serait bien le diable s'il leur restait du temps et de l'énergie pour voir architecte et maçons. J'accepterais de bon cœur que tout soit en mouvement pendant quatre mois si j'y gagnais de vivre en paix à Puynègre le reste de l'année.

Si vraiment la folie des travaux tenait nos jeunes épousés, je leur abandonnerais le pavillon de chasse qui servait de remise, en bordure de l'ancienne allée, et ils pourraient l'aménager comme ils l'entendaient.

C'est dans cet état d'esprit, et riant à part moi de ma duplicité, que je me couchai fort tôt, un soir de la fin du mois d'octobre, estimant avoir assez agi et réfléchi depuis le matin.

J'aimais ce silence que je retrouvais dans ma chambre, troublé seulement par les bruits de la nuit qui me parvenaient par la fenêtre entrouverte. La tante Ponse et Malvina qui, seules avec moi, habitaient cette partie de la maison, se couchaient au plus tard à neuf heures.

Il me sembla que j'étais endormie depuis peu quand j'entendis des pas dans le couloir. Ils s'arrêtèrent devant ma porte. On l'ouvrit, puis on attendit, sans la refermer, pour voir si je dormais. Enfin, on la repoussa.

Pourquoi n'eus-je pas le réflexe de me dresser dans mon lit et de demander de la lumière? Quel instinct me commanda de me taire? Je ne sais pas. Je n'indiquai par aucun signe que j'avais conscience de ce qui se passait à quelques pas de moi. Je crois que je voulus faire durer cette minute inouïe, où je ne savais qui se tenait là, respirant doucement.

La nuit était sans lune, il faisait un noir d'encre dans ma chambre. On s'avança avec précaution, comme pour s'habituer à l'obscurité. Puis on se tint immobile à mon chevet. Je retenais mon souffle.

On remonta à la tête de mon lit, se guidant d'une main qui en effleurait le bord, sans me toucher. On s'assit, sans faire un geste brusque, sans proférer un son, et on s'appuya sur un bras posé de l'autre côté de mon corps. Ce tête-à-tête silencieux dut être bref, mais il me parut durer une éternité. Je scrutais la nuit, fascinée par cette présence muette.

Une main soignée frôla ma joue, puis suspendit sa progression, sans s'écarter. On avait compris que j'étais éveillée, que l'incertitude et l'attente décuplaient mon émoi autant que la caresse.

Au chaton d'une bague, je sus qui était là. Contre toute raison, je demandai d'une voix étouffée :

« Qui est là?

– Moi, répondit-on dans un murmure.

– Que faites-vous ici au milieu de la nuit?

– Devinez! » me répondit-on encore plus bas.

Deux mains largement ouvertes s'emparèrent de ma tête, plongeant dans mes cheveux défaits. Je poussai un léger cri. J'avais reconnu le geste et le très léger flottement d'une lotion familière. C'était Edouard.

Il rejeta les couvertures, me haussa jusqu'à lui. Je l'entourai de mes bras. Sa bouche ouvrit la mienne. Il était tout frais de l'air du dehors, sa langue me brûlait, les boutons de son habit arrachaient ma chemise. Il sentit que je grelottais de froid et remonta les couvertures, se leva.

D'où venait-il? Comment était-il entré à pareille heure? Cela était sans importance. Je l'interrogeais, hors de moi, avide de l'entendre autant que de l'étreindre.

« Est-ce vous? Jurez-moi que c'est vous! »

J'entendis le glissement d'une redingote qu'on

enlève, de vêtements qu'on défait, le bruit sourd de bottes qui tombent sur le tapis.

Il me rejoignit. Ses baisers avaient un goût de sel, j'aspirais sur sa peau délicate et soignée un vague fumet de sueur et de cheval. Je parcourus en aveugle ce corps mince et nerveux, qui s'était abattu tout entier sur le mien. Je percevais les pulsations de son cœur, la vibration de son sang. Il me serra convulsivement contre lui, puis tous ses muscles se relâchèrent et, avec un grand soupir, il s'étendit, la tête dans mon épaule, comme privé de sentiment. Je le crus terrassé par une de ces émotions violentes et mystérieuses qu'il dissimulait le plus souvent. Comme il ne bougeait pas, je m'effrayai.

« Edouard! Qu'avez-vous! Etes-vous blessé?

– Non, ne vous inquiétez pas, dit-il d'une voix traînante que je ne lui connaissais pas.

– Etes-vous malade?

– Ce n'est rien. »

Il paraissait de plus en plus lointain. Je pris réellement peur et criai :

« Mais vous n'êtes pas dans votre état normal! »

A tâtons, sa main retint la mienne, déjà prête à rejeter les couvertures pour aller chercher tout au moins de la lumière. Une panique m'envahit. Etait-il revenu pour mourir? Je me raisonnai. C'était impossible. Il était venu pour me retrouver, non pour me perdre.

« Je suis épuisé, c'est tout », dit-il, retombant près de moi.

Je guettais chacune de ses intonations, comme une mère veille sur un enfant fiévreux.

« Que vous est-il arrivé? D'où venez-vous? suppliai-je. Répondez-moi!

– Je suis venu d'une traite ou à peu près depuis Gênes, sur de mauvais chevaux de louage. Je suis

410

recru de fatigue, dans deux jours il n'y paraîtra plus. »

Il parlait lentement, détachant ses mots, qui me parvenaient comme assourdis par une distance considérable.

« Piètre visite que celle d'un amant que l'on n'a pas vu depuis des mois, qui arrive à l'improviste et qui au lieu de vous aimer s'effondre dans votre lit pour y tomber de sommeil! » dit-il, faisant vaillamment l'effort de plaisanter.

Sa main chercha mon visage, s'y égara, parvint maladroitement à ma bouche, qu'il caressa d'un doigt replié, puis effleura d'un baiser.

« Nous parlerons demain, murmura-t-il.

– D'ici là je serai morte d'angoisse. Au nom du Ciel, dites-moi pourquoi une telle hâte? Etes-vous en danger? »

J'entendis à mon oreille un rire doux et d'une voix presque imperceptible, il expliqua :

« A vous de me le dire, car mon salut ou ma perte sont entre vos mains. »

Je crus qu'il s'était brusquement endormi et que je n'en saurais pas plus ce soir-là. Mais il me dit encore :

« J'étais en Anatolie, avec un archéologue de mes amis. J'ai rêvé de vous, plusieurs nuits de suite. Je vous ai vue avec tant de clarté que ce ne pouvait être une illusion. Je suis revenu pour... »

Sans terminer sa phrase, il s'endormit d'une pièce contre moi, comme un guerrier qui, après des mois de combat, a retrouvé sa patrie et sa demeure et, abandonnant ses soucis, dépouillant ses dernières ressources d'énergie, peut enfin se livrer au sommeil sans méfiance.

Je restai longtemps immobile dans le noir, appuyée à lui, n'osant croire ce qu'il m'avait dit. Si l'on s'inquiète pour un être cher, on écrit, on fait prendre de ses nouvelles. Revient-on à bride abattue, d'un bout à l'autre de l'Europe, sur une impression, une simple crainte? Mieux, l'homme qui avait accompli sans hésitation cette course insensée dormait à mes côtés, sans un mouvement, la respiration profonde et régulière, comme s'il venait de faire la chose la plus normale du monde.

Je finis par me dégager et m'assoupir.

Je me réveillai à l'aube. Il était enfoui à plat ventre, dans le traversin et l'oreiller. Il était cruel d'avoir à le chasser de mon lit, mais j'eus le sentiment que le temps était proche où je rejetterais ce carcan de règles absurdes.

Je l'appelai à mi-voix, puis le secouai légèrement. Il ne bougea ni n'ouvrit l'œil. Je le secouai plus fort. Rien. Que n'aurais-je donné pour le laisser dormir en paix!

Je rassemblai ses vêtements, pris ses bottes, les uns et les autres couverts de poussière et maculés de boue. Enfin, m'asseyant de l'autre côté du lit, où il s'était réfugié, je me penchai vers lui.

« Levez-vous, mon aimé, je vous en supplie. Vous ne pouvez rester ici jusqu'à ce qu'on m'apporte mon déjeuner. Je vais vous conduire dans votre chambre. »

Il ouvrit enfin les yeux, me regarda comme s'il ne me voyait et ne m'entendait pas, comme ces enfants que l'on réveille pour aller à la messe de minuit et qui vous regardent, hébétés, sans comprendre ce que vous leur voulez à cette heure de la nuit. En somnambule, il sortit de mon lit. Je le menai jusqu'à la chambre qu'il occupait habituellement, plus loin dans le couloir, avant celle de la tante Ponse. Son bagage y était déjà déposé.

J'ouvris le lit, navrée de constater qu'il était tout froid. Il y tomba, eut un bref frisson au contact des draps trop frais, se tourna vers le mur et se rendormit sans avoir proféré un son.

A sept heures, en m'apportant mon chocolat, Miette me dit fièrement :

« Madame sait-elle qui est arrivé hier soir, après qu'elle est montée?

– Qui donc?

– Madame ne devinera jamais.

– Justin? m'exclamai-je, mue par une soudaine inspiration (je pouvais me permettre de l'inclure dans ma petite comédie, puisque je le savais sain et sauf).

– Ah! pauvre Justin! Non, madame, ce n'était pas lui, M. de Céré!

– Comment! M. de Céré? A pareille heure? En cette saison? »

Miette me répondit qu'un peu avant onze heures, alors que tout le monde était dans la cuisine, occupé à énoiser, les chiens avaient aboyé à la grille de l'avenue. Comme ils ne se calmaient pas, Ricou était allé voir. C'était M. de Céré, qui avait dû traverser bien du pays, car ni lui ni son cheval ne tenaient sur leurs jambes. Il n'avait rien voulu manger, avait demandé à dormir. On l'avait conduit à sa chambre. Il avait demandé qu'on le réveille sans faute le lendemain matin à onze heures.

« Peut-être a-t-il quelque affaire à traiter dans la région? dis-je à Miette.

– Oh! non, je crois plutôt qu'il ne veut pas faire attendre Madame à l'heure du déjeuner.

– En ce cas, laissez-le dormir. Montez un repas froid dans sa chambre, il comprendra et pourra déjeuner et se rendormir, s'il le veut. Entre-temps, Bertille pourrait-elle nettoyer ses vêtements et ses bottes et laver son linge, qui doivent en avoir grand besoin, s'il a voyagé? Et qu'on allume son feu dès maintenant.

– J'espère qu'il n'est pas arrivé de malheur à M. de Céré, car il avait l'air de quelqu'un qui vient d'échapper au diable. Il est arrivé sans malle ni domestique...

– Il nous contera cela tout à l'heure. »

L'heure du déjeuner vint. Edouard dormait toujours. J'étais sûre qu'il paraîtrait à l'heure du café. Non. A quatre heures, je m'inquiétai. Je me promenai dans le jardin sans rien faire qui vaille. J'interrogeai Jantou qui, dans sa sagesse de vieux soldat, devait savoir ces choses.

« Cela s'est vu, madame, qu'un homme dorme seize heures après des journées de marche ou de campagne. M. de Céré va se réveiller à la tombée du jour. »

A cinq heures, comme je venais de rentrer, on m'annonça fièrement qu'il venait de sonner. Miette se précipita. Elle redescendit peu après, me dit que M. de Céré était parfaitement reposé, qu'il était confus de n'être pas descendu pour le déjeuner. Il voulait seulement boire du thé et faire sa toilette. Miette avait répondu que je comptais sur lui pour le dîner et l'attendrais s'il le fallait.

Elle repartit avec un zèle qui m'amusa. Edouard devait être parfaitement remis s'il s'employait déjà à séduire. Quand elle reparut, peu avant le dîner, Miette était passablement émue d'avoir dû, en l'absence de Joseph, jouer auprès de lui les valets de chambre.

Sans intention de la choquer, mais avec cette impudeur dans les choses du corps qu'il tenait autant de son amour des athlètes grecs que de ses habitudes de « sportsman », il était sorti nu de son lit, avait bu son thé en plaisantant et en lui récitant des vers auxquels elle n'avait rien compris avant de plonger dans son bain.

Il lui avait demandé d'ouvrir son portemanteau, d'y chercher son nécessaire de toilette. Elle dut fouiller dans ce luxe d'homme qui, même en voyage, ne pouvait se passer de beaux objets. Elle

414

mania les flacons, les brosses et les peignes. La douceur, le brillant, le poli de l'ivoire, de l'argent et du cristal soulevèrent des tempêtes dans le sein de la brave fille, habituée au service de l'office et de la cuisine plus qu'à celui des chambres, confrontée pour la première fois au parfum capiteux d'une vie de jeune homme dispendieux, pour qui la toilette était la première des nécessités et non un luxe.

Quelques minutes avant six heures, il entra dans le salon, vêtu sans un faux pli, la barbe taillée de près, ses cheveux noirs encore humides de l'eau du bain. Je remarquai son visage légèrement amaigri, ses traits tirés sous son teint cuivré, de minces rides au bord de ses yeux. Il me paraissait plus mystérieux ainsi.

« Je vous trouve beau comme un roi mage! » dis-je en allant vers lui et en lui tendant les mains.

Il les baisa.

« Je ne suis pas chargé de présents. Vous voyez plutôt devant vous un pèlerin qui demande l'aumône.

– Demandez.

– Pouvez-vous m'accorder l'hospitalité pendant une semaine? Je vous dirai alors ce que je suis venu faire ici.

– Puynègre vous est ouvert à toute heure et en toutes circonstances. Joseph espère déjà que vous resterez assez longtemps pour tirer l'épée avec lui. Dites-moi, sans feindre, je vous en prie : comment vous sentez-vous? »

Miette entra pour annoncer que le dîner était servi et il ne put que me répondre sur le ton de la plaisanterie :

« A merveille! J'ai toujours irrité les médecins : les excès qui devraient me tuer ont le don de me ressusciter! »

Pendant le dîner, il me fit le récit de ce voyage où

il avait rejoint en Turquie l'archéologue Charles Texier, qui faisait des fouilles, accompagné du peintre Clément Boulanger. Il s'attarda sur la description drolatique des journées passées à Constantinople avec Prosper Mérimée et son vieil ami Jean-Jacques Ampère, rencontrés en route. Tous trois avaient séjourné dans un caravansérail, déguisés en marchands persans, et, même édulcorée, cette version de leurs aventures était d'un comique irrésistible.

J'aurais écourté le dîner s'il n'avait eu besoin de se restaurer après cette épuisante chevauchée. Contrairement à ce qu'il montrait et à ce qu'avait dit Miette, je ne le trouvais pas d'humeur gaie et je ne pourrais en avoir le cœur net que seule avec lui.

Quand nous nous retrouvâmes dans le salon, il me laissa parler de choses et d'autres, puis me demanda tranquillement :

« Qui attendiez-vous, hier soir, quand je suis entré chez vous ? »

C'était donc ce qu'il voulait savoir. Le reste n'était que bavardages.

« Personne, répondis-je. Je ne tiens pas salon à minuit.

— En entendant que l'on pénétrait dans votre chambre, vous n'avez manifesté ni crainte ni surprise.

— Ce ne pouvait être que Miette ou Bertille, quelqu'un de la maison, enfin.

— Vous êtes habituellement plus perspicace. Ne reconnaissez-vous plus un pas, une silhouette, une voix d'homme ?

— Croyez-vous qu'en pleine nuit, entre la veille et le sommeil, j'aie réfléchi si loin ?

— C'est qu'il n'y avait pas à réfléchir. Quel homme jeune, familier des lieux, peut arriver jusqu'à votre lit sans susciter d'étonnement ou d'effroi ?

– Je n'attendais personne. Je suis moins prodigue de mes faveurs que vous ne le supposez.

– Il ne serait pas étonnant, toutefois, que le baron Fabre vous ait contemplée d'un œil assez doux. Un jeune homme que l'on s'accorde à trouver charmant, qui adore les femmes, en est fort apprécié, aurait pu être ému de votre présence, et vous auriez pu ne pas y être insensible. Mais admettons que je me sois trompé, dit-il lentement. Acceptez mes excuses. D'ailleurs, je ne vous suis rien, je n'ai ni à questionner ni à exiger.

– Vous m'êtes beaucoup et plus encore. C'est pourquoi je vais vous répondre. »

Il resta un moment silencieux, puis eut un geste las.

« Cela est inutile, je vous crois.

– N'importe, je tiens à vous répondre. »

Je pris dans le secrétaire une feuille de papier, une plume et de l'encre, que j'apportai sur la petite table qui séparait nos deux fauteuils.

« Ce sont des comptes que vous me demandez, n'est-ce pas? » dis-je, en traçant deux colonnes sur le papier.

Par-dessus la table, il saisit mon poignet.

« Votre main tremble, vous allez faire des pâtés.

– Je les ajouterai à la liste de mes fautes.

– Votre voix tremble aussi.

– Vous voulez donc que je reste immobile et silencieuse? »

Vivement, il tourna la feuille vers lui, me prit la plume des doigts et écrivit sans hésitation, en haut d'une colonne : « Manquements d'Adeline Fabre », et en dessous : « Aucun, et elle sera décorée par les ligues de morale et de vertu pour avoir rejeté l'amour scandaleux de M. de Céré. » Et dans l'autre colonne : « Manquements d'Edouard de Céré », il nota : « Tous, et il sera pendu pour avoir trop aimé Adeline Fabre. »

« Voilà, mon ange, votre bilan est fait. »

Je me levai d'un bond, voulant lui tourner le dos, sortir, je ne savais pas. Il m'en empêcha, refermant sur mon poignet ses doigts minces et nerveux que Joseph s'étonnait de n'avoir jamais vu faiblir et lâcher l'épée au cours de leurs assauts. Il me força à me rasseoir et reprit :

« J'ai eu tort, je l'admets, de pénétrer ainsi chez vous. En arrivant, hier, j'avais cru vous trouver encore au salon. Quand on m'a dit que vous étiez montée, j'ai tenté de me consoler, en pensant qu'il valait mieux ne pas me montrer à vous en pareil état. En me conduisant à ma chambre, Bertille répétait : « Madame sera si heureuse de voir Mon- « sieur le comte demain matin. ». Après qu'elle fut redescendue, monsieur le comte n'a pas supporté de devoir attendre au lendemain pour voir madame et a pensé qu'elle ne le chasserait pas, tout sale et harassé qu'il fût, à peine rafraîchi par une toilette sommaire, au cours d'une halte à Cahors. »

D'ironique, sa voix redevint grave.

« Peut-être ai-je cru aussi, en arrivant comme un voleur après une longue absence, surprendre en vous non un de ces cris que l'amour peut vous arracher, mais ceux, déchirants, que fait proférer la passion partagée et que vous m'avez refusés jusqu'ici. Car vous vous livrez dans l'instant, mais non dans l'absolu, et vous craignez l'esprit plus que la chair, n'est-ce pas ? »

Cela sonnait comme un constat, plus cruel que des reproches. Se pouvait-il que nous en soyons là ? Après cette folle course à travers un continent, n'avait-il pas compris qu'il m'avait conquise ? Au lieu d'être heureux avec moi, simplement, fallait-il qu'il saisisse le premier prétexte venu pour tout remettre en question, poussant l'acharnement jusqu'à vouloir explorer le fond de ma conscience et le bonheur lui-même ? En arriverions-nous à nous séparer, après qu'il m'eut conduite si loin sur ce chemin où il n'admettait jusqu'ici personne à ses côtés?

« Vous avez peut-être raison, répondis-je. Comment ne serais-je pas effrayée par cette part de votre esprit qui échappe à tout partage? Votre visage et vos yeux qui se creusent, par instants, laissent entrevoir la lutte dont vous êtes le siège. On vous devine en proie, non à l'émotion bonne pour le vulgaire, mais au tragique, contre lequel se débattent les poètes. On craint que vous ne soyez acculé à la défaite par l'ange ou le démon qui vous hante. Non, vous finissez par le débusquer et le rejeter sans pitié. Vainqueur malgré vous, confirmé dans votre scepticisme, plus solitaire, vous revenez à une vie que vous aviez cru abandonner. Souvent, il m'a semblé appartenir à ces formes de rêve auxquelles votre soif d'impossible donne consistance. Aujourd'hui comme alors, j'attends que vous reveniez à la réalité pour savoir si vous me regarderez avec surprise et me demanderez courtoisement qui je suis et ce que je veux.

– Voyez-vous ainsi l'amour que je vous porte?

– Cela peut se dire autrement. Je fais partie du règne animal, ou du règne végétal, qui pourrit et se décompose. Seul vous fascine le règne minéral, ses constellations de cristaux, ses éclats fulgurants, ce prisme où tout se déforme sans s'altérer, qui irradie une lumière d'une pureté glaciale et donne l'illusion de la chaleur sans en avoir le pouvoir dévastateur.

– Il arrive que notre tête voie juste, sans être pourtant notre meilleur conseiller, car elle ne voit pas tout. Ainsi, en me quittant, à la fin du mois d'avril, après les trois jours que nous avions passés ensemble, vous avez à nouveau décrété que nous ne nous écririons pas. L'interdiction ne m'intimidait pas. Vous l'aviez prononcée dans un dernier sursaut de volonté et je crus que vous ne sauriez vous y tenir. J'ai attendu. Rien ne vint, pas un mot, pas même trois lignes. J'allai à Londres, donnant ordre à mon portier de me faire suivre toute lettre portant votre cachet et timbrée en Dordogne. Deux mois plus tard, je n'avais rien reçu. Je décidai alors de partir en Orient et de justifier cette fois votre méfiance envers moi car, à être franc, je pensais ne pas revenir. Lors de voyages précédents, j'avais déjà eu envie de m'installer à Constantinople ou au Caire, dans une de ces villes provinciales et cosmopolites à la fois, où l'on est habitué aux étrangers bizarres et insatisfaits. Alors que j'étais dans le nord de l'Anatolie, où Charles Texier était revenu faire des fouilles à l'emplacement d'une ancienne cité hittite qu'il avait découverte quelques années plus tôt, je ressentis un jour la plus admirable jouissance qui soit donnée à un esthète désenchanté : je vis la mort s'avancer vers moi, dans un cadre si solennel, sous une forme si flamboyante, que je me crus destiné à la suivre. Mais elle se contenta de frapper mon cheval, à quelque distance, et repartit en me dédaignant. »

Je sentis qu'il me disait froidement l'exacte vérité en me racontant ce voyage, au cours duquel il avait voulu se détacher de moi et je voulus l'entendre en entier.

« Quel genre de mort était-ce? Racontez-le-moi, je vous en prie, j'aimerais en entendre tous les détails.

— A l'écart d'un village, dans un cirque de montagnes, s'élève une double ceinture de formidables murailles, qui serpentaient autrefois sur plus d'une lieue, de colline en colline, au milieu d'une masse de rochers englobant des rocs entiers, franchissant des ravins et dont l'entrée principale est encore défendue par d'énormes pilastres d'où émergent des lions à demi encastrés. Nous campions à l'intérieur de cette ville morte, au pied de ce qui avait dû être une citadelle.

« Le peintre Clément Boulanger, qui accompagnait Texier, était là depuis un mois et se trouvait à court de modèles pour reproduire les scènes pittoresques qu'il voulait rapporter à Paris. Il n'aime que modérément les paysages et les personnages de bas-reliefs. Or, les odalisques manquaient autour de nous. Les ânes qui avaient servi à apporter notre équipement posèrent pour lui, de face et de profil; broutant ou sommeillant à l'ombre. Il dessina notre domesticité sous toutes les coutures.

« Texier cherchait les yeux d'une déesse dont la statue nous contemplait, hiératique, au fond de sa niche.

« Quant à moi, je n'aimais rien tant que ce vaste espace quasi désert. Je lisais, dessinais, chevauchais à l'infini, je descendais dans la vallée et me baignais dans la rivière, en ayant soin de mettre en sentinelle un de nos âniers, afin de n'être pas surpris et jeté en prison pour impudicité.

« Dans la journée, nous suffoquions de concert, dans la chaleur et la poussière. Le soir, nous devions nous envelopper dans nos couvertures et nos épais manteaux à la mode du pays, tressés de poil de chèvre et de chameau.

« Souvent, à l'aube ou vers la fin du jour, je grimpai dans un cirque de montagnes proche. Là, sur les parois de grandioses rochers, sont gravées de mystérieuses processions de dieux et de déesses. Un jour, se leva un vent brûlant, annonciateur d'orage. Il finit par tomber et nous laisser recrus de poussière, les yeux, la gorge, les dents irrités. Nos vêtements et nos provisions n'avaient pas été épargnés. Une chaleur plombée acheva de nous épuiser. Le ciel était bas et sombre, les animaux s'étaient tus.

« Je ne supportai plus l'immobilité à laquelle

nous étions condamnés depuis plusieurs heures. J'annonçai que je partais dans la montagne. Mes compagnons tentèrent vainement de m'en dissuader.

« En m'engageant dans une des galeries de cette forteresse naturelle, je fus saisi par la chaleur que réverbéraient les murs, comme si l'on m'avait jeté dans un four et refermé la porte derrière moi. Les jambes me manquèrent. Je m'adossai à la muraille. C'est alors que claqua le premier coup de tonnerre, si violent que je crus à un avertissement de la divinité dont je violais le sanctuaire. Puis, tonnerre et éclairs se firent plus proches. Quelques gouttes d'eau tombèrent, épaisses comme de l'huile, pesantes comme des grêlons. Elles cinglèrent la montagne, firent voler la poussière à mes pieds. Puis une rafale de pluie crépita comme le ciel se déchaînait, et un enfer de bruit se répercuta de paroi en paroi, tout autour de moi. J'avais ramené mon manteau sur ma tête. Je dus protéger mon visage, martelé par la pluie.

« J'aurais été heureux de mourir à cette heure et en ce lieu. Et puis – il sourit – j'aime assez l'idée que les dieux aient le désir de se venger des hommes. Cela nous met à leur niveau et nous donne l'illusion que nous pouvons les menacer jusque dans leur royaume.

« Le calme finit par revenir, mais longtemps encore des grondements sourds se firent entendre. Je m'assis sur une pierre, oublieux du temps, alors que la nuit tombait. Bientôt j'entendis des voix criant mon nom. Une lanterne brilla. Mes amis, inquiets, étaient venus à ma recherche avec deux des domestiques, persuadés que l'orage m'avait jeté au bas d'un rocher.

« La foudre était tombée à l'endroit où était attaché mon cheval et avait frappé la pauvre bête. C'est le seul regret que j'eus de mon imprudence.

« Comme souvent, dans un cadre qui n'est pas le nôtre, l'imagination décuple les sensations et nous voyons de l'extraordinaire dans des phénomènes qui, pour les gens du pays, sont habituels.

« Puis, je me souvins de ce que vous m'aviez dit, le soir où nous écoutions le *Don Juan*. Le doigt pointé vers moi, vous m'aviez condamné, aussi haut que je m'envole, à toujours retomber sur terre et à n'y être aimé que comme un simple mortel. Je me débattis contre cette impression, je maudis notre rencontre, le sentiment profond que m'avaient trop souvent laissé vos paroles, je me méprisai de n'avoir pas su vous échapper.

« Cette nuit-là et la nuit suivante encore, je rêvai de vous. Alors, je quittai mes compagnons et l'endroit où je séjournais avec eux depuis un mois. Ne croyez pas que je me mis en route le cœur brûlant d'amour. J'avais compris que j'étais encore sous votre dépendance et j'étais prêt à tout pour m'en affranchir.

« Sur le chemin du retour, enragé, je commis toutes les imprudences et en fis commettre à de pauvres diables, dont la vocation était de me conduire en bateau ou en voiture et non de sacrifier leur vie pour un monsieur qui ne se trouvait pas assez aimé.

« A un moment, il me sembla que, si j'arrivais sain et sauf à la grille de Puynègre, je n'aurais d'autre solution pour me délivrer de vous que de vous tuer. »

Quand M. de Céré se tut, je ne le regardai pas. Les yeux fixés devant moi sur le tapis, abasourdie, j'hésitais à croire ce que j'avais entendu.

Il étendit la main, s'empara de la mienne, me fit faire le tour de la table, m'attira entre ses jambes. Ses genoux se serrèrent autour des miens, il me tint aux hanches, me fixant tout droit de ses yeux graves. Je ne flanchai pas.

« Et qui avez-vous maintenant décidé de tuer, vous ou moi? demandai-je en me forçant à demeurer calme.

— En arrivant, ne suis-je pas venu droit à votre lit et n'ai-je pas abdiqué dans vos bras? Nous voilà tous deux condamnés à vivre et à nous aimer, mon ange.

— Je ne veux pas être la mauvaise fée qui retient le héros au fond de ses forêts, loin de la Cour! »

Je cherchai à me dégager, il resserra ses genoux et m'en empêcha.

« Vous êtes Circé, l'enchanteresse!

— Celle qui a transformé Ulysse et ses compagnons en pourceaux? Est-ce là ce que vous me reprochez? »

Il m'abaissa vers lui et m'embrassa légèrement.

« Eh bien... un peu.

— Quoi! Je suis encore à moitié paralysée de frayeur et vous badinez, assez content sans doute du succès de votre récit. »

Il m'assit au bord de son fauteuil, me prit dans ses bras, releva ma tête et se mit à m'embrasser. Longtemps, je restai ainsi à demi couchée sur lui, recrue de fatigue.

« " *Frailty, thy name is woman* "[1], murmura-t-il dans mes cheveux. Faut-il tout épeler, mon tendre amour, pour que vous sachiez lire dans une tête et dans un cœur? Pourtant, moi, bien que j'aie tenté de le nier, je sais depuis longtemps que vous me ferez boire la coupe jusqu'à la lie.

— Et pour vous punir des peurs que vous me faites, sitôt le vin bu, je vous resservirai.

— C'est pour cela que je suis revenu. Je veux que toutes les ivresses me viennent de vous.

— En une semaine, je dois vous les dispenser toutes? »

1. « Fragilité, ton nom est femme », *Hamlet*.

424

Il rit.

« Pourquoi pas! Si vous me prêtez un cheval et m'autorisez à traiter les affaires qui m'attendent, dans deux ou trois jours je pourrai vous dire si le temps nous est compté ou pas.

– Et d'ici là je dois vous faire aveuglément confiance?

– Et m'aimer aveuglément.

– N'êtes-vous plus fatigué de votre voyage et des pensées tortueuses qui vous ont assailli?

– Il me reste quelques ressources d'énergie et je suis prêt à vous le prouver en galant homme. »

Plus tard, dans ma chambre, il me sembla que nous nous retrouvions après une éternité d'incertitude et de chasteté forcée. Il était temps que cette vie prenne fin, je n'en pouvais plus. Toute cette soirée me remonta au cœur, avec ce qu'il m'avait dit de terrifiant et de tendre. Je n'avais pas eu peur de lui des mois plus tôt, aujourd'hui pourtant où il se disait à ma merci, je tremblai de ne me sentir ni vouloir ni pouvoir en dehors des siens.

Comme lui, je ne voulais ni caresses ni mots d'amour. Je les les avais parcourus mille fois en pensée. Plus tard, après, nous y reviendrions. Pour l'instant, je le voulais et il me voulait.

Étouffant un cri sourd, il me prit.

« Maintenant, me reconnaissez-vous! lança-t-il, me soulevant contre lui. Ah! Vous me reconnaîtrez, je vous le jure, vous saurez que c'est moi et personne d'autre qui vous aime et vous prends! »

Alors, je lâchai cette houle d'amour, de plaisir, de sanglots au-devant de laquelle il se rua, m'arrachant ce que je ne savais même pas pouvoir lui donner. Il déracina ce qui résistait, engloutit ma vie dans la sienne, me laissa sans passé, sans ombre et sans mémoire.

Quand nous nous retrouvâmes, apaisés, dans les bras l'un de l'autre, il sentit en moi ce calme, ce silence de ceux qui, les mains vides, s'apprêtent à franchir les océans. Mon Dieu! allais-je vraiment quitter ce clan si sûr, saurais-je me passer de cette terre? Mon foyer serait-il désormais le lieu où cet homme poserait le pied et ma maison ce corps qui enveloppait le mien? Etait-ce bien lui qui l'avait exigé, alors qu'il avait toujours vécu seul, tenant à distance même les maîtresses dont on le disait le plus épris?

Après avoir prononcé de vagues paroles de tendresse, il tomba dans un assoupissement que la fatigue transforma en un profond sommeil.

*

Le lendemain était un mardi. Il se réveilla tard également et sortit aussitôt après le déjeuner, alors que j'allais de mon côté au marché du Bugue. Quand il revint en fin d'après-midi, je n'eus guère le temps de lui parler, car j'attendais à dîner le docteur Manet et les Maraval.

Ils se montrèrent aussi enchantés de revoir Edouard que l'avait été le reste de la maison et Joseph en particulier. Avec lui, rendez-vous était déjà pris pour tirer l'épée le lendemain matin, dans la pièce située derrière le bureau, qui tenait lieu de salle d'armes.

C'est seulement le mercredi soir que je me retrouvai seule avec lui, après qu'il fut allé dans la journée voir son oncle le colonel. La mine reposée, il avait l'air d'un homme que n'habite aucun doute, qui est en mesure de dire « Je veux », « Il faut », ou « J'ai décidé » et d'être obéi sur-le-champ. Les affaires qu'il avait à traiter s'étaient sans aucun doute déroulées de manière satisfaisante. Je n'en étais pas moins soucieuse de savoir en quoi elles me concernaient. Mais ce jour-là encore il paraissait n'avoir rien à m'en dire et pour tromper mon impatience, je lui demandai s'il avait rapporté des dessins de son voyage.

« J'ai laissé à Charles Texier la plupart de ceux que j'avais faits, à sa demande, sur le lieu de ses fouilles.

– N'en avez-vous pas d'autres?

– J'ai gardé un seul carnet avec moi.

– Ne pouvez-vous me le montrer?

– Il est dans ma chambre, je le descendrai demain, si vous voulez.

– Pourquoi pas maintenant?

– Comme vous voudrez », dit-il simplement, en se levant.

Quelques minutes plus tard, il était de retour avec un album court et épais.

Il s'assit près de moi sur le canapé. Je passai rapidement sur quelques paysages et monuments en ruine et regardai plus longuement le site de montagne où l'avait surpris l'orage, mais pour moi les lignes importent peu dans la nature, c'est la couleur, l'odeur, le mouvement, la lumière que j'aime : le crayon et le papier sont impuissants à les rendre.

Après avoir tourné les premières pages, on en vint à des scènes prises sur le vif dans les rues ou dans les marchés. Une vie grouillante défilait, aux acteurs dignes, émouvants ou farouches, esquissés en quelques coups de crayon mais saisissants de vérité. Cela frémissait, dévorait le papier, silhouettes croisées, auxquelles il ne s'était le plus souvent pas attardé mais qu'il avait saisies d'un regard aigu : porteur d'eau, mendiant, soldat armé jusqu'aux dents, hommes assis en tailleur devant leurs boutiques ou fumant leurs longues pipes dans un café, écrivain public au bord de son échoppe, femmes voilées accroupies auprès d'un panier de fruits ou chargées d'enfants et de ballots, chien assoupi enroulé sur lui-même à l'ombre d'un mur.

427

Certaines pages étaient couvertes d'études plus fouillées, des têtes, des mains, des chevaux surtout, rendus d'un trait nerveux, se bousculant, se pressant jusqu'au bord de la page avec fièvre, dressés, hennissants, cabrés, rebelles, tête fine, naseaux dilatés, crinière folle, pattes, croupe, muscles crispés dans l'effort. Il s'était attardé aussi à reproduire des chameaux, mastiquant, la mâchoire déjetée, ou méditant, la lèvre pendante, les yeux encapuchonnés sous leurs lourdes paupières comme ces vieillards dont on ne sait s'ils veillent ou sont endormis.

Sans transition, suivaient, sur une double page, des pieds de femmes nus, certains aux chevilles cerclées d'or, posés sur des tapis, enfoncés dans des coussins dont les motifs n'étaient que suggérés. J'étais intriguée par l'insistance qu'il avait mise à rendre cette chair lisse, pulpeuse, renflée.

Plus loin, deux silhouettes de femmes allongées, aux visages estompés. Une étrange pesanteur se dégageait de ce dessin. On y sentait l'épaisseur de l'attente, une inlassable passivité. Je tournai les pages. Les mêmes femmes, ou leurs compagnes, y figuraient, accroupies, étendues ou à demi couchées dans les bras l'une de l'autre, ou renversées sur des oreillers, vêtues ou presque dénudées, jambes ouvertes avec indifférence, les bras derrière la tête faisant ressortir le gonflement de la gorge et la cambrure des reins. Les gestes étaient alanguis, les tissus retombaient en plis moelleux. Souvent, là où le visage était précisé, un début d'empâtement effaçait l'expression, les beaux yeux lourds bordés de fard étaient opaques, malgré l'impudicité de l'attitude.

Edouard ne disait rien. Sans être prude, j'étais embarrassée d'avoir insisté pour qu'il me montre ce carnet.

« Je préfère ne pas connaître vos belles conquêtes, dis-je, cessant de tourner les pages.

– Dans l'amour monnayé, il n'y a pas de conquête, répondit-il paisiblement. Vous avez voulu voir, allez jusqu'au bout. Ces femmes – circassiennes, grecques, arméniennes, juives parfois – peuplent les maisons de plaisir destinées aux étrangers, dans le quartier qui leur est réservé. »

Je poursuivis. Venaient ensuite des esquisses d'une belle petite tête fière et ombrageuse, dont on avait traqué les mines et les bouderies sous tous les angles. Puis, en lignes brèves, on avait rendu un corps mince et sinueux, délibérément provocant, sans qu'on le lui ait commandé, semblait-il. De toute évidence, celui qui dessinait n'avait pas été indifférent à cette fille. Une atmosphère de sensualité émanait de ces feuilles, à laquelle je ne voulais pas avoir l'air de céder. D'ailleurs l'album était presque fini.

Avant de refermer la couverture, je tournai une dernière page où je croyais ne rien trouver.

Je n'y vis au premier abord qu'un fouillis de lignes drues et serrées, où l'on avait jeté quelques touches d'aquarelle, et que j'hésitai à déchiffrer. Pourtant l'évidence s'imposa : c'était un lit défait. Les draps pendaient, tordus, froissés, découvrant par endroits la toile du matelas. Les couvertures, entraînées par leur poids, se répandaient sur le tapis. Un traversin, bosselé par la pesée des corps, s'écrasait contre le mur. Le sang me monta à la tête. Je voulus claquer le dos du carnet. Je ne pus.

Je m'étais sentie de l'indulgence pour cette Flora rencontrée dans l'antichambre d'Edouard à Paris. La grande Rachel ne m'avait causé qu'une émotion passagère quand j'avais vu en elle une de ses anciennes maîtresses – et quelle ensorceleuse maîtresse, au dire des connaisseurs. Je n'avais fait preuve d'aucune hostilité à l'égard de la jeune

Italienne qu'il avait fait chanter à Puynègre, ni envers Jenny, l'actrice qui avait joué *Othello* avec lui un an plus tôt.

Mais ce lit ravagé, cette fille mince, presque maigre, aux yeux fendus et insolents, m'étranglaient d'une jalousie que je n'avais jamais connue. Une véritable fureur me brûla le sang et me fit suffoquer. Je me tus, ma voix m'aurait trahie plus encore que mon visage. Je gardais cette maudite page ouverte devant moi, me brûlant les genoux, je serrais le carnet, convulsée de rage et d'un trouble qui m'exaspérait. Le silence ne me calmait pas, il me faisait bouillonner la cervelle, me tordait les moelles. On s'évanouit de douleur, je suis sûre que la colère peut aussi nous faire perdre conscience.

Je voulus résister, car Edouard avait beau tirer tranquillement sur son cigare, dans son coin de canapé, il avait l'œil luisant du rapace qui guette l'oiseau empêtré dans un piège.

J'allai vers la cheminée où je remuai les bûches. Puis je revins et lui tendis l'album.

« Voilà votre carnet », dis-je d'une voix hachée.

Il ne fit aucun geste pour le prendre. Son silence me sembla aussi insultant que sa manière de me laisser dans les mains cet objet qui me faisait perdre la tête.

Je ne sais ce qui me prit alors. Ce misérable bloc de papier avait agi sur moi comme un acide qui ronge et met à nu, il m'avait jetée dans un paroxysme de violence que j'avais cru ne jamais atteindre et encore moins exprimer.

On parle des affres de la confession. Broutilles! Je veux bien avouer tous les assassinats du monde à un curé sagement assis derrière sa grille de bois et faire à genoux, en guise de pénitence, le chemin de Compostelle. Quoi que l'on dise à Dieu, il ne vous regarde pas les yeux dans les yeux, comme un amant qui dévore vos gestes et vos paroles.

Je voulais me taire et déjà je parlai. Malgré moi, je tirai du fond obscur de mon cœur cet amour qui y gisait enfoui, se dérobant à mes propres regards. Pourquoi, comment jaillirent ces aveux, assortis de précisions minuscules, détaillées avec une acuité dont je ne me croyais pas capable, moi, si peu habituée à disséquer les sentiments? Je ne sais. Le souvenir me revint de choses qu'il avait dites et faites et que j'avais refusé de voir et d'entendre, pour éviter d'en être déchirée. Je répondis à des questions qu'il m'avait posées un an plus tôt et même lors de notre première rencontre et que j'avais à l'époque ignorées. Fallait-il que je me sente menacée par les brûlantes exigences de cette âme altière pour avoir enseveli pareil amour!

Il restait quasi immobile, tenant son cigare qu'il ne fumait plus. Dans ses yeux, son expression, sa contenance, je voyais monter une puissante griserie. Son visage était détendu, ses traits adoucis. Il me caressait du regard avec la tendresse qu'il devait mettre à dégager du sol un objet encore couvert d'une antique poussière. Je comprenais soudain cette passion qu'il avait de remuer des couches de terre et de rochers pour y retrouver les vestiges d'une civilisation perdue. Je voyais aussi que son intuition, plus profonde et plus exercée que la mienne, lui avait révélé depuis longtemps ce que j'ignorais encore.

Enfin, je me tus et me retrouvai comme ces gens qui ont parlé sous l'influence d'une drogue et reprennent conscience avec le sentiment d'avoir déliré, sans pouvoir dire en quoi.

Sans force, je m'assis à l'autre bout du canapé, loin de lui, presque indifférente. S'il m'avait quittée à cette heure, je serais restée sans réaction. Je n'avais ce soir-là plus d'énergie de reste.

Il s'approcha, réunit mes mains dans une des siennes, posa ma tête contre son épaule.

« Laissez-moi, dis-je vaguement, je n'en peux plus.

– Chut! me répondit-il d'une voix apaisante. Vous avez toute la vie pour me faire expier les vilenies dont je me suis rendu coupable. »

Je ne bougeai pas, je ne dis rien. Alors, penché sur moi, il me parla avec une ferveur qui aurait jeté sur les chemins n'importe quelle femme dans son bon sens pour la mener à l'autre bout de la terre. Et, confusément, je me demandai si ce fou d'amour je ne le volais pas à Dieu.

*

Le lendemain, il m'annonça :

« J'ai une importante négociation à mener avec vous.

– Ah? demandai-je, recrue de confrontations.

– Sur un point fort grave, dont je voudrais éviter qu'il ne tourne à la querelle de voisinage.

– Tiens! Auriez-vous acheté tout le territoire qui s'étend entre Puynègre et votre hôtel de la rue Taitbout?

– Pas tout à fait. J'ai simplement acquis La Vitrolle, ce qui fait de moi votre voisin.

– La Vitrolle? répétai-je sans comprendre. Pour quoi faire?

– Pour l'installer et en faire un séjour agréable.

– Cela vous fera un bien maigre placement, dis-je, ne voyant pas où il voulait en venir.

– Ce sera une résidence, belle dame, et non un placement.

– A quoi sert une résidence où l'on ne réside pas? »

L'on disait bien depuis quelques mois que les héritiers de la comtesse d'Herblot, décédée un an plus tôt, songeaient à se défaire de La Vitrolle. J'avais même pensé à acquérir la partie des terres qui jouxtait Puynègre et je me sentais piquée que la propriété ait été vendue sans que j'en sois informée.

« Avez-vous aussi acheté les terres? demandai-je.

– Il n'y en avait qu'une étendue de peu de conséquence.

– Comment! De ce côté-ci de l'eau, c'est la seconde propriété par la taille, entre Le Bugue et Lalinde.

– Les terres ne sont pas d'un rapport suffisant. Je ne garderai que les prés et les vignes et transformerai le reste en un parc d'agrément.

– La surface de trois métairies, plus peut-être, aménagée en parc! Y songez-vous? Et que deviendront les familles qui les cultivaient?

– Si je démolis leurs habitations, je les logerai ailleurs. Et de métayers ne peut-on faire des jardiniers? »

J'étais de plus en plus perplexe.

« Et une fois le paysage bouleversé, en profiterez-vous?

– Je m'y promènerai, je songerai, je jouirai des bosquets, des statues, des cascades que j'y aurai fait installer, je me reposerai de mes voyages et en préparerai d'autres.

– Votre terre de Senneville, en Normandie, n'est-elle pas superbe?

– Je ne l'ai jamais aimée et n'y vais que pour la chasse.

– La nature, comme les êtres, ne vous plaît que violente et même déchaînée! Quel agrément trouverez-vous à ce paisible coin de campagne?

– La Vitrolle, comme Puynègre, n'est pas à la campagne mais au bord de l'eau. J'y vivrai enfermé comme un moine dans son jardin, charmé de grimoires et de plantes aux noms savants.

– Vous n'êtes pas assez vieux diable pour faire un

433

bon ermite! Cessons de plaisanter. Qu'y a-t-il de vrai dans ce que vous me racontez là?

— Tout! Je voulais d'ailleurs vous proposer d'échanger certaines parcelles de nos terres qui s'imbriquent les unes dans les autres et empêcheraient un tracé harmonieux du parc de ce côté-là.

— Mon Dieu! Vous songez vraiment à demeurer à La Vitrolle, où vous vous ennuierez au bout de quatre mois!

— Que non! J'y passerai l'été, je serai l'hiver à Paris et je voyagerai le reste du temps. Paris n'en mérite pas plus : le bouillonnement du romantisme a épuisé le monde littéraire et artistique et il va somnoler pendant dix ou vingt ans. Si vous voulez éviter que je ne fasse des dessins qui vous déplaisent, il ne vous restera qu'à me rejoindre là où je serai ou m'accompagner là où j'irai. Vous pourrez aussi m'écrire des lettres assez convaincantes pour me retenir de commettre tout écart. Mais je vous préviens, il y faudra des lettres longues, fréquentes et chaudes, mon tendre amour, notez cela.

— Chaudes! Pour qu'en les recevant, vous vous jetiez dans les bras des courtisanes!

— Vous agirez comme vous l'entendez, mon ange, dorénavant je vous précise que vous ne m'oublierez ni un jour ni une heure, dussiez-vous vivre jusqu'à cent ans et batailler à chaque instant pour me chasser de votre esprit. »

*

Edouard décida que les plans de sa nouvelle demeure seraient entièrement arrêtés dans un délai d'un mois. Cela me parut pure folie, mais je me gardai de le dire.

Il écrivit à son valet de chambre, le sommant d'apparaître sans délai. Je vis arriver avec étonnement le Normand que nous avions connu l'été précédent et qui était revenu à son service, après l'avoir quitté. « On me revient toujours! » ironisa Edouard, ce qui ne m'amusa qu'à moitié. L'habile garçon était accompagné de malles contenant les effets, instruments, livres d'architecture et traités sur la composition et l'ornement des jardins que son maître lui avait demandé d'apporter.

Deux architectes furent convoqués, dont l'un devait être chargé de l'aménagement du parc. Je pensais qu'ils ne se dérangeraient pas sur un ordre aussi bref. J'étais naïve : ces messieurs s'empressèrent. Ils logèrent à l'hôtel de France au Bugue, mais, soutenue par Pauline, je parvins à convaincre Edouard de tenir ses délibérations dans le salon de Puynègre et d'y convoquer les différents corps de métier. M. Dupont, le célèbre imprimeur et pépiniériste de Périgueux, fut appelé en consultation.

Pendant un mois, je ne reçus que les Maraval et le docteur Manet, sous prétexte que des plans étaient étalés jusque sur les fauteuils.

Je fus invitée à donner mon avis. Par scrupule, je crus devoir me plonger dans les savants ouvrages empilés sur la table du salon et me rendis compte que j'ignorais tout des jardins.

Un auteur anglais en distingue quatorze types, qu'il subdivise en vingt-cinq genres et en sous-catégories plus nombreuses encore. Je goûtai particulièrement la description du « jardin terrible », dont les chauves-souris, les vautours et oiseaux de rapine forment l'indispensable ornement. Des rochers arides près de s'écrouler, de hideuses cavernes et des cataractes menaçantes composent le décor. Les arbres sont noircis et fracassés par la foudre. Rien d'entier ne doit subsister, sinon quelques chétives cabanes. Ronces, broussailles, herbes vénéneuses y encombrent les sentiers. Des gibets, des croix, des roues ornent les carrefours. « Le terrible est une nuance du majestueux », précise gravement l'auteur.

Plutôt que d'encourir des frais en faisant fabriquer ce décor, pourquoi ne pas mettre le feu à son domaine, interdire que quiconque éteigne l'incendie, abandonner les lieux pendant trois ans et revenir dans les ruines pour y donner un grand bal dont les invités devraient se déguiser en fantômes? Si l'auteur m'avait consultée, je lui aurais suggéré deux ou trois améliorations pittoresques, par exemple des flambeaux en forme de squelettes, un repas servi dans des tombes spécialement creusées et remplies d'ossements pour l'occasion. On aurait pu ajouter quelques chacals et carcasses d'animaux pourrissantes, faire jaillir des fumées sulfureuses des entrailles de la terre.

Décidément, les Français n'entendent rien au roman noir et aucun de nos romanciers ne fait trembler comme Mme Radcliffe.

A l'autre bout de l'énumération, après les jardins surprenants, fantastiques, merveilleux ou mélancoliques, venait le jardin tranquille, qui naturellement suscitait un certain mépris chez notre auteur.

Le plus souvent, j'écoutais de loin les discussions de ces messieurs, qui parlaient d'ailleurs autant de mécanique et de construction que d'horticulture.

On calcula les dénivellations afin d'installer une machine hydraulique destinée à monter l'eau de la Vézère et à alimenter un lac artificiel, un bassin, deux fontaines. Au milieu du lac se dresserait un pavillon de repos, où l'on parviendrait par deux petits ponts. Voyant que ce projet me paraissait charmant, Edouard me glissa que seule à part lui, j'aurais la clef du pavillon. En utilisant les accidents du terrain, on aménagerait une terrasse, des escaliers et on choisit l'emplacement des statues, d'une colonnade, d'une grotte.

Je prévoyais la stupéfaction du voisinage quand

on verrait creuser, rehausser, remuer la terre à pleins tombereaux.

Ensuite, seulement, on s'attarda à définir le dessin des allées, des parterres, des bordures, des bosquets et d'une charmille. On conserverait les ifs et les buis qui existaient, ainsi que les plus beaux arbres, en particulier trois cèdres qui faisaient la fierté de La Vitrolle.

Je participais volontiers aux promenades que l'on faisait sur les lieux en mesurant et en décrétant d'un geste qu'une perspective, un quinconce ou un rond de tilleuls serait d'un bel effet à tel ou tel emplacement.

De même, j'allais avec plaisir dans la maison, parcourant les pièces que je n'avais jamais vues. Edouard voulait jeter bas et reconstruire à peu près tout l'intérieur. Il attendait le tapissier qu'il avait fait venir de Paris pour choisir les décorations et les tissus. On ferait exécuter au Bugue ou à Périgueux les travaux plus courants. Mais à ce que j'entendais depuis un mois, rien ne promettait d'être ordinaire dans le château et ses alentours.

Il avait racheté aux héritiers de la comtesse d'Herblot certains meubles et objets spécialement choisis et la bibliothèque entière. De plus, il avait dressé une liste, qui me parut considérable, des ouvrages qu'il voulait acheter à Paris ou faire acquérir dans des ventes par son libraire et expédier en Périgord.

Un jour où le temps était maussade et où les architectes s'étaient retirés plus tôt qu'à l'ordinaire, Edouard voulut me montrer l'ensemble des plans de la maison qu'ils venaient d'achever et qu'il déroula devant moi sur le bureau du salon. Je l'écoutais d'une oreille un peu distraite, car j'imagine mal un espace vivant quand il est rendu à plat et délimité par des traits de plume. A un moment, il précisa :

« Cette grande chambre, située en angle, et celle qui la précède seront réservées à mon fils et à sa gouvernante d'abord, à son précepteur ensuite. »

Durant ces dernières semaines, j'avais plusieurs fois répété d'un air incrédule les mots qu'il venait de prononcer, doutant d'avoir bien entendu. En cet instant, au contraire, je fixai obstinément le plan étalé devant nous, sur lequel il s'appuyait d'une main.

« Asseyons-nous et écoutez-moi, avant d'imaginer quelque révélation qui déchirerait nos vies. »

Il me guida vers le canapé, où il s'assit près de moi, sérieux, la sobriété de ses manières n'étant pas celle d'un homme bouleversé.

« Vous vous souvenez peut-être de Jenny, cette jeune actrice qui tenait le rôle de Desdémone, dans l'*Othello* que nous avons joué au château de Campagne, l'autre été? Elle se prétendait enceinte de moi, je vous l'avais dit, ce que je niais formellement. Peu après votre venue à Paris, le témoignage d'un des rares hommes scrupuleusement honnêtes que l'on rencontre dans ce Paris sans foi ni loi me fit admettre que l'enfant ne pouvait être du mari de Jenny. Cet homme – il était médecin – l'avait alors soigné pour une maladie qui l'avait tenu éloigné de sa femme pendant de longues semaines. Il me garantit également qu'elle n'avait eu d'autre amant que moi à l'époque. Je le crus. Avant mon départ pour Londres, j'acceptai de voir cet enfant, né six mois plus tôt. Aucun nourrisson ne m'a jamais intéressé, celui-là ne pouvait faire exception à la règle. Par correction, j'acceptai de pourvoir à son éducation, en le laissant entièrement aux soins de sa mère.

« Dans l'hôtel où elle habitait, je vis une nourrice hébétée qui berçait le plus joli petit enfant du monde, blond, rose, angélique, souriant. Eût-il été laid, aucune fibre en moi ne se serait émue, sans

doute. En un éclair me vint pourtant la conviction –
non la certitude – que ce marmot ressemblait à
mon cousin Aurélien, comme lui de naissance illé-
gitime et ignoré par son père. Donc, il était de moi!
Je n'eus ni à débattre ni à réfléchir, ma résolution
fut prise dans l'instant. Deux jours plus tard, j'avais
reconnu l'enfant – qui s'appelle aujourd'hui Paul de
Céré –, Jenny avait renoncé à tous droits sur lui, en
échange d'une pension de deux mille francs que je
lui verserai jusqu'à sa mort et qu'elle accepta avec
une satisfaction si éhontée que j'en fus révolté,
malgré le peu de délicatesse dont j'avais moi-même
fait preuve dans l'affaire. Ce marché lui convenait
fort bien, m'avoua-t-elle.

– Qui s'occupe de votre fils, maintenant?

– La femme de mon garde-chasse, à Senneville,
qui est une bonne mère et élève fort bien une large
famille. Si j'étais resté en Orient, j'aurais fait venir
l'enfant après quelques années. Maintenant que je
suis revenu et que j'ai acheté La Vitrolle, je voudrais
le faire élever ici, où vous pourrez m'aider à trouver
des domestiques de toute confiance.

– Pourquoi ne pas le faire venir à Puynègre, tant
que vos travaux ne seront pas achevés? »

L'émotion envahit le visage d'Edouard, mais il la
contint aussitôt. Me prenant les mains, il les baisa
doucement.

« Aussi égoïste que je sois et insoucieux de l'opinion publique, je ne peux vous exposer à l'ironie et
aux commentaires désobligeants des gens de la
région. »

Je l'interrompis :

« Je sais. On dira : « Quoi de plus naturel pour
« une femme d'âge mûr que de recourir au dévoue-
« ment pour retenir son amant – ou un ancien
« admirateur, ou un homme auquel elle a été fort
« sensible sans jamais pouvoir l'attacher! Quand
« l'enfant aura grandi, elle persuadera son père de

« le mettre au collège de Sarlat. Elle sera sûre ainsi
« de le voir au moins une fois l'an, pour la distri-
« bution des prix! »

– Et l'on dira de moi : « Faut-il que cet ancien
« dandy soit vil et sans honneur pour faire élever
« par sa dernière maîtresse l'enfant qu'il a eu d'une
« autre! » Les vieilles liaisons sont très en faveur à
Paris. Voyez Mme de Castellane et M. Molé, M. de
Chateaubriand et Mme Récamier, M. Guizot et la
princesse de Liéven. On dit même que le chancelier
Pasquier et Mme de Boigne vont se marier, et ils
totalisent cent quarante-quatre ans à eux deux. En
province il en va autrement. Que je sois votre voisin
est une chose, que je vous confie mon fils est bien
différent.

– Tout est ici affaire d'habitude. On cessera bien
vite de s'étonner, quand on verra que Pauline et
Tiénette s'occupent de cet enfant autant que moi et
l'on se désintéressera de cette routine familiale que
justifient vos voyages et la proximité de nos propriétés. Trouvons une femme sûre qui puisse
accompagner votre Paul jusqu'à Puynègre, le reste
ne causera aucune difficulté. Laissez-nous seulement lui donner une bonne qui soit un brave cœur
et attendez qu'il atteigne l'âge d'apprendre pour le
flanquer de maîtres distingués. »

Pauline, comme j'y comptais, finit d'arracher le
consentement d'Edouard.

Quand il fit la connaissance de M. de Céré, Jérôme, favorablement prévenu par sa sœur, ne parut
pas songer aux liens qui pouvaient nous unir, lui et
moi. Il se passionna avant tout pour les transforma-
tions en cours à La Vitrolle. Je croyais avoir
entendu à ce propos tous les arguments et tous les
points de vue. J'en étais loin! Edouard lui montra
par le menu ce qui allait se faire. Jérôme apporta un
feu nouveau à ces discussions, auxquelles je ne
contribuais plus que mollement. Il me répéta à

l'envi que M. de Céré entreprenait ce que lui-même avait rêvé de faire à Puynègre. Je bénis le Ciel que nous ayons été gagnés de vitesse et il me sembla que nous étions à l'abri de la démolition pour quelques années.

A la fin du mois de novembre, Edouard regagna Paris, laissant les deux architectes prendre soin des travaux et diriger le maître d'œuvre du Bugue chargé de leur exécution. Tout l'hiver, ils fréquentèrent Puynègre et les maisons de nos amis, où ils constituèrent une société parfaitement agréable.

Peu avant Noël, par un temps de neige fondue et de routes bourbeuses, le petit Paul nous arriva, dans les bras d'une grosse fille réjouie qui nous avait été envoyée par la Providence. Elle était de Saint-Chamassy et j'avais appris par ses parents qu'elle s'ennuyait à Paris, où elle avait suivi la fille récemment mariée d'un gros propriétaire voisin. Je lui avais écrit et elle avait accepté notre proposition sans hésiter. La présence de Paul et de cette joyeuse fille égaya la maison et fut acceptée sans presque d'étonnement.

A la fin de l'année, Tiénette mit au monde un fils, qu'on appela Sicaire.

Je m'émerveillai de voir comme, depuis l'arrivée imprévue d'Edouard, quelques semaines plus tôt, ma vie et celle de Puynègre s'étaient métamorphosées.

Le mariage de Jérôme et de Marguerite eut lieu au mois d'avril. Edouard fut un des témoins lors de la signature du contrat et leur offrit un surtout en argent digne d'une maison princière. Il était venu en Périgord pour s'assurer que La Vitrolle était en état de le recevoir. Pas un galon, pas un flambeau ne manquaient dans la maison. Ce qui ne s'était pas trouvé dans le pays avait été envoyé de Paris et ces mois avaient vu converger vers le château autant de

441

convois de rouliers chargés de caisses que d'ouvriers de tous les corps de métier.

Le parc était un chef-d'œuvre d'harmonie dans son dessin et ses premiers ouvrages, même si la végétation ne devait atteindre son plein développement qu'au fil des années.

Edouard partit ensuite pour l'Angleterre et ne revint qu'en juin, pour passer l'été à La Vitrolle. Nous nous étions écrit presque tous les jours pendant ces périodes de séparation et avions dû admettre que ce mode de vie convenait assez à nos deux caractères, également jaloux de leur indépendance. Le pavillon de repos fut le siège de si délicieuses rencontres qu'elles compensèrent la rigueur de ses absences.

Très vite, il apparut qu'il recevrait uniquement les gens qui l'intéressaient. Plutôt que de frayer exclusivement avec la bonne société, il ne se gêna pas pour inviter, sans souci de naissance, les esprits originaux et cultivés, qu'ils soient du pays ou de passage. Cela le regardait et je ne me mêlai de lui donner aucun conseil à cet égard. Le bruit courut bientôt qu'il attendait la visite de tel étranger de marque, de tel homme de lettres ou artiste en renom.

Il se réconciliait avec les Périgourdins en se montrant charmant avec eux, lors des réceptions que j'offrais. Il refusa les autres invitations, sauf celles des membres de sa famille, et l'on admit à regret que pareille excentricité ne s'était jamais vue et n'était pas susceptible de guérison.

Par un bel après-midi, j'étais assise sur les marches de la terrasse. Devant moi, dans l'allée, Paul et Sicaire, âgés l'un d'un an et demi, et l'autre de six mois, étaient assis dans un chariot de bois confectionné par notre menuisier. Maria, qui tenait lieu de cheval et promenait ces jeunes gens, avait abandonné son poste pour courir à la lingerie où elle pensait avoir oublié quelque chose.

A peine se fut-elle éloignée et Paul eut-il compris que l'équipage était immobilisé qu'il se jeta dans une de ces effroyables colères qui, à intervalles, congestionnaient son petit visage d'angelot. La bouche ouverte à y enfoncer le poing, il passa en moins d'une minute d'une satisfaction béate à des convulsions de fureur. Le gros Sicaire, paisible dans l'adversité, restait assis à sa place.

Je m'étais élancée, mais déjà Paul, voulant sans doute punir l'absente, avait donné un grand coup vers les brancards et emporté par son élan, piqué du nez sur le timon, entraînant le bébé dans sa chute. Un concert de hurlements s'éleva. J'extirpai les héros de leur carrosse, constatai que la rage et l'humiliation chez le premier, la peur chez le second, étaient à l'origine de ce vacarme.

Je frottai indistinctement genoux, bras et fronts, dorlotai, traitai l'un et l'autre de petit monstre, petit poison, petit trésor, tout en m'efforçant d'ôter le sable qui s'était répandu dans les cheveux de Sicaire et barbouillait le visage de Paul.

Quand Maria parut, elle remit placidement son monde dans le chariot, gronda et embrassa sans trop se soucier des raisons de l'accident et repartit en direction du verger, à la grande joie de ses passagers.

Une fois le calme revenu, je m'aperçus qu'Edouard se tenait appuyé contre la balustrade de la terrasse. Je secouai le sable qui restait accroché sur le devant de ma robe et le rejoignis.

« N'êtes-vous pas faible avec Paul? me demanda-t-il. Je m'étonne de voir un enfant à l'air si doux se jeter dans d'aussi épouvantables colères.

– Il n'est pas doux, je ne suis pas faible, et nous nous comprenons sans explications, lui et moi, déclarai-je sans m'émouvoir.

– Pourtant, je médite de vous arracher à lui au printemps prochain. Je compte aller en Italie et je veux que vous m'accompagniez.

– Qui s'occupera de Paul?

– Maria, sous la surveillance de Tiénette, et de Pauline si besoin était.

– Attendez un an! *Le Journal des Débats* vient de commencer à publier le feuilleton de votre ami Eugène Sue, *Les Mystères de Paris*. Il serait cruel de m'en arracher tant qu'il ne sera pas achevé.

– Eugène est un bavard, son feuilleton durera plus que je ne suis disposé à attendre.

– Et quelle explication donnerais-je si je vous suivais?

– Celle que vous voudrez, vous avez plusieurs mois pour en trouver une, vous commander des tenues de voyage, vous préparer enfin comme vous l'entendrez.

– Laissez-moi le temps de réfléchir! Je vous donnerai ma réponse dès que possible, je vous le promets.

– Je ne vous ai pas posé de questions et je n'attends pas de réponse, mon tendre amour. »

Déjà le chariot transportant les enfants reparaissait au bout de l'allée, Maria ayant pris le trot pour les amuser et nous empêchant de poursuivre cette discussion.

Edouard pressa mon pied contre le bord de la balustrade et murmura en souriant :

« Le temps des échappatoires est révolu, mon ange. »

DU MÊME AUTEUR

Aux Éditions Albin Michel :

FONTBRUNE, *roman.*

IMPRIMÉ EN FRANCE PAR BRODARD ET TAUPIN
Usine de La Flèche (Sarthe).
LIBRAIRIE GÉNÉRALE FRANÇAISE - 6, rue Pierre-Sarrazin - 75006 Paris.
ISBN : 2 - 253 - 04139 - 4